श्री शिव स्तोत्र माला
Sri Shiva Stotra Mala

BIHAR SCHOOL OF YOGA
50 years
1963–2013
GOLDEN JUBILEE

WORLD YOGA CONVENTION 2013
GANGA DARSHAN, MUNGER, BIHAR, INDIA
23rd–27th October 2013

श्री शिव स्तोत्र माला

Sri Shiva Stotra Mala

रुद्राभिषेक की सरल विधि के साथ

Including a simple guide for the performance of Rudrabhisheka

YOGA PUBLICATIONS TRUST

योग पब्लिकेशन्स ट्रस्ट, मुंगेर, बिहार, भारत

योग पब्लिकेशन्स ट्रस्ट द्वारा   *प्रथम संस्करण 2009*
द्वितीय संशोधित संस्करण 2012
तृतीय संयुक्त संस्करण 2013

ISBN: 978-81-86336-71-7

© बिहार योग विद्यालय 2009, 2012, 2013
प्रकाशक एवं वितरक—योग पब्लिकेशन्स ट्रस्ट,
मुंगेर, बिहार, भारत
मुद्रक—थॉमसन प्रेस (इंडिया) लिमिटेड,
नई दिल्ली

वेबसाइट: www.biharyoga.net
www.rikhiapeeth.net

सविनय समर्पण • Dedication

स्वामी शिवानन्द सरस्वती के चरणों में
जिन्होंने स्वामी सत्यानन्द सरस्वती को योग के रहस्यों की शिक्षा दी

In humility we offer this dedication to
Swami Sivananda Saraswati, who initiated
Swami Satyananda Saraswati into the secrets of yoga.

नमो नारायण

योगविद्या भारतवर्ष की सबसे प्राचीन संस्कृति और जीवन-पद्धति है तथा इसी विद्या के बल पर भारतवासी प्राचीनकाल में सुखी, समृद्ध और स्वस्थ जीवन बिताते थे। जब से भारत में योग विद्या का ह्रास हुआ, तभी से भारतवासी गरीब, दुःखी और अस्वस्थ हैं। पूजा-पाठ, धर्म-कर्म से शान्ति मिलती है और योगाभ्यास से धन-धान्य, समृद्धि और स्वास्थ्य। भारत में सुख, समृद्धि, शक्ति और स्वास्थ्य के लिए हर व्यक्ति को योगाभ्यास करना चाहिए।

स्वामी सत्यानन्द सरस्वती
रिखियापीठ, 2005

अनुक्रमणिका
Contents

xi

परिचय

भगवान सदाशिव शाश्वत, कालातीत, अजन्मा, अक्षय, पूर्ण ब्रह्म हैं। वे सर्वोपरि परात्पर तत्त्व हैं, अर्थात् उनसे परे और कुछ नहीं है। वेदों में इस परम तत्त्व को अव्यक्त, अजन्मा, सबका कारण, विश्व का स्रष्टा, पालक एवं संहारक कहकर गुणगान किया है। वे सुख-दु:ख, अच्छाई-बुराई से परे हैं। वे आँखों से नहीं दिखते, उन्हें ध्यान और समर्पण द्वारा हृदय में महसूस किया जा सकता है। वे सत्यम्, शिवम्, शुभम्, सुन्दरम्, कान्तम् हैं। वे देवाधिदेव हैं। वे शीघ्र प्रसन्न होने वाले हैं, वे सर्व सुलभ हैं।

सदाशिव एक आदर्श योगी हैं। उन्होंने मानव-जाति के हितार्थ सबसे शुभ और उपयोगी काम जो किया है, वह है संसार को योग, भक्ति, ज्ञान, तंत्र, मंत्र, यंत्र, आदि की जानकारी प्रदान करना। वे ऐसे लोगों पर अनुग्रह की वर्षा करते हैं जो पात्र हैं, और जो उनके अनुग्रह के बिना संसार सागर को पार नहीं कर सकते। वे जगत् गुरु ही नहीं, बल्कि जीवनमुक्त या विरक्त संन्यासी के लिए भी एक आदर्श उदाहरण हैं।

सदाशिव प्रेम के देवता हैं। उनकी कृपा असीम है। वे संसार सागर से जीवों के उद्धार में लगे रहते हैं। वे मानवजाति के प्रति परमप्रेम के वशीभूत होकर गुरु रूप धारण करते हैं। वे चाहते हैं कि सब उन्हें जानें और आनन्दपूर्ण शिव-पद को प्राप्त करें। सदाशिव की पंच क्रियायें हैं – सृष्टि, स्थिति, संहार, तिरोभाव और अनुग्रह।

सदाशिव शुभ्र वर्ण के हैं, जिसके द्वारा वे शिक्षा देते हैं कि लोगों का हृदय शुद्ध, सरल हो और उनके विचार पवित्र हों। वे अपने ललाट पर भस्म या विभूति की तीन रेखायें लगाते हैं। इसमें सीख है कि मनुष्य तीन अशुद्धियों – अनव (अहंकार), कर्म (जो फल की आशा से किये जाते हैं) और माया; तीन ईषणाओं – संपत्ति की कामना, स्त्री की कामना तथा स्वर्ण आदि धन की कामना; और तीन वासनाओं – लोकवासना, देह वासना और शास्त्र वासना – को नष्ट करे और फिर शुद्ध भाव से उन्हें प्राप्त करे। सत्त्व, रज, तम आदि के परे परम को प्राप्त करे।

सदाशिव के चरित्र अनुग्रह पूर्ण हैं। उनके समान न कोई दाता है, न तपस्वी, न ज्ञानी, न त्यागी, न वक्ता और न कोई ऐश्वर्यशाली। उन्हें संहारक कहा जाता है, यह एक भूल है। वास्तव में सदाशिव पुनरुत्पादक हैं। जब कभी किसी का शरीर इस जीवन में आगे विकास के लिए अयोग्य हो जाता है, चाहे रोग के कारण हो या वृद्धावस्था के कारण, तब वे इस अशक्त शरीर को हटाकर अच्छे विकास के लिए एक स्वस्थ, सुन्दर शरीर देते हैं। वे सबको शिव-पद देने की इच्छा रखते हैं।

सदाशिव का त्रिशूल तीन गुणों (सत्त्व, रजस् और तमस्) को प्रस्तुत करता है, जिन पर सदाशिव का प्रभुत्व है। ये इन्हीं तीन गुणों से शासन करते हैं। डमरु इनके बायें हाथ में है, जो प्रणव 'ॐ' को प्रस्तुत करता है, जिससे सभी भाषाएँ स्वरूप को प्राप्त करती हैं।

अर्धचन्द्र को सिर पर धारण करना बताता है कि इन्होंने बुद्धि को, मन को पूर्ण रूप से नियंत्रित किया है। गंगा की धारा अमरता रूपी अमृत को प्रस्तुत करती है। हाथी अपने आकार से गर्व वृत्ति का प्रतीक है। सदाशिव का हाथी-चर्म को पहनना बताता है कि गर्व वृत्ति पर इनका नियंत्रण है। बाघ कामवासना का द्योतक है। सदाशिव का व्याघ्र-चर्म पर बैठना बतलाता है कि इन्होंने कामवासना को वश में किया है। एक हाथ में मृग को पकड़ना यह बताता है कि इन्होंने मन की चंचलता को शान्त कर दिया है। गले के चारों तरफ सर्प का लपेटना ज्ञान और सनातनता का प्रतीक है। ज्ञान रूपी तीसरी आँख इनके ललाट के मध्य में होने के कारण इन्हें त्रिलोचन भी कहते हैं।

सदाशिव का अर्थ है 'कल्याणस्वरूप' और 'कल्याण प्रदाता'। श्रद्धापूर्वक किया गया थोड़ा-सा पूजन भी सदाशिव को प्रसन्न करने के लिए पर्याप्त होता है। सदाशिव का नाम किसी प्रकार से भी स्मरण किया जाय, सही तरह से या गलत, जानकर या अनजाने में, सावधानी से या असावधानी से, यह निश्चित है कि वे वाञ्छित फल देते हैं। सदाशिव के नाम की महिमा को तर्क और बुद्धि से नहीं समझा जा सकता, बल्कि भक्ति, विश्वास और मन्त्रों के भावपूर्ण जप द्वारा अनुभूत किया जा सकता है। उनका हर नाम अनन्त शक्ति का भण्डार है। सदाशिव के नाम की महिमा अनिर्वचनीय है। भगवान शिव के नाम में अन्तर्निहित शक्ति अगाध है।

निरन्तर शिव स्तोत्रों के पाठ और सदाशिव के नाम स्मरण से मन शुद्ध होता है। स्तोत्र अच्छे और शुद्ध विचारों से पूर्ण हैं। शिव मन्त्रों का जप अच्छे संस्कारों को प्रबल करता है। 'आदमी जैसा सोचता है वैसा बन जाता है।' यह मनोवैज्ञानिक नियम है। जो व्यक्ति स्वयं ही अपने को अच्छी सोच, पवित्र विचार के लिए शिक्षित करता है, उसके भीतर अच्छे विचारों के सृजन की प्रवृत्ति विकसित होती है। अच्छे विचारों से व्यक्ति का चरित्र अच्छे साँचे में ढल जाता है और बदल जाता है। जब

मन सदाशिव के स्तोत्रों का पाठ करते हुए उनके स्वरूप का स्मरण करता है, तब उस समय वह वास्तव में भगवान के विग्रह का स्वरूप ग्रहण कर लेता है। जो दिव्य विचारों को प्रश्रय देता है, वह निरंतर चिन्तन द्वारा वास्तव में दिव्य स्वरूप को प्राप्त कर लेता है। उसका भाव शुद्ध और दिव्य हो जाता है।

जिस प्रकार अग्नि की स्वाभाविक वृत्ति है ज्वलनशील वस्तुओं को जलाना, उसी प्रकार सदाशिव के नाम में पापों, संस्कारों और वासनाओं को भस्म करने तथा नाम-स्मरण करने वालों को आन्तरिक सुख एवं परम शान्ति प्रदान करने की शक्ति है। प्रत्येक आती-जाती श्वास के साथ शिव नाम-स्मरण करो। आधुनिक युग में नाम-स्मरण और संकीर्तन भगवान तक पहुँचने का सबसे सरल, सुरक्षित, त्वरित और विश्वसनीय मार्ग है।

रावण ने सदाशिव को शिव-ताण्डव-स्तोत्र से संतुष्ट कर लिया था। पुष्पदंत ने सदाशिव को शिव-महिम्न-स्तोत्र से प्रसन्न किया था। जिन्होंने सदाशिव को संतुष्ट किया, उन्हें शिव से ऐश्वर्य या सिद्धि और मुक्ति मिली। शिव के स्तोत्रों की महिमा अवर्णनीय है। सभी को शिव भजन गाना चाहिए और उनकी कृपा प्राप्त करनी चाहिए। तब आपको किसी अनजान भविष्य में नहीं, बल्कि अभी इसी समय उनका आशीर्वाद प्राप्त होगा।

अभिषेक

'अलंकारप्रियो विष्णु:, अभिषेकप्रिय: शिव: ' – भगवान विष्णु को अलंकार बहुत प्रिय है (अच्छे कपड़े, आभूषण आदि), शिव को अभिषेक पसंद है। शिव का अभिषेक जल, दूध, घी, दही, शहद, नारियल, पानी, पंचामृत आदि से करते हैं। अभिषेक के साथ-साथ रुद्र-पाठ किया जाता है। भगवान शिव अभिषेक से संतुष्ट हो जाते हैं।

सबसे बड़ा और श्रेष्ठ अभिषेक है शुद्ध प्रेम के जल को हृदय कमल में स्थित आत्मलिंग पर चढ़ाना। भिन्न-भिन्न वस्तुओं से बाह्य अभिषेक सदाशिव के प्रति समर्पण और श्रद्धा के विकास में मदद करेगा, और अन्त में शुद्ध प्रेम का बहाव प्रचुर मात्रा में आन्तरिक अभिषेक कर पाएगा।

अभिषेक शिव आराधना का अंग है। बिना अभिषेक के शिव-आराधना अधूरी है। अभिषेक के दौरान विशेष लय और सुर के साथ रुद्र, पुरुषसूक्त, महामृत्युंजय जप आदि किये जाते हैं। भाव और श्रद्धा के साथ अभिषेक करने से मन एकाग्र होता है। हृदय भगवान की कल्पना और दैवीय विचारों से भर जाता है। अहं धीरे-धीरे खत्म होता जाता है। जब विस्मरण का भाव आता है तब भक्त आनन्द से भर जाता है और उसे अपने अन्दर स्वर्गीय सुख और शान्ति की अनुभूति होती है।

अभिषेक स्वास्थ्य, संपदा, खुशहाली, समृद्धि आदि प्रदान करता है। सोमवार को किया अभिषेक मंगलकारी होता है।

'वेद: शिव: शिवो वेद:' वेद शिव हैं और शिव वेद हैं, अर्थात् शिव वेदस्वरूप हैं। भारतीय संस्कृति में वेद की अनुपम महिमा है। जैसे सदाशिव अनादि हैं, वैसे ही वेद भी अनादि माने जाते हैं। इसीलिए वेद-मन्त्रों के द्वारा सदाशिव की आराधना, अभिषेक, यज्ञ और जप आदि किया जाता है। सदाशिव को रुद्र भी कहा जाता है, क्योंकि ये रुत् अर्थात् दु:ख को नष्ट कर देते हैं। रुद्र की उपासना के लिए यजुर्वेद के अन्तर्गत 'रुद्राष्टाध्यायी' का वर्णन आता है। रुद्राष्टाध्यायी के मन्त्रों द्वारा अभिषेक का विशेष महत्त्व है। रुद्रानुष्ठान प्रवृत्ति मार्ग से निवृत्ति मार्ग को प्राप्त कराने में समर्थ है। इस ग्रन्थ में मूल रुद्री पाठ तथा रुद्राभिषेक की सरल विधि दी गयी है, जिससे साधक आसानी से रुद्राभिषेक कर सकते हैं।

लगभग एक वर्ष पूर्व बाल योग मित्र मण्डल के बच्चों ने स्वामी निरंजनानन्द जी से निवेदन किया था कि वे बच्चों को शिवजी के बारे में बतायें। तब स्वामीजी ने कहा था कि उचित समय पर वे सब बतायेंगे। फिर श्री अरुण कुमार जी गोयनका ने शिवालय में शिव पुराण की कथा कहने को स्वामीजी से अनुरोध किया। बच्चों को दिये गये आश्वासन के कारण ही स्वामीजी ने अपनी स्वीकृति दे दी। शिव चरित्र एवं शिव आराधना का यह आयोजन श्री मगनीराम बैजनाथ गोयनका दातव्य न्यास, मुंगेर द्वारा 13 से 20 फरवरी 2009 तक श्री बैद्यनाथेश्वर शंकरबाग, मुंगेर में किया गया, जिसकी सारी व्यवस्था बाल योग मित्र मण्डल, मुंगेर के बच्चों ने सम्भाली।

इस पावन आयोजन के अवसर पर पुराणों में वर्णित सिद्ध स्तोत्रों का संकलन कर यह श्री शिव स्तोत्र माला भक्तों को भेंट की गयी। ये स्तोत्र ऋषि-मुनियों तथा देवताओं द्वारा सदाशिव की स्तुति में, उन्हें प्रसन्न करने के लिए रचे गये हैं। इन स्तोत्रों में जीवन में मंगल लाने की भरपूर शक्ति है। इन शिव स्तोत्रों के माध्यम से आपके द्वारा की गयी आराधना हमेशा आपके अभीष्ट को पूर्ण करेगी।

Introduction

Sri Shiva Stotra Mala is a compilation of stotras as described in the Puranas in praise of Shiva. *Shiva* is that highest consciousness within us which is benevolent, eternal, beyond time, unborn, imperishable and ever-expanding. The word *stotra* literally means a 'collection of mantras in praise of the supreme reality'. That state of highest consciousness has been personified as the almighty Lord Shiva, to whom these stotras are dedicated. Composed and sung by sages, seers and gods, the stotras praise Shiva with a view to propitiate him and awaken his power and grace. Sincere and heartfelt worship of Shiva brings untold grace to the lives of all.

In the Vedas, Lord Shiva has been eulogized as the source of all, and the creator, sustainer and destroyer of the universe. It is said that he cannot be seen with the eyes, but he can be experienced within the heart in the form of truth and auspiciousness through meditation and surrender. Shiva is the supreme, almighty principle, and there is nothing beyond him. He is beyond happiness and sorrow, good and bad. He is the lustrous god of gods. He is easily appeased and attainable by one and all.

Shiva is the ideal yogi and the lord of yogis. His greatest, most auspicious and valuable contribution is his gift of the knowledge of yoga, bhakti, jnana, tantra, mantra and yantra, to humankind. He is the ideal and the inspiration for yoga aspirants, sannyasins and for those who seek freedom from the bondage of the world. He showers his grace on the deserving and also upon the hapless who are unable to cross the ocean of *samsara*, the material world. He is *jagadguru*, preceptor of the world.

Shiva is the god of love; he assumes the form of guru out of his supreme love for humankind. He is always engaged in the liberation of all beings, so that all may know him and thus attain the blissful state of Shiva-hood. His grace has no limit. The power of Shiva is said to have five chief functions: creation, maintenance, dissolution, concealment or diversion, and grace.

In Shiva's appearance and form lies rich, sacred symbolism. His complexion is white, which represents the cultivation of pious thoughts and a pure and simple heart. Upon his forehead there are three lines of ash, signifying the destruction of the three impurities: *anava*, ego, *karma*, action performed with desire, and *maya*, illusion; the three desires: wealth, wife and progeny; and the three cravings: recognition, the body and scriptural knowledge.

Shiva's trident represents the three *gunas* or qualities of nature that we are all subject to: *sattwa*, luminosity; *rajas*, dynamism; and *tamas*, inertia. With a pure heart, one will attain him, he who is beyond sattwa, rajas and tamas. While we are under the influence of the gunas, however, Shiva controls and governs the universe with them.

Shiva has a *damaru*, hand drum, in his left hand which represents *Om* or pranava, the primal seed sound, the source of all language. Shiva holds the crescent moon on his head, indicating that he has complete control over his mind and intellect. The stream of the Ganga emanating from his matted hair symbolizes the nectar of immortality. The elephant, on account of its large size, is the symbol of the egoistic nature. He wears the skin of the elephant, symbolizing his full control over the ego. He sits on a tiger-skin; the tiger is the symbol of sexual instinct, thus indicating that he has mastery over passion. He holds a deer with one of his hands, signifying that he has fully pacified the fidgety mind. The serpent coiled around his neck is the symbol of knowledge and eternity. He has the third eye on his forehead, therefore he is known as *trilochana* or the three-eyed one. This eye is the symbol of *jnana*, wisdom.

Shiva's nature is absolutely graceful. He is the greatest benefactor, ascetic, jnani, renunciate and orator. His majesty and glory are incomparable. To call him a destroyer is a mistake. In fact, he is the regenerator. When someone's body becomes unfit for further evolution, either on account of sickness or old age, he destroys that body and gives a healthy, handsome new form for speedy evolution. In his benevolence, he wishes to provide the state of Shiva to one and all.

Shiva means auspiciousness or the giver of all that is auspicious. Even a little worship done with *shraddha*, faith, is enough to appease him. However we remember his name: rightly, wrongly, knowingly, unknowingly, with or without care, he grants the desired wish. The glory of the name of Shiva cannot be understood through intellect, logic or reasoning. He can be experienced through faith, devotion and *japa*, repetition of his name through the use of mantra. Each of his names is an inexhaustible storehouse of energy. The glory of his name is indescribable. It is said that the power inherent in the name of Lord Shiva is unfathomable.

The mind is purified through the continuous chanting of Shiva stotras and remembrance of the name of Shiva. The stotras in this book are filled with good and pure thoughts and the japa of these Shiva mantras strengthens the positive *samskaras*, the mental impressions. 'As you think, so you become', this is a psychological law. Therefore, one who cultivates positive thinking and pure thoughts develops the tendency to generate continuous positive thoughts. With the generation of continuous positive thoughts, one reaps a good character. Similarly, if one thinks of the form of Shiva, that highest reality, while chanting his stotras, one's mind actually transforms into the form of that divinity. One who imbibes the divine thought through continuous contemplation, becomes that divine form. One's *bhava*, feeling, and existence, become pure and divine.

Just as it is the nature of fire to burn the flammable, the name of Shiva reduces to ashes the sins, samskaras and passions of one who remembers his name. He bestows upon the devotee inner contentment, happiness and supreme bliss. Remember the name of Shiva with each incoming and outgoing breath. In this age, the remembrance of name and kirtan constitute the easiest, safest, quickest and the most reliable path to attain God.

Whoever has appeased Shiva has attained *siddhi*, perfection, and *mukti*, liberation. Ravana, the great demon-king of the *Ramayana*, appeased Shiva with *Shiva Tandava Stotra*. Pushpadanta propitiated Shiva with *Shiva Mahimna Stotra*. The glory of Shiva stotras is indescribable, thus everybody ought to sing them. Those who do so will receive his grace and his blessings, not in the unknown future, but right now, in this very moment.

Abhisheka

There is a saying, *Alankarapriyo Vishnuh, Abhishekapriyah Shivah*, which means that Lord Vishnu loves *alankara*, good clothes and ornaments, and Shiva loves abhisheka. Abhisheka is an integral aspect of Shiva worship, of invoking and awakening that spiritual energy. It is said that the worship of Shiva is incomplete without abhisheka. *Abhisheka* is a ceremonial bath, a consecration, performed by pouring water, milk, ghee, curd, honey, coconut, panchamrita and other auspicious offerings upon a *Shivalingam*, a naturally-formed smooth stone which represents Shiva consciousness. Alongside this offering, mantras such as the *Rudri*, *Purusha Sukta* and the Mahamrityunjaya mantra are chanted with a specific tune and rhythm. It is said that Shiva is appeased through abhisheka. When the abhisheka is performed with bhava and shraddha, the mind becomes focused.

The external abhisheka with different offerings and items helps to develop shraddha and *samarpan*, surrender. It symbolizes worship to the highest consciousness. This then transforms into the greatest and the best abhisheka, the real, inner abhisheka which is to pour the water of pure love on the *atmalinga*, inner spirit, established in the heart-lotus, and, finally the outflow of pure love for the divine. The result of the inner abhisheka is that the heart becomes filled with divine thoughts and the image of the Lord. The ego is gradually eliminated and the devotee becomes oblivious to the world, filled with bliss and the experience of heavenly happiness and peace.

Abhisheka bestows health, wealth, happiness and prosperity. The abhisheka done on Monday, denoted as Shiva's day, is especially auspicious.

It has been said, *Vedah Shivah Shivo Vedah* – "Veda is Shiva and Shiva is Veda", that is, Shiva is Veda itself. The Vedas are the sacred knowledge, the most ancient and authentic spiritual scriptures revealed to the sages which express the knowledge of the whole universe, in the form of mantras. The glory of the Vedas in Indian culture is incomparable. The Vedas are as eternal as Shiva. Therefore, the worship, abhisheka, yajna and japa of Shiva are done with the vedic mantras. Shiva is also known as Rudra because he destroys *rut,* or unhappiness and sorrows. For the worship of Rudra, there is a description of 'Rudrashtadhyayi' in the *Yajurveda.* The abhisheka with the mantras of *Rudrashtadhyayi* is of special importance, as this Rudra ritual helps one to withdraw from the worldly existence and adopt the path that leads to the divine. This text contains the original *Rudripath* and the simple methods of Rudrabhisheka, which allows any sadhaka to easily perform Rudrabhisheka.

The Shiva stotras presented in this book hold the power to bring about auspiciousness in life. If practised sincerely, they will bestow the fulfilment of your highest aspirations.

Phonetic Pronunciation Guide

Sanskrit

अ	a	*as in* mica
आ ा	ā	far
इ ि	i	hill
ई ी	ī	police
उ ु	u	pull
ऊ ू	ū	fool
ऋ ृ	ṛ	clarity
ॠ ॄ	ṝ	marine
ऌ	lṛ	rivalry
ॡ	lṝ	rivalry (*prolonged*)
ए े	e	prey
ऐ ै	ai	aisle
ओ ो	o	go
औ ौ	au	cow
ं	ṃ	rum
ः	ḥ	bah
ँ	m̐	romp
ँ	gvaṃ	
क्	k	meek
ख्	kh	inkhorn
ग्	g	go
घ्	gh	yoghurt
ङ्	ṅ	sing
च्	ch	check
छ्	chh	churchhill
ज्	j	jab
झ्	jh	hedgehog
ञ्	ñ	canyon
ट्	ṭ	true
ठ्	ṭh	anthill
ड्	ḍ	do
ढ्	ḍh	redhead
ण्	ṇ	gong
त्	t	water (*dental*)
थ्	th	nuthook
द्	d	bud
ध्	dh	adhere (*more dental*)
न्	n	not
प्	p	pay
फ्	ph	photo
ब्	b	rub
भ्	bh	abhor
म्	m	map
य्	y	yoga
र्	r	red
ल्	l	bull
व्	v	vice
श्	ś	shield
ष्	ṣ	assure
स्	s	sin
ह्	h	hit
क्ष्	kṣ	kshatriya
त्र्	tr	track (*dental*)
ज्ञ्	jñ	jnana
ऽ	'	

Hindi

ड़	ra	
ढ़	rha	
ँ	ँ	vowel is nasalized

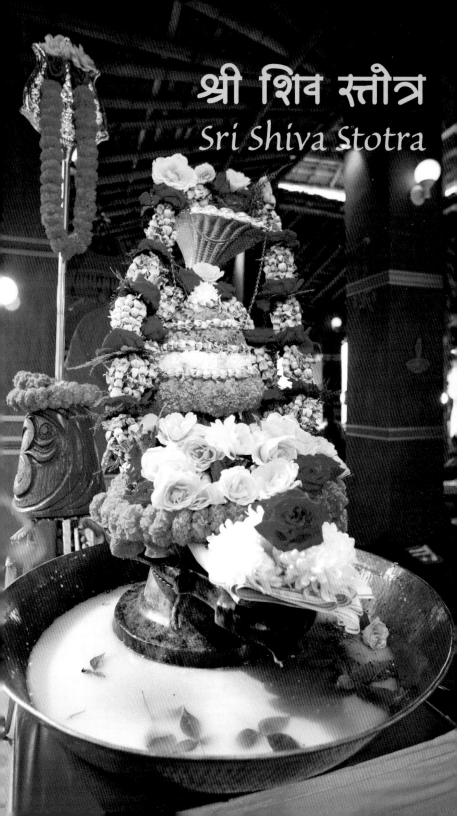

श्री शिव स्तौत्र

Sri Shiva Stotra

लिंगाष्टकम्

ब्रह्म मुरारि सुरार्चित लिंगं निर्मल भासित शोभित लिंगम् ।
जन्मज दु:ख विनाशन लिंगं तत्प्रणमामि सदाशिव लिंगम् ॥ 1 ॥

देव मुनि प्रवरार्चित लिंगं काम-दहन करुणाकर लिंगम् ।
रावण दर्प विनाशन लिंगं तत्प्रणमामि सदाशिव लिंगम् ॥ 2 ॥

सर्व सुगन्धि सुलेपित लिंगं बुद्धि-विवर्द्धन कारण लिंगम् ।
सिद्धसुरासुर वन्दित लिंगं तत्प्रणमामि सदाशिव लिंगम् ॥ 3 ॥

कनक महामणि भूषित लिंगं फणिपति-वेष्टित शोभित लिंगम् ।
दक्ष सुयज्ञ विनाशन लिंगं तत्प्रणमामि सदाशिव लिंगम् ॥ 4 ॥

कुंकुम चन्दन लेपित लिंगं पंकज हार सुशोभित लिंगम् ।
संचित पाप विनाशन लिंगं तत्प्रणमामि सदाशिव लिंगम् ॥ 5 ॥

देवगणार्चित सेवित लिंगं भावैर्भक्तिभिरेव च लिंगम् ।
दिनकर कोटि प्रभाकर लिंगं तत्प्रणमामि सदाशिव लिंगम् ॥ 6 ॥

अष्टदलो परिवेष्टित लिंगं सर्व समुद्भव कारण लिंगम् ।
अष्ट दरिद्र विनाशन लिंगं तत्प्रणमामि सदाशिव लिंगम् ॥ 7 ॥

सुरगुरु सुरवर पूजित लिंगं सुरतरु पुष्प सदार्चित लिंगम् ।
परात्परं परमात्मक लिंगं तत्प्रणमामि सदाशिव लिंगम् ॥ 8 ॥

ॐ शान्तिः शान्तिः शान्तिः ॥ हरिः ॐ ॥

श्री-शिवमहिम्नः स्तोत्रम्

महिम्नः पारं ते परमविदुषो यद्यसदृशी
स्तुतिर्ब्रह्मादीनामपि तदवसन्नास्त्वयि गिरः।
अथावाच्यः सर्वः स्वमति-परिणामावधि गृणन्
ममाप्येष स्तोत्रे हर निरपवादः परिकरः॥ 1॥

अतीतः पन्थानं तव च महिमा वाङ्मनसयोः
अतद्व्यावृत्त्या यं चकितमभिधत्ते श्रुतिरपि ।
सः कस्य स्तोतव्यः कतिविधगुणः कस्य विषयः
पदे त्वर्वाचीने पतति न मनः कस्य न वचः॥ 2॥

मधुस्फीता वाचः परमममृतं निर्मितवतः
तव ब्रह्मन्किं वागपि सुरगुरोर्विस्मय-पदम् ।
मम त्वेतां वाणीं गुणकथन-पुण्येन भवतः
पुनामीत्यर्थेऽस्मिन्पुरमथन बुद्धिर्व्यवसिता ॥ 3॥

तवैश्वर्यं यत्तज्जगदुदयरक्षा-प्रलयकृत्
त्रयीवस्तु व्यस्तं तिसृषु गुणभिन्नासु तनुषु ।
अभव्यानामस्मिन् वरद रमणीयाम-रमणीं
विहन्तुं व्याक्रोशीं विदधत इहैके जडधियः॥ 4॥

किमीहः किंकायः स खलु किमुपायस्त्रिभुवनं
किमाधारो धाता सृजति किमुपादान इति च ।
अतर्क्यैश्वर्ये त्वय्यनवसरदुःस्थो हतधियः
कुतर्कोऽयं कांश्चिन्मुखरयति मोहाय जगतः॥ 5॥

अजन्मानो लोकाः किमवयववन्तोऽपि जगताम्
अधिष्ठातारं किं भवविधिरनादृत्य भवति ।
अनीशो वा कुर्याद् भुवनजनने कः परिकरो
यतो मन्दास्त्वां प्रत्यमरवर संशेरत इमे ॥ 6॥

त्रयी सांख्यं योगः पशुपतिमतं वैष्णवमिति
प्रभिन्ने प्रस्थाने परमिदमदः पथ्यमिति च ।
रुचीनां वैचित्र्याद् ऋजुकुटिल-नानापथजुषां
नृणामेको गम्यस्त्वमसि पयसामर्णव इव ॥ 7॥

महोक्षः खट्वांगं परशुरजिनं भस्म फणिनः
कपालं चेतीयत्तव वरद तन्त्रोपकरणम् ।
सुरास्तां तामृद्धिं दधति तु भवद्भ्रूप्रणिहितां
न हि स्वात्मारामं विषयमृगतृष्णा भ्रमयति ॥ 8 ॥

ध्रुवं कश्चित्सर्वं सकलमपरस्त्वध्रुवमिदं
परो ध्रौव्याध्रौव्ये जगति गदति व्यस्तविषये ।
समस्तेऽप्येतस्मिन् पुरमथन तैर्विस्मित इव
स्तुवञ्जिह्रेमि त्वां न खलु ननु धृष्टा मुखरता ॥ 9 ॥

तवैश्वर्यं यत्नाद्यदुपरि विरिञ्चिर्हरिरधः
परिच्छेत्तुं याता-वनलमनलस्कन्ध-वपुषः ।
ततो भक्तिश्रद्धाभरगुरुगृणद्भ्यां गिरीश यत्
स्वयं तस्थे ताभ्यां तव किमनुवृत्तिर्न फलति ॥ 10 ॥

अयत्नादापाद्य त्रिभुवनमवैरव्यतिकरं
दशास्यो यद्बाहूनभृत रणकण्डूपरवशान् ।

शिर:पद्म श्रेणीरचितचरणाम्भोरुहबले:
स्थिरायास्त्वद्भक्ते-स्त्रिपुरहर विस्फूर्जितमिदम् ॥ 11 ॥

अमुष्य त्वत्सेवा-समधिगतसारं भुजवनं
बलात्कैलासेऽपि त्वदधिवसतौ विक्रमयत: ।
अलभ्या पातालेऽप्यलसचलितांगुष्ठशिरसि
प्रतिष्ठा त्वय्यासीद् ध्रुवमुपचितो मुह्यति खल: ॥ 12 ॥

यदृद्धिं सुत्राम्णो वरद परमोच्चैरपि सतीम्
अधश्चक्रे बाण: परिजनविधेयस्त्रिभुवन: ।
न तच्चित्रं तस्मिन् वरिवसितरि त्वच्चरणयो:
न कस्या उन्नत्यै भवति शिरसस्त्वय्यवनति: ॥ 13 ॥

अकाण्डब्रह्माण्ड-क्षयचकित-देवासुरकृपा-
विधेयस्यासीद्यस्त्रिनयन विषं संहृतवत: ।
स कल्माष: कण्ठे तव न कुरुते न श्रियमहो
विकारोऽपि श्लाघ्यो भुवनभय-भंगव्यसनिन: ॥ 14 ॥

असिद्धार्था नैव क्वचिदपि सदेवासुरनरे
निवर्तन्ते नित्यं जगति जयिनो यस्य विशिखा: ।
स पश्यन्नीश त्वामितर-सुरसाधारणमभूत्-
स्मर: स्मर्तव्यात्मा न हि वशिषु पथ्य: परिभव: ॥ 15 ॥

मही पादाघाताद् व्रजति सहसा संशयपदं
पदं विष्णोर्भ्राम्यद्भुजपरिघ-रुग्णग्रहगणम् ।
मुहुर्द्यौर्दौस्थ्यं यात्यनिभृत-जटाताडिततटा
जगद्रक्षायै त्वं नटसि ननु वामैव विभुता ॥ 16 ॥

वियद्व्यापी तारा-गणगुणित-फेनोद्गमरुचि:
प्रवाहो वारां य: पृषतलघुदृष्ट: शिरसि ते ।
जगद्द्वीपाकारं जलधिवलयं तेन कृतमित्-
यनेनैवोन्नेयं धृतमहिम दिव्यं तव वपु: ॥ 17 ॥

रथ: क्षोणी यन्ता शतधृतिरगेन्द्रो धनुरथो
रथांगे चन्द्रार्कौ रथचरणपाणि: शर इति ।
दिधक्षोस्ते कोऽयं त्रिपुरतृणमाडम्बरविधि:
विधेयै: क्रीडन्त्यो न खलु परतन्त्रा: प्रभुधिय: ॥ 18 ॥

14

हरिस्ते साहस्रं कमलबलिमाधाय पदयो:
यदेकोने तस्मिन्निजमुदहरन्नेत्र-कमलम् ।
गतो भक्त्युद्रेक: परिणतिमसौ चक्रवपुषा
त्रयाणां रक्षायै त्रिपुरहर जागर्ति जगताम् ॥ 19 ॥

क्रतौ सुप्ते जाग्रत्त्वमसि फलयोगे क्रतुमतां
क्व कर्म प्रध्वस्तं फलति पुरुषाराधनमृते ।
अतस्त्वां सम्प्रेक्ष्य क्रतुषु फलदानप्रतिभुवं
श्रुतौ श्रद्धां बध्वा दृढपरिकर: कर्मसु जन: ॥ 20 ॥

क्रियादक्षो दक्ष: क्रतुपतिरधीशस्तनुभृताम्-
ऋषीणामार्त्विज्यं शरणद सदस्या: सुरगणा: ।
क्रतुभ्रंशस्त्वत्त: क्रतुफलविधान-व्यसनिनो
ध्रुवं कर्तु: श्रद्धाविधुरमभिचाराय हि मखा: ॥ 21 ॥

प्रजानाथं नाथ प्रसभमभिकं स्वां दुहितरं
गतं रोहिद्भूतां रिरमयिषु-मृष्यस्य वपुषा ।
धनुष्पाणेर्यातं दिवमपि सपत्राकृतममुं
त्रसन्तं तेऽद्यापि त्यजति न मृगव्याधरभस: ॥ 22 ॥

स्वलावण्याशंसा धृतधनुषमह्नाय तृणवत्-
पुर: प्लुष्टं दृष्ट्वा पुरमथन पुष्पायुधमपि ।
यदि स्त्रैणं देवी यमनिरत देहार्धघटनाद्-
अवैति त्वामद्धा बत वरद मुग्धा युवतय: ॥ 23 ॥

श्मशानेष्वाक्रीडा स्मरहर पिशाचा: सहचरा:
चिताभस्मालेप: स्रगपि नृकरोटीपरिकर: ।
अमंगल्यं शीलं तव भवतु नामैवमखिलं
तथापि स्मर्तॄणां वरद परमं मंगलमसि ॥ 24 ॥

मन: प्रत्यक्चित्ते सविधमवधायात्त-मरुत:
प्रहृष्यद्रोमाण: प्रमद-सलिलोत्संगितदृश: ।
यदालोक्याह्लादं ह्रद इव निमज्यामृतमये
दधत्यन्तस्तत्त्वं किमपि यमिनस्तत्किल भवान् ॥ 25 ॥

त्वमर्कस्त्वं सोमस्त्वमसि पवनस्त्वं हुतवह:
त्वमापस्त्वं व्योम त्वमु धरणिरात्मा त्वमिति च ।

15

परिच्छिन्नामेवं त्वयि परिणता बिभ्रतु गिरं
न विद्मस्तत्तत्त्वं वयमिह तु यत्त्वं न भवसि ॥ 26 ॥

त्रयीं तिस्रो वृत्तीस्त्रिभुवनमथो त्रीनपि सुरान्-
अकाराद्यैर्वर्णै-स्त्रिभिरभिदधत्तीर्ण-विकृति ।
तुरीयं ते धाम ध्वनिभिरवरुन्धानमणुभि:
समस्तं व्यस्तं त्वां शरणद गृणात्योमिति पदम् ॥ 27 ॥

भव: शर्वो रुद्र: पशुपतिरथोग्र: सह महान्
तथा भीमेशानाविति यदभिधानाष्टकमिदम् ।
अमुष्मिन्प्रत्येकं प्रविचरति देव श्रुतिरपि
प्रियायास्मै धाम्ने प्रणिहित-नमस्योऽस्मि भवते ॥ 28 ॥

नमो नेदिष्ठाय प्रियदव दविष्ठाय च नमो
नम: क्षोधिष्ठाय स्मरहर महिष्ठाय च नम:।
नमो वर्षिष्ठाय त्रिनयन यविष्ठाय च नमो
नम: सर्वस्मै ते तदिदमितिसर्वाय च नम: ॥ 29 ॥

बहलरजसे विश्वोत्पत्तौ भवाय नमो नम:
प्रबलतमसे तत्संहारे हराय नमो नम:।
जनसुखकृते सत्त्वोद्रिक्तौ मृडाय नमो नम:
प्रमहसि पदे निस्त्रैगुण्ये शिवाय नमो नम: ॥ 30 ॥

कृशपरिणति चेत: क्लेशवश्यं क्व चेदं
क्व च तव गुणसीमोल्लंघिनी शश्वदृद्धि:।
इति चकितम-मन्दीकृत्य मां भक्तिराधाद्
वरद चरणयोस्ते वाक्य-पुष्पोपहारम् ॥ 31 ॥

असितगिरिसमं स्यात्कज्जलं सिन्धुपात्रे
सुरतरुवरशाखा लेखनी पत्रमुर्वी।
लिखति यदि गृहीत्वा शारदा सर्व कालं
तदपि तव गुणानामीश पारं न याति ॥ 32 ॥

असुरसुर-मुनीन्द्रैरर्चितस्येन्दु-मौले:
ग्रथितगुणमहिम्नो निर्गुणस्येश्वरस्य ।
सकलगणवरिष्ठ: पुष्पदन्ताभिधानो
रुचिरमलघुवृत्तै: स्तोत्रमेतच्चकार ॥ 33 ॥

अहरहरनवद्यं धूर्जटेः स्तोत्रमेतत्
पठति परमभक्त्या शुद्धचित्तः पुमान्यः।
स भवति शिवलोके रुद्रतुल्यस्तथाऽत्र
प्रचुरतरधनायुः पुत्रवान्कीर्त्तिमांश्च ॥ 34 ॥

दीक्षा दानं तपस्तीर्थं ज्ञानं यागादिकाः क्रियाः।
महिम्नस्तवपाठस्य कलां नार्हन्ति षोडशीम् ॥ 35 ॥

आसमाप्तमिदं स्तोत्रं पुण्यं गन्धर्वभाषितम्।
अनौपम्यं मनोहारि शिवमीश्वरवर्णनम् ॥ 36 ॥

महेशान्नापरो देवो महिम्नो नापरा स्तुतिः।
अघोरान्नापरो मंत्रो नास्ति तत्त्वं गुरोः परम् ॥ 37 ॥

कुसुमदशननामा सर्वगन्धर्वराजः
शिशुशशिधर-मौलेर्देवदेवस्य दासः।
स खलु निजमहिम्नो भ्रष्ट एवास्य रोषात्
स्तवनमिदमकार्षीद् दिव्यदिव्यं महिम्नः ॥ 38 ॥

सुरवरमुनिपूज्यं स्वर्गमोक्षैकहेतुं
पठति यदि मनुष्यः प्राञ्जलिर्नान्यचेताः।
व्रजति शिवसमीपं किन्नरैः स्तूयमानः
स्तवनमिदममोघं पुष्पदन्तप्रणीतम् ॥ 39 ॥

श्रीपुष्पदन्त-मुखपंकज-निर्गतेन
स्तोत्रेण किल्विषहरेण हरप्रियेण ।
कण्ठस्थितेन पठितेन समाहितेन
सुप्रीणितो भवति भूतपतिर्महेशः ॥ 40 ॥

इत्येषा वाङ्मयी पूजा श्रीमच्छंकरपादयोः।
अर्पिता तेन देवेशः प्रीयतां मे सदाशिवः ॥ 41 ॥

यदक्षरं पदं भ्रष्टं मात्राहीनं च यद्भवेत् ।
तत्सर्वं क्षम्यतां देव प्रसीद परमेश्वर ॥ 42 ॥

हरिः ॐ पूर्णमदः पूर्णमिदं पूर्णात्पूर्णमुदच्यते ।
पूर्णस्य पूर्णमादाय पूर्णमेवावशिष्यते ॥

ॐ शान्तिः शान्तिः शान्तिः ॥ हरिः ॐ ॥

शिव-ताण्डव-स्तोत्रम्

जटाटवी-गलज्जल-प्रवाह-पावितस्थले
गलेऽवलम्ब्य-लम्बितां भुजंग-तुंग-मालिकाम् ।
डमड्-डमड् डमड् ड्मड्-निनाद-वड्डमर्वयम्
चकार-चण्ड ताण्डवं तनोतु नः शिवः शिवम् ॥ 1 ॥

जटाकटाहसम्भ्रम-भ्रमन्निलिम्प निर्झरी
विलोल-वीचि-वल्लरी विराजमान-मूर्द्धनि ।
धगद्-धगद्-धगद्-ज्वलल्ललाट-पट्ट पावके
किशोर-चन्द्र-शेखरे रतिः प्रतिक्षणं मम ॥ 2 ॥

धरा-धरेन्द्र नन्दिनी विलास बन्धु बन्धुर-
स्फुरत् दिगन्त सन्तति प्रमोदमान मानसे ।
कृपा-कटाक्ष-धोरणी निरुद्ध दुर्धरापदि
क्वचिद्-दिगम्बरे मनो विनोदमेतु वस्तुनि ॥ 3 ॥

जटा-भुजंग-पिंगल-स्फुरत्-फणा-मणि-प्रभा-
कदम्ब-कुंकुम-द्रव-प्रलिप्त-दिग्वधूमुखे ।
मदान्ध-सिन्धुर-स्फुरत्-त्वगुत्तरीयमेदुरे
मनो-विनोदमद्भुतं बिभर्तु भूतभर्तरि ॥ 4 ॥

सहस्त्र-लोचन-प्रभृत्य शेष लेख शेखर-
प्रसून-धूलि-धोरणी विधूसरांघ्रिपीठभूः ।
भुजंगराजमालया निबद्ध-जाट-जूटकः
श्रियै चिराय जायतां चकोर-बन्धु शेखरः ॥ 5 ॥

ललाट-चत्वरज्वलद् धनञ्जय-स्फुलिंगभा-
निपीत-पञ्च-सायकं नमन्निलिम्प-नायकम् ।
सुधा-मयूख-लेखया-विराजमान-शेखरं
महाकपालि-सम्पदे शिरो जटालमस्तु नः ॥ 6 ॥

कराल-भाल पट्टिका धगद्-धगद्-धगद्-ज्वलद्-
धनञ्जयाहुती-कृत प्रचण्ड पञ्च-सायके ।

धरा-धरेन्द्र-नन्दिनी कुचाग्रचित्र पत्रक-
प्रकल्पनैक-शिल्पिनी त्रिलोचने रतिर्मम ॥ 7 ॥

नवीन-मेघ-मण्डली-निरुद्ध-दुर्धरस्फुरत्-
कुहू-निशीथिनीतम: प्रबन्ध-बद्ध-कन्धर: ।
निलिम्प-निर्झरी-धरस्तनोतु कृत्ति-सिन्धुर:
कला-निधान-बन्धुर: श्रियं जगद्धुरन्धर: ॥ 8 ॥

प्रफुल्ल-नील-पंकज-प्रपञ्च-कालिम-प्रभा-
वलम्बि-कण्ठ कन्दली-रुचि-प्रबद्ध-कन्धरम् ।
स्मरच्छिदं पुरच्छिदं भवच्छिदं मखच्छिदं
गजच्छिदान्धकच्छिदं तमन्तकच्छिदं भजे ॥ 9 ॥

अखर्व-सर्व-मंगला कला-कदम्ब-मञ्जरी-
रस-प्रवाह-माधुरी-विजृम्भणा मधुव्रतम् ।
स्मरान्तकं पुरान्तकं भवान्तकं मखान्तकं
गजान्त-कान्धकान्तकं तमन्तकान्तकं भजे ॥ 10 ॥

जयत्वदभ्र-विभ्रम-भ्रमद्-भुजंगमश्वसद्-
विनिर्गमत्-क्रमस्फुरत्-कराल-भाल-हव्यवाट् ।
धिमिद्-धिमिद्-धिमिद् ध्वनन्-मृदंगतुंग-मंगल
ध्वनि-क्रम प्रवर्तित-प्रचण्ड ताण्डव: शिव: ॥ 11 ॥

दृषद् विचित्र-तल्पयोर्भुजंग-मौक्तिक-स्रजो:-
गरिष्ठरत्न-लोष्ठयो: सुहृद्-विपक्ष-पक्षयो: ।
तृणारविन्द-चक्षुषो: प्रजा-मही-महेन्द्रयो:
समप्रवृत्तिक: कदा सदाशिवं भजाम्यहम् ॥ 12 ॥

कदा निलिम्प-निर्झरी-निकुञ्ज-कोटरे वसन्
विमुक्तदुर्मति: सदा शिर:स्थमञ्जलिं वहन् ।
विलोल-लोल-लोचनो ललाम-भाल-लग्नक:
शिवेति मन्त्रमुच्चरन् कदा सुखी भवाम्यहम् ॥ 13 ॥

ॐ शान्ति: शान्ति: शान्ति: ॥ हरि: ॐ ॥

शिवनामावल्यष्टकम्

हे चन्द्रचूड मदनान्तक शूलपाणे, स्थाणो गिरीश गिरिजेश महेश शम्भो ।
भूतेश भीतभयसूदन मामनाथं, संसार-दुःख-गहनाज्जगदीश रक्ष ॥ 1 ॥

हे पार्वती हृदयवल्लभ-चन्द्रमौले, भूताधिप प्रमथनाथ गिरीशजाप ।
हे वामदेव भव रुद्र पिनाकपाणे, संसार-दुःख-गहनाज्जगदीश रक्ष ॥ 2 ॥

हे नीलकण्ठ वृषभध्वज पञ्चवक्त्र, लोकेश शेषवलय प्रमथेश शर्व ।
हे धूर्जटे पशुपते गिरिजापते मां, संसार-दुःख-गहनाज्जगदीश रक्ष ॥ 3 ॥

हे विश्वनाथ शिवशंकर देवदेव, गंगाधर प्रमथनायक नन्दिकेश ।
बाणेश्वरान्धकरिपो हर लोकनाथ, संसार-दुःख-गहनाज्जगदीश रक्ष ॥ 4 ॥

वाराणसीपुरपते मणिकर्णिकेश, वीरेश दक्षमखकाल विभो गणेश ।
सर्वज्ञ सर्वहृदयैक-निवास नाथ, संसार-दुःख-गहनाज्जगदीश रक्ष ॥ 5 ॥

श्री मन्महेश्वर कृपामय हे दयालो, हे व्योमकेश शितिकण्ठ गणाधिनाथ ।
भस्मांगराग नृकपाल-कलापमाल, संसार-दुःख-गहनाज्जगदीश रक्ष ॥ 6 ॥

कैलासशैल-विनिवास वृषाकपे हे, मृत्युञ्जय त्रिनयन त्रिजगन्निवास ।
नारायणप्रिय मदापह शक्तिनाथ, संसार-दुःख-गहनाज्जगदीश रक्ष ॥ 7 ॥

विश्वेश विश्वभयनाशक विश्वरूप, विश्वात्मक त्रिभुवनैकगुणाधिवास ।
हे विश्वनाथ करुणामय दीनबन्धो, संसार-दुःख-गहनाज्जगदीश रक्ष ॥ 8 ॥

ॐ शान्तिः शान्तिः शान्तिः ॥ हरिः ॐ ॥

20

वेदसार-शिव-स्तोत्रम्

पशूनां पतिं पापनाशं परेशं, गजेन्द्रस्य कृत्तिं वसानं वरेण्यम् ।
जटाजूटमध्ये स्फुरद्-गांग-वारिं, महादेवमेकं स्मरामि स्मरारिम् ॥ 1 ॥

महेशं सुरेशं सुरारार्तिनाशं, विभुं विश्वनाथं विभूत्यंगभूषम् ।
विरूपाक्षमिन्द्वर्क-वह्नि-त्रिनेत्रं सदानन्दमीडे प्रभुं पञ्चवक्त्रम् ॥ 2 ॥

गिरीशं गणेशं गले नीलवर्णं, गवेन्द्राधिरूढं गुणातीतरूपम् ।
भवं भास्वरं भस्मना भूषितांगं, भवानीकलत्रं भजे पञ्चवक्त्रम् ॥ 3 ॥

शिवाकान्त शम्भो शशांकार्धमौले महेशान शूलिन् जटाजूटधारिन् ।
त्वमेको जगद्व्यापको विश्वरूप: प्रसीद प्रसीद प्रभो पूर्णरूप ॥ 4 ॥

परात्मानमेकं जगद्-बीजमाद्यं निरीहं निराकारमोंकारवेद्यम् ।
यतो जायते पाल्यते येन विश्वं तमीशं भजे लीयते यत्र विश्वम् ॥ 5 ॥

न भूमिर्न चापो न वह्निर्न वायु: न चाकाशमास्ते न तन्द्रा न निद्रा ।
न ग्रीष्मो न शीतं न देशो न वेषो न यस्यास्ति मूर्त्तिस्त्रिमूर्त्तिं तमीडे ॥ 6 ॥

अजं शाश्वतं कारणं कारणानां शिवं केवलं भासकं भासकानाम् ।
तुरीयं तम: पारमाद्यन्तहीनं प्रपद्ये परं पावनं द्वैतहीनम् ॥ 7 ॥

नमस्ते नमस्ते विभो विश्वमूर्त्ते नमस्ते नमस्ते चिदानन्दमूर्त्ते ।
नमस्ते नमस्ते तपोयोगगम्य नमस्ते नमस्ते श्रुतिज्ञानगम्य ॥ 8 ॥

ॐ शान्ति: शान्ति: शान्ति: ॥ हरि: ॐ ॥

शिवपञ्चाक्षर-स्तोत्रम्

नागेन्द्रहाराय त्रिलोचनाय भस्मांगरागाय महेश्वराय ।
नित्याय शुद्धाय दिगम्बराय तस्मै 'न' काराय नम: शिवाय ॥ 1 ॥

मन्दाकिनीसलिल-चन्दनचर्चिताय नन्दीश्वर-प्रमथनाथ-महेश्वराय ।
मन्दारपुष्प-बहुपुष्प सुपूजिताय तस्मै 'म' काराय नम: शिवाय ॥ 2 ॥

शिवाय गौरीवदनाब्जवृन्द सूर्याय दक्षाध्वर-नाशकाय ।
श्रीनीलकण्ठाय वृषध्वजाय तस्मै 'शि' काराय नम: शिवाय ॥ 3 ॥

वसिष्ठकुम्भोद्भव-गौतमार्य मुनीन्द्र देवार्चितशेखराय ।
चन्द्रार्क-वैश्वानर-लोचनाय तस्मै 'व' काराय नम: शिवाय ॥ 4 ॥

यक्षस्वरूपाय जटाधराय पिनाकहस्ताय सनातनाय ।
दिव्याय देवाय दिगम्बराय तस्मै 'य' काराय नम: शिवाय ॥ 5 ॥

ॐ शान्ति: शान्ति: शान्ति: ॥ हरि: ॐ ॥

22

शिवषडक्षर-स्तोत्रम्

ॐकारं बिन्दु संयुक्तं नित्यं ध्यायन्ति योगिन: ।
कामदं मोक्षदं चैव ॐकाराय नमो नम: ॥

नमन्ति ऋषयो देवा: नमन्त्यप्सरसांगणा: ।
नरा: नमन्ति देवेशं नकाराय नमो नम: ॥

महादेवं महात्मानं महाध्यानपरायणम् ।
महापापहरं देवं मकाराय नमो नम: ॥

शिवं शान्तं जगन्नाथं लोकानुग्रहकारकम् ।
शिवमेकपदं नित्यं शिकाराय नमो नम: ॥

वाहनं वृषभो यस्य वासुकी कण्ठभूषणम् ।
वामे शक्तिधरं देवं वकाराय नमो नम: ॥

यत्र यत्र स्थितो देव: सर्वव्यापी महेश्वर: ।
यो गुरु: सर्वदेवानां यकाराय नमो नम: ॥

ॐ शान्ति: शान्ति: शान्ति: ॥ हरि: ॐ ॥

23

श्री-शिवाष्टकम्

प्रभुमीशमनीशमशेषगुणं गुणहीनमहीशगराभरणम् ।
रणनिर्जित-दुर्जयदैत्यपुरं प्रणमामि शिवं शिवकल्पतरुम् ॥ 1 ॥

गिरिराजसुतान्वित-वामतनुं तनुनिन्दितराजित-कोटिविधुम् ।
विधिविष्णु-शिरोधृतपादयुगं प्रणमामि शिवं शिवकल्पतरुम् ॥ 2 ॥

शशलांछित-रञ्जितसन्मुकुटं कटिलम्बित-सुन्दरकृत्तिपटम् ।
सुरशैवलिनी-कृतपूतजटं प्रणमामि शिवं शिवकल्पतरुम् ॥ 3 ॥

नयनत्रय-भूषितचारुमुखं मुखपद्मपराजित-कोटिविधुम् ।
विधुखण्ड-विमण्डित-भालतटं प्रणमामि शिवं शिवकल्पतरुम् ॥ 4 ॥

वृषराज-निकेतनमादिगुरुं गरलाशनमाजि-विषाणधरम् ।
प्रमथाधिपसेवक-रञ्जनकं प्रणमामि शिवं शिवकल्पतरुम् ॥ 5 ॥

मकरध्वज-मत्तमतंगहरं करिचर्मगनाग-विबोधकरम् ।
वरमार्गणशूल-विषाणधरं प्रणमामि शिवं शिवकल्पतरुम् ॥ 6 ॥

जगदुद्भवपालन-नाशकरं त्रिदिवेशशिरोमणि-धृष्टपदम् ।
प्रियमानव-साधुजनैकगतिं प्रणमामि शिवं शिवकल्पतरुम् ॥ 7 ॥

हृदस्थतम: प्रकारपहरं नृमनोजनिताघ-विनाशकरम् ।
भजतोऽखिल-दु:खसमिद्धहरं प्रणमामि शिवं शिवकल्पतरुम् ॥ 8 ॥

ॐ शान्ति: शान्ति: शान्ति: ॥ हरि: ॐ ॥

द्वादश ज्योतिर्लिंगानि

सौराष्ट्रे सोमनाथं च श्रीशैले मल्लिकार्जुनम् ।
उज्जयिन्यां महाकालमोंकारे परमेश्वरम् ॥

केदारं हिमवत्पृष्ठे डाकिन्यां भीमशंकरम् ।
वाराणस्यां च विश्वेशं त्र्यम्बकं गौतमीतटे ॥

वैद्यनाथं चिताभूमौ नागेशं दारुकावने ।
सेतुबन्धे च रामेशं घुश्मेशं तु शिवालये ॥

द्वादशैतानि नामानि प्रातरुत्थाय यः पठेत् ।
सर्वपापैर्विनिर्मुक्तः सर्वसिद्धिफलं लभेत् ॥

ॐ शान्तिः शान्तिः शान्तिः ॥ हरिः ॐ ॥

25

उमामहेश्वर-स्तोत्रम्

नमः शिवाभ्यां नवयौवनाभ्यां परस्पराश्लिष्ट वपुर्धराभ्याम् ।
नगेन्द्रकन्या-वृषकेतनाभ्यां नमो नमः शंकरपार्वतीभ्याम् ॥ 1 ॥

नमः शिवाभ्यां सरसोत्सवाभ्यां नमस्कृता-भीष्ट-वरप्रदाभ्याम् ।
नारायणेनार्चित-पादुकाभ्यां नमो नमः शंकरपार्वतीभ्याम् ॥ 2 ॥

नमः शिवाभ्यां वृषवाहनाभ्यां विरिञ्चिविष्णिवन्द्र-सुपूजिताभ्याम् ।
विभूतिपाटीर-विलेपनाभ्यां नमो नमः शंकरपार्वतीभ्याम् ॥ 3 ॥

नमः शिवाभ्यां जगदीश्वराभ्यां जगत्पतिभ्यां जयविग्रहाभ्याम् ।
जम्भारिमुख्यैरभि-वन्दिताभ्यां नमो नमः शंकरपार्वतीभ्याम् ॥ 4 ॥

नमः शिवाभ्यां परमौषधाभ्यां पञ्चाक्षरी पञ्जररञ्जिताभ्याम् ।
प्रपञ्च सृष्टिस्थिति संहृताभ्यां नमो नमः शंकरपार्वतीभ्याम् ॥ 5 ॥

नमः शिवाभ्यां अतिसुन्दराभ्यां अत्यन्तमासक्त-हृदम्बुजाभ्याम् ।
अशेषलोकैक-हितंकराभ्यां नमो नमः शंकरपार्वतीभ्याम् ॥ 6 ॥

नमः शिवाभ्यां कलिनाशनाभ्यां कंकालकल्याण-वपुर्धराभ्याम् ।
कैलासशैलस्थित-देवताभ्यां नमो नमः शंकरपार्वतीभ्याम् ॥ 7 ॥

नमः शिवाभ्यां अशुभापहाभ्यां अशेषलोकैक-विशेषिताभ्याम् ।
अकुण्ठिताभ्यां स्मृतिसंभृताभ्यां नमो नमः शंकरपार्वतीभ्याम् ॥ 8 ॥

नमः शिवाभ्यां रथवाहनाभ्यां रवीन्दुवैश्वानर-लोचनाभ्याम् ।
राका शशांकाभ मुखाम्बुजाभ्यां नमो नमः शंकरपार्वतीभ्याम् ॥ 9 ॥

नमः शिवाभ्यां जटिलन्धराभ्यां जरामृतिभ्यां च विवर्जिताभ्याम् ।
जनार्दनाब्जोद्भव-पूजिताभ्यां नमो नमः शंकरपार्वतीभ्याम् ॥ 10 ॥

नमः शिवाभ्यां विषमेक्षणाभ्यां बिल्वच्छदा-मल्लिकदामभृद्भ्याम् ।
शोभावती शान्तवतीश्वराभ्यां नमो नमः शंकरपार्वतीभ्याम् ॥ 11 ॥

नमः शिवाभ्यां पशुपालकाभ्यां जगत्त्रयीरक्षण बद्धहृद्भ्याम् ।
समस्त देवासुरपूजिताभ्यां नमो नमः शंकरपार्वतीभ्याम् ॥ 12 ॥

ॐ शान्तिः शान्तिः शान्तिः ॥ हरिः ॐ ॥

शिवाष्टक

तस्मै नमः परमकारण-कारणाय दीप्तोज्ज्वल-ज्ज्वलित पिंगललोचनाय ।
नागेन्द्रहारकृत-कुण्डलभूषणाय ब्रह्मेन्द्रविष्णु-वरदाय नमः शिवाय ॥ 1 ॥

श्रीमत्प्रसन्न-शशिपन्नग-भूषणाय शैलेन्द्रजावदन-चुम्बितलोचनाय ।
कैलासमन्दर-महेन्द्रनिकेतनाय लोकत्रयार्ति-हरणाय नमः शिवाय ॥ 2 ॥

पद्मावदात-मणिकुण्डलगोवृषाय कृष्णागरुप्रचुर-चन्दनचर्चिताय ।
भस्मानुषक्त-विकचोत्पल-मल्लिकाय नीलाब्जकण्ठसदृशाय नमः शिवाय ॥ 3 ॥

लम्बत्सपिंगल-जटामुकुटोत्कटाय दंष्ट्राकराल-विकटोत्कटभैरवाय ।
व्याघ्राजिनाम्बरधराय मनोहराय त्रैलोक्यनाथनमिताय नमः शिवाय ॥ 4 ॥

दक्षप्रजापति-महामखनाशनाय क्षिप्रं महात्रिपुरदानव-घातनाय ।
ब्रह्मोर्जितोर्ध्वगकरोटि-निकृन्तनाय योगाय योगनमिताय नमः शिवाय ॥ 5 ॥

संसारसृष्टि-घटनापरिवर्तनाय रक्षः पिशाचगण-सिद्धसमाकुलाय ।
सिद्धोरगग्रहगणेन्द्र निषेविताय शार्दूलचर्मवसनाय नमः शिवाय ॥ 6 ॥

भस्मांगरागकृत-रूपमनोहराय सौम्यावदात-वनमाश्रितमाश्रिताय ।
गौरीकटाक्ष-नयनार्ध-निरीक्षणाय गोक्षीरधार-धवलाय नमः शिवाय ॥ 7 ॥

आदित्य-सोम-वरुणानिलसेविताय यज्ञाग्निहोत्रवरधूम-निकेतनाय ।
ऋक्सामवेद-मुनिभिः स्तुतिसंयुताय गोपाय गोपनमिताय नमः शिवाय ॥ 8 ॥

ॐ शान्तिः शान्तिः शान्तिः ॥ हरिः ॐ ॥

द्वादश ज्योतिर्लिंग स्तोत्र

सौराष्ट्रदेशे विशदेऽतिरम्ये ज्योतिर्मयं चन्द्रकलावतंसम् ।
भक्तिप्रदानाय कृपावतीर्णं तं सोमनाथं शरणं प्रपद्ये ॥ 1 ॥

श्रीशैलशृंगे विबुधातिसंगे तुलाद्रितुंगेऽपि मुदावसन्तम् ।
तमर्जुनं मल्लिकपूर्वमेकं नमामि संसारसमुद्रसेतुम् ॥ 2 ॥

अवन्तिकायां विहितावतारं मुक्तिप्रदानाय च सज्जनानाम् ।
अकालमृत्योः परिरक्षणार्थं वन्दे महाकालमहासुरेशम् ॥ 3 ॥

कावेरिकानर्मदयोः पवित्रे समागमे सज्जनतारणाय।
सदैव मान्धातृपुरे वसन्तमोंकारमीशं शिवमेकमीडे ॥ 4 ॥

पूर्वोत्तरे प्रज्वलिकानिधाने सदा वसन्तं गिरिजासमेतम् ।
सुरासुराराधितपादपद्मं श्रीवैद्यनाथं तमहं नमामि ॥ 5 ॥

याम्ये सदंगे नगरेऽतिरम्ये विभूषितांगं विविधैश्च भोगैः।
सद्भक्तिमुक्ति-प्रदमीशमेकं श्रीनागनाथं शरणं प्रपद्ये ॥ 6 ॥

महाद्रिपार्श्वे च तटे रमन्तं सम्पूज्यमानं सततं मुनीन्द्रैः।
सुरासुरैर्यक्ष-महोरगाद्यैः केदारमीशं शिवमेकमीडे ॥ 7 ॥

सह्याद्रिशीर्षे विमले वसन्तं गोदावरीतीरपवित्रदेशे।
यर्शनात्पातकमाशु नाशं प्रयाति तं त्र्यम्बकमीशमीडे ॥ 8 ॥

सुताम्रपर्णी-जलराशियोगे निबध्य सेतुं विशिखैरसंख्यैः ।
श्रीरामचन्द्रेण समर्पितं तं रामेश्वराख्यं नियतं नमामि ॥ 9 ॥

यं डाकिनी-शाकिनिकासमाजे निषेव्यमाणं पिशिताशनैश्च।
सदैव भीमादिपदप्रसिद्धं तं शंकरं भक्तहितं नमामि ॥ 10 ॥

सानन्दमानन्दवने वसन्तमानन्दकन्दं हतपापवृन्दम् ।
वाराणसी-नाथमनाथनाथं श्रीविश्वनाथं शरणं प्रपद्ये ॥ 11 ॥

इलापुरे रम्यविशालकेऽस्मिन् समुल्लसन्तं च जगद्वरेण्यम्।
वन्दे महोदारतरस्वभावं घृष्णेश्वराख्यं शरणं प्रपद्ये ॥ 12॥

ॐ शान्तिः शान्तिः शान्तिः ॥ हरिः ॐ ॥

श्रीपशुपत्यष्टक

पशुपतिं द्युपतिं धरणीपतिं भुजगलोकपतिं च सतीपतिम् ।
प्रणतभक्तजनार्तिहरं परं भजत रे मनुजा गिरिजापतिम् ॥ 1 ॥

न जनको जननी न च सोदरो न तनयो न च भूरिबलं कुलम् ।
अवति कोऽपि न कालवशं गतं भजत रे मनुजा गिरिजापतिम् ॥ 2 ॥

मुरजडिण्डिम-वाद्यविलक्षणं मधुरपञ्चम-नादविशारदम् ।
प्रमथभूतगणैरपि सेवितं भजत रे मनुजा गिरिजापतिम् ॥ 3 ॥

शरणदं सुखदं शरणान्वितं शिव शिवेति शिवेति नतं नृणाम् ।
अभयदं करुणावरुणालयं भजत रे मनुजा गिरिजापतिम् ॥ 4 ॥

नरशिरोरचितं मणिकुण्डलं भुजगहारमुदं वृषभध्वजम् ।
चितिरजोधवली-कृतविग्रहं भजत रे मनुजा गिरिजापतिम् ॥ 5 ॥

मखविनाशकरं शशिशेखरं सततमध्वरभाजि फलप्रदम् ।
प्रलयदग्ध-सुरासुरमानवं भजत रे मनुजा गिरिजापतिम् ॥ 6 ॥

मदमपास्य चिरं हृदि संस्थितं मरण-जन्म-जरा-भय-पीडितम् ।
जगदुदीक्ष्य समीपभयाकुलं भजत रे मनुजा गिरिजापतिम् ॥ 7 ॥

हरिविरञ्चि-सुराधिपपूजितं यमजनेशधनेश-नमस्कृतम् ।
त्रिनयनं भुवनत्रिंतयाधिपं भजत रे मनुजा गिरिजापतिम् ॥ 8 ॥

ॐ शान्तिः शान्तिः शान्तिः ॥ हरिः ॐ ॥

श्रीविश्वनाथाष्टकः

गंगातरंगरमणीय-जटाकलापं गौरीनिरन्तर-विभूषितवामभागम् ।
नारायणप्रियमनंगमदापहारं वाराणसीपुरपतिं भज विश्वनाथम् ॥ 1 ॥

वाचामगोचरमनेक-गुणस्वरूपं वागीशविष्णु-सुरसेवितपादपीठम् ।
वामेन विग्रहवरेण कलत्रवन्तं वाराणसीपुरपतिं भज विश्वनाथम् ॥ 2 ॥

भूताधिपं भुजगभूषण-भूषितांगं व्याघ्राजिनाम्बरधरं जटिलं त्रिनेत्रम् ।
पाशांकुशाभयवरप्रद-शूलपाणिं वाराणसीपुरपतिं भज विश्वनाथम् ॥ 3 ॥

शीतांशुशोभित-किरीटविराजमानं भालेक्षणानलविशोषित-पञ्चबाणम् ।
नागाधिपारचितभासुर-कर्णपूरं वाराणसीपुरपतिं भज विश्वनाथम् ॥ 4 ॥

पञ्चाननं दुरितमत्तमतंगजानां नागान्तकं दनुजपुंगवपन्नगानाम् ।
दावानलं मरणशोकजराटवीनां वाराणसीपुरपतिं भज विश्वनाथम् ॥ 5 ॥

तेजोमयं सगुणनिर्गुणमद्वितीय-मानन्दकन्दमपराजितमप्रमेयम् ।
नागात्मकं सकल-निष्कलमात्मरूपं वाराणसीपुरपतिं भज विश्वनाथम् ॥ 6 ॥

रागादिदोषरहितं स्वजनानुरागं वैराग्यशान्ति-निलयं गिरिजासहायम् ।
माधुर्यधैर्यसुभगं गरलाभिरामं वाराणसीपुरपतिं भज विश्वनाथम् ॥ 7 ॥

आशां विहाय परिहृत्य परस्य निन्दां पापे रतिं च सुनिवार्य मनः समाधौ ।
आदाय हृत्कमल-मध्यगतं परेशं वाराणसीपुरपतिं भज विश्वनाथम् ॥ 8 ॥

ॐ शान्तिः शान्तिः शान्तिः ॥ हरिः ॐ ॥

दारिद्र्य-दहन-स्तोत्रम्

विश्वेश्वराय नरकार्णवतारणाय कर्णामृताय शशिशेखरधारणाय ।
कर्पूरकान्तिधवलाय जटाधराय दारिद्र्यदु:खदहनाय नमः शिवाय ॥ 1 ॥

गौरिप्रियाय रजनीशकला-धराय कालान्तकाय भुजगाधिपकंकणाय ।
गंगाधराय गजराज-विमर्दनाय दारिद्र्यदु:खदहनाय नमः शिवाय ॥ 2 ॥

भक्तिप्रियाय भव-रोग-भयापहाय उग्राय दुर्गभव-सागरतारणाय ।
ज्योतिर्मयाय गुणनामसुनृत्यकाय दारिद्र्यदु:खदहनाय नमः शिवाय ॥ 3 ॥

चर्माम्बराय शवभस्मविलेपनाय भालेक्षणाय मणिकुण्डलमण्डिताय ।
मञ्जीरपादयुगलाय जटाधराय दारिद्र्यदु:खदहनाय नमः शिवाय ॥ 4 ॥

पञ्चाननाय फणिराजविभूषणाय हेमांशुकाय भुवनत्रयमण्डिताय ।
आनन्दभूमिवरदाय तमोमयाय दारिद्र्यदु:खदहनाय नमः शिवाय ॥ 5 ॥

भानुप्रियाय भवसागर-तारणाय कालान्तकाय कमलासनपूजिताय ।
नेत्रत्रयाय शुभलक्षण-लक्षिताय दारिद्र्यदु:खदहनाय नमः शिवाय ॥ 6 ॥

रामप्रियाय रघुनाथवर प्रदाय नागप्रियाय नरकार्णवतारणाय ।
पुण्येषु पुण्यभरिताय सुरार्चिताय दारिद्र्यदु:खदहनाय नमः शिवाय ॥ 7 ॥

मुक्तेश्वराय फलदाय गणेश्वराय गीतप्रियाय वृषभेश्वरवाहनाय ।
मातंगचर्मवसनाय महेश्वराय दारिद्र्यदु:खदहनाय नमः शिवाय ॥ 8 ॥

ॐ शान्तिः शान्तिः शान्तिः ॥ हरिः ॐ ॥

श्री-दक्षिणामूर्त्ति-स्तोत्रम्

विश्वं दर्पणदृश्यमान-नगरीतुल्यं निजान्तर्गतं पश्यन्नात्मनि मायया बहिरिवोद्भूतं यथा निद्रया।
यस्साक्षात्कुरुते प्रबोधसमये स्वात्मानमेवाद्वयं तस्मै श्रीगुरुमूर्त्तये नम इदं श्रीदक्षिणामूर्त्तये ॥ 1 ॥

बीजस्यान्तरिवांकुरो जगदिदं प्राङ्निर्विकल्पं पुन: मायाकल्पित-देशकाल-कलना वैचित्र्य-चित्रीकृत
मायावीव विजृम्भयत्यपि महायोगीव य: स्वेच्छया तस्मै श्रीगुरुमूर्त्तये नम इदं श्रीदक्षिणामूर्त्तये ॥

यस्यैव स्फुरणं सदात्मकमसत्कल्पार्थकं भासते साक्षात्तत्त्वमसीति वेदवचसा यो बोधयत्याश्रितान्
यत्साक्षात्करणाद्भवेन्न पुनरावृत्तिर्भवाम्भोनिधौ तस्मै श्रीगुरुमूर्त्तये नम इदं श्रीदक्षिणामूर्त्तये ॥ 3

नानाच्छिद्र-घटोदरस्थित महादीप-प्रभाभास्वरं ज्ञानं यस्य तु चक्षुरादिकरणद्वारा बहि: स्पन्दते।
जानामीति तमेव भान्तमनुभात्येतत्समस्तं जगत् तस्मै श्रीगुरुमूर्त्तये नम इदं श्रीदक्षिणामूर्त्तये ॥ 4

देहं प्राणमपीन्द्रियाण्यपि चलां बुद्धिं च शून्यं विदु: स्त्रीबालान्धजडोपमास्त्वहमिति भ्रान्ता भृशं वादिन
मायाशक्ति-विलासकल्पित-महाव्यामोहसंहारिणे तस्मै श्रीगुरुमूर्त्तये नम इदं श्रीदक्षिणामूर्त्तये ॥

राहुग्रस्त-दिवाकरेन्दुसदृशो मायासमाच्छादनात् सन्मात्र: करणोपसंहरणतो योऽभूत्सुषुप्त: पुमान्
प्रागस्वाप्समिति प्रबोधसमये य: प्रत्यभिज्ञायते तस्मै श्रीगुरुमूर्त्तये नम इदं श्रीदक्षिणामूर्त्तये ॥ 6

वाल्यादिष्वपि जाग्रदादिषु तथा सर्वास्ववस्थास्वपि व्यावृत्तास्वनुवर्तमान-महमित्यन्त: स्फुरन्तं स
स्वात्मानं प्रकटीकरोति भजतां यो मुद्रया भद्रया तस्मै श्रीगुरुमूर्त्तये नम इदं श्रीदक्षिणामूर्त्तये ॥

विश्वं पश्यति कार्यकारणतया स्वस्वामि-सम्बन्धत: शिष्याचार्यतया तथैव पितृपुत्राद्यात्मना भेदत
स्वप्ने जाग्रति वा य एष पुरुषो मायापरिभ्रामित: तस्मै श्रीगुरुमूर्त्तये नम इदं श्रीदक्षिणामूर्त्तये ॥

भूरम्भांस्यनलो ऽनिलो ऽम्बरमहर्नाथो हिमांशु: पुमान् इत्याभाति चराचरात्मकमिदं यस्यैवं मूर्त्त्यष्टक
नान्यत्किञ्चन विद्यते विमृशतां यस्मात्परस्माद्विभो: तस्मै श्रीगुरुमूर्त्तये नम इदं श्रीदक्षिणामूर्त्तये ॥

सर्वात्मत्वमिति स्फुटीकृतमिदं यस्मादमुष्मिन्स्तवे तेनास्य श्रवणात्तदर्थ-मननाद्-ध्यानाच्च संकीर्तना
सर्वात्मत्व-महाविभूति-सहितं स्यादीश्वरत्वं स्वत: सिद्ध्येत्तत्पुनरष्टधा परिणतं चैश्वर्यमव्याहतम् ॥ 1

ॐ शान्ति: शान्ति: शान्ति: ॥ हरि: ॐ ॥

हिमालयकृतं शिवस्तोत्रम्

त्वं ब्रह्मा सृष्टिकर्ता च त्वं विष्णु: परिपालक: ।
त्वं शिव: शिवदोऽनन्त: सर्वसंहारकारक: ॥ 1 ॥

त्वमीश्वरो गुणातीतो ज्योतीरूप: सनातन: ।
प्रकृति: प्रकृतीशश्च प्राकृत: प्रकृते: पर: ॥ 2 ॥

नानारूपविधाता त्वं भक्तानां ध्यानहेतवे ।
येषु रूपेषु यत्प्रीतिस्तत्तद्रूपं बिभर्षि च ॥ 3 ॥

सूर्यस्त्वं सृष्टिजनक आधार: सर्वतेजसाम् ।
सोमस्त्वं शस्य पाता च सततं शीतरश्मिना ॥ 4 ॥

वायुस्त्वं वरुणस्त्वं च त्वमग्नि: सर्वदाहक: ।
इन्द्रस्त्वं देवराजश्च कालो मृत्युर्यमस्तथा ॥ 5 ॥

मृत्युञ्जयो मृत्युमृत्यु: कालकालो यमान्तक: ।
वेदस्त्वं वेदकर्ता च वेदवेदांगपारग: ॥ 6 ॥

विदुषां जनकस्त्वं च विद्वांश्च विदुषां गुरु: ।
मन्त्रस्त्वं हि जपस्त्वं हि तपस्त्वं तत्फलप्रद: ॥ 7 ॥

वाक् त्वं वागधिदेवी त्वं तत्कर्ता तद्गुरु: स्वयम् ।
अहो सरस्वतीबीजं कस्त्वां स्तोतुमिहेश्वर: ॥ 8 ॥

इत्येवमुक्त्वा शैलेन्द्रस्तस्थौ धृत्वा पदाम्बुजम् ।
तत्रोवास तमाबोध्य चावरुह्य वृषाच्छिव: ॥ 9 ॥

ॐ शान्ति: शान्ति: शान्ति: ॥ हरि: ॐ ॥

33

बाणासुरकृतं शिवस्तोत्रम्

वन्दे सुराणां सारं च सुरेशं नीललोहितम् ।
योगीश्वरं योगबीजं योगिनां च गुरोर्गुरुम् ॥ 1 ॥
    ज्ञानानन्दं ज्ञानरूपं ज्ञानबीजं सनातनम् ।
    तपसां फलदातारं दातारं सर्वसम्पदाम् ॥ 2 ॥
तपोरूपं तपोबीजं तपोधनधनं वरम् ।
वरं वरेण्यं वरदमीड्यं सिद्धगणैर्वरै: ॥ 3 ॥
    कारणं भुक्तिमुक्तीनां नरकार्णवतारणम् ।
    आशुतोषं प्रसन्नास्यं करुणामय-सागरम् ॥ 4 ॥
हिमचन्दन-कुन्देन्दु-कुमुदाम्भोज-संनिभम् ।
ब्रह्मज्योति:स्वरूपं च भक्तानुग्रहविग्रहम् ॥ 5 ॥
    विषयाणां विभेदेन बिभ्रन्तं बहुरूपकम् ।
    जलरूपमग्निरूपमाकाशरूपमीश्वरम् ॥ 6 ॥
वायुरूपं चन्द्ररूपं सूर्यरूपं महत्प्रभुम् ।
आत्मन: स्वपदं दातुं समर्थमवलीलया ॥ 7 ॥
    भक्तजीवनमीशं च भक्तानुग्रह-कातरम् ।
    वेदा न शक्ता यं स्तोतुं किमहं स्तौमि तं प्रभुम् ॥ 8 ॥
अपरिच्छिन्नमीशानमहो वाङ्मनसो: परम् ।
व्याघ्रचर्माम्बरधरं वृषभस्थं दिगम्बरम् ॥ 9 ॥
    त्रिशूलपट्टिशधरं सस्मितं चन्द्रशेखरम् ।
    कथितं च महास्तोत्रं शूलिन: परमाद्भुतम् ॥ 10 ॥

    ॐ शान्ति: शान्ति: शान्ति: ॥ हरि: ॐ ॥

34

असितकृतं शिवस्तोत्रम्

जगद्गुरो नमस्तुभ्यं शिवाय शिवदाय च ।
योगीन्द्राणां च योगीन्द्र गुरूणां गुरवे नम:॥ 1 ॥

मृत्योर्मृत्युस्वरूपेण मृत्युसंसारखण्डन ।
मृत्योरीश मृत्युबीज मृत्युञ्जय नमोऽस्तु ते ॥ 2 ॥

कालरूपं कलयतां कालकालेश कारण ।
कालादतीत कालस्य कालकाल नमोऽस्तु ते ॥ 3 ॥

गुणातीत गुणाधार गुणबीज गुणात्मक ।
गुणीश गुणिनां बीज गुणिनां गुरवे नम:॥ 4 ॥

ब्रह्मस्वरूप ब्रह्मज्ञ ब्रह्मभावनतत्पर ।
ब्रह्मबीजस्वरूपेण ब्रह्मबीज नमोऽस्तु ते ॥ 5 ॥

इति स्तुत्वा शिवं नत्वा पुरस्तस्थौ मुनीश्वर: ।
दीनवत् साश्रुनेत्रश्च पुलकाञ्चितविग्रह: ॥ 6 ॥

असितेन कृतं स्तोत्रं भक्तियुक्तश्च य: पठेत् ।
वर्षमेकं हविष्याशी शंकरस्य महात्मन: ॥ 7 ॥

ॐ शान्ति: शान्ति: शान्ति: ॥ हरि: ॐ ॥

35

अन्धककृता शिवस्तुतिः

कृत्स्नस्य योऽस्य जगतः सचराचरस्य कर्ता कृतस्य च तथा सुखदुःखहेतुः।
संहारहेतुरपि यः पुनरन्तकाले तं शंकरं शरणदं शरणं व्रजामि ॥ 1 ॥

यं योगिनो-विगतमोह-तमोरजस्का भक्त्यैकतान-मनसो विनिवृत्तकामाः।
ध्यायन्ति निश्चलधियोऽमितदिव्यभावं तं शंकरं शरणदं शरणं व्रजामि ॥ 2 ॥

यश्चेन्दु-खण्डममलं विलसन्मयूखं बद्ध्वा सदा प्रियतमां शिरसा बिभर्ति ।
यश्चार्ध-देहमददाद् गिरिराजपुत्र्यै तं शंकरं शरणदं शरणं व्रजामि ॥ 3 ॥

योऽयं सकृद्विमलचारु-विलोलतोयां गंगां महोर्मिविषमां गगनात् पतन्तीम् ।
मूर्ध्नाऽददे स्रजमिव प्रतिलोलपुष्पां तं शंकरं शरणदं शरणं व्रजामि ॥ 4 ॥

कैलासशैल-शिखरं प्रतिकम्प्यमानं कैलासशृंग-सदृशेन दशाननेन ।
यः पादपद्म-परिवादनमादधानस्तं शंकरं शरणदं शरणं व्रजामि ॥ 5 ॥

येनासकृद् दितिसुताः समरे निरस्ता विद्याधरोरगगणाश्च वरैः समग्राः।
संयोजिता मुनिवराः फलमूलभक्षास्तं शंकरं शरणदं शरणं व्रजामि ॥ 6 ॥

दग्ध्वाध्वरं च नयने च तथा भगस्य पूष्णस्तथा दशनपंक्तिमपातयच्च ।
तस्तम्भ यः कुलिशयुक्त-महेन्द्रहस्तं तं शंकरं शरणदं शरणं व्रजामि ॥ 7 ॥

एनस्कृतोऽपि विषयेष्वपि सक्तभावा ज्ञानान्वयश्रुत-गुणैरपि नैव युक्ताः।
यं संश्रिताः सुखभुजः पुरुषा भवन्ति तं शंकरं शरणदं शरणं व्रजामि ॥ 8 ॥

अत्रिप्रसूति-रविकोटिसमानतेजाः संत्रासनं विबुधदानव-सत्तमानाम् ।
यः कालकूटमपिबत् समुदीर्णवेगं तं शंकरं शरणदं शरणं व्रजामि ॥ 9 ॥

ब्रह्मेन्द्ररुद्रमरुतां च सषण्मुखानां योऽदाद् वरांश्च बहुशो भगवान् महेशः।
नन्दिं च मृत्युवदनात् पुनरुज्जहार तं शंकरं शरणदं शरणं व्रजामि ॥ 10 ॥

आराधितः सुतपसा हिमवन्निकुञ्जे धूम्रव्रतेन मनसाऽपि परैरगम्यः।
सञ्जीवनी समददाद् भृगवे महात्मा तं शंकरं शरणदं शरणं व्रजामि ॥ 11 ॥

नानाविधैर्गजबिडाल-समानवक्त्रैर्दक्षाध्वर-प्रमथनैर्बलिभिर्गणौघैः।
योऽभ्यर्च्यतेऽमरगणैश्च सलोकपालैस्तं शंकरं शरणदं शरणं व्रजामि ॥ 12 ॥

क्रीडार्थमेव भगवान् भुवनानि सप्त नानानदी-विहगपादप-मण्डितानि ।
सब्रह्मकानि व्यसृजत् सुकृताहितानि तं शंकरं शरणदं शरणं व्रजामि ॥ 13 ॥

यस्याखिलं जगदिदं वशवर्ति नित्यं योऽष्टाभिरेव तनुभिर्भुवनानि भुंक्ते ।
यः कारणं सुमहतामपि कारणानां तं शंकरं शरणदं शरणं व्रजामि ॥ 14 ॥

शंखेन्दु-कुन्दधवलं वृषभप्रवीरमारुह्य यः क्षितिधरेन्द्र-सुतानुयातः ।
यात्यम्बरे हिमविभूति-विभूषितांगस्तं शंकरं शरणदं शरणं व्रजामि ॥ 15 ॥

शान्तं मुनिं यमनियोगपरायणं तैर्भीमैर्यमस्य पुरुषैः प्रतिनीयमानम् ।
भक्त्या नतं स्तुतिपरं प्रसभं ररक्ष तं शंकरं शरणदं शरणं व्रजामि ॥ 16 ॥

यः सव्यपाणि-कमलाग्रनखेन देवस्तत् पञ्चमं प्रसभमेव पुरः सुराणाम् ।
ब्राह्मं शिरस्तरुणपद्मनिभं चकर्त तं शंकरं शरणदं शरणं व्रजामि ॥ 17 ॥

यस्य प्रणम्य चरणौ वरदस्य भक्त्या स्तुत्वा च वाग्भिरमलाभिरतन्द्रिताभिः ।
दीप्तैस्तमांसि नुदते स्वकरैर्विवस्वां स्तं शंकरं शरणदं शरणं व्रजामि ॥ 18 ॥

ॐ शान्तिः शान्तिः शान्तिः ॥ हरिः ॐ ॥

स्कन्दकृता शिवस्तुतिः

नमः शिवायास्तु निरामयाय नमः शिवायास्तु मनोमयाय ।
नमः शिवायास्तु सुरार्चिताय तुभ्यं सदा भक्तकृपापराय ॥ 1 ॥

नमो भवायास्तु भवोद्भवाय नमोऽस्तु ते ध्वस्तमनोभवाय ।
नमोऽस्तु ते गूढमहाव्रताय नमोऽस्तु मायागहनाश्रयाय ॥ 2 ॥

नमोऽस्तु शर्वाय नमः शिवाय नमोऽस्तु सिद्धाय पुरातनाय ।
नमोऽस्तु कालाय नमः कलाय नमोऽस्तु ते कालकलातिगाय ॥ 3 ॥

नमो निसर्गात्मकभूतिकाय नमोऽस्त्वमेयोक्षमहर्द्धिकाय ।
नमः शरण्याय नमोऽगुणाय नमोऽस्तु ते भीमगुणानुगाय ॥ 4 ॥

नमोऽस्तु नानाभुवनाधिकर्त्रे नमोऽस्तु भक्ताभिमतप्रदात्रे ।
नमोऽस्तु कर्मप्रसवाय धात्रे नमः सदा ते भगवन् सुकर्त्रे ॥ 5 ॥

अनन्तरूपाय सदैव तुभ्यमसह्यकोपाय सदैव तुभ्यम् ।
अमेयमानाय नमोऽस्तु तुभ्यं वृषेन्द्रयानाय नमोऽस्तु तुभ्यम् ॥ 6 ॥

नमः प्रसिद्धाय महौषधाय नमोऽस्तु ते व्याधिगणापहाय ।
चराचरायाथ विचारदाय कुमारनाथाय नमः शिवाय ॥ 7 ॥

ममेश भूतेश महेश्वरोऽसि कामेश वागीश बलेश धीश ।
क्रोधेश मोहेश परापरेश नमोऽस्तु मोक्षेश गुहाशयेश ॥ 8 ॥

ॐ शान्तिः शान्तिः शान्तिः ॥ हरिः ॐ ॥

श्रीरामकृता शम्भुस्तुतिः

नमामि शम्भुं पुरुषं पुराणं नमामि सर्वज्ञमपारभावम् ।
नमामि रुद्रं प्रभुमक्षयं तं नमामि शर्वं शिरसा नमामि ॥ 1 ॥

नमामि देवं परमव्ययं तमुमापतिं लोकगुरुं नमामि ।
नमामि दारिद्र्यविदारणं तं नमामि रोगापहरं नमामि ॥ 2 ॥

नमामि कल्याणमचिन्त्यरूपं नमामि विश्वोद्भव-बीजरूपम् ।
नमामि विश्वस्थितिकारणं तं नमामि संहारकरं नमामि ॥ 3 ॥

नमामि गौरीप्रियमव्ययं तं नमामि नित्यं क्षरमक्षरं तम् ।
नमामि चिद्रूपममेयभावं त्रिलोचनं तं शिरसा नमामि ॥ 4 ॥

नमामि कारुण्यकरं भवस्य भयंकरं वाऽपि सदा नमामि ।
नमामि दातारमभीप्सितानां नमामि सोमेशमुमेशमादौ ॥ 5 ॥

नमामि वेदत्रयलोचनं तं नमामि मूर्तित्रयवर्जितं तम् ।
नमामि पुण्यं सदसद्व्यतीतं नमामि तं पापहरं नमामि ॥ 6 ॥

नमामि विश्वस्य हिते रतं तं नमामि रूपाणि बहूनि धत्ते ।
यो विश्वगोप्ता सदसत्प्रणेता नमामि तं विश्वपतिं नमामि ॥ 7 ॥

यज्ञेश्वरं सम्प्रति हव्यकव्यं तथागतिं लोकसदाशिवो यः।
आराधितो यश्च ददाति सर्वं नमामि दानप्रियमिष्टदेवम् ॥ 8 ॥

नमामि सोमेश्वरमस्वतन्त्रमुमापतिं तं विजयं नमामि ।
नमामि विघ्नेश्वर-नन्दिनाथं पुत्रप्रियं तं शिरसा नमामि ॥ 9 ॥

नमामि देवं भवदुःखशोकविनाशनं चन्द्रधरं नमामि ।
नमामि गंगाधरमीशमीड्यमुमाधवं देववरं नमामि ॥ 10 ॥

नमाम्यजादीश-पुरन्दरादि-सुरासुरैरर्चित-पादपद्मम् ।
नमामि देवीमुख-वादनानामीक्षार्थमक्षित्रितयं य ऐच्छत् ॥ 11 ॥

पञ्चामृतैर्गन्ध-सुधूपदीपैर्विचित्र-पुष्पैर्विविधैश्च मन्त्रैः।
अन्नप्रकारैः सकलोपचारैः सम्पूजितं सोममहं नमामि ॥ 12 ॥

ॐ शान्तिः शान्तिः शान्तिः ॥ हरिः ॐ ॥

बृहस्पतिकृता महादेवस्तुतिः

जय शंकर शान्त शशांकरुचे रुचिरार्थद सर्वद सर्वशुचे ।
शुचिदत्तगृहीतमहोपहृते हृतभक्तजनोद्धततापतते ॥ 1 ॥

ततसर्वहृदम्बर वरद नते नतवृजिनमहावनदाहकृते ।
कृतविविध-चरित्रतनो सुतनो तनुविशिख-विशोषणधैर्यनिधे ॥ 2 ॥

निधनादि-विवर्जित कृतनतिकृत् कृतिविहित-मनोरथपन्नगभृत् ।
नगभर्तृसुतार्पितवामवपुः स्ववपुः परिपूरितसर्वजगत् ॥ 3 ॥

त्रिजगन्मयरूप विरूप सुदृग् दृगुदञ्चन कुञ्चनकृतहुतभुक् ।
भव भूतपते प्रमथैकपते पतितेष्वपि दत्तकरप्रसृते ॥ 4 ॥

प्रसृताखिल-भूतलसंवरण प्रणवध्वनिसौधसुधांशुधर ।
धरराजकुमारिकया परया परितः परितुष्ट नतोऽस्मि शिव ॥ 5 ॥

शिव देव गिरीश महेश विभो विभवप्रद गिरिश शिवेश मृड ।
मृडयोडुपतिध्र जगत् त्रितयं कृतयन्त्रणभक्ति-विघातकृताम् ॥ 6 ॥

न कृतान्तत एष विभेमि हर प्रहराशु महाघममोघमते ।
न मतान्तरमन्यदवैमि शिवं शिवपादनतेः प्रणतोऽस्मि ततः ॥ 7 ॥

विततेऽत्र जगत्यखिलेऽघहरं हरतोषणमेव परं गुणवत् ।
गुणहीनमहीन-महावलयं प्रलयान्तकमीश नतोऽस्मि ततः ॥ 8 ॥

इति स्तुत्वा महादेवं विररामांगिरः सुतः ।
व्यतरच्चमहेशानः स्तुत्या तुष्टो वरान् बहून् ॥ 9 ॥

बृहता तपसाऽनेन बृहतां पतिरेध्यहो ।
नाम्ना बृहस्पतिरिति ग्रहेष्वर्च्यो भव द्विज ॥ 10 ॥

ॐ शान्तिः शान्तिः शान्तिः ॥ हरिः ॐ ॥

ब्रह्माकृता महाकालस्तुतिः

नमोऽस्त्वनन्तरूपाय नीलकण्ठ नमोऽस्तु ते ।
अविज्ञातस्वरूपाय कैवल्यायामृताय च ॥ 1 ॥

नान्तं देवा विजानन्ति यस्य तस्मै नमो नमः ।
यं न वाचः प्रशंसन्ति नमस्तस्मै चिदात्मने ॥ 2 ॥

योगिनो यं हृदःकोशे प्रणिधानेन निश्चलाः ।
ज्योतीरूपं प्रपश्यन्ति तस्मै श्रीब्रह्मणे नमः ॥ 3 ॥

कालात्पराय कालाय स्वेच्छया पुरुषाय च ।
गुणत्रयस्वरूपाय नमः प्रकृतिरूपिणे ॥ 4 ॥

विष्णवे सत्त्वरूपाय रजोरूपाय वेधसे ।
तमोरूपाय रुद्राय स्थिति-सर्गान्तकारिणे ॥ 5 ॥

नमो नमः स्वरूपाय पञ्चबुद्धीन्द्रियात्मने ।
क्षित्यादिपञ्चरूपाय नमस्ते विषयात्मने ॥ 6 ॥

नमो ब्रह्माण्डरूपाय तदन्तर्वर्तिने नमः ।
अर्वाचीन-पराचीनविश्वरूपाय ते नमः ॥ 7 ॥

अचिन्त्य-नित्यरूपाय सदसत्पतये नमः ।
नमस्ते भक्तकृपया स्वेच्छाविष्कृत-विग्रह ॥ 8 ॥

तव निःश्वसितं वेदास्तव वेदोऽखिलं जगत् ।
विश्वभूतानि ते पादः शिरो द्यौः समवर्तत ॥ 9 ॥

नाभ्या आसीदन्तरिक्षं लोमानि च वनस्पतिः ।
चन्द्रमा मनसो जातश्चक्षोः सूर्यस्तव प्रभो ॥ 10 ॥

त्वमेव सर्वं त्वयि देव सर्वं
      सर्वस्तुतिस्तव्य इह त्वमेव ।
ईश त्वया वास्यमिदं हि सर्वं
      नमोऽस्तु भूयोऽपि नमो नमस्ते ॥ 11 ॥

ॐ शान्तिः शान्तिः शान्तिः ॥ हरिः ॐ ॥

41

शिवताण्डवस्तुतिः

देवा दिक्पतयः प्रयात परतः खं मुञ्चताम्भोमुचः
पातालं व्रज मेदिनि प्रविशत क्षोणीतलं भूधराः।
ब्रह्मन्नुन्नय दूरमात्मभुवनं नाथस्य नो नृत्यतः
शम्भोः संकटमेतदित्यवतु वः प्रोत्सारणा नन्दिनः॥ 1॥

दोर्दण्डद्वय-लीलयाचल-गिरिभ्राम्यत्तदुच्चै रव-
ध्वानोद्धीत-जगद्भ्रमत्पदभरालोलत्फणाग्र्योरगम् ।
भृंगापिंगजटाटवी-परिसरोद्गंगोर्मिमालाचलत्-
चन्द्रं चारु महेश्वरस्य भवतान्नः श्रेयसे ताण्डवम् ॥ 2॥

संध्याताण्डव-डम्बरव्यसनिनो भर्गस्य चण्डभ्रमि-
व्यानृत्यद्भुजदण्ड-मण्डलभुवो झञ्झानिलाः पान्तु वः।
येषामुच्छलतां जवेन झटिति व्यूहेषु भूमीभृतां-
उड्डीनेषु विडौजसा पुनरसौ दम्भोलिरालोकिता ॥ 3॥

शर्वाणीपाणि-तालैश्चलवलय-झणत्कारिभिः श्लाघ्यमानं
स्थानेसम्भाव्यमानं पुलकितवपुषा शम्भुनाप्रेक्षकेण ।
खेलत्पिच्छालिकेका-कलकलकलितं क्रौञ्चभिद्बर्हियूनो
हेरम्बाकाण्ड-बृंहातरलित-मनसस्ताण्डवं त्वा धुनोतु ॥ 4॥

देवस्त्रैगुण्यभेदात् सृजति वितनुते संहरत्येष लोकान्-
अस्यैव व्यापिनीभिस्तनुभिरपि जगद्व्याप्तमष्टाभिरेव ।
वन्द्यो नास्येति पश्यन्निव चरणगतः पातु पुष्पाञ्जलिर्वः
शम्भोर्नृत्यावतारे वलयफणिफणा-फूत्कृतैर्विप्रकीर्णः॥ 5॥

ॐ शान्तिः शान्तिः शान्तिः ॥ हरिः ॐ॥

श्रीविश्वनाथमंगलस्तोत्रम्

गंगाधरं शशिकिशोरधरं त्रिलोकी-
रक्षाधरं निटिलचन्द्रधरं त्रिधारम् ।
भस्मावधूलनधरं गिरिराजकन्या-
दिव्यावलोकनधरं वरदं प्रपद्ये ॥ 1 ॥

काशीश्वरं सकलभक्तजनार्तिहारं
विश्वेश्वरं प्रणतपालन-भव्यभारम् ।
रामेश्वरं विजयदानविधानधीरं
गौरीश्वरं वरदहस्तधरं नमामः ॥ 2 ॥

गंगोत्तमांगकलितं ललितं विशालं
तं मंगलं गरलनीलगलं ललामम् ।
श्रीमुण्डमाल्यवलयोज्ज्वलमञ्जुलीलं
लक्ष्मीश्वरार्चित-पदाम्बुजमाभजामः ॥ 3 ॥

दारिद्र्यदुःखदहनं कमनं सुराणां
दीनार्तिदावदहनं दमनं रिपूणाम् ।

दानं श्रियां प्रणमनं भुवनाधिपानां
मानं सतां वृषभवाहनमानमामः ॥ 4 ॥

श्रीकृष्णचन्द्रशरणं रमणं भवान्याः
शश्वत्प्रपन्नभरणं धरणं धरायाः।
संसारभारहरणं करुणं वरेण्यं
संतापतापकरणं करवै शरण्यम् ॥ 5 ॥

चण्डीपिचण्डिल-वितुण्डधृताभिषेकं
श्रीकार्तिकेयकल-नृत्यकलावलोकम् ।
नन्दीश्वरास्य-वरवाद्यमहोत्सवाढ्यं
सोल्लासहासगिरिजं गिरिशं तमीडे ॥ 6 ॥

श्रीमोहिनी-निविडरागभरोपगूढं
योगेश्वरेश्वर-हृदम्बुजवासरासम् ।
सम्मोहनं गिरिसुताञ्चित-चन्द्रचूडं
श्रीविश्वनाथमधिनाथमुपैमि नित्यम् ॥ 7 ॥

ॐ शान्तिः शान्तिः शान्तिः ॥ हरिः ॐ ॥

श्रीकाशीविश्वेश्वरादिस्तोत्रम्

नम: श्रीविश्वनाथाय देववन्द्यपदाय ते ।
काशीशेशावतारो मे देवदेव ह्युपादिश ॥ 1 ॥
मायाधीशं महात्मानं सर्वकारणकारणम् ।
वन्दे तं माधवं देवं य: काशीं चाधितिष्ठति ॥ 2 ॥
वन्दे तं धर्मगोप्तारं सर्वगुह्यार्थवेदिनम् ।
गणदेवं ढुण्ढिराजं तं महान्तं सुविघ्नहम् ॥ 3 ॥
भारं वोढुं स्वभक्तानां यो योगं प्राप्त उत्तमम् ।
तं सढुण्ढिं दण्डपाणिं वन्दे गंगातटस्थितम् ॥ 4 ॥
भैरवं दंष्ट्राकरालं भक्ताभयकरं भजे ।
दुष्टदण्ड-शूलशीर्षधरं वामाध्वचारिणम् ॥ 5 ॥
श्रीकाशीं पापशमनीं दमनीं दुष्टचेतस: ।
स्वर्नि:श्रेणिं चाविमुक्तपुरीं मर्त्यहितां भजे ॥ 6 ॥
नमामि चतुराराध्यां सदाऽणिम्नि स्थितिं गुहाम् ।
श्रीगंगे भैरवीं दूरीकुरु कल्याणि यातनाम् ॥ 7 ॥
भवानि रक्षान्नपूर्णे सद्वर्णितगुणेऽम्बिके ।
देवर्षिवन्द्याम्बु-मणिकर्णिकां मोक्षदां भजे ॥ 8 ॥

ॐ शान्ति: शान्ति: शान्ति: ॥ हरि: ॐ ॥

45

अर्धनारीनटेश्वरस्तोत्रम्

चाम्पेयगौरार्ध-शरीरकायै कर्पूरगौरार्ध-शरीरकाय ।
धम्मिल्लकायै च जटाधराय नमः शिवायै च नमः शिवाय ॥ 1 ॥

कस्तूरिकाकुंकुम-चर्चितायै चितारजःपुञ्जविचर्चिताय ।
कृतस्मरायै विकृतस्मराय नमः शिवायै च नमः शिवाय ॥ 2 ॥

चलत्क्वणत्कंकण-नूपुरायै पादाब्ज-राजत्फणिनूपुराय ।
हेमांगदायै भुजगांगदाय नमः शिवायै च नमः शिवाय ॥ 3 ॥

विशालनीलोत्पल-लोचनायै विकासिपंकेरुह-लोचनाय ।
समेक्षणायै विषमेक्षणाय नमः शिवायै च नमः शिवाय ॥ 4 ॥

मन्दारमाला-कलितालकायै कपालमालांकित-कन्धराय ।
दिव्याम्बरायै च दिगम्बराय नमः शिवायै च नमः शिवाय ॥ 5 ॥

अम्भोधरश्यामल-कुन्तलायै तडित्प्रभाताम्र-जटाधराय ।
निरीश्वरायै निखिलेश्वराय नमः शिवायै च नमः शिवाय ॥ 6 ॥

प्रपञ्चसृष्ट्युन्मुख-लास्यकायै समस्तसंहारक-ताण्डवाय ।
जगज्जनन्यैजगदेकपित्रे नमः शिवायै च नमः शिवाय ॥ 7 ॥

प्रदीप्तरत्नोज्ज्वल-कुण्डलायै स्फुरन्महापन्नग-भूषणाय ।
शिवान्वितायै च शिवान्विताय नमः शिवायै च नमः शिवाय ॥ 8 ॥

ॐ शान्तिः शान्तिः शान्तिः ॥ हरिः ॐ ॥

विश्वमूर्त्यष्टकस्तोत्रम्

अकारणायाखिल-कारणाय नमो महाकारण-कारणाय ।
नमोऽस्तु कालानल-लोचनाय कृतागसं मामव विश्वमूर्ते ॥ 1 ॥

नमोऽस्त्वहीना-भरणाय नित्यं नमः पशूनां पतये मृडाय ।
वेदान्त-वेद्याय नमो नमस्ते कृतागसं मामव विश्वमूर्ते ॥ 2 ॥

नमोऽस्तु भक्तेर्हित-दानदात्रे सर्वौषधीनां पतये नमोऽस्तु ।
ब्रह्मण्य-देवाय नमो नमस्ते कृतागसं मामव विश्वमूर्ते ॥ 3 ॥

कालाय कालानल-संनिभाय हिरण्यगर्भाय नमो नमस्ते ।
हालाहलादाय सदा नमस्ते कृतागसं मामव विश्वमूर्ते ॥ 4 ॥

विरिञ्चि-नारायण-शक्रमुख्यैरज्ञात-वीर्याय नमो नमस्ते ।
सूक्ष्माऽतिसूक्ष्माय नमोऽघहन्त्रे कृतागसं मामव विश्वमूर्ते ॥ 5 ॥

अनेककोटीन्दुनिभाय तेऽस्तु नमो गिरीणां पतयेऽघहन्त्रे ।
नमोऽस्तु ते भक्त-विपद्धराय कृतागसं मामव विश्वमूर्ते ॥ 6 ॥

सर्वान्तर-स्थाय विशुद्ध-धाम्ने नमोऽस्तु ते दुष्ट-कुलान्तकाय ।
समस्त-तेजोनिधये नमस्ते कृतागसं मामव विश्वमूर्ते ॥ 7 ॥

यज्ञाय यज्ञादिफल-प्रदात्रे यज्ञस्वरूपाय नमो नमस्ते ।
नमो महानन्दमयाय नित्यं कृतागसं मामव विश्वमूर्ते ॥ 8 ॥

ॐ शान्तिः शान्तिः शान्तिः ॥ हरिः ॐ ॥

शिवाष्टोत्तरशतनामस्तोत्रम्

जय शम्भो विभो रुद्र स्वयम्भो जय शंकर ।
जयेश्वर जयेशान जय जय सर्वज्ञ कामदं ॥ 1 ॥
नीलकण्ठ जय श्रीद श्रीकण्ठ जय धूर्जटे ।
अष्टमूर्तेऽनन्तमूर्ते महामूर्ते जयानघ ॥ 2 ॥
जय पापहरानंगनि:संग भंगनाशन ।
जय त्वं त्रिदशाधार त्रिलोकेश त्रिलोचन ॥ 3 ॥
जय त्वं त्रिपथाधार त्रिमार्ग त्रिभिरूर्जित ।
त्रिपुरारे त्रिधामूर्ते जयैकत्रिजटात्मक ॥ 4 ॥
शशिशेखर शूलेश पशुपाल शिवाप्रिय ।
शिवात्मक शिव श्रीद सुहृच्छ्रीशतनो जय ॥ 5 ॥
सर्व सर्वेश भूतेश गिरिश तवं गिरीश्वर: ।
जयोग्ररूप भीमेश भव भर्ग जय प्रभो ॥ 6 ॥
जय दक्षाध्वर-ध्वंसिन्नन्धक-ध्वंसकारक ।
रुण्डमालिन् कपाली त्व भुजंगाऽजिनभूषण ॥ 7 ॥
दिगम्बर दिशानाथ व्योमकेश चितापते ।
जयाधार निराधार भस्माधार धराधर ॥ 8 ॥
देवदेव महादेव देवतेशादिदैवत ।
वह्निवीर्य जय स्थाणो जयायोनिजसम्भव ॥ 9 ॥
भव शर्व महाकाल भस्मांग सर्पभूषण ।
त्र्यम्बक स्थपते वाचाम्पते भो जगताम्पते ॥ 10 ॥
शिपिविष्ट विरूपाक्ष जय लिंग वृषध्वज ।
नीललोहित पिंगाक्ष जय खट्वांगमण्डन ॥ 11 ॥
कृत्तिवास अहिर्बुध्न्य मृडानीश जटाम्बुभृत् ।
जगद्भ्रातर्जगन्मातर्जगत्तात जगद्गुरो ॥ 12 ॥
पञ्चवक्त्र महावक्त्र कालवक्त्र गजास्यभृत् ।
दशबाहो महाबाहो महावीर्य महाबल ॥ 13 ॥
अघोरघोरवक्त्र त्वं सद्योजात उमापते ।
सदानन्द महानन्द नन्दमूर्ते जयेश्वर ॥ 14 ॥

ॐ शान्ति: शान्ति: शान्ति: ॥ हरि: ॐ ॥

गौरीपतिशतनामस्तोत्रम्

नमो रुद्राय नीलाय भीमाय परमात्मने ।
कपर्दिने सुरेशाय व्योमकेशाय वै नमः ॥ 1 ॥

वृषभध्वजाय सोमाय सोमनाथाय शम्भवे ।
दिगम्बराय भर्गाय उमाकान्ताय वै नमः ॥ 2 ॥

तपोमयाय भव्याय शिवश्रेष्ठाय विष्णवे ।
व्यालप्रियाय व्यालाय व्यालानां पतये नमः ॥ 3 ॥

महीधराय व्याघ्राय पशूनां पतये नमः ।
पुरान्तकाय सिंहाय शार्दूलाय मखाय च ॥ 4 ॥

मीनाय मीननाथाय सिद्धाय परमेष्ठिने ।
कामान्तकाय बुद्धाय बुद्धीनां पतये नमः ॥ 5 ॥

कपोताय विशिष्टाय शिष्टाय सकलात्मने ।
वेदाय वेदजीवाय वेदगुह्याय वै नमः ॥ 6 ॥

दीर्घाय दीर्घरूपाय दीर्घार्थायाविनाशिने ।
नमो जगत्प्रतिष्ठाय व्योमरूपाय वै नमः ॥ 7 ॥

गजासुर-महाकालायान्धकासुर-भेदिने ।
नीललोहित-शुक्लाय चण्डमुण्ड-प्रियाय च ॥ 8 ॥

भक्तिप्रियाय देवाय ज्ञात्रे ज्ञानाव्ययाय च ।
महेशाय नमस्तुभ्यं महादेव हराय च ॥ 9 ॥

त्रिनेत्राय त्रिवेदाय वेदांगाय नमो नमः ।
अर्थाय चार्थरूपाय परमार्थाय वै नमः ॥ 10 ॥

विश्वभूपाय विश्वाय विश्वनाथाय वै नमः ।
शंकराय च कालाय कालावयव-रूपिणे ॥ 11 ॥

अरूपाय विरूपाय सूक्ष्मसूक्ष्माय वै नमः ।
श्मशानवासिने भूयो नमस्ते कृत्तिवाससे ॥ 12 ॥

शशांकशेखरायेशायोग्र-भूमिशयाय च ।
दुर्गाय दुर्गपाराय दुर्गावयवसाक्षिणे ॥ 13 ॥

लिंगरूपाय लिंगाय लिंगानां पतये नमः ।
नमः प्रलयरूपाय प्रणवार्थाय वै नमः ॥ 14 ॥

नमो नमः कारणकारणाय मृत्युञ्जयायात्म-भवस्वरूपिणे ।
श्रीत्र्यम्बकायासित-कण्ठशर्व गौरीपते सकलमंगल-हेतवे नमः ॥ 15 ॥

49

पशुपतिस्तोत्रम्

स पातु वो यस्य जटाकलापे स्थितः शशांकः स्फुटहारगौरः।
नीलोत्पलानामिव नालपुञ्जे निद्रायमाणः शरदीव हंसः ॥ 1 ॥

जगत्सिसृक्षाप्रलय-क्रियाविधौ प्रयत्नमुन्मेष-निमेषविभ्रमम् ।
वदन्ति यस्येक्षण-लोलपक्ष्मणां पराय तस्मै परमेष्ठिने नमः ॥ 2 ॥

व्योम्नीव नीरदभरः सरसीव वीचि-व्यूहः सहस्रमहसीव सुधांशुधाम ।
यस्मिन्निदं जगदुदेति च लीयते च तच्छाम्भवं भवतु वैभवमृद्धये वः ॥ 3 ॥

यः कन्दुकैरिव पुरन्दरपद्मसद्म-पद्मापति-प्रभृतिभिः प्रभुरप्रमेयः।
खेलत्यलंघ्य-महिमा स हिमाद्रिकन्या-कान्तः कृतान्तदलनो गलयत्वघं वः ॥ 4 ॥

दिश्यात् स शीतकिरणाभरणः शिवं वो यस्योत्तमांगभुवि विस्फुरदुर्मिपक्षा ।
हंसीव निर्मल-शशांक-कलामृणाल-कन्दार्थिनी सुरसरिन्नभतः पपात ॥ 5 ॥

ॐ शान्तिः शान्तिः शान्तिः ॥ हरिः ॐ ॥

सदाशिव के विभिन्न स्वरूपों का ध्यान

भगवान् सदाशिव

यो धत्ते भुवनानि सप्त गुणवान् स्रष्टा रज:संश्रय:
संहर्ता तमसान्वितो गुणवतीं मायामतीत्य स्थित: ।
सत्यानन्दमनन्त-बोधममलं ब्रह्मादिसंज्ञास्पदं
नित्यं सत्त्वसमन्वयादधिगतं पूर्णं शिवं धीमहि ॥

परमात्मप्रभु शिव

वेदान्तेषु यमाहुरेकपुरुषं व्याप्य स्थितं रोदसी
यस्मिन्नीश्वर इत्यनन्यविषय: शब्दो यथार्थाक्षर: ।
अन्तर्यश्च मुमुक्षुभिर्नियमित-प्राणादिभिर्मृग्यते
स स्थाणु: स्थिरभक्तियोगसुलभो नि:श्रेयसायास्तु व: ॥

भगवान् शिव

कृपाललितवीक्षणं स्मितमनोज्ञवक्त्राम्बुजं
शशांककलयोज्ज्वलं शमितघोरतापत्रयम् ।
करोतु किमपि स्फुरत्परम-सौख्यसच्चिद्वपु:
धराधरसुता-भुजोद्वलयितं महो मंगलम् ॥

भगवान् अर्धनारीश्वर

नीलप्रवालरुचिरं विलसत्त्रिनेत्रं
पाशारुणोत्पल-कपालत्रिशूलहस्तम् ।
अर्धाम्बिकेशमनिशं प्रविभक्तभूषं
बालेन्दुबद्धमुकुटं प्रणमामि रूपम् ॥

यो धत्ते निजमाययैव भुवनाकारं विकारोज्झितो
यस्याहु: करुणाकटाक्षविभवौ स्वर्गापवर्गाभिधौ ।
प्रत्यग्बोधसुखाद्वयं हृदि सदा पश्यन्ति यं योगिन:
तस्मै शैलसुताञ्चितार्धवपुषे शश्वन्नमस्तेजसे ॥

भगवान् शंकर

वन्दे वन्दनतुष्टमानसमतिप्रेमप्रियं प्रेमदं
पूर्णं पूर्णकरं प्रपूर्णनिखिलैश्वर्यैकवासं शिवम्।
सत्यं सत्यमयं त्रिसत्यविभवं सत्यप्रियं सत्यदं
विष्णुब्रह्मनुतं स्वकीय-कृपयोपात्ताकृतिं शंकरम् ॥

भगवान् गौरीपति शिव

विश्वोद्भवस्थिति-लयादिषु हेतुमेकं
गौरीपतिं विदिततत्त्वमनन्तकीर्तिम्।
मायाश्रयं विगत-मायमचिन्त्यरूपं
बोधस्वरूपममलं हि शिवं नमामि ॥

भगवान् महामहेश्वर

ध्यायेन्नित्यं महेशं रजतगिरिनिभं चारुचन्द्रावतंसं
रत्नाकल्पोज्ज्वलांगं परशुमृगवराभीतिहस्तं प्रसन्नम्।
पद्मासीनं समन्तात् स्तुतममरगणैर्व्याघ्रकृत्तिं वसानं
विश्वाद्यं विश्वबीजं निखिलभयहरं पञ्चवक्त्रं त्रिनेत्रम् ॥

भगवान् पञ्चमुख सदाशिव

मुक्तापीत-पयोदमौक्तिक-जवावर्णैर्मुखैः पञ्चभिः
त्र्यक्षैरञ्चितमीशमिन्दु-मुकुटं पूर्णेन्दुकोटिप्रभम्।
शूलं टंककृपाण-वज्रदहनान् नागेन्द्रघण्टांकुशान्
पाशं भीतिहरं दधानममिताकल्पोज्ज्वलं चिन्तयेत् ॥

भगवान् अम्बिकेश्वर

आद्यन्तमंगलमजात-समानभावं-
आर्यं तमीशमजरामरमात्म-देवम्।
पञ्चाननं प्रबलपञ्चविनोदशीलं
सम्भावये मनसि शंकरमम्बिकेशम् ॥

भगवान् पञ्चानन

शूलाही टंकघण्टासि-शृणिकुलिश-पाशाग्न्यभीतीर्दधानं
दोर्भिः शीतांशुखण्ड-प्रतिघटित-जटाभारमौलिं त्रिनेत्रम्।
नानाकल्पाभिरामापघनमभिमतार्थप्रदं सुप्रसन्नं
पद्मस्थं पञ्चवक्त्रं स्फटिक-मणिनिभं पार्वतीशं नमामि ॥

भगवान् महाकाल

स्रष्टारोऽपि प्रजानां प्रबलभवभयाद् यं नमस्यन्ति देवा
यश्चित्ते सम्प्रविष्टोऽप्यवहितमनसां ध्यानमुक्तात्मनां च।
लोकानामादिदेवः स जयतु भगवाञ्छ्रीमहाकालनामा
बिभ्राणः सोमलेखामहिवलययुतं व्यक्तलिंगं कपालम् ॥

भगवान् श्रीनीलकण्ठ

बालार्कायुततेजसं धृतजटाजूटेन्दुखण्डोज्ज्वलं
नागेन्द्रैः कृतभूषणं जपवटीं शूलं कपालं करैः।
खट्वांगं दधतं त्रिनेत्रविलसत्पञ्चाननं सुन्दरं
व्याघ्रत्वक्परिधानमब्जनिलयं श्रीनीलकण्ठं भजे ॥

भगवान् पशुपति

मध्याह्नार्कसम-प्रभं शशिधरं भीमाट्टहासोज्ज्वलं
त्र्यक्षं पन्नगभूषणं शिखिशिखाश्मश्रु-स्फुरन्मूर्धजम्।

हस्ताब्जैस्त्रिशिखं समुद्गरमसिं शक्तिं दधानं विभुं
दंष्ट्राभीमचतुर्मुखं पशुपतिं दिव्यास्त्ररूपं स्मरेत् ॥

भगवान् दक्षिणामूर्ति

मुद्रां भद्रार्थदात्रीं सपरशुहरिणां बाहुभिर्बाहुमेकं
जान्वासक्तं दधानो भुजगवर-समाबद्धकक्षो वटाधः।
आसीनश्चन्द्रखण्ड-प्रतिघटितजटः क्षीरगौरस्त्रिनेत्रो
दद्यादाद्यैः शुकाद्यैर्मुनिभिरभिवृतो भावशुद्धिं भवो वः॥

भगवान् महामृत्युञ्जय

हस्ताभ्यां कलशद्वयामृतरसैराप्लावयन्तं शिरो
द्वाभ्यां तौ दधतं मृगाक्षवलये द्वाभ्यां वहन्तं परम्।
अंकन्यस्तकरद्वयामृतघटं कैलासकान्तं शिवं
स्वच्छाम्भोजगतं नवेन्दुमुकुटं देवं त्रिनेत्रं भजे ॥

हस्ताम्भोजयुगस्थकुम्भयुगलादुद्धृत्य तोयं शिरः
सिञ्चन्तं करयोर्युगेन दधतं स्वान्के सकुम्भौ करौ।
अक्षस्त्रङ्मृगहस्तमम्बुजगतं मूर्धस्थचन्द्रस्त्रवत्
पीयूषार्द्रतनुं भजे सगिरिजं त्र्यक्षं च मृत्युञ्जयम् ॥

ॐ शान्तिः शान्तिः शान्तिः ॥ हरिः ॐ ॥

मृतसञ्जीवनकवचम्

एवमाराध्य गौरीशं देवं मृत्युञ्जयेश्वरम् ।
मृतसञ्जीवनं नाम कवचं प्रजपेत् सदा ॥ 1 ॥
सारात् सारतरं पुण्यं गुह्याद् गुह्यतरं शुभम् ।
महादेवस्य कवचं मृतसञ्जीवनाभिधम् ॥ 2 ॥
समाहितमना भूत्वा शृणुष्व कवचं शुभम् ।
श्रुत्वैतद् दिव्यकवचं रहस्यं कुरु सर्वदा ॥ 3 ॥
जराभयकरो यज्वा सर्वदेवनिषेवितः ।
मृत्युञ्जयो महादेवः प्राच्यां मां पातु सर्वदा ॥ 4 ॥
दधानः शक्तिमभयां त्रिमुखः षड्भुजः प्रभुः ।
सदाशिवोऽग्निरूपी मामाग्नेय्यां पातु सर्वदा ॥ 5 ॥
अष्टादशभुजोपेतो दण्डाभयकरो विभुः ।
यमरूपी महादेवो दक्षिणस्यां सदाऽवतु ॥ 6 ॥
खड्गाभयकरो धीरो रक्षोगणनिषेवितः ।
रक्षोरूपी महेशो मां नैर्ऋत्यां सर्वदाऽवतु ॥ 7 ॥
पाशाभयभुजः सर्वरत्नाकरनिषेवितः ।
वरुणात्मा महादेवः पश्चिमे मां सदाऽवतु ॥ 8 ॥
गदाभयकरः प्राणनायकः सर्वदागतिः ।
वायव्यां मारुतात्मा मां शंकरः पातु सर्वदा ॥ 9 ॥
शंखाभयकरस्थो मां नायकः परमेश्वरः ।
सर्वात्मान्तरदिग्भागे पातु मां शंकरः प्रभुः ॥ 10 ॥
शूलाभयकरः सर्वविद्यानामधिनायकः ।
ईशानात्मा तथैशान्यां पातु मां परमेश्वरः ॥ 11 ॥
ऊर्ध्वभागे ब्रह्मरूपी विश्वात्माऽधः सदाऽवतु ।
शिरो मे शंकरः पातु ललाटं चन्द्रशेखरः ॥ 12 ॥
भ्रूमध्यं सर्वलोकेश-स्त्रिनेत्रोऽवतु लोचने ।
भ्रूयुग्मं गिरिशः पातु कर्णौ पातु महेश्वरः ॥ 13 ॥
नासिकां मे महादेव ओष्ठौ पातु वृषध्वजः ।
जिह्वां मे दक्षिणामूर्तिर्दन्तान् मे गिरिशोऽवतु ॥ 14 ॥
मृत्युञ्जयो मुखं पातु कण्ठं मे नागभूषणः ।
पिनाकी मत्करौ पातु त्रिशूली हृदयं मम ॥ 15 ॥

पञ्चवक्त्रः स्तनौ पातु उदरं जगदीश्वरः।
नाभिं पातु विरूपाक्षः पार्श्वे मे पार्वतीपतिः ॥ 16 ॥
कटिद्वयं गिरीशो मे पृष्ठं मे प्रमथाधिपः।
गुह्यं महेश्वरः पातु ममोरू पातु भैरवः ॥ 17 ॥
जानुनी मे जगद्धर्ता जंघे मे जगदम्बिका ।
पादौ मे सततं पातु लोकवन्द्यः सदाशिवः ॥ 18 ॥
गिरीशः पातु मे भार्यां भवः पातु सुतान् मम ।
मृत्युञ्जयो ममायुष्यं चित्तं मे गणनायकः ॥ 19 ॥
सर्वांगं मे सदा पातु कालकालः सदाशिवः।
एतत्ते कवचं पुण्यं देवतानां च दुर्लभम् ॥ 20 ॥
मृतसञ्जीवनं नाम्ना महादेवेन कीर्तितम् ।
सहस्रावर्तनं चास्य पुरश्चरणमीरितम् ॥ 21 ॥
यः पठेच्छृणुयान्नित्यं श्रावयेत् सुसमाहितः।
सोऽकालमृत्युं निर्जित्य सदायुष्यं समश्नुते ॥ 22 ॥

ॐ शान्तिः शान्तिः शान्तिः ॥ हरिः ॐ ॥

वन्दे शिवं शंकरम्

वन्दे देवमुमापतिं सुरगुरुं वन्दे जगत्कारणं
वन्दे पन्नगभूषणं मृगधरं वन्दे पशूनां पतिम् ।
वन्दे सूर्यशशांक-वह्निनयनं वन्दे मुकुन्दप्रियं
वन्दे भक्तजनाश्रयं च वरदं वन्दे शिवं शंकरम् ॥ 1 ॥

वन्दे सर्वजगद्विहारमतुलं वन्देऽन्धकध्वंसिनं
वन्दे देवशिखामणिं शशिनिभं वन्दे हरेर्वल्लभम् ।
वन्दे नागभुजंग-भूषणधरं वन्दे शिवं चिन्मयं
वन्दे भक्तजनाश्रयं च वरदं वन्दे शिवं शंकरम् ॥ 2 ॥

वन्दे दिव्यमचिन्त्यमद्वयमहं वन्देऽर्कदर्पापहं
वन्दे निर्मलमादि-मूलमनिशं वन्दे मखध्वंसिनम् ।
वन्दे सत्यमनन्तमाद्यमभयं वन्देऽतिशान्ताकृतिं
वन्दे भक्तजनाश्रयं च वरदं वन्दे शिवं शंकरम् ॥ 3 ॥

वन्दे भूरथमम्बुजाक्ष-विशिखं वन्दे श्रुतित्रोटकं
वन्दे शैलशरासनं फणिगुणं वन्देऽधितूणीरकम् ।
वन्दे पद्मजसारथिं पुरहरं वन्दे महाभैरवं
वन्दे भक्तजनाश्रयं च वरदं वन्दे शिवं शंकरम् ॥ 4 ॥

वन्दे पञ्चमुखाम्बुजं त्रिनयनं वन्दे ललाटेक्षणं
वन्दे व्योमगतं जटासुमुकुटं चन्द्रार्धगंगाधरम् ।
वन्दे भस्मकृतत्रिपुण्ड्रजटिलं वन्देष्टमूर्त्यात्मकं
वन्दे भक्तजनाश्रयं च वरदं वन्दे शिवं शंकरम् ॥ 5 ॥

वन्दे कालहरं हरं विषधरं वन्दे मृडं धूर्जटिं
वन्दे सर्वगतं दयामृतनिधिं वन्दे नृसिंहापहम् ।
वन्दे विप्रसुरार्चितांघ्रिकमलं वन्दे भगाक्षापहं
वन्दे भक्तजनाश्रयं च वरदं वन्दे शिवं शंकरम् ॥ 6 ॥

वन्दे मंगलराजताद्रिनिलयं वन्दे सुराधीश्वरं
वन्दे शंकरमप्रमेयमतुलं वन्दे यमद्वेषिणम् ।

वन्दे कुण्डलिराज-कुण्डलधरं वन्दे सहस्रानन
वन्दे भक्तजनाश्रयं च वरदं वन्दे शिवं शंकरम् ॥ 7 ॥

वन्दे हंसमतीन्द्रियं स्मरहरं वन्दे विरूपेक्षणं
वन्दे भूतगणेशमव्ययमहं वन्देऽर्थराज्यप्रदम् ।
वन्दे सुन्दरसौरभेयगमनं वन्दे त्रिशूलायुधं
वन्दे भक्तजनाश्रयं च वरदं वन्दे शिवं शंकरम् ॥ 8 ॥

वन्दे सूक्ष्ममनन्तमाद्यमभयं वन्देऽन्धकारापहं
वन्दे फूलननन्दि-भृंगिविनतं वन्दे सुपर्णावृतम् ।
वन्दे शैलसुतार्ध-भागवपुषं वन्देऽभयं त्र्यम्बकं
वन्दे भक्तजनाश्रयं च वरदं वन्दे शिवं शंकरम् ॥ 9 ॥

वन्दे पावनमम्बरात्मविभवं वन्दे महेन्द्रेश्वरं
वन्दे भक्तजनाश्रयामरतरुं वन्दे नताभीष्टदम् ।
वन्दे जह्नुसुताम्बिकेशमनिशं वन्दे गणाधीश्वरं
वन्दे भक्तजनाश्रयं च वरदं वन्दे शिवं शंकरम् ॥ 10 ॥

ॐ शान्तिः शान्तिः शान्तिः ॥ हरिः ॐ ॥

शिवरक्षास्तोत्रम्

चरितं देवदेवस्य महादेवस्य पावनम् ।
अपारं परमोदारं चतुर्वर्गस्य साधनम् ॥ 1 ॥

गौरीविनायकोपेतं पञ्चवक्त्रं त्रिनेत्रकम् ।
शिवं ध्यात्वा दशभुजं शिवरक्षां पठेन्नरः ॥ 2 ॥

गंगाधरः शिरः पातु भालमर्धेन्दुशेखरः ।
नयने मदनध्वंसी कर्णौ सर्पविभूषणः ॥ 3 ॥

घ्राणं पातु पुरारातिर्मुखं पातु जगत्पतिः ।
जिह्वां वागीश्वरः पातु कन्धरां शितिकन्धरः ॥ 4 ॥

श्रीकण्ठः पातु मे कण्ठं स्कन्धौ विश्वधुरन्धरः ।
भुजौ भूभारसंहर्ता करौ पातु पिनाकधृक् ॥ 5 ॥

हृदयं शंकरः पातु जठरं गिरिजापतिः ।
नाभिं मृत्युञ्जयः पातु कटी व्याघ्राजिनाम्बरः ॥ 6 ॥

सक्थिनी पातु दीनार्त-शरणागतवत्सलः ।
ऊरू महेश्वरः पातु जानुनी जगदीश्वरः ॥ 7 ॥

जंघे पातु जगत्कर्ता गुल्फौ पातु गणाधिपः ।
चरणौ करुणासिन्धुः सर्वांगानि सदाशिवः ॥ 8 ॥

ॐ शान्तिः शान्तिः शान्तिः ॥ हरिः ॐ ॥

श्रीविश्वनाथस्तवः

भवानीकलत्रं हरं शूलपाणिं
शरण्यं शिवं सर्पहारं गिरीशम् ।
अज्ञानान्तकं भक्तविज्ञानदं तं
भजेऽहं मनोऽभीष्टदं विश्वनाथम् ॥ 1 ॥

अजं पञ्चवक्त्रं त्रिनेत्रं गुणज्ञं
दयाज्ञानसिन्धुं प्रभुं प्राणनाथम् ।
विभुं भावगम्यं भवं नीलकण्ठं
भजेऽहं मनोऽभीष्टदं विश्वनाथम् ॥ 2 ॥

चिताभस्म-भूषार्चिताभासुरांगं
श्मशानालयं त्र्यम्बकं मुण्डमालम् ।
कराभ्यां दधानं त्रिशूलं कपालं
भजेऽहं मनोऽभीष्टदं विश्वनाथम् ॥ 3 ॥

अघघ्नं महाभैरवं भीमदंष्ट्रं
निरीहं तुषाराचलाभांगगौरम् ।
गजारिं गिरौ संस्थितं चन्द्रचूडं
भजेऽहं मनोऽभीष्टदं विश्वनाथम् ॥ 4 ॥

विधुं भालदेशे विभातं दधानं
भुजंगेशसेव्यं पुरारिं महेशम् ।
शिवासंगृहीतार्द्धदेहं प्रसन्नं
भजेऽहं मनोऽभीष्टदं विश्वनाथम् ॥ 5 ॥

भवानीपतिं श्रीजगन्नाथनाथं
गणेशं गृहीतं बलीवर्दयानम् ।
सदा विघ्नविच्छेदहेतुं कृपालुं
भजेऽहं मनोऽभीष्टदं विश्वनाथम् ॥ 6 ॥

अगम्यं नटं योगिभिर्दण्डपाणिं
प्रसन्नाननं व्योमकेशं भयघ्नम् ।
स्तुतं ब्रह्ममायादिभिः पादकञ्जं
भजेऽहं मनोऽभीष्टदं विश्वनाथम् ॥ 7 ॥

मृडं योगमुद्राकृतं ध्याननिष्ठं
धृतं नागयज्ञोपवीतं त्रिपुण्ड्रम् ।
ददानं पदाम्भोजनम्राय कामं
भजेऽहं मनोऽभीष्टदं विश्वनाथम् ॥ 8 ॥

मृडस्य स्वयं यः प्रभाते पठेन्ना
हृदिस्थः शिवस्तस्य नित्यं प्रसन्नः।
चिरस्थं धनं मित्रवर्गं कलत्रं
सुपुत्रं मनोऽभीष्टमोक्षं ददाति ॥ 9 ॥

योगीशमिश्रमुखपंकज-निर्गतं यो
विश्वेश्वराष्टकमिदं पठति प्रभाते ।
आसाद्य शंकरपदाम्बुजयुग्मभक्तिं
भुक्त्वा समृद्धिमिह याति शिवान्तिकेऽन्ते ॥ 10 ॥

ॐ शान्तिः शान्तिः शान्तिः ॥ हरिः ॐ ॥

शिव-मानस-पूजा

रत्नैः कल्पितमासनं हिमजलैः स्नानं च दिव्याम्बरं
नानारत्नविभूषितं मृगमदामोदांकितं चन्दनम् ।
जातिचम्पक-बिल्वपत्ररचितं पुष्पं च धूपं तथा
दीपं देव दयानिधे पशुपते हृत्कल्पितं गृह्यताम् ॥ 1 ॥

सौवर्णे नवरत्नखण्डरचिते पात्रे घृतं पायसं
भक्ष्यं पञ्चविधं पयोदधियुतं रम्भाफलं पानकम् ।
शाकानामयुतं जलं रुचिकरं कर्पूरखण्डोज्ज्वलं
ताम्बूलं मनसा मया विरचितं भक्त्या प्रभो स्वीकुरु ॥ 2 ॥

छत्रं चामरयोर्युगं व्यजनकं चादर्शकं निर्मलं
वीणाभेरिमृदंग-काहलकला गीतं च नृत्यं तथा ।
साष्टांगप्रणतिः स्तुतिर्बहुविधा ह्येतत्समस्तं मया
संकल्पेन समर्पितं तव विभो पूजां गृहाण प्रभो ॥ 3 ॥

आत्मा त्वं गिरिजा मतिः सहचराः प्राणाः शरीरं गृहं
पूजा ते विषयोपभोगरचना निद्रा समाधिस्थितिः ।
सञ्चारः पदयोः प्रदक्षिणविधिः स्तोत्राणि सर्वा गिरो
यद्यत्कर्म करोमि तत्तदखिलं शम्भो तवाराधनम् ॥ 4 ॥

करचरणकृतं वाक्कायजं कर्मजं वा
श्रवणनयनजं वा मानसं वाऽपराधम् ।
विहितमविहितं वा सर्वमेतत्क्षमस्व
जय जय करुणाब्धे श्रीमहादेव शम्भो ॥ 5 ॥

ॐ शान्तिः शान्तिः शान्तिः ॥ हरिः ॐ ॥

62

अमोघशिवकवचम्

अथ ध्यानम्

वज्रदंष्ट्रं त्रिनयनं काल-कण्ठमरिंदमम् ।
सहस्रकरम-प्युग्रं वन्दे शम्भुमुमा-पतिम् ॥

ऋषभ उवाच

अथापरं सर्वपुराणगुह्यं निःशेष-पापौघहरं पवित्रम् ।
जयप्रदं सर्व-विपद्विमोचनं वक्ष्यामि शैवं कवचं हिताय ते ॥

नमस्कृत्य महादेवं विश्व-व्यापिनमीश्वरम् ।
वक्ष्ये शिवमयं वर्म सर्वरक्षाकरं नृणाम् ॥ 1 ॥

शुचौ देशे समासीनो यथावत्-कल्पितासनः ।
जितेन्द्रियो जितप्राण-श्चिन्तयेच्छिव-मव्ययम् ॥ 2 ॥

हृत्पुण्डरीकान्तर-संनिविष्टं स्वतेजसा व्याप्त-नभोऽवकाशम् ।
अतीन्द्रियं सूक्ष्ममनन्तमाद्यं ध्यायेत् परानन्दमयं महेशम् ॥ 3 ॥

ध्यानावधूताखिल-कर्मबन्धश्चिरं चिदानन्द-निमग्नचेताः ।
षडक्षरन्यास-समाहितात्मा शैवेन कुर्यात् कवचेन रक्षाम् ॥ 4 ॥

मां पातु देवोऽखिल-देवतात्मा संसारकूपे पतितं गभीरे ।
तन्नाम दिव्यं वरमन्त्रमूलं धुनोतु मे सर्वमघं हृदिस्थम् ॥ 5 ॥

सर्वत्र मां रक्षतु विश्वमूर्ति-र्ज्योतिर्मयानन्द-घनश्चिदात्मा ।
अणोरणीया-नुरुशक्तिरेकः स ईश्वरः पातु भयादशेषात् ॥ 6 ॥

यो भूस्वरूपेण बिभर्ति विश्वं पायात् स भूमेर्गिरिशो-ऽष्टमूर्तिः ।
योऽपां स्वरूपेण नृणां करोति संजीवनं सोऽवतु मां जलेभ्यः ॥ 7 ॥

कल्पावसाने भुवनानि दग्ध्वा सर्वाणि यो नृत्यति भूरिलीलः ।
स कालरुद्रोऽवतु मां दवाग्ने-र्वात्यादिभीते-रखिलाच्च तापात् ॥ 8 ॥

प्रदीप्त-विद्युत्कनका-वभासो विद्यावरा-भीतिकुठारपाणिः ।
चतुर्मुखस्तत् पुरुषस्त्रिनेत्रः प्राच्यां स्थितं रक्षतु मामजस्रम् ॥ 9 ॥

कुठारवेदांकुश-पाशशूल-कपालढक्काक्ष-गुणान् दधानः।
चतुर्मुखो नीलरुचि-स्त्रिनेत्रः पायादघोरो दिशि दक्षिणस्याम् ॥ 10 ॥

कुन्देन्दु-शंखस्फटिकावभासो वेदाक्षमाला-वरदाभयांकः।
त्र्यक्ष-श्चतुर्वक्त्र उरु-प्रभावः सद्योऽधि-जातोऽवतु मां प्रतीच्याम् ॥ 11 ॥

वराक्षमाला-भयटंकहस्तः सरोजकिञ्जल्क-समानवर्णः।
त्रिलोचन-श्चारुचतुर्मुखो मां पायादुदीच्यां दिशि वामदेवः॥ 12 ॥

वेदाभयेष्टांकुश-पाशटंक-कपालढक्काक्षक-शूलपाणिः।
सितद्युतिः पञ्चमुखोऽवतान्मामीशान ऊर्ध्वं परमप्रकाशः॥ 13 ॥

मूर्द्धानम-व्यान्मम चन्द्रमौलि-र्भालं ममाव्यादथ भालनेत्रः।
नेत्रे ममाव्याद् भगनेत्रहारी नासां सदा रक्षतु विश्वनाथः॥ 14 ॥

पायाच्छ्रुती मे श्रुतिगीतकीर्तिः कपोलमव्यात् सततं कपाली ।
वक्त्रं सदा रक्षतु पञ्चवक्त्रो जिह्वां सदा रक्षतु वेदजिह्वः॥ 15 ॥

कण्ठं गिरीशोऽवतु नीलकण्ठः पाणिद्वयं पातु पिनाकपाणिः।
दोर्मूल-मव्यान्मम धर्मबाहु-र्वक्षःस्थलं दक्षमखान्त-कोऽव्यात् ॥ 16 ॥

ममोदरं पातु गिरीन्द्रधन्वा मध्यं ममाव्यान्-मदनान्तकारी ।
हेरम्बतातो मम पातु नाभिं पायात् कटी धूर्जटिरीश्वरो मे ॥ 17 ॥

ऊरुद्वयं पातु कुबेरमित्रो जानुद्वयं मे जगदीश्वरोऽव्यात् ।
जंघायुगं पुंगवकेतुर-व्यात् पादौ ममाव्यात् सुरवन्द्यपादः॥ 18 ॥

महेश्वरः पातु दिनादि-यामे मां मध्य-यामेऽवतु वामदेवः।
त्रियम्बकः पातु तृतीययामे वृषध्वजः पातु दिनान्त्ययामे ॥ 19 ॥

पाया-न्निशादौ शशिशेखरो मां गंगाधरो रक्षतु मां निशीथे ।
गौरीपतिः पातु निशावसाने मृत्युञ्जयो रक्षतु सर्वकालम् ॥ 20 ॥

अन्तःस्थितं रक्षतु शंकरो मां स्थाणुः सदा पातु बहिःस्थितं माम् ।
तदन्तरे पातु पतिः पशूनां सदाशिवो रक्षतु मां समन्तात् ॥ 21 ॥

तिष्ठन्तमव्याद्-भुवनैकनाथः पायाद् व्रजन्तं प्रमथाधिनाथः।
वेदान्तवेद्योऽवतु मां निषण्णं मामव्ययः पातु शिवः शयानम् ॥ 22 ॥

मार्गेषु मां रक्षतु नीलकण्ठः शैलादिदुर्गेषु पुरत्रयारिः।
अरण्यवासादि-महाप्रवासे पायान्मृग-व्याध उदारशक्तिः॥ 23 ॥

कल्पान्त-काटोपपटु-प्रकोपः स्फुटाट्ट-हासोच्चलिताण्ड-कोशः।
घोरारिसेनार्णव-दुर्निवार-महाभयाद् रक्षतु वीरभद्रः ॥ 24 ॥

पत्त्यश्व-मातंग-घटावरूथ-सहस्त्रलक्षायुत-कोटिभीषणम् ।
अक्षौहिणीनां शतमाततायिनां छिन्द्यान्मृडो घोरकुठार-धारया ॥ 25 ॥

निहन्तु दस्यून् प्रलयानलार्चि-र्ज्वलत् त्रिशूलं त्रिपुरान्तकस्य ।
शार्दूलसिंहर्क्ष-वृकादिहिंस्त्रान् संत्रासयत्-वीशधनुः पिनाकम् ॥ 26 ॥

दुःस्वप्न-दुश्शकुन-दुर्गतिदौर्मनस्य-दुर्भिक्ष-दुर्व्यसन-दुस्सह-दुर्यशांसि ।
उत्पाततापि-विषभीतिमसद्ग्रहार्ति-व्याधींश्च नाशयतु मे जगतामधीशः ॥ 27 ॥

ॐ नमो भगवते सदाशिवाय सकल-तत्त्वात्मकाय सकलतत्त्व-विहाराय सकल-लोकैककर्त्रे सकल-लोकैकभर्त्रे सकल-लोकैकहर्त्रे सकल-लोकैकगुरवे सकल-लोकैकसाक्षिणे सकल-निगमगुह्याय सकल-वरप्रदाय सकल-दुरितार्त्ति-भञ्जनाय सकल-जगद-भयंकराय सकल-लोकैक-शंकराय शशांक-शेखराय शाश्वत-निजाभासाय निर्गुणाय निरुपमाय नीरूपाय निराभासाय निरामयाय निष्प्रपञ्चाय निष्कलंकाय निर्द्वन्द्वाय निस्संगाय निर्मलाय निर्गमाय नित्यरूप-विभवाय निरुपम-विभवाय निराधाराय नित्यशुद्धबुद्ध-परिपूर्ण-सच्चिदानन्दा-द्वयाय परमशान्त-प्रकाश-तेजोरूपाय जय जय महारुद्र महारौद्र भद्रावतार दुःखदावदारण महाभैरव कालभैरव कल्पान्तभैरव कपाल-मालाधर खट्वांग-खड्ग चर्मपाशांकुश-डमरुशूल-चापबाणगदा शक्तिभिन्दिपाल-तोमरमुसल-मुद्गरपट्टिश-परशुपरिघ-भुशुण्डी-शतघ्नी-चक्राद्यायुध-भीषणकर सहस्त्रमुख दंष्ट्राकराल विकटाट्ट-हासविस्फारित-ब्रह्माण्डमण्डल-नागेन्द्रकुण्डल नागेन्द्रहार नागेन्द्रवलय नागेन्द्रचर्मधर मृत्युञ्जय त्र्यम्बक त्रिपुरान्तक विरूपाक्ष विश्वेश्वर विश्वरूप वृषभवाहन विषभूषण विश्वतोमुख सर्वतो रक्ष रक्ष मां ज्वल ज्वल महामृत्युभय-मपमृत्युभयं नाशय नाशय रोगभय-मुत्सादयोत्सादय विषसर्पभयं शमय शमय चोरभयं मारय मारय मम शत्रूनुच्चाटयोच्चाटय शूलेन विदारय विदारय कुठारेण भिन्धि भिन्धि खड्गेन छिन्धि छिन्धि खट्वांगेन विपोथय विपोथय मुसलेन निष्पेषय निष्पेषय बाणैः संताडय संताडय रक्षांसि भीषय भीषय भूतानि विद्रावय विद्रावय कूष्माण्ड-वेतालमारीगण-ब्रह्मराक्षसान् संत्रासय संत्रासय मामभयं कुरु कुरु वित्रस्तं मामाश्वासयाश्वासय नरकभयान्-मामुद्धारयोद्धारय संजीवय संजीवय क्षुत्तृड्भ्यां मामाप्याय-याप्यायय दुःखातुरं मामानन्दयानन्दय शिवकवचेन मामाच्छादयाच्छादय त्र्यम्बक सदाशिव नमस्ते नमस्ते नमस्ते ।

ॐ शान्तिः शान्तिः शान्तिः ॥ हरिः ॐ ॥

मृत्युञ्जय-स्तोत्रम्

देवाधिदेव देवेश सर्वप्राणभृताम्बर।
प्राणिनामपि नाथस्त्वं मृत्युञ्जय नमोऽस्तु ते ॥ 1 ॥
देहिनां जीवभूतोऽसि जीवो जीवस्य कारणम्।
जगतां रक्षकस्त्वं वै मृत्युञ्जय नमोऽस्तु ते ॥ 2 ॥
हेमाद्रिशिखराकारं सुधावीचिमनोहरम्।
पुण्डरीकपरं ज्योतिर्मृत्युञ्जय नमोऽस्तु ते ॥ 3 ॥
ध्यानाधारं महाज्ञानं सर्वज्ञानैककारणम्।
परित्राणासि लोकानां मृत्युञ्जय नमोऽस्तु ते ॥ 4 ॥
निहता येन कालेन स देवा-ऽसुर-मानुषा:।
गंधर्वाऽप्सरसश्चैव सिद्धविद्याधरास्तथा ॥ 5 ॥
साध्याश्च वसवो रुद्रास्तथाऽश्विनिसुतावुभौ।
मरुतश्च दिशो नागा: स्थावरा जंगमास्तथा ॥ 6 ॥
जित:सोऽपि त्वया ध्यायन् मृत्युञ्जय नमोऽस्तु ते ॥ 7 ॥
ये ध्यायन्ति परां मूर्तिं पूजयन्त्यमरादय:।
न ते मृत्युवशं यान्ति मृत्युञ्जय नमोऽस्तु ते ॥ 8 ॥
त्वमोंकारोऽसि वेदानां देवानां च सदाशिव:।
आधारशक्ति: शक्तीनां मृत्युञ्जय नमोऽस्तु ते ॥ 9 ॥
स्थावरे जंगमे वाऽपि यावत्तिष्ठति देहग:।
जीवत्यपत्यलोकोऽयं मृत्युञ्जय नमोऽस्तु ते ॥ 10 ॥
सोम-सूर्या-ऽग्नि-मध्यस्थ व्योमव्यापिन् सदाशिव:।
कालत्रय महाकाल मृत्युञ्जय नमोऽस्तु ते ॥ 11 ॥
प्रबुद्धे चाऽप्रबुद्धे च त्वमेव सृजसे जगत्।
सृष्टिरूपेण देवेश मृत्युञ्जय नमोऽस्तु ते ॥ 12 ॥
व्योम्नि त्वं व्योमरूपोऽसि तेज: सर्वत्र तेजसि।
ज्ञानिनां ज्ञानरूपोऽसि मृत्युञ्जय नमोऽस्तु ते ॥ 13 ॥
जगज्जीवो जगत्प्राण: स्रष्टा त्वं जगत: प्रभु:।
कारणं सर्वतीर्थानां मृत्युञ्जय नमोऽस्तु ते ॥ 14 ॥
नेता त्वमिन्द्रियाणां च सर्वज्ञानप्रबोधक:।
सांख्ययोगश्च हंसश्च मृत्युञ्जय नमोऽस्तु ते ॥ 15 ॥

रूपातीत: सुरूपश्च पिण्डस्थपदमेव च।
चतुर्योगकलाधार मृत्युञ्जय नमोऽस्तु ते ॥ 16॥
रेचके वह्निरूपोऽसि सोमरूपोऽसि पूरके।
कुम्भके शिवरूपोऽसि मृत्युञ्जय नमोऽस्तु ते ॥ 17॥
क्षयं करोषि पापानां पुण्यानामपि वर्द्धनम्।
हेतुस्त्वं श्रेयसां नित्यं मृत्युञ्जय नमोऽस्तु ते ॥ 18॥
सर्वमायाकलातीत सर्वेन्द्रियपरावर।
सर्वेन्द्रियकलाधीश मृत्युञ्जय नमोऽस्तु ते ॥ 19॥
रूपं गन्धो रस: स्पर्श: शब्द: संस्कार एव च।
त्वत्त: प्रकाश एतेषां मृत्युञ्जय नमोऽस्तु ते ॥ 20॥
चतुर्विधानां सृष्टीनां हेतुस्त्वं कारणेश्वर।
भावाऽभाव-परिच्छिन्न मृत्युञ्जय नमोऽस्तु ते ॥ 21॥
त्वमेको निष्कलो लोके सकले भुवनत्रये।
अतिसूक्ष्मातिरूपस्त्वं मृत्युञ्जय नमोऽस्तु ते ॥ 22॥
त्वं प्रबोधस्त्वमाधारस्त्वद्बीजं भुवनत्रयम्।
सत्त्वं रजस्तमस्त्वं हि मृत्युञ्जय नमोऽस्तु ते ॥ 23॥
त्वं सोमस्त्वं दिनेशश्च त्वमात्मा प्रकृते: पर:।
अष्टात्रिंशत्कलानाथ मृत्युञ्जय नमोऽस्तु ते ॥ 24॥
सर्वेन्द्रियाणामाधार: सर्वभूतगुणाश्रय:।
सर्वज्ञानमयानन्त मृत्युञ्जय नमोऽस्तु ते ॥ 25॥
त्वमात्मा सर्वभूतानां गणानां त्वमधीश्वर:।
सर्वानन्दमयाधार मृत्युञ्जय नमोऽस्तु ते ॥ 26॥
त्वं यज्ञ: सर्वयज्ञानां त्वं बुद्धिर्बोधलक्षणम्।
शब्दब्रह्मत्वमोंकार मृत्युञ्जय नमोऽस्तु ते ॥ 27॥

ॐ शान्ति: शान्ति: शान्ति: ॥ हरि: ॐ ॥

67

महामृत्युञ्जयकवचम्

ॐ त्र्यम्बकं मे शिरः पातु ललाटं मे यजामहे।
सुगन्धिं पातु हृदयं जठरं पुष्टिवर्धनम् ॥ 1 ॥
नाभिमुर्वारुकमिव पातु मां पार्वतीपतिः।
बन्धनादूरुयुग्मं मे पातु कामांगशासनः ॥ 2 ॥
मृत्योर्जानुयुगं पातु दक्षयज्ञ-विनाशनः।
जंघायुग्मं च मुक्षीय पातु मां चन्द्रशेखरः ॥ 3 ॥
माऽमृताच्च पदद्वन्द्वं पातु सर्वेश्वरो हरः।
ॐ सौ मे श्रीशिवः पातु नीलकण्ठश्च पार्श्वयोः ॥ 4 ॥
ऊर्ध्वमेव सदा पातु सोम-सूर्या-ऽग्निलोचनः।
अधः पातु सदा शम्भुः सर्वापद्विनिवारणः ॥ 5 ॥
वारुण्यामर्धनारीशो वायव्यां पातु शंकरः।
कपर्दी पातु कौवेर्यामैशान्यां ईश्वरोऽवतु ॥ 6 ॥
ईशानः सलिले पायादघोरः पातु कानने।
अन्तरिक्षे वामदेवः पायात्तत्पुरुषो भुवि ॥ 7 ॥
श्रीकण्ठः शयने पातु भोजने नीललोहितः।
गमने त्र्यम्बकः पातु सर्वकार्येषु सुव्रतः ॥ 8 ॥
सर्वत्र सर्वदेहं मे सदा मृत्युञ्जयोऽवतु ॥ 9 ॥

ॐ शान्तिः शान्तिः शान्तिः ॥ हरिः ॐ ॥

श्रीमृत्युञ्जयस्तोत्रम्

रत्नसानु-शरासनं रजताद्रि-शृंगनिकेतनं
शिञ्जिनीकृत-पन्नगेश्वर-मच्युतानल-सायकम् ।
क्षिप्रदग्ध-पुरत्रयं त्रिदशालयै-रभिवन्दितं
चन्द्रशेखरमाश्रये मम किं करिष्यति वै यमः ॥ 1 ॥

पञ्चपादप-पुष्पगन्धि-पदाम्बुजद्वय-शोभितं
भाललोचन-जातपावक-दग्धमन्मथ-विग्रहम् ।
भस्मदिग्ध-कलेवरं भवनाशिनं भवमव्ययं
चन्द्रशेखरमाश्रये मम किं करिष्यति वै यमः ॥ 2 ॥

मत्तवारण-मुख्यचर्म-कृतोत्तरीय-मनोहरं
पंकजासन-पद्मलोचन-पूजितांघ्रि-सरोरुहम् ।
देवसिद्ध-तरंगिणी-करसिक्तशीत-जटाधरं
चन्द्रशेखरमाश्रये मम किं करिष्यति वै यमः ॥ 3 ॥

कुण्डलीकृत-कुण्डलीश्वर-कुण्डलं वृषवाहनं
नारदादिमुनीश्वर-स्तुतवैभवं भुवनेश्वरम् ।
अन्धकान्तक-माश्रिता-मरपादपं शमनान्तकं
चन्द्रशेखरमाश्रये मम किं करिष्यति वै यमः ॥ 4 ॥

यक्षराजसखं भगाक्षिहरं भुजंगविभूषणं
शैलराजसुता-परिष्कृत-चारुवामकलेवरम् ।
क्ष्वेडनीलगलं परश्वध-धारिणं मृगधारिणं
चन्द्रशेखरमाश्रये मम किं करिष्यति वै यमः ॥ 5 ॥

भेषजं भवरोगिणाम-खिलापदामप-हारिणं
दक्षयज्ञविनाशिनं त्रिगुणात्मकं त्रिविलोचनम् ।
भुक्तिमुक्ति-फलप्रदं निखिलाघ-संघनिबर्हणं
चन्द्रशेखरमाश्रये मम किं करिष्यति वै यमः ॥ 6 ॥

भक्तवत्सल-मर्चतां निधिमक्षयं हरिदम्बरं
सर्वभूतपतिं परात्परम-प्रमेयमनूपमम् ।
भूमिवारिन-भोहुताशन-सोमपालित-स्वाकृतिं
चन्द्रशेखरमाश्रये मम किं करिष्यति वै यमः ॥ 7 ॥

विश्वसृष्टि-विधायिनं पुनरेव पालनतत्परं
संहरन्तमथ प्रपञ्चम-शेषलोकनिवासिनम् ।

क्रीडयन्त-महर्निशं गणनाथ-यूथसमावृतं
चन्द्रशेखरमाश्रये मम किं करिष्यति वै यम: ॥ 8 ॥

रुद्रं पशुपतिं स्थाणुं नीलकण्ठमुमापतिम् ।
नमामि शिरसा देवं किं नो मृत्यु: करिष्यति ॥ 9 ॥

कालकण्ठं कलामूर्तिं कालाग्निं कालनाशनम् ।
नमामि शिरसा देवं किं नो मृत्यु: करिष्यति ॥ 10 ॥

नीलकण्ठं विरूपाक्षं निर्मलं निरुपद्रवम् ।
नमामि शिरसा देवं किं नो मृत्यु: करिष्यति ॥ 11 ॥

वामदेवं महादेवं लोकनाथं जगद्गुरुम् ।
नमामि शिरसा देवं किं नो मृत्यु: करिष्यति ॥ 12 ॥

देवदेवं जगन्नाथं देवेशमृषभ-ध्वजम् ।
नमामि शिरसा देवं किं नो मृत्यु: करिष्यति ॥ 13 ॥

अनन्तमव्ययं शान्तमक्ष-मालाधरं हरम् ।
नमामि शिरसा देवं किं नो मृत्यु: करिष्यति ॥ 14 ॥

आनन्दं परमं नित्यं कैवल्य-पदकारणम् ।
नमामि शिरसा देवं किं नो मृत्यु: करिष्यति ॥ 15 ॥

स्वर्गापवर्गदातारं सृष्टिस्थित्यन्त-कारिणम् ।
नमामि शिरसा देवं किं नो मृत्यु: करिष्यति ॥ 16 ॥

ॐ शान्ति: शान्ति: शान्ति: ॥ हरि: ॐ ॥

महामृत्युञ्जय-सहस्त्रनाम-स्तोत्र

ॐ जूं स: हौं महादेवो मन्त्रज्ञो मानदायक:।
मानी मनोरमांगश्च मनस्वी मानवर्धन:॥ 1॥
मायाकर्त्ता मल्लरूपो मल्लो मरान्तको मुनि:।
महेश्वरो महामान्यो मन्त्री मन्त्रजन प्रिय:॥ 2॥
मारुती मरुतां श्रेष्ठो मासिक: पक्षिको मृत:।
मातगंगो मात्तचित्तो मत्तचिन् मत्तभावन:॥ 3॥
मानवेष्ठप्रदो मेशो मीनकी पति वल्लभ:।
मानकायो मधुस्तेयी मारयुक्तो जितेन्द्रिय:॥ 4॥
जयो विजयदो जेता जयेशो जयवल्लभ:।
डामरेशो विरूपाक्षो विश्वभक्तो विभावसु:॥ 5॥
विश्वेशो विश्वतातश्च विश्वसू विश्वनायक:।
विनीतो विनयी वादी वान्तदो वागभवो बटु:॥ 6॥
स्थूल: सूक्ष्मश्चलो लोलो ललञ्जिह्वा करालक:।
विराध्येयो विरागीणो विलासी लास्यलालस:॥ 7॥
लोलाक्षो ललधीर्धर्मी धनदो धनदार्चित:।
धनी ध्येयोऽप्यध्येयश्च धर्मो धर्ममयोदय:॥ 8॥
दयावान् देवजनको देवसव्यो दयापति:।
दुर्णिचक्षुदरीवासो दाम्भी देवदयात्मक:॥ 9॥
कुरूप: कीर्तिद: कान्त: क्लव: क्लीबात्मक: कुज:।
बुधो विद्यामय: कामी कामकालान्धकान्तक:॥ 10॥
जीवो जीवप्रद: शुक्र: शुद्ध: शर्मप्रदोऽनघ:।
शनैश्चरो वेगगतिर्वाचालोराहुरव्यय:॥ 11॥
केतू राकापति: काल: सूर्योऽमतपराक्रम:।
चन्द्रो भद्रप्रदो भास्वान् भाग्यदो भर्गरूपभृत् ॥ 12॥
कूर्तो धूर्तो वियोगी च संगी गंगाधरो गज:।
गजाननोप्रेयो गीतो ज्ञानी स्नानार्चन: प्रिय:॥ 13॥
परम: पीवरांगश्च पार्वतीवल्लभो महान् ।
परात्मको विराट्वास्यो वानरोऽमितकर्मकृत् ॥ 14॥
चिदानन्दी चारुरूपो गरुडो गरुडप्रिय:।
नन्दीश्वरो नयो नागो नागालंकारमण्डित:॥ 15॥

नागहारो महानागी गोधरो गोपतिस्तपः।
त्रिलोचनः त्रिलोकेशः त्रिमूर्तिस्त्रिपुरान्तकः ॥ 16 ॥
त्रिधामयो लोकमयो लोकैकव्यसनापहः।
व्यसनी तोषितः शम्भुस्त्रिधारूपस्त्रिवर्णभाक् ॥ 17 ॥
त्रिज्योतिस्त्रिपुरीनाथस्त्रिधा-शान्तस्त्रिधागतिः।
त्रिधागुणी विश्वकर्ता विश्वभर्ता त्रिपुरुषः ॥ 18 ॥
उमेशो वासुकिर्वीरो वैनतेयो विचारकृत् ।
विवेकाक्षो विशालाक्षो विधिर्विधिरनुत्तमः ॥ 19 ॥
विद्यानिधिः सरोजाक्षी निस्मरः स्मरशासनः।
स्मृतिदः स्मृतिमान् स्मार्तो ब्रह्मा ब्रह्मविदाम्बरः ॥ 20 ॥
ब्राह्मी व्रती ब्रह्मचारी चतुरश्चतुराननः।
चलाचलो चलगतिर्वेगी वीराधिपो परः ॥ 21 ॥
सर्ववासः सर्वगतिस्सर्वमान्यः सनातनः।
सर्वव्यापी सर्वरूपः सागरश्च समेश्वरः ॥ 22 ॥
समनेत्रः समद्युतिः समकायः सरोवरः।
सरस्वान् सत्यवाक् सत्यः सत्यरूपी सुधीः सुखी ॥ 23 ॥
स्वाराट् सत्यः सत्यवती रुद्रो रुद्रवपुर्वसुः।
वसुमान् वसुधानाथो वसुरूपा वसुप्रदः ॥ 24 ॥
ईशानः सर्वदेवानामीशानः सर्वबोधिनाम् ।
ईशो वशेषो वयवी शेषशायी श्रीयः पतिः ॥ 25 ॥
इन्द्रश्चन्द्रावतंसी च चराचर जगत्पतिः।
स्थिरः स्थाणुरणुः पीनः पीनवक्षापरात्परः ॥ 26 ॥
पीनरूपो जटाधारी जटाजूटसमाकुलः।
पशुरूपः पशुपतिः पशुज्ञानी पयोनिधिः ॥ 27 ॥
वेद्यो वैद्योवेदमयो विधिज्ञो विधिमान् मृदुः।
शूली शुभंकरः शोभ्यः शुभकर्ता शचीपतिः ॥ 28 ॥
शशांकधवलः स्वामी वज्रीशंखी गदाधरः।
चतुर्भुजश्चाष्टभुजः सहस्रभुजमण्डितः ॥ 29 ॥
स्रुवहस्तो दीर्घकेशो दीर्घो दम्भविवर्जितः।
देवो महोदधिर्दिव्यो दिव्यकीर्तिर्दिवाकरः ॥ 30 ॥
उग्ररूपश्चोग्रपतिरुग्र वक्षास्तपोमयः।
तपस्वी जटिलस्तापी तापहा तापवर्जितः ॥ 31 ॥

हरिद्धयो हयपतिर्हयदो हरिमण्डितः।
हरिवाही महोजस्को नित्यो नित्यात्मको नलः॥ 32॥
समानीसंसृतीस्त्यागी संगी सन्निधिरव्ययः।
विद्याधरो विमानी च वैमानीकवरप्रदः॥ 33॥
वाचस्पतिवमासारो वामाचारी बलन्धरः।
वाग्भवो वासवो वायुर्वासना-बीजमण्डितः॥ 34॥
वाग्मी कौलश्रुतिर्दक्षो दक्षयज्ञविनाशनः।
दक्षो दौर्भाग्यहा दैत्यमर्दनो भोगवर्धनः॥ 35॥
भोगी रोगहरो योगी हारी हरिविभूषणः।
बहुरूपो बहुमति वंगवित्ती विचक्षणः॥ 36॥
नृतकृच्चित्तसन्तोषो नृत्यगीत विशारदः।
शरदर्णविभूषाढ्यो गलदग्धोऽघनाशनः॥ 37॥
नागी नागमयोऽनन्तोऽनन्तरूपः पिनाकभृत्।
नटलो नारकेशानो वरीयान् ववविवर्णभृत्॥ 38॥
सांकारो टंकहस्तश्च पाशी शांर्गी शशिप्रभः।
सहस्त्ररूपी समगुः साधूनामभयप्रदः॥ 39॥

साधुसेव्यः साधुगतिः सेवाफलप्रदो विभुः।
स्वमहो मध्यमो मत्तो मन्त्रमूर्तिः सुमन्तकः॥ 40॥
कीलालीलाकरो लूतो भवबन्धैकमोचनः।
रेचिष्णुर्विच्युरतो मूतनो नूतनो नवः॥ 41॥
न्यग्रोधरूपो भयदो भयहारीतिधारणः।
धरणीधरसेव्यश्च धराधरसुतापतिः॥ 42॥
धराधरोऽन्धक-रिपुर्विज्ञानी मोहवर्जितः।
स्थाणुः केशो जटो ग्राम्यो ग्रामारामो रमाप्रियः॥ 43॥
प्रियकृत् प्रियरूपश्च विप्रयोगी प्रतापनः।
प्रभाकरः प्रभादीप्तो मनुमान् मानवेश्वरः॥ 44॥
तीक्ष्ण बाहुस्तीक्ष्ण-करस्तीक्ष्णांशुस्तीक्ष्णलोचनः।
तीक्ष्णचित्तस्त्रयीरूपस्त्रयीमूर्तिस्त्रयीतनुः॥ 45॥
हविभुग् हविषां ज्योतिर्हालाहलो हलीपतिः।
हविष्मल्लोचनो हालामयो हरिणरूपभृत् ॥ 46॥
म्रदिमाम्रभयो वृक्षो हुताशो हुतभुग् गुणी ।
गुणज्ञो गरुडो गानतत्परो विक्रमी गुणी ॥ 47॥
क्रमेश्वरः क्रमकरः क्रिमिकृत् क्लान्तमानसः।
महातेजो महामारी मोहितो मोहवल्लभः॥ 48॥
मनस्वी त्रिदशोवालो वाल्यापतिरघापहः।
बाल्यो रिपुहरो हार्यो गविर्गविमतोगुणः॥ 49॥
सगुणो वित्तराट गीयो विरोचनो विभावसुः।
मालामलो माधवश्च विकर्तनो विकत्थनः॥ 50॥
मानकृत् मुक्तिदो गुल्यः साध्यः शत्रुभयंकरः।
हिरण्यरेताशुभगः सतीनाथः सुरापतिः॥ 51॥
मेढ्री मैनाक भगिनीपतिरुत्तमरूप्रभृत् ।
आदित्यो दितिजेशानो दितिपुत्रः क्षयंकरः॥ 52॥
वासुदेवो महाभाग्यो विश्वावसुर्वप्रियः।
समुद्रोऽमिततेजश्च खगेन्द्रो विशिखी शिखी ॥ 53॥
गुरुत्मान् वज्रहस्तश्च पौलोमीनाथ ईश्वरः।
यज्ञिपेयो वाजपेयः शतक्रतुः शताननः॥ 54॥
प्रतिष्टस्तीव्रविस्रम्भी गम्भीरो भाववर्धनः।
गायिष्टो मधुरालापो मधुमत्तश्च माधवः॥ 55॥

मायात्मा भोगिनां त्राता नाकिनामिष्टदायकः।
नाकेन्द्रो जनको जन्यः स्तम्भनो रम्भनाशनः॥ 56॥
ईशान ईश्वरः ईशः शर्वरीपतिशेखरः।
लिंगाध्यक्षः सुराध्यक्षो वेदाध्यक्षो विचारकः॥ 57॥
भव्योऽनर्घो नरेशानो नरकान्तकसेवितः।
चतुरो भविता भावी विरामो रात्रिवल्लभः॥ 58॥
मंगलो धरणीपुत्रो धन्यो बुधिविवर्धनः।
जयो जीवेश्वरो जारो जाठरो जह्नुतापनः॥ 59॥
जह्नुकन्याधरः कल्पो वत्सरो मास एव च ।
कतुर्ऋभुसुताध्यक्षो विहारी विहगापतिः॥ 60॥
शुक्लाम्बरो नीलकण्ठः शुक्लभृगुसुतो भगः।
शान्तः शिवप्रदो भव्यो भेदकृच्छान्तकृत्पतिः॥ 61॥
नाथो दा तो भिक्षुरूपो धन्यश्रेष्ठो विशाम्पतिः।
कुमारः क्रोधनः क्रोधी विरोधी विग्रहीरसः॥ 62॥
नीरसः सुरसः सिद्धो वृषणी वृषघातनः।
पञ्चास्यः षड्मुखश्चैव विमुखः सुमुखी प्रियः॥ 63॥
दुर्मुखो दुर्जयो दुःखी सुखी सुखविलासदः।
पात्री पौत्री पवित्रच्श्र भूताक्ता पूतनान्तकः॥ 64॥
अक्षरं परमं तत्वं बलवान् बलघातनः।
भल्ली मौलिभवाभावो भावाभावविमोचनः॥ 65॥
नारायणो युक्तकेशो दिग्देवो धर्मनायकः।
कारामोक्षप्रदो जेयो महांगः सामगायनः॥ 66॥
उत्संगमोनामकारी चारी स्मरनिषूदनः।
कृष्णः कृष्णाम्बरः स्तुत्यस्तारावर्णस्त्रयाकुलः॥ 67॥
त्रयामान्दुर्गतित्राता दुर्गमो दुर्गघातकः।
महानेत्रो महाधाता नानाशास्त्रविचक्षणः॥ 68॥
महामूर्धा महादन्तो महाकर्णो महोरगः।
महाचक्षुर्महानाशो महाग्रीवो दिगालयः॥ 69॥
दिग्वासो दितिजेशानो मुण्डी मुण्डाक्षासूत्रधृत् ।
श्मशाननिलयो रागी महाकटिरनूतनः॥ 70॥
पुराणपुरुषः पारम्परमात्मा महाकरः।
महालस्यो महाकेशो महेशो मोहनो विराट ॥ 71॥

महासुखो महाजंघो मण्डली कुण्डली नटः।
असपत्न्यः पत्रकरः पत्रहस्तश्च पाटवः ॥ 72 ॥
लालसः सालसः सालः कल्पवृक्षश्च कल्पितः।
कल्पहा कल्पनाहारी महाकेतुः कठोरकः ॥ 73 ॥
अनलः पवनः पाठः पीठस्थः पीठरूपकः।
पाठीनः कुलशी पीनो मेरुधामा महागुणी ॥ 74 ॥
महातूणीर-संयुक्तो देवदानव-दर्पहा ।
अथर्वशेषः सौम्यास्य ऋक्सहस्रामितेक्षणः ॥ 75 ॥
यजुः साममुखो गुह्यो यजुर्वेदविचक्षणः।
याज्ञिको यज्ञरूपश्च यज्ञज्ञो धरणीपतिः ॥ 76 ॥
जंगमी भंगदी भासा दक्षा भिगमदर्शनः।
अगम्यः सुगमः खर्वः खेटी खेटाननो नयः ॥ 77 ॥
अमोघार्थः सिन्धुपतिः सैन्धवः सानुमध्यगः।
त्रिकालज्ञः सगणकः पुष्करस्थः परोपकृतः ॥ 78 ॥
उपकर्तापकर्ता च घृणी रणभयप्रदः।
धर्मो चर्माम्बरश्चाररूमश्चरुविभूषणः ॥ 79 ॥
नक्तश्चरः कालवशी वशीवशिवशो वशः।
वश्यो वश्यकरो भस्मशायी भस्मविलेपनः ॥ 80 ॥

भस्मांगी मलिनांगश्च मालामण्डितमूर्धजः।
गणकार्यः कुलाचारः सर्वाचारः सखा समः॥ 81॥
मकारो गोत्रभिद् गोप्ता भीतरूपो भयानकः।
अरुणश्चैकवित्तश्च त्रिशंकु शंकुधारणः॥ 82॥
आश्रयी ब्राह्मणो वज्री क्षत्रियः कार्यहेतुकः।
वैश्यः शूद्रः कपोतस्थ त्वारुष्टो रुषाकुलः॥ 83॥
रोगी रोगपहा शूरः कपिलः कपिनायकः।
पिनाकी चाष्टमूर्तिश्च क्षितिमान् धृतिमांस्तथा ॥ 84॥
जलमूर्तिर्वायुमूर्तिः गताशः सोममूर्तिमान् ।
सूर्यदेवो यजमान आकाशः परमेश्वरः॥ 85॥
भवहा भवमूर्तिश्च भूतात्मा भूतभावनः।
भवः सर्वस्तथारुद्रः पशुनाथश्च शंकर ॥ 86॥
गिरिजो गिरिजानाथो गिरेन्द्रश्च महेश्वरः।
भीम ईशान भीतिघ्नः खण्डपश्चण्डविक्रमः॥ 87॥
खण्डभृत् खण्डपरशुः कृत्तिवासो वृषापहः।
कंकाल कलनाकारः श्रीकण्ठो नीललोहित ॥ 88॥
गुणीश्वरो गुणी नन्दी धर्म्मराजो दुरन्तकः।
शृंगरीटी रसासारो दयालू रूपमण्डितः॥ 89॥
अमृतः कालरुद्रश्च कालाग्निः शशिशेखरः।
त्रिपुरान्तक ईशानस्त्रिनेत्रः पञ्चवक्त्रकः॥ 90॥
कालहृत् केवलात्मा च ऋग्यजुः सामवेदवान् ।
ईशानः सर्वभूतानामीश्वरः सर्वरक्षसाम् ॥ 91॥
ब्रह्मणाधिपतिर्ब्रह्म ब्रह्मणोधिपतिस्तथा ।
ब्रह्मा शिवः सदानन्दी सदानन्दः सदाशिवः॥ 92॥
मेषस्वरूपश्चावांगे गायत्री रूपधारणः।
अघोरेभ्योऽथ घोरेभ्यो घोरघोरतराय च ॥ 93॥
सर्वतः सर्वसर्वेभ्यो नमस्ते रुद्ररूपिणे ।
वामदेवस्था ज्येष्ठः श्रेष्ठः कालकरालकः॥ 94॥
महाकालो भैरवेशो वेशी कालविकारणः।
बलविकारणो बालो बलप्रमथनस्तथा ॥ 95॥
सर्वभूतादिदमनो देववदेवो मनोन्मनः।
सद्योजातं प्रपद्यामि सद्योजाताय वै नमः॥ 96॥

भवे भवेनाधिभवे भजस्व मां भवोद्भवः।
भवनो भावनो भाव्यो बलकारी परंपदम् ॥ 97 ॥
परः शिवः परो ध्येयः परं ज्ञानं परात्परः।
परावरः पलाशी च मांसाशी वैष्णवोत्तमः ॥ 98 ॥
ॐ ऐं श्रीं ह्सौं देवः ॐ ह्रीं हैं भैरवोत्तमः।
ॐ ह्रां नमः शिवायेति मन्त्रो वटुर्वरायुधः ॥ 99 ॥
ॐ ह्रौं सदाशिवः ॐ ह्रीं आपदुद्धारणोमतः।
ॐ ह्रीं महाकरालास्य ॐ ह्रीं वटुकभैरवः ॥ 100 ॥
भगवांस्त्रयम्बक ॐ ह्रीं चन्द्रार्धशेखरः।
ॐ ह्रीं सौं जटिलो धूम्र ॐ ऐं त्रिपुरघातकः ॥ 101 ॥
ह्रां ह्रीं ह्रं हरिवामांग ॐ ह्रीं ह्रं ह्रीं त्रिलोचनः।
ॐ वेदरूपो वेदज्ञ ऋग्यजुः सामरूपवान् ॥ 102 ॥
रुद्रो घोररवो घोर ॐ क्ष्म् ह्रं अघोरकः।
ॐ जूं सः पीयूषसक्तोमृताध्यक्षो मृतालसः ॥ 103 ॥
त्र्यम्बकं यजामहे सुगन्धिं पुष्टिवर्धनम् ।
उर्वारुकमिव बन्धनान्मृत्योर्मुक्षीय मामृतात् ॥ 104 ॥

ॐ ह्रों जूं सः ॐ भूर्भुवः स्वः ॐ जूं सः मृत्युञ्जयः।

ॐ शान्तिः शान्तिः शान्तिः ॥ हरिः ॐ ॥

शिव-सहस्त्रनाम-स्तोत्रम् – मूल पाठ

स्थिरः स्थाणुः प्रभुर्भीमः प्रवरो वरदो वरः। सर्वात्मा सर्वविख्यातः सर्वः सर्वकरो भवः॥ 1॥
जटी चर्मी शिखण्डी च सर्वांगः सर्वभावनः। हरश्च हरिणाक्षश्च सर्वभूतहरः प्रभुः॥
प्रवृत्तिश्च निवृत्तिश्च नियतः शाश्वतो ध्रुवः। श्मशानवासी भगवान् खचरो गोचरोऽर्दनः॥
अभिवाद्यो महाकर्मा तपस्वी भूतभावनः। उन्मत्तवेष-प्रच्छन्नः सर्वलोक-प्रजापतिः॥
महारूपो महाकायो वृषरूपो महायशाः। महात्मा सर्वभूतात्मा विश्वरूपो महाहनुः॥
लोकपालो-ऽन्तर्हितात्मा प्रसादो हयगर्दभिः। पवित्रं च महांश्चैव नियमो नियमाश्रितः॥
सर्वकर्मा स्वयम्भूत आदिरादिकरो निधिः। सहस्राक्षो विशालाक्षः सोमो नक्षत्रसाधकः॥
चन्द्रः सूर्यः शनिः केतुर्ग्रहो ग्रहपतिर्वरः। अत्रिरत्र्या नमस्कर्ता मृगबाणार्पणोऽनघः॥
महातपा घोरतपा अदीनो दीनसाधकः। संवत्सरकरो मन्त्रः प्रमाणं परमं तपः॥
योगी योज्यो महाबीजो महारेता महाबलः। सुवर्णरेताः सर्वज्ञः सुबीजो बीजवाहनः॥ 10॥
दशबाहुस्त्वनिमिषो नीलकण्ठ उमापतिः। विश्वरूपः स्वयं श्रेष्ठो बलवीरोऽबलोगणः॥
गणकर्ता गणपति-र्दिग्वासाः काम एव च। मन्त्रवित् परमो मन्त्रः सर्वभावकरो हरः॥
कमण्डलुधरो धन्वी बाणहस्तः कपालवान्। अशनी शतघ्नी खड्गी पट्टिशी चायुधी महान्॥
स्त्रुवहस्तः सुरूपश्च तेजस्तेजस्करो निधिः। उष्णीषी च सुवक्त्रश्च उदग्रो विनतस्तथा॥
दीर्घश्च हरिकेशश्च सुतीर्थः कृष्ण एव च। शृगालरूपः सिद्धार्थो मुण्डः सर्वशुभंकरः॥
अजश्च बहुरूपश्च गन्धधारी कपर्द्यपि। ऊर्ध्वरेता ऊर्ध्वलिंग ऊर्ध्वशायी नभःस्थलः॥
त्रिजटी चीरवासाश्च रुद्रः सेनापति-र्विभुः। अहश्चरो नक्तंचर-स्तिग्ममन्युः सुवर्चसः॥
गजहा दैत्यहा कालो लोकधाता गुणाकरः। सिंहशार्दूल-रूपश्च आर्द्र-चर्माम्बरावृतः॥
कालयोगी महानादः सर्वकामश्चतुष्पथः। निशाचरः प्रेतचारी भूतचारी महेश्वरः॥
बहुभूतो बहुधरः स्वर्भानुरमितो गतिः। नृत्यप्रियो नित्यनर्तो नर्तकः सर्वलालसः॥ 20॥
घोरो महातपाः पाशो नित्यो गिरिरुहो नभः। सहस्रहस्तो विजयो व्यवसायो ह्यतन्द्रितः॥
अधर्षणो धर्षणात्मा यज्ञहा कामनाशकः। दक्षयागापहारी च सुसहो मध्यमस्तथा॥
तेजोऽपहारी बलहा मुदितोऽर्थो-ऽजितोऽवरः। गम्भीरघोषो गम्भीरो गम्भीरबलवाहनः॥
न्यग्रोधरूपो न्यग्रोधो वृक्षकर्णस्थितिर्विभुः। सुतीक्ष्ण-दशनश्चैव महाकायो महाननः॥
विष्वक्सेनो हरिर्यज्ञः संयुगापीडवाहनः। तीक्ष्णतापश्च हर्यश्वः सहायः कर्मकालवित्॥
विष्णुप्रसादितो यज्ञः समुद्रो वडवामुखः। हुताशन-सहायश्च प्रशान्तात्मा हुताशनः॥
उग्रतेजा महातेजा जन्यो विजयकालवित्। ज्योतिषामयनं सिद्धिः सर्वविग्रह एव च॥
शिखी मुण्डी जटी ज्वाली मूर्तिजो मूर्द्धगो बली। वेणवी पणवी ताली खली कालकटंकटः॥
नक्षत्रविग्रह-मतिर्गुण-बुद्धिर्लयोऽगमः। प्रजापति-र्विश्वबाहु-र्विभागः सर्वगोऽमुखः॥
विमोचनः सुसरणो हिरण्य-कवचोद्भवः। मेढ्रजो बलचारी च महीचारी स्त्रुतस्तथा॥ 30॥

सर्वतूर्य-निनादी च सर्वातोद्य-परिग्रहः। व्यालरूपो गुहावासी गुहो माली तरंगवित्॥
त्रिदशस्त्रिकालधृक् कर्म सर्वबन्ध-विमोचनः। बन्धनस्त्व-सुरेन्द्राणां युधिशत्रु-विनाशनः॥
सांख्यप्रसादो दुर्वासाः सर्वसाधुनिषेवितः। प्रस्कन्दनो विभागज्ञोऽतुल्यो यज्ञविभागवित्॥
सर्ववासः सर्वचारी दुर्वासा वासवोऽमरः। हैमो हेमकरोऽयज्ञः सर्वधारी धरोत्तमः॥
लोहिताक्षो महाक्षश्च विजयाक्षो विशारदः। संग्रहो निग्रहः कर्ता सर्पचीर-निवासनः॥
मुख्योऽमुख्यश्च देहश्च काहलिः सर्वकामदः। सर्वकालप्रसादश्च सुबलो बलरूपधृक्॥
सर्वकामवरश्चैव सर्वदः सर्वतोमुखः। आकाशनिर्विरूपश्च निपाती ह्यवशः खगः॥
रौद्ररूपोंऽशुरादित्यो बहुरश्मिः सुवर्चसी। वसुवेगो महावेगो मनोवेगो निशाचरः॥
सर्ववासी श्रियावासी उपदेशकरोऽकरः। मुनिरात्म-निरालोकः सम्भग्नश्च सहस्रदः॥
पक्षी च पक्षरूपश्च अतिदीप्तो विशाम्पतिः। उन्मादो मदनः कामो ह्यश्वत्थो-ऽर्थकरो यशः॥ 40॥
वामदेवश्च वामश्च प्राग् दक्षिणश्च वामनः। सिद्धयोगी महर्षिश्च सिद्धार्थः सिद्धसाधकः॥
भिक्षुश्च भिक्षुरूपश्च विपणो मृदुरव्ययः। महासेनो विशाखश्च षष्टिभागो गवां पतिः॥
वज्रहस्तश्च विष्कम्भी चमूस्तम्भन एव च। वृत्तावृत्त-करस्तालो मधुर्मधुकलोचनः॥
वाचस्पत्यो वाजसनो नित्यमाश्रमपूजितः। ब्रह्मचारी लोकचारी सर्वचारी विचारवित्॥
ईशान ईश्वरः कालो निशाचारी पिनाकवान्। निमित्तस्थो निमित्तं च नन्दि-र्नन्दिकरो हरिः॥
नन्दीश्वरश्च नन्दी च नन्दनो नन्दिवर्द्धनः। भगहारी निहन्ता च कालो ब्रह्मा पितामहः॥
चतुर्मुखो महालिंग-श्चारुलिंग-स्तथैव च। लिंगाध्यक्षः सुराध्यक्षो योगाध्यक्षो युगावहः।।
बीजाध्यक्षो बीजकर्ता अध्यात्मानुगतो बलः। इतिहासः सकल्पश्च गौतमोऽथ निशाकरः॥
दम्भो ह्यदम्भो वैदम्भो वश्यो वशकरः कलिः। लोककर्ता पशुपति-र्महाकर्ता ह्यनौषधः॥
अक्षरं परमं ब्रह्म बलवच्छक्र एव च। नीतिर्ह्यनीतिः शुद्धात्मा शुद्धो मान्यो गतागतः॥ 50॥
बहुप्रसादः सुस्वप्नो दर्पणोऽथ त्वमित्रजित्। वेदकारो मन्त्रकारो विद्वान् समरमर्दनः॥
महामेघनिवासी च महाघोरो वशी करः। अग्निज्वालो महाज्वालो अतिधूम्रो हुतो हविः॥
वृषणः शंकरो नित्यं वर्चस्वी धूमकेतनः। नीलस्तथांग-लुब्धश्च शोभनो निरवग्रहः॥
स्वस्तिदः स्वस्तिभावश्च भागी भागकरो लघुः। उत्संगश्च महांगश्च महागर्भपरायणः॥
कृष्णवर्णः सुवर्णश्च इन्द्रियं सर्वदेहिनाम्। महापादो महाहस्तो महाकायो महायशाः॥
महामूर्धा महामात्रो महानेत्रो निशालयः। महान्तको महाकर्णो महोष्ठश्च महाहनुः॥
महानासो महाकम्बु-र्महाग्रीवः श्मशानभाक्। महावक्षा महोरस्को ह्यन्तरात्मा मृगालयः॥
लम्बनो लम्बितोष्ठश्च महामायः पयोनिधिः। महादन्तो महादंष्ट्रो महाजिह्वो महामुखः॥
महानखो महारोमा महाकोशो महाजटः। प्रसन्नश्च प्रसादश्च प्रत्ययो गिरिसाधनः॥
स्नेहनोऽस्नेहनश्चैव अजितश्च महामुनिः। वृक्षाकारो वृक्षकेतु-रनलो वायुवाहनः॥60॥
गण्डली मेरुधामा च देवाधिपतिरेव च। अथर्वशीर्षः सामास्य ऋक्सहस्रा-मितेक्षणः॥
यजुः पादभुजो गुह्यः प्रकाशो जंगमस्तथा। अमोघार्थः प्रसादश्च अभिगम्यः सुदर्शनः॥

उपकार: प्रिय: सर्व: कनक: काञ्चनच्छवि:। नाभिर्नन्दिकरो भाव: पुष्करस्थपति: स्थिर:॥
द्वादश-स्त्रासनश्चाद्यो यज्ञो यज्ञसमाहित:। नक्तं कलिश्च कालश्च मकर: कालपूजित:॥
सगणो गणकारश्च भूतवाहनसारथि:। भस्मशयो भस्मगोप्ता भस्मभूत-स्तरुर्गण:॥
लोकपाल-स्तथालोको महात्मा सर्वपूजित:। शुक्लस्त्रिशुक्ल: सम्पन्न: शुचिर्भूत-निषेवित:॥
आश्रमस्थ: क्रियावस्थो विश्वकर्म-मतिर्वर:। विशाल-शाखस्ताम्रोष्ठो ह्यम्बुजाल: सुनिश्चल:॥
कपिल: कपिश: शुक्ल आयुश्चैव परोऽपर:। गन्धर्वो ह्यदितिस्ताक्ष्र्य: सुविज्ञेय: सुशारद:॥
परश्वधा-युधो देवो अनुकारी सुबान्धव:। तुम्बवीणो महाक्रोध ऊर्ध्वरेता जलेशय:॥
उग्रो वंशकरो वंशो वंशनादो ह्यनिन्दित:। सर्वांगरूपो मायावी सुहृदो ह्यनिलोऽनल:॥ 70॥
बन्धनो बन्धकर्ता च सुबन्धनविमोचन:। सयज्ञारि: सकामारि-र्महादंष्ट्रो महायुध:॥
बहुधा निन्दित: शर्व: शंकर: शंकरोऽधन:। अमरेशो महादेवो विश्वदेव: सुरारिहा॥
अहिर्बुध्न्यो-ऽनिलाभश्च चेकितानो हविस्तथा। अजैकपाच्च कापाली त्रिशंकुरजित: शिव:॥
धन्वन्तरि-र्धूमकेतु: स्कन्दो वैश्रवणस्तथा। धाता शक्रश्च विष्णुश्च मित्रस्त्वष्टा ध्रुवो धर:॥
प्रभाव: सर्वगो वायुरर्यमा सविता रवि:। उषंगुश्च विधाता च मान्धाता भूतभावन:॥
विभुर्वर्ण-विभावी च सर्वकाम-गुणावह:। पद्मनाभो महागर्भ-श्चन्द्र वक्त्रोऽनिलोऽनल:॥
बलवांश्चोप-शान्तश्च पुराण: पुण्यचञ्चुरी। कुरुकर्ता कुरुवासी कुरुभूतो गुणौषध:॥
सर्वाशयो दर्भचारी सर्वेषां प्राणिनां पति:। देवदेव: सुखासक्त: सदसत्सर्व-रत्नवित्॥
कैलासगिरि-वासी च हिमवद्गिरि-संश्रय:। कूलहारी कूलकर्ता बहुविद्यो बहुप्रद:॥
वणिजो वर्धकी वृक्षो बकुलश्चन्दन-श्छद:। सारग्रीवो महाजत्रुर-लोलश्च महौषध:॥ 80॥
सिद्धार्थकारी सिद्धार्थश्छन्दो-व्याकरणोत्तर:। सिंहनाद: सिंहदंष्ट्र: सिंहग: सिंहवाहन:॥
प्रभावात्मा जगत्काल-स्थालो लोकहितस्तरु:। सारंगो नवचक्रांग: केतुमाली सभावन:॥
भूतालयो भूतपतिर-होरात्रमनिन्दित:॥
वाहिता सर्वभूतानां निलयश्च विभुर्भव:। अमोघ: संयतो ह्यश्वो भोजन: प्राणधारण:॥
धृतिमान् मतिमान् दक्ष: सत्कृतश्च युगाधिप:। गोपालि-र्गोपतिर्ग्रामो गोचर्मवसनो हरि:॥
हिरण्यबाहुश्च तथा गुहापाल: प्रवेशिनाम्। प्रकृष्टारि-र्महाहर्षो जितकामो जितेन्द्रिय:॥
गान्धारश्च सुवासश्च तप:सक्तो रतिर्नर:। महागीतो महानृत्यो ह्यपसरोगण-सेवित:॥
महाकेतु-र्महाधातु-र्नैकसानुचरश्चल:। आवेदनीय आदेश: सर्वगन्ध-सुखावह:॥
तोरणस्तारणो वात: परिधी पतिखेचर:। संयोगो वर्धनो वृद्धो अतिवृद्धो गुणाधिक:॥
नित्य आत्मसहायश्च देवासुरपति: पति:। युक्तश्च युक्तबाहुश्च देवो दिविसुपर्वण:॥ 90॥
आषाढश्च सुषाढश्च ध्रुवोऽथ हरिणो हर:। वपुरावर्तमानेभ्यो वसुश्रेष्ठो महापथ:॥
शिरोहारी विमर्शश्च सर्वलक्षणलक्षित:। अक्षश्च रथयोगी च सर्वयोगी महाबल: ॥
समाम्नायो-ऽसमाम्नाय-स्तीर्थदेवो महारथ:। निर्जीवो जीवनो मन्त्र: शुभाक्षो बहुकर्कश:॥
रत्नप्रभूतो रत्नांगो महार्णव-निपानवित्। मूलं विशालो ह्यमृतो व्यक्ताव्यक्त-स्तपोनिधि:॥

आरोहणो-ऽधिरोहश्च शीलधारी महायशाः। सेनाकल्पो महाकल्पो योगो युगकरो हरिः॥
युगरूपो महारूपो महानागहनोऽवधः। न्यायनिर्वपणः पादः पण्डितो ह्यचलोपमः॥
बहुमालो महामालः शशी हरसुलोचनः। विस्तारो लवणः कूपस्त्रियुगः सफलोदयः॥
त्रिलोचनो विषण्णांगो मणिविद्धो जटाधरः। बिन्दुर्विसर्गः सुमुखः शरः सर्वायुधः सहः॥
निवेदनः सुखाजातः सुगन्धारो महाधुनः। गन्धपाली च भगवानुत्थानः सर्वकर्मणाम्॥
मन्थानो बहुलो वायुः सकलः सर्वलोचनः। ततस्तालः करस्थाली ऊर्ध्व-संहननो महान्॥ 100॥
छत्रं सुच्छत्रो विख्यातो लोकः सर्वाश्रयः क्रमः। मुण्डो विरूपो विकृतो दण्डी कुण्डी विकुर्वणः॥
हर्यक्षः ककुभो वज्री शतजिह्वः सहस्रपात्। सहस्रमूर्धा देवेन्द्रः सर्वदेवमयो गुरुः॥
सहस्रबाहुः सर्वांगः शरण्यः सर्वलोककृत्। पवित्रं त्रिककुन्मन्त्रः कनिष्ठः कृष्णपिंगलः॥
ब्रह्मदण्ड-विनिर्माता शतघ्नीपाश-शक्तिमान्। पद्मगर्भो महागर्भो ब्रह्मगर्भो जलोद्भवः॥
गभस्ति-र्ब्रह्मकृद् ब्रह्मी ब्रह्मविद् ब्राह्मणो गतिः। अनन्तरूपो नैकात्मा तिग्मतेजाः स्वयम्भुवः॥
ऊर्ध्वगात्मा पशुपतिर्वातरंहा मनोजवः। चन्दनी पद्मनालाग्रः सुरभ्युत्तरणो नरः॥
कर्णिकार-महास्रग्वी नीलमौलिः पिनाकधृत्। उमापतिरुमाकान्तो जाह्नवीधृदुमाधवः॥
वरो वराहो वरदो वरेण्यः सुमहास्वनः। महाप्रसादो दमनः शत्रुहा श्वेतपिंगलः॥
पीतात्मा परमात्मा च प्रयतात्मा प्रधानधृत्। सर्वपार्श्वमुखस्त्र्यक्षो धर्मसाधारणो वरः॥
चराचरात्मा सूक्ष्मात्मा अमृतो गोवृषेश्वरः। साध्यर्षि-र्वसुरादित्यो विवस्वान् सवितामृतः॥ 110॥
व्यासः सर्गः सुसंक्षेपो विस्तरः पर्ययो नरः। ऋतुः संवत्सरो मासः पक्षः संख्यासमापनः॥
कलाः काष्ठा लवा मात्रा मुहूर्ताहः क्षपाः क्षणाः। विश्वक्षेत्रं प्रजाबीजं लिंगमाद्यस्तु निर्गमः॥
सदसद् व्यक्तमव्यक्तं पिता माता पितामहः। स्वर्गद्वारं प्रजाद्वारं मोक्षद्वारं त्रिविष्टपम्॥
निर्वाणं ह्लादनश्चैव ब्रह्मलोकः परा गतिः। देवासुर-विनिर्माता देवासुर-परायणः॥
देवासुर-गुरुर्देवो देवासुर-नमस्कृतः। देवासुर-महामात्रो देवासुर-गणाश्रयः॥
देवासुर-गणाध्यक्षो देवासुर-गणाग्रणीः। देवातिदेवो देवर्षि-र्देवासुर-वरप्रदः॥
देवासुरेश्वेरो विश्वो देवासुर-महेश्वरः। सर्वदेवमयो-ऽचिन्त्यो देवतात्माऽऽत्मसम्भवः॥
उद्भित् त्रिविक्रमो वैद्यो विरजो नीरजोऽमरः। ईड्यो हस्तीश्वरो व्याघ्रो देवसिंहो नरर्षभः॥
विबुधोऽग्रवरः सूक्ष्मः सर्वदेवस्तपोमयः। सुयुक्तः शोभनो वज्री प्रासानां प्रभवोऽव्ययः॥
गुहः कान्तो निजः सर्गः पवित्रं सर्वपावनः। शृंगी शृंगप्रियो बभ्रू राजराजो निरामयः॥ 120॥
अभिरामः सुरगणो विरामः सर्वसाधनः। ललाटाक्षो विश्वदेवो हरिणो ब्रह्मवर्चसः॥
स्थावराणां पतिश्चैव नियमेन्द्रिय-वर्धनः। सिद्धार्थः सिद्धभूतार्थो-ऽचिन्त्यः सत्यव्रतः शुचिः॥
व्रताधिपः परं ब्रह्म भक्तानां परमा गतिः। विमुक्तो मुक्ततेजाश्च श्रीमाञ्श्रीवर्धनो जगत्॥

ॐ शान्तिः शान्तिः शान्तिः॥ हरिः ॐ॥

शिव-सहस्त्र-नामावलिः

ॐ स्थिराय नमः
ॐ स्थाणवे नमः
ॐ प्रभवे नमः
ॐ भीमाय नमः
ॐ प्रवराय नमः
ॐ वरदाय नमः
ॐ वराय नमः
ॐ सर्वात्मने नमः
ॐ सर्वविख्याताय नमः
ॐ सर्वस्मै नमः 10
ॐ सर्वकराय नमः
ॐ भवाय नमः
ॐ जटिने नमः
ॐ चर्मिणे नमः
ॐ शिखण्डिने नमः
ॐ सर्वाङ्गाय नमः
ॐ सर्वभावाय नमः
ॐ हराय नमः
ॐ हरिणाक्षाय नमः
ॐ सर्वभूतहराय नमः 20
ॐ प्रभवे नमः
ॐ प्रवृत्तये नमः
ॐ निवृत्तये नमः
ॐ नियताय नमः
ॐ शाश्वताय नमः
ॐ ध्रुवाय नमः
ॐ श्मशानवासिने नमः
ॐ भगवते नमः
ॐ खेचराय नमः
ॐ गोचराय नमः 30
ॐ अर्दनाय नमः
ॐ अभिवाद्याय नमः
ॐ महाकर्मणे नमः
ॐ तपस्विने नमः
ॐ भूतभावनाय नमः
ॐ उन्मत्तवेषप्रच्छन्नाय नमः
ॐ सर्वलोकप्रजापतये नमः
ॐ महारूपाय नमः
ॐ महाकायाय नमः
ॐ वृषरूपाय नमः 40
ॐ महायशसे नमः
ॐ महात्मने नमः
ॐ सर्वभूतात्मने नमः
ॐ विश्वरूपाय नमः
ॐ महाहनवे नमः
ॐ लोकपालाय नमः
ॐ अन्तर्हितात्मने नमः
ॐ प्रसादाय नमः
ॐ हयगर्दभाय नमः
ॐ पवित्राय नमः 50
ॐ महते नमः
ॐ नियमाय नमः
ॐ नियमाश्रिताय नमः
ॐ सर्वकर्मणे नमः
ॐ स्वयम्भूताय नमः
ॐ आदये नमः
ॐ आदिकराय नमः
ॐ निधये नमः
ॐ सहस्त्राक्षाय नमः
ॐ विशालाक्षाय नमः 60

ॐ सोमाय नमः
ॐ नक्षत्रसाधकाय नमः
ॐ चन्द्राय नमः
ॐ सूर्याय नमः
ॐ शनये नमः
ॐ केतवे नमः
ॐ ग्रहाय नमः
ॐ ग्रहपतये नमः
ॐ वराय नमः
ॐ अत्रये नमः 70
ॐ अत्र्यानमस्कर्त्रे नमः
ॐ मृगबाणार्पणाय नमः
ॐ अनघाय नमः
ॐ महातपसे नमः
ॐ घोरतपसे नमः
ॐ अदीनाय नमः
ॐ दीनसाधककराय नमः
ॐ संवत्सरकराय नमः
ॐ मन्त्राय नमः
ॐ प्रमाणाय नमः 80
ॐ परमन्तपाय नमः
ॐ योगिने नमः
ॐ योज्याय नमः
ॐ महाबीजाय नमः
ॐ महारेतसे नमः
ॐ महाबलाय नमः
ॐ सुवर्णरेतसे नमः
ॐ सर्वज्ञाय नमः
ॐ सुबीजाय नमः
ॐ बीजवाहनाय नमः 90
ॐ दशबाहवे नमः
ॐ अनिमिषाय नमः
ॐ नीलकण्ठाय नमः
ॐ उमापतये नमः
ॐ विश्वरूपाय नमः
ॐ स्वयंश्रेष्ठाय नमः
ॐ बलवीराय नमः
ॐ अबलोगणाय नमः
ॐ गणकर्त्रे नमः
ॐ गणपतये नमः 100
ॐ दिग्वाससे नमः
ॐ कामाय नमः
ॐ मन्त्रविदे नमः
ॐ परममन्त्राय नमः
ॐ सर्वभावकराय नमः
ॐ हराय नमः
ॐ कमण्डलुधराय नमः
ॐ धन्विने नमः
ॐ बाणहस्ताय नमः
ॐ कपालवते नमः 110
ॐ अशनिने नमः
ॐ शतघ्निने नमः
ॐ खड्गिने नमः
ॐ पट्टिशिने नमः
ॐ आयुधिने नमः
ॐ महते नमः
ॐ स्रुवहस्ताय नमः
ॐ सुरूपाय नमः
ॐ तेजसे नमः
ॐ तेजस्करनिधये नमः 120
ॐ उष्णीषिणे नमः
ॐ सुवक्त्राय नमः
ॐ उदग्राय नमः
ॐ विनताय नमः

ॐ दीर्घाय नम:
ॐ हरिकेशाय नम:
ॐ सुतीर्थाय नम:
ॐ कृष्णाय नम:
ॐ शृगालरूपाय नम:
ॐ सिद्धार्थाय नम: 130
ॐ मुण्डाय नम:
ॐ सर्वशुभंकराय नम:
ॐ अजाय नम:
ॐ बहुरूपाय नम:
ॐ गन्धधारिणे नम:
ॐ कपर्दिने नम:
ॐ ऊर्ध्वरेतसे नम:
ॐ ऊर्ध्वलिंगाय नम:
ॐ ऊर्ध्वशायिने नम:
ॐ नभस्थलाय नम: 140
ॐ त्रिजटाय नम:
ॐ चीरवाससे नम:
ॐ रुद्राय नम:
ॐ सेनापतये नम:
ॐ विभवे नम:
ॐ अहश्चराय नम:
ॐ नक्तञ्चराय नम:
ॐ तिग्ममन्यवे नम:
ॐ सुवर्चसाय नम:
ॐ गजघ्ने नम: 150
ॐ दैत्यघ्ने नम:
ॐ कालाय नम:
ॐ लोकधात्रे नम:
ॐ गुणाकराय नम:
ॐ सिंहशार्दूलरूपाय नम:
ॐ आर्द्रचर्माम्बरावृताय नम:

ॐ कालयोगिने नम:
ॐ महानादाय नम:
ॐ सर्वकामाय नम:
ॐ चतुष्पथाय नम: 160
ॐ निशाचराय नम:
ॐ प्रेतचारिणे नम:
ॐ भूतचारिणे नम:
ॐ महेश्वराय नम:
ॐ बहुभूताय नम:
ॐ बहुधराय नम:
ॐ स्वर्भानवे नम:
ॐ अमिताय नम:
ॐ गतये नम:
ॐ नृत्यप्रियाय नम: 170
ॐ नित्यनर्ताय नम:
ॐ नर्तकाय नम:
ॐ सर्वलालसाय नम:
ॐ घोराय नम:
ॐ महातपसे नम:
ॐ पाशाय नम:
ॐ नित्याय नम:
ॐ गिरिरुहाय नम:
ॐ नभसे नम:
ॐ सहस्रहस्ताय नम: 180
ॐ विजयाय नम:
ॐ व्यवसायाय नम:
ॐ अतन्द्रिताय नम:
ॐ अधर्षणाय नम:
ॐ धर्षणात्मने नम:
ॐ यज्ञघ्ने नम:
ॐ कामनाशकाय नम:
ॐ दक्षयागापहारिणे नम:

ॐ सुसहाय नम:
ॐ मध्यमाय नम: 190
ॐ तेजोपहारिणे नम:
ॐ बलघ्ने नम:
ॐ मुदिताय नम:
ॐ अर्थाय नम:
ॐ अजिताय नम:
ॐ अवराय नम:
ॐ गम्भीरघोषाय नम:
ॐ गम्भीराय नम:
ॐ गम्भीरबलवाहनाय नम:
ॐ न्यग्रोधरूपाय नम: 200
ॐ न्यग्रोधाय नम:
ॐ वृक्षकर्णस्थितये नम:
ॐ विभवे नम:
ॐ सुतीक्ष्णदशनाय नम:
ॐ महाकायाय नम:
ॐ महाननाय नम:
ॐ विष्वक्सेनाय नम:
ॐ हरये नम:
ॐ यज्ञाय नम:
ॐ संयुगापीडवाहनाय नम: 210
ॐ तीक्ष्णतापाय नम:
ॐ हर्यश्वाय नम:
ॐ सहायाय नम:
ॐ कर्मकालविदे नम:
ॐ विष्णुप्रसादिताय नम:
ॐ यज्ञाय नम:
ॐ समुद्राय नम:
ॐ वडवामुखाय नम:
ॐ हुताशनसहायाय नम:
ॐ प्रशान्तात्मने नम: 220

ॐ हुताशनाय नम:
ॐ उग्रतेजसे नम:
ॐ महातेजसे नम:
ॐ जन्याय नम:
ॐ विजयकालविदे नम:
ॐ ज्योतिषामयनाय नम:
ॐ सिद्धये नम:
ॐ सर्वविग्रहाय नम:
ॐ शिखिने नम:
ॐ मुण्डिने नम: 230
ॐ जटिने नम:
ॐ ज्वालिने नम:
ॐ मूर्त्तिजाय नम:
ॐ मूर्द्धगाय नम:
ॐ बलिने नम:
ॐ वेणविने नम:
ॐ पणविने नम:
ॐ तालिने नम:
ॐ खलिने नम:
ॐ कालकटंकटाय नम: 240
ॐ नक्षत्रविग्रहमतये नम:
ॐ गुणबुद्धये नम:
ॐ लयाय नम:
ॐ अगमाय नम:
ॐ प्रजापतये नम:
ॐ विश्वबाहवे नम:
ॐ विभागाय नम:
ॐ सर्वगाय नम:
ॐ अमुखाय नम:
ॐ विमोचनाय नम: 250
ॐ सुसरणाय नम:
ॐ हिरण्यकवचोद्भवाय नम:

ॐ मेढ्रजाय नमः
ॐ बलचारिणे नमः
ॐ महीचारिणे नमः
ॐ स्रुताय नमः
ॐ सर्वतूर्यनिनादिने नमः
ॐ सर्वतोद्यपरिग्रहाय नमः
ॐ व्यालरूपाय नमः
ॐ गुहावासिने नमः 260
ॐ गुहाय नमः
ॐ मालिने नमः
ॐ तरंगविदे नमः
ॐ त्रिदशाय नमः
ॐ त्रिकालधृगे नमः
ॐ कर्मसर्वबन्ध-विमोचनाय नमः
ॐ असुरेन्द्राणां बन्धनाय नमः
ॐ युधि शत्रुविनाशिने नमः
ॐ सांख्यप्रसादाय नमः
ॐ दुर्वाससे नमः 270
ॐ सर्वसाधुनिषेविताय नमः
ॐ प्रस्कन्दनाय नमः
ॐ विभागज्ञाय नमः
ॐ अतुल्याय नमः
ॐ यज्ञविभागविदे नमः
ॐ सर्वचारिणे नमः
ॐ सर्ववासाय नमः
ॐ दुर्वाससे नमः
ॐ वासवाय नमः
ॐ अमराय नमः 280
ॐ हैमाय नमः
ॐ हेमकराय नमः
ॐ अयज्ञसर्वधारिणे नमः
ॐ धरोत्तमाय नमः
ॐ लोहिताक्षाय नमः
ॐ महाक्षाय नमः
ॐ विजयाक्षाय नमः
ॐ विशारदाय नमः
ॐ संग्रहाय नमः
ॐ निग्रहाय नमः 290
ॐ कर्त्रे नमः
ॐ सर्पचीरनिवसनाय नमः
ॐ मुख्याय नमः
ॐ अमुख्याय नमः
ॐ देहाय नमः
ॐ काहलये नमः
ॐ सर्वकामदाय नमः
ॐ सर्वकालप्रसादाय नमः
ॐ सुबलाय नमः
ॐ बलरूपधृगे नमः 300
ॐ सर्वकामवराय नमः
ॐ सर्वदाय नमः
ॐ सर्वतोमुखाय नमः
ॐ आकाशनिर्विरूपाय नमः
ॐ निपातिने नमः
ॐ अवशाय नमः
ॐ खगाय नमः
ॐ रौद्ररूपाय नमः
ॐ अंशवे नमः
ॐ आदित्याय नमः 310
ॐ बहुरश्मये नमः
ॐ सुवर्चसिने नमः
ॐ वसुवेगाय नमः
ॐ महावेगाय नमः
ॐ मनोवेगाय नमः
ॐ निशाचराय नमः

ॐ सर्ववासिने नमः
ॐ श्रियावासिने नमः
ॐ उपदेशकराय नमः
ॐ अकराय नमः   320
ॐ मुनये नमः
ॐ आत्मनिरालोकाय नमः
ॐ संभग्नाय नमः
ॐ सहस्रदाय नमः
ॐ पक्षिणे नमः
ॐ पक्षरूपाय नमः
ॐ अतिदीप्ताय नमः
ॐ विशाम्पतये नमः
ॐ उन्मादाय नमः
ॐ मदनाय नमः   330
ॐ कामाय नमः
ॐ अश्वत्थाय नमः
ॐ अर्थकराय नमः
ॐ यशसे नमः
ॐ वामदेवाय नमः
ॐ वामाय नमः
ॐ प्राचे नमः
ॐ दक्षिणाय नमः
ॐ वामनाय नमः
ॐ सिद्धयोगिने नमः   340
ॐ महर्षये नमः
ॐ सिद्धार्थाय नमः
ॐ सिद्धसाधकाय नमः
ॐ भिक्षवे नमः
ॐ भिक्षुरूपाय नमः
ॐ विपणाय नमः
ॐ मृदवे नमः
ॐ अव्ययाय नमः

ॐ महासेनाय नमः
ॐ विशाखाय नमः   350
ॐ षष्टिभागाय नमः
ॐ गवाम्पतये नमः
ॐ वज्रहस्ताय नमः
ॐ विष्कम्भिने नमः
ॐ चमूस्तम्भनाय नमः
ॐ वृत्तावृत्तकराय नमः
ॐ तालाय नमः
ॐ मधवे नमः
ॐ मधुकलोचनाय नमः
ॐ वाचस्पतये नमः   360
ॐ वाजसनाय नमः
ॐ नित्यमाश्रमपूजिताय नमः
ॐ ब्रह्मचारिणे नमः
ॐ लोकचारिणे नमः
ॐ सर्वचारिणे नमः
ॐ विचारविदे नमः
ॐ ईशानाय नमः
ॐ ईश्वराय नमः
ॐ कालाय नमः
ॐ निशाचारिणे नमः   370
ॐ पिनाकधृगे नमः
ॐ निमित्तस्थाय नमः
ॐ निमित्ताय नमः
ॐ नन्दये नमः
ॐ नन्दिकराय नमः
ॐ हरये नमः
ॐ नन्दीश्वराय नमः
ॐ नन्दिने नमः
ॐ नन्दनाय नमः
ॐ नन्दिवर्धनाय नमः   380

ॐ भगहारिणे नमः
ॐ निहन्त्रे नमः
ॐ कालाय नमः
ॐ ब्रह्मणे नमः
ॐ पितामहाय नमः
ॐ चतुर्मुखाय नमः
ॐ महालिंगाय नमः
ॐ चारुलिंगाय नमः
ॐ लिंगाध्यक्षाय नमः
ॐ सुराध्यक्षाय नमः   390
ॐ योगाध्यक्षाय नमः
ॐ युगावहाय नमः
ॐ बीजाध्यक्षाय नमः
ॐ बीजकर्त्रे नमः
ॐ अध्यात्मानुगताय नमः
ॐ बलाय नमः
ॐ इतिहासाय नमः
ॐ सकल्पाय नमः
ॐ गौतमाय नमः
ॐ निशाकराय नमः   400
ॐ दम्भाय नमः
ॐ अदम्भाय नमः
ॐ वैदम्भाय नमः
ॐ वश्याय नमः
ॐ वशकराय नमः
ॐ कलये नमः
ॐ लोककर्त्रे नमः
ॐ पशुपतये नमः
ॐ महाकर्त्रे नमः
ॐ अनौषधाय नमः   410
ॐ अक्षराय नमः
ॐ परब्रह्मणे नमः

ॐ बलवते नमः
ॐ शक्राय नमः
ॐ नीतये नमः
ॐ अनीतये नमः
ॐ शुद्धात्मने नमः
ॐ मान्याय नमः
ॐ शुद्धाय नमः
ॐ गतागताय नमः   420
ॐ बहुप्रसादाय नमः
ॐ सुस्वप्नाय नमः
ॐ दर्पणाय नमः
ॐ अमित्रजिते नमः
ॐ वेदकाराय नमः
ॐ मन्त्रकाराय नमः
ॐ विदुषे नमः
ॐ समरमर्दनाय नमः
ॐ महामेघनिवासिने नमः
ॐ महाघोराय नमः   430
ॐ वशिने नमः
ॐ कराय नमः
ॐ अग्निज्वालाय नमः
ॐ महाज्वालाय नमः
ॐ अतिधूम्राय नमः
ॐ हुताय नमः
ॐ हविषे नमः
ॐ वृषणाय नमः
ॐ शंकराय नमः
ॐ नित्यंवर्चस्विने नमः   440
ॐ धूमकेतनाय नमः
ॐ नीलाय नमः
ॐ अंगलुब्धाय नमः
ॐ शोभनाय नमः

ॐ निरवग्रहाय नम:
ॐ स्वस्तिदायकाय नम:
ॐ स्वस्तिभावाय नम:
ॐ भागिने नम:
ॐ भागकराय नम:
ॐ लघवे नम: 450
ॐ उत्संगाय नम:
ॐ महांगाय नम:
ॐ महागर्भपरायणाय नम:
ॐ कृष्णवर्णाय नम:
ॐ सुवर्णाय नम:
ॐ सर्वदेहिनामिन्द्रियाय नम:
ॐ महापादाय नम:
ॐ महाहस्ताय नम:
ॐ महाकायाय नम:
ॐ महायशसे नम: 460
ॐ महामूर्ध्ने नम:
ॐ महामात्राय नम:
ॐ महानेत्राय नम:
ॐ निशालयाय नम:
ॐ महान्तकाय नम:
ॐ महाकर्णाय नम:
ॐ महोष्ठाय नम:
ॐ महाहनवे नम:
ॐ महानासाय नम:
ॐ महाकम्बवे नम: 470
ॐ महाग्रीवाय नम:
ॐ श्मशानभाजे नम:
ॐ महावक्षसे नम:
ॐ महोरस्काय नम:
ॐ अन्तरात्मने नम:
ॐ मृगालयाय नम:

ॐ लम्बनाय नम:
ॐ लम्बितोष्ठाय नम:
ॐ महामायाय नम:
ॐ पयोनिधये नम: 480
ॐ महादन्ताय नम:
ॐ महादंष्ट्राय नम:
ॐ महाजिह्वाय नम:
ॐ महामुखाय नम:
ॐ महानखाय नम:
ॐ महारोम्णे नम:
ॐ महाकोशाय नम:
ॐ महाजटाय नम:
ॐ प्रसन्नाय नम:
ॐ प्रसादाय नम: 490
ॐ प्रत्ययाय नम:
ॐ गिरिसाधनाय नम:
ॐ स्नेहनाय नम:
ॐ अस्नेहनाय नम:
ॐ अजिताय नम:
ॐ महामुनये नम:
ॐ वृक्षाकाराय नम:
ॐ वृक्षकेतवे नम:
ॐ अनलाय नम:
ॐ वायुवाहनाय नम: 500
ॐ गण्डलिने नम:
ॐ मेरुधाम्ने नम:
ॐ देवाधिपतये नम:
ॐ अथर्वशीर्षाय नम:
ॐ सामास्याय नम:
ॐ ऋक्सहस्रामितेक्षणाय नम:
ॐ यजु:पादभुजाय नम:
ॐ गुह्याय नम:

ॐ प्रकाशाय नमः
ॐ जंगमाय नमः 510
ॐ अमोघार्थाय नमः
ॐ प्रसादाय नमः
ॐ अभिगम्याय नमः
ॐ सुदर्शनाय नमः
ॐ उपकाराय नमः
ॐ प्रियाय नमः
ॐ सर्वाय नमः
ॐ कनकाय नमः
ॐ काञ्चनच्छवये नमः
ॐ नाभये नमः 520
ॐ नन्दिकराय नमः
ॐ भावाय नमः
ॐ पुष्करस्थपतये नमः
ॐ स्थिराय नमः
ॐ द्वादशाय नमः
ॐ त्रासनाय नमः
ॐ आद्याय नमः
ॐ यज्ञाय नमः
ॐ यज्ञसमाहिताय नमः
ॐ नक्तंस्वरूपाय नमः 530
ॐ कलये नमः
ॐ कालाय नमः
ॐ मकराय नमः
ॐ कालपूजिताय नमः
ॐ सगणाय नमः
ॐ गणकाराय नमः
ॐ भूतवाहनसारथये नमः
ॐ भस्मशयाय नमः
ॐ भस्मगोप्त्रे नमः
ॐ भस्मभूताय नमः 540
ॐ तरवे नमः
ॐ गणाय नमः
ॐ लोकपालाय नमः
ॐ अलोकाय नमः
ॐ महात्मने नमः
ॐ सर्वपूजिताय नमः
ॐ शुक्लाय नमः
ॐ त्रिशुक्लाय नमः
ॐ सम्पन्नाय नमः
ॐ शुचये नमः 550
ॐ भूतनिषेविताय नमः
ॐ आश्रमस्थाय नमः
ॐ क्रियावस्थाय नमः
ॐ विश्वकर्ममतये नमः
ॐ वराय नमः
ॐ विशालशाखाय नमः
ॐ ताम्रोष्ठाय नमः
ॐ अम्बुजालाय नमः
ॐ सुनिश्चलाय नमः
ॐ कपिलाय नमः 560
ॐ कपिशाय नमः
ॐ शुक्लाय नमः
ॐ आयुषे नमः
ॐ पराय नमः
ॐ अपराय नमः
ॐ गन्धर्वाय नमः
ॐ अदितये नमः
ॐ ताक्ष्र्याय नमः
ॐ सुविज्ञेयाय नमः
ॐ सुशारदाय नमः 570
ॐ परश्वधायुधाय नमः
ॐ देवाय नमः

ॐ अनुकारिणे नमः
ॐ सुबान्धवाय नमः
ॐ तुम्बवीणाय नमः
ॐ महाक्रोधाय नमः
ॐ ऊर्ध्वरेतसे नमः
ॐ जलेशयाय नमः
ॐ उग्राय नमः
ॐ वंशकराय नमः   580
ॐ वंशाय नमः
ॐ वंशनादाय नमः
ॐ अनिन्दिताय नमः
ॐ सर्वांगरूपाय नमः
ॐ मायाविने नमः
ॐ सुहृदे नमः
ॐ अनिलाय नमः
ॐ अनलाय नमः
ॐ बन्धनाय नमः
ॐ बन्धकर्त्रे नमः   590
ॐ सुबन्धनविमोचनाय नमः
ॐ सयज्ञारये नमः
ॐ सकामारये नमः
ॐ महादंष्ट्राय नमः
ॐ महायुधाय नमः
ॐ बहुधानिन्दिताय नमः
ॐ शर्वाय नमः
ॐ शंकराय नमः
ॐ शं कराय नमः
ॐ अधनाय नमः   600
ॐ अमरेशाय नमः
ॐ महादेवाय नमः
ॐ विश्वदेवाय नमः
ॐ सुरारिघ्ने नमः

ॐ अहिर्बुध्न्याय नमः
ॐ अनिलाभाय नमः
ॐ चेकितानाय नमः
ॐ हविषे नमः
ॐ अजैकपादे नमः
ॐ कापालिने नमः   610
ॐ त्रिशंकवे नमः
ॐ अजिताय नमः
ॐ शिवाय नमः
ॐ धन्वन्तरये नमः
ॐ धूमकेतवे नमः
ॐ स्कन्दाय नमः
ॐ वैश्रवणाय नमः
ॐ धात्रे नमः
ॐ शक्राय नमः
ॐ विष्णवे नमः   620
ॐ मित्राय नमः
ॐ त्वष्ट्रे नमः
ॐ ध्रुवाय नमः
ॐ धराय नमः
ॐ प्रभावाय नमः
ॐ सर्वगोवायवे नमः
ॐ अर्यम्णे नमः
ॐ सवित्रे नमः
ॐ रवये नमः
ॐ उषंगवे नमः   630
ॐ विधात्रे नमः
ॐ मानधात्रे नमः
ॐ भूतभावनाय नमः
ॐ विभवे नमः
ॐ वर्णविभाविने नमः
ॐ सर्वकामगुणावहाय नमः

ॐ पद्मनाभाय नमः
ॐ महागर्भाय नमः
ॐ चन्द्रवक्त्राय नमः
ॐ अनिलाय नमः   640
ॐ अनलाय नमः
ॐ बलवते नमः
ॐ उपशान्ताय नमः
ॐ पुराणाय नमः
ॐ पुण्यचञ्चवे नमः
ॐ 'ई' रूपाय नमः
ॐ कुरुकर्त्रे नमः
ॐ कुरुवासिने नमः
ॐ कुरुभूताय नमः
ॐ गुणौषधाय नमः   650
ॐ सर्वाशयाय नमः
ॐ दर्भचारिणे नमः
ॐ सर्वप्राणिपतये नमः
ॐ देवदेवाय नमः
ॐ सुखासक्ताय नमः
ॐ 'सत्' स्वरूपाय नमः
ॐ 'असत्' रूपाय नमः
ॐ सर्वरत्नविदे नमः
ॐ कैलासगिरिवासिने नमः
ॐ हिमवद्गिरिसंश्रयाय नमः   660
ॐ कूलहारिणे नमः
ॐ कुलकर्त्रे नमः
ॐ बहुविद्याय नमः
ॐ बहुप्रदाय नमः
ॐ वणिजाय नमः
ॐ वर्धकिने नमः
ॐ वृक्षाय नमः
ॐ बकुलाय नमः

ॐ चन्दनाय नमः
ॐ छदाय नमः   670
ॐ सारग्रीवाय नमः
ॐ महाजत्रवे नमः
ॐ अलोलाय नमः
ॐ महौषधाय नमः
ॐ सिद्धार्थकारिणे नमः
ॐ छन्दोव्याकरणोत्तर-सिद्धार्थाय नमः
ॐ सिंहनादाय नमः
ॐ सिंहदंष्ट्राय नमः
ॐ सिंहगाय नमः
ॐ सिंहवाहनाय नमः   680
ॐ प्रभावात्मने नमः
ॐ जगत्कालस्थलाय नमः
ॐ लोकहिताय नमः
ॐ तरवे नमः
ॐ सारंगाय नमः
ॐ नवचक्रांगाय नमः
ॐ केतुमालिने नमः
ॐ सभावनाय नमः
ॐ भूतालयाय नमः
ॐ भूतपतये नमः   690
ॐ अहोरात्राय नमः
ॐ अनिन्दिताय नमः
ॐ सर्वभूतवाहित्रे नमः
ॐ सर्वभूतनिलयाय नमः
ॐ विभवे नमः
ॐ भवाय नमः
ॐ अमोघाय नमः
ॐ संयताय नमः
ॐ अश्वाय नमः
ॐ भोजनाय नमः   700

ॐ प्राणधारणाय नमः
ॐ धृतिमते नमः
ॐ मतिमते नमः
ॐ दक्षाय नमः
ॐ सत्कृताय नमः
ॐ युगाधिपाय नमः
ॐ गोपाल्यै नमः
ॐ गोपतये नमः
ॐ ग्रामाय नमः
ॐ गोचर्मवसनाय नमः 710
ॐ हरये नमः
ॐ हिरण्यबाहवे नमः
ॐ प्रवेशिनांगुहापालाय नमः
ॐ प्रकृष्टारये नमः
ॐ महाहर्षाय नमः
ॐ जितकामाय नमः
ॐ जितेन्द्रियाय नमः
ॐ गान्धाराय नमः
ॐ सुवासाय नमः
ॐ तपःसक्ताय नमः 720
ॐ रतये नमः
ॐ नराय नमः
ॐ महागीताय नमः
ॐ महानृत्याय नमः
ॐ अप्सरोगणसेविताय नमः
ॐ महाकेतवे नमः
ॐ महाधातवे नमः
ॐ नैकसानुचराय नमः
ॐ चलाय नमः
ॐ आवेदनीयाय नमः 730
ॐ आदेशाय नमः
ॐ सर्वगन्धसुखावहाय नमः
ॐ तोरणाय नमः
ॐ तारणाय नमः
ॐ वाताय नमः
ॐ परिधये नमः
ॐ पतिखेचराय नमः
ॐ संयोगवर्धनाय नमः
ॐ वृद्धाय नमः
ॐ गुणाधिकाय नमः 740
ॐ अतिवृद्धाय नमः
ॐ नित्यात्मसहायाय नमः
ॐ देवासुरपतये नमः
ॐ पत्ये नमः
ॐ युक्ताय नमः
ॐ युक्तबाहवे नमः
ॐ दिविसुपर्वदेवाय नमः
ॐ आषाढाय नमः
ॐ सुषाढाय नमः
ॐ ध्रुवाय नमः 750
ॐ हरिणाय नमः
ॐ हराय नमः
ॐ आवर्तमानवपुषे नमः
ॐ वसुश्रेष्ठाय नमः
ॐ महापथाय नमः
ॐ विमर्षशिरोहारिणे नमः
ॐ सर्वलक्षणलक्षिताय नमः
ॐ अक्षरथयोगिने नमः
ॐ सर्वयोगिने नमः
ॐ महाबलाय नमः 760
ॐ समाम्नायाय नमः
ॐ असमाम्नायाय नमः
ॐ तीर्थदेवाय नमः
ॐ महारथाय नमः

ॐ निर्जीवाय नमः
ॐ जीवनाय नमः
ॐ मन्त्राय नमः
ॐ शुभाक्षाय नमः
ॐ बहुकर्कशाय नमः
ॐ रत्नप्रभूताय नमः   770
ॐ रत्नांगाय नमः
ॐ महार्णवनिपानविदे नमः
ॐ मूलाय नमः
ॐ विशालाय नमः
ॐ अमृताय नमः
ॐ व्यक्ताऽव्यक्ताय नमः
ॐ तपोनिधये नमः
ॐ आरोहणाय नमः
ॐ अधिरोहाय नमः
ॐ शीलधारिणे नमः   780
ॐ महायशसे नमः
ॐ सेनाकल्पाय नमः
ॐ महाकल्पाय नमः
ॐ योगाय नमः
ॐ युगकराय नमः
ॐ हरये नमः
ॐ युगरूपाय नमः
ॐ महारूपाय नमः
ॐ महानागहतकाय नमः
ॐ अवधाय नमः   790
ॐ न्यायनिर्वपणाय नमः
ॐ पादाय नमः
ॐ पण्डिताय नमः
ॐ अचलोपमाय नमः
ॐ बहुमालाय नमः
ॐ महामालाय नमः

ॐ शशिहरसुलोचनाय नमः
ॐ विस्तारलवणकूपाय नमः
ॐ त्रियुगाय नमः
ॐ सफलोदयाय नमः   800
ॐ त्रिलोचनाय नमः
ॐ विषण्डांगाय नमः
ॐ मणिविद्धाय नमः
ॐ जटाधराय नमः
ॐ बिन्दवे नमः
ॐ विसर्गाय नमः
ॐ सुमुखाय नमः
ॐ शराय नमः
ॐ सर्वायुधाय नमः
ॐ सहाय नमः   810
ॐ निवेदनाय नमः
ॐ सुखाजाताय नमः
ॐ सुगन्धराय नमः
ॐ महाधनुषे नमः
ॐ गन्धपालिभगवते नमः
ॐ सर्वकर्मोत्थानाय नमः
ॐ मन्थानबहुलवायवे नमः
ॐ सकलाय नमः
ॐ सर्वलोचनाय नमः
ॐ तलस्तालाय नमः   820
ॐ करस्थालिने नमः
ॐ ऊर्ध्वसंहननाय नमः
ॐ महते नमः
ॐ छात्राय नमः
ॐ सुच्छत्राय नमः
ॐ विख्यातलोकाय नमः
ॐ सर्वाश्रयक्रमाय नमः
ॐ मुण्डाय नमः

ॐ विरूपाय नमः
ॐ विकृताय नमः 830
ॐ दण्डिने नमः
ॐ कुण्डिने नमः
ॐ विकुर्वणाय नमः
ॐ हर्यक्षाय नमः
ॐ ककुभाय नमः
ॐ वज्रिणे नमः
ॐ शतजिह्वाय नमः
ॐ सहस्त्रपदे नमः
ॐ सहस्त्रमूर्ध्ने नमः
ॐ देवेन्द्राय नमः 840
ॐ सर्वदेवमयाय नमः
ॐ गुरवे नमः
ॐ सहस्त्रबाहवे नमः
ॐ सर्वांगाय नमः
ॐ शरण्याय नमः
ॐ सर्वलोककृते नमः
ॐ पवित्राय नमः
ॐ त्रिककुन्मन्त्राय नमः
ॐ कनिष्ठाय नमः
ॐ कृष्णापिंगलाय नमः 850
ॐ ब्रह्मदण्डविनिर्मात्रे नमः
ॐ शतघ्नीपाशशक्तिमते नमः
ॐ पद्मगर्भाय नमः
ॐ महागर्भाय नमः
ॐ ब्रह्मगर्भाय नमः
ॐ जलोद्भवाय नमः
ॐ गभस्तये नमः
ॐ ब्रह्मकृते नमः
ॐ ब्रह्मिणे नमः
ॐ ब्रह्मविदे नमः 860
ॐ ब्राह्मणाय नमः
ॐ गतये नमः
ॐ अनन्तरूपाय नमः
ॐ नैकात्मने नमः
ॐ स्वयंभुवतिग्मतेजसे नमः
ॐ ऊर्ध्वगात्मने नमः
ॐ पशुपतये नमः
ॐ वातरंहसे नमः
ॐ मनोजवाय नमः
ॐ चन्दनिने नमः 870
ॐ पद्मनालाग्राय नमः
ॐ सुरभ्युत्तारणाय नमः
ॐ नराय नमः
ॐ कर्णिकारमहास्त्रग्विणे नमः
ॐ नीलमौलये नमः
ॐ पिनाकधृषे नमः
ॐ उमापतये नमः
ॐ उमाकान्ताय नमः
ॐ जाह्नवीधृषे नमः
ॐ उमाधवाय नमः 880
ॐ वरवराहाय नमः
ॐ वरदाय नमः
ॐ वरेण्याय नमः
ॐ सुमहास्वनाय नमः
ॐ महाप्रसादाय नमः
ॐ दमनाय नमः
ॐ शत्रुघ्ने नमः
ॐ श्वेतपिंगलाय नमः
ॐ पीतात्मने नमः
ॐ परमात्मने नमः 890
ॐ प्रयतात्मने नमः
ॐ प्रधानधृषे नमः

ॐ सर्वपार्श्वमुखाय नम:
ॐ त्र्यक्षाय नम:
ॐ धर्मसाधारणवराय नम:
ॐ चराचरात्मने नम:
ॐ सूक्ष्मात्मने नम:
ॐ अमृतगोवृषेश्वराय नम:
ॐ साध्यर्षये नम:
ॐ आदित्यवसवे नम: 900
ॐ विवस्वत्सवित्रमृताय नम:
ॐ व्यासाय नम:
ॐ सर्गसुसंक्षेपविस्तराय नम:
ॐ पर्ययोनराय नम:
ॐ ऋतवे नम:
ॐ संवत्सराय नम:
ॐ मासाय नम:
ॐ पक्षाय नम:
ॐ संख्यासमापनाय नम:
ॐ कलायै नम: 910
ॐ काष्ठायै नम:
ॐ लवेभ्यो नम:
ॐ मात्रेभ्यो नम:
ॐ मुहूर्ताह:क्षपाभ्यो नम:
ॐ क्षणेभ्यो नम:
ॐ विश्वक्षेत्राय नम:
ॐ प्रजाबीजाय नम:
ॐ लिंगाय नम:
ॐ आद्यनिर्गमाय नम:
ॐ 'सत्' स्वरूपाय नम: 920
ॐ 'असत्' रूपाय नम:
ॐ व्यक्ताय नम:
ॐ अव्यक्ताय नम:
ॐ पित्रे नम:

ॐ मात्रे नम:
ॐ पितामहाय नम:
ॐ स्वर्गद्वाराय नम:
ॐ प्रजाद्वाराय नम:
ॐ मोक्षद्वाराय नम:
ॐ त्रिविष्टपाय नम: 930
ॐ निर्वाणाय नम:
ॐ ह्लादनाय नम:
ॐ ब्रह्मलोकाय नम:
ॐ परागतये नम:
ॐ देवासुरविनिर्मात्रे नम:
ॐ देवासुरपरायणाय नम:
ॐ देवासुरगुरवे नम:
ॐ देवाय नम:
ॐ देवासुरनमस्कृताय नम:
ॐ देवासुरमहामात्राय नम: 940
ॐ देवासुरगणाश्रयाय नम:
ॐ देवासुरगणाध्यक्षाय नम:
ॐ देवासुरगणाग्रण्ये नम:
ॐ देवातिदेवाय नम:
ॐ देवर्षये नम:
ॐ देवासुरवरप्रदाय नम:
ॐ देवासुरेश्वराय नम:
ॐ विश्वाय नम:
ॐ देवासुरमहेश्वराय नम:
ॐ सर्वदेवमयाय नम: 950
ॐ अचिन्त्याय नम:
ॐ देवतात्मने नम:
ॐ आत्मसम्भवाय नम:
ॐ उद्भिदे नम:
ॐ त्रिविक्रमाय नम:
ॐ वैद्याय नम:

ॐ विरजाय नमः
ॐ नीरजाय नमः
ॐ अमराय नमः
ॐ ईड्याय नमः   960
ॐ हस्तीश्वराय नमः
ॐ व्याघ्राय नमः
ॐ देवसिंहाय नमः
ॐ नरर्षभाय नमः
ॐ विबुधाय नमः
ॐ अग्रवराय नमः
ॐ सूक्ष्माय नमः
ॐ सर्वदेवाय नमः
ॐ तपोमयाय नमः
ॐ सुयुक्ताय नमः   970
ॐ शोभनाय नमः
ॐ वज्रिणे नमः
ॐ प्रासानाम्प्रभवाय नमः
ॐ अव्ययाय नमः
ॐ गुहाय नमः
ॐ कान्ताय नमः
ॐ निजसर्गाय नमः
ॐ पवित्राय नमः
ॐ सर्वपावनाय नमः
ॐ शृंगिणे नमः   980
ॐ शृंगप्रियाय नमः
ॐ बभ्रवे नमः
ॐ राजराजाय नमः
ॐ निरामयाय नमः
ॐ अभिरामाय नमः
ॐ सुरगणाय नमः
ॐ विरामाय नमः
ॐ सर्वसाधनाय नमः

ॐ ललाटाक्षाय नमः
ॐ विश्वदेवाय नमः   990
ॐ हरिणाय नमः
ॐ ब्रह्मवर्चसे नमः
ॐ स्थावरपतये नमः
ॐ नियमेन्द्रियवर्धनाय नमः
ॐ सिद्धार्थाय नमः
ॐ सिद्धभूतार्थाय नमः
ॐ अचिन्त्याय नमः
ॐ सत्यव्रताय नमः
ॐ शुचये नमः
ॐ व्रताधिपाय नमः   1000
ॐ पराय नमः
ॐ ब्रह्मणे नमः
ॐ भक्तानांपरमागतये नमः
ॐ विमुक्ताय नमः
ॐ मुक्ततेजसे नमः
ॐ श्रीमते नमः
ॐ श्रीवर्धनाय नमः
ॐ जगते नमः   1008

ॐ शान्तिः शान्तिः शान्तिः ॥ हरिः ॐ ॥

श्री-विष्णु-कृत शिवसहस्रनाम-स्तोत्र

शिवो हरो मृडो रुद्रः पुष्करः पुष्पलोचनः। अर्थिगम्यः सदाचारः शर्वः शम्भुर्महेश्वरः॥ 1 ॥
चन्द्रापीडश्चन्द्रमौलिर्विश्वं विश्वम्भरेश्वरः। वेदान्तसारसंदोहः कपाली नीललोहितः॥ 2 ॥
ध्यानाधारोऽपरिच्छेद्यो गौरीभर्ता गणेश्वरः। अष्टमूर्तिर्विश्वमूर्तिस्त्रिवर्ग-स्वर्गसाधनः॥ 3 ॥
ज्ञानगम्यो दृढप्रज्ञो देवदेवस्त्रिलोचनः। वामदेवो महादेवः पटुः परिवृढो दृढः॥ 4 ॥
विश्वरूपो विरूपाक्षो वागीशः शुचिसत्तमः। सर्वप्रमाण-संवादी वृषांको वृषवाहनः॥ 5 ॥
ईशः पिनाकी खट्वांगी चित्रवेषश्चिरंतनः। तमोहरो महायोगी गोप्ता ब्रह्मा च धूर्जटिः॥ 6 ॥
कालकालः कृत्तिवासाः सुभगः प्रणवात्मकः। उन्नध्रः पुरुषो जुष्यो दुर्वासाः पुरशासनः॥ 7 ॥
दिव्यायुधः स्कन्दगुरुः परमेष्ठी परात्परः। अनादिमध्यनिधनो गिरीशो गिरिजाधवः॥ 8 ॥
कुबेरबन्धुः श्रीकण्ठो लोकवर्णोत्तमो मृदुः। समाधिवेद्यः कोदण्डी नीलकण्ठः परश्वधी ॥ 9 ॥
विशालाक्षो मृगव्याधः सुरेशः सूर्यतापनः। धर्मधाम क्षमाक्षेत्रं भगवान् भगनेत्रभित् ॥ 10 ॥

उग्रः पशुपतिस्तार्क्ष्यः प्रियभक्तः परंतपः। दाता दयाकरो दक्षः कपर्दी कामशासनः॥ 11 ॥
श्मशाननिलयः सूक्ष्मः श्मशानस्थो महेश्वरः। लोककर्त्ता मृगपतिर्महाकर्त्ता महौषधिः॥ 12 ॥
उत्तरो गोपतिर्गोप्ता ज्ञानगम्यः पुरातनः। नीतिः सुनीतिः शुद्धात्मा सोमः सोमरतः सुखी ॥ 13 ॥
सोमपोऽमृतपः सौम्यो महातेजा महाद्युतिः। तेजोमयोऽमृतमयोऽन्नमयश्च सुधापतिः॥ 14 ॥
अजातशत्रुरालोकः सम्भाव्यो हव्यवाहनः। लोककरो वेदकरः सूत्रकारः सनातनः॥ 15 ॥
महर्षिकपिलाचार्यो विश्वदीप्तिस्त्रिलोचनः। पिनाकपाणिर्भूदेवः स्वस्तिदः स्वस्तिकृत्सुधीः॥ 16 ॥
धातृधामा धामकरः सर्वगः सर्वगोचरः। ब्रह्मसृग्विश्वसृक्सर्गः कर्णिकारप्रियः कविः॥ 17 ॥
शाखो विशाखो गोशाखः शिवो भिषगनुत्तमः। गंगाप्लवोदको भव्यः पुष्कलः स्थपतिः स्थिरः॥ 18 ॥
विजितात्मा विधेयात्मा भूतवाहनसारथिः। सगणो गणकायश्च सुकीर्तिश्छिन्नसंशयः॥ 19 ॥
कामदेवः कामपालो भस्मोद् धूलितविग्रहः। भस्मप्रियो भस्मशायी कामी कान्तः कृतागमः॥ 20 ॥

समावर्तोऽनिवृत्तात्मा धर्मपुंजः सदाशिवः। अकल्मषश्चतुर्बाहुर्दुरावासो दुरासदः॥ 21 ॥
दुर्लभो दुर्गमो दुर्गः सर्वायुधविशारदः। अध्यात्मयोगनिलयः सुतन्तुस्तन्तुवर्धनः॥ 22 ॥
शुभांगो लोकसारंगो जगदीशो जनार्दनः। भस्मशुद्धिकरो मेरुरोजस्वी शुद्धविग्रहः॥ 23 ॥
असाध्यः साधुसाध्यश्च भृत्यमर्कट-रूपधृक्। हिरण्यरेताः पौराणो रिपुजीवहरो बली ॥ 24 ॥
महाह्रदो महागर्तः सिद्धवृन्दारवन्दितः। व्याघ्रचर्माम्बरो व्याली महाभूतो महानिधिः॥ 25 ॥
अमृताशोऽमृतवपुः पाञ्चजन्यः प्रभञ्जनः। पञ्चविंशति-तत्त्वस्थः पारिजातः परावरः॥ 26 ॥
सुलभः सुव्रतः शूरो ब्रह्मवेद-निधिर्निधिः। वर्णाश्रम-गुरुर्वर्णी शत्रुजिच्छत्रुतापनः॥ 27 ॥
आश्रमः क्षपणः क्षामो ज्ञानवानचलेश्वरः। प्रमाणभूतो दुर्ज्ञेयः सुपर्णो वायुवाहनः॥ 28 ॥

धनुर्धरो धनुर्वेदो गुणराशिर्गुणाकरः। सत्यः सत्यपरोऽदीनो धर्मांगो धर्मसाधनः॥ 29॥
अनन्तदृष्टिरानन्दो दण्डो दमयिता दमः। अभिवाद्यो महामायो विश्वकर्मविशारदः॥ 30॥

वीतरागो विनीतात्मा तपस्वी भूतभावनः। उन्मत्तवेषः प्रच्छन्नो जितकामोऽजितप्रियः॥ 31॥
कल्याणप्रकृतिः कल्पः सर्वलोक-प्रजापतिः। तरस्वी तारको धीमान् प्रधानः प्रभुरव्ययः॥ 32॥
लोकपालोऽन्तर्हितात्मा कल्पादिः कमलेक्षणः। वेदशास्त्रार्थ-तत्त्वज्ञोऽनियमो नियताश्रयः॥ 33॥
चन्द्रः सूर्यः शनिः केतुर्वरांगो विद्रुमच्छविः। भक्तिवश्यः परब्रह्म मृग-बाणार्पणोऽनघः॥ 34॥
अद्रिरद्र्यालयः कान्तः परमात्मा जगद्गुरुः। सर्वकर्मालयस्तुष्टो मंगल्यो मंगलावृतः॥ 35॥
महातपा दीर्घतपाः स्थविष्ठः स्थविरो ध्रुवः। अहःसंवत्सरो व्याप्तिः प्रमाणं परमं तपः॥ 36॥
संवत्सरकरो मन्त्र-प्रत्ययः सर्वदर्शनः। अजः सर्वेश्वरः सिद्धो महारेता महाबलः॥ 37॥
योगी योग्यो महातेजाः सिद्धिः सर्वादिरग्रहः। वसुर्वसुमनाः सत्यः सर्वपापहरो हरः॥ 38॥
सुकीर्तिशोभनः श्रीमान् वेदांगो वेदविन्मुनिः। भ्राजिष्णुर्भोजनं भोक्ता लोकनाथो दुराधरः॥ 39॥
अमृतः शाश्वतः शान्तो बाणहस्तः प्रतापवान्। कमण्डलुधरो धन्वी अवाङ्मनस-गोचरः॥ 40॥

अतीन्द्रियो महामायः सर्वावासश्चतुष्पथः। कालयोगी महानादो महोत्साहो महाबलः॥ 41॥
महाबुद्धिर्महावीर्यो भूतचारी पुरंदरः। निशाचरः प्रेतचारी महाशक्तिर्महाद्युतिः॥ 42॥
अनिर्देश्यवपुः श्रीमान् सर्वाचार्यमनोगतिः। बहुश्रुतोऽमहामायो नियतात्मा ध्रुवोऽध्रुवः॥ 43॥
ओजस्तेजो-द्युतिधरो जनकः सर्वशासनः। नृत्यप्रियो नित्यनृत्यः प्रकाशात्मा प्रकाशकः॥ 44॥
स्पष्टाक्षरो बुधो मन्त्रः समानः सारसम्प्लवः। युगादि-कृद्युगावर्तो गम्भीरो वृषवाहनः॥ 45॥
इष्टोऽविशिष्टः शिष्टेष्टः सुलभः सारशोधनः। तीर्थरूपस्तीर्थनामा तीर्थदृश्यस्तु तीर्थदः॥ 46॥
अपांनिधिरधिष्ठानं दुर्जयो जयकालवित्। प्रतिष्ठितः प्रमाणज्ञो हिरण्यकवचो हरिः॥ 47॥
विमोचनः सुरगणो विद्येशो विन्दुसंश्रयः। बालरूपोऽबलोन्मत्तोऽविकर्ता गहनो गुहः॥ 48॥
करणं कारणं कर्ता सर्वबन्धविमोचनः। व्यवसायो व्यवस्थानः स्थानदो जगदादिजः॥ 49॥
गुरुदो ललितोऽभेदो भावात्माऽऽत्मनि संस्थितः। वीरेश्वरो वीरभद्रो वीरासनविधिर्विराट्॥ 50॥

वीरचूडामणिर्वेत्ता चिदानन्दो नदीधरः। आज्ञाधारस्त्रिशूली च शिपिविष्टः शिवालयः॥ 51॥
वालखिल्यो महाचापस्तिग्मांशुर्बधिरः खगः। अभिरामः सुशरणः सुब्रह्मण्यः सुधापतिः॥ 52॥
मघवान्कौशिको गोमान्विरामः सर्वसाधनः। ललाटाक्षो विश्वदेहः सारः संसारचक्रभृत्॥ 53॥
अमोघदण्डो मध्यस्थो हिरण्यो ब्रह्मवर्चसी। परमार्थः परो मायी शम्बरो व्याघ्रलोचनः॥ 54॥
रुचिर्विरंचिः स्वर्बन्धुर्वाचस्पतिरहर्पतिः। रविर्विरोचनः स्कन्दः शास्ता वैवस्वतो यमः॥ 55॥
युक्तिरुन्नत-कीर्तिश्च सानुरागः परंजयः। कैलासाधिपतिः कान्तः सविता रविलोचनः॥ 56॥
विद्वत्तमो वीतभयो विश्वभर्त्ता-निवारितः। नित्यो नियतकल्याणः पुण्यश्रवणकीर्तनः॥ 57॥
दूरश्रवा विश्वसहो ध्येयो दुःस्वप्ननाशनः। उत्तारणो दुष्कृतिहा विज्ञेयो दुस्सहोऽभवः॥ 58॥

अनादिर्भूर्भुवो लक्ष्मी: किरीटी त्रिदशाधिप: । विश्वगोप्ता विश्वकर्ता सुवीरो रुचिरांगद: ॥ 59 ॥
जननो जनजन्मादि: प्रीतिमान्नीतिमान्धव: । वसिष्ठ: कश्यपो भानुर्भीमो भीमपराक्रम: ॥ 60 ॥

प्रणव: सत्पथाचारो महाकोशो महाधन: । जन्माधिपो महादेव: सकलागमपारग: ॥ 61 ॥
तत्त्वं तत्त्वविदेकात्मा विभुर्विश्वविभूषण: । ऋषिर्ब्राह्मण ऐश्वर्य-जन्ममृत्यु-जरातिग: ॥ 62 ॥
पञ्चयज्ञ-समुत्पत्ति-र्विश्वेशो विमलोदय: । आत्मयोनिरनाद्यन्तो वत्सलो भक्तलोकधृक् ॥ 63 ॥
गायत्रीवल्लभ: प्रांशुर्विश्वावास: प्रभाकर: । शिशुर्गिरिरत: सम्राट् सुषेण: सुरशत्रुहा ॥ 64 ॥
अमोघोऽरिष्टनेमिश्च कुमुदो विगतज्वर: । स्वयंज्योतिस्तनुज्योतिरात्मज्योतिरचञ्चल: ॥ 65 ॥
पिंगल: कपिलश्मश्रुर्भालनेत्रस्त्रयीतनु: । ज्ञानस्कन्दो महानीति-र्विश्वोत्पत्तिरुपप्लव: ॥ 66 ॥
भगो विवस्वानादित्यो योगपारो दिवस्पति: । कल्याणगुणनामा च पापहा पुण्यदर्शन: ॥ 67 ॥
उदारकीर्तिरुद्योगी सद्योगी सदसन्मय: । नक्षत्रमाली नाकेश: स्वाधिष्ठान-पदाश्रय: ॥ 68 ॥
पवित्र: पापहारी च मणिपूरो नभोगति: । हृत्पुण्डरीकमासीन: शक्र: शान्तो वृषाकपि: ॥ 69 ॥
उष्णो गृहपति: कृष्ण: समर्थोऽनर्थनाशन: । अधर्मशत्रुरज्ञेय: पुरुहूत: पुरुश्रुत: ॥ 70 ॥

ब्रह्मगर्भो बृहद्‌गर्भो धर्मधेनुर्धनागम: । जगद्धितैषी सुगत: कुमार: कुशलागम: ॥ 71 ॥
हिरण्यवर्णो ज्योतिष्मान्नानाभूतरतो ध्वनि: । अरागो नयनाध्यक्षो विश्वामित्रो धनेश्वर: ॥ 72 ॥
ब्रह्मज्योतिर्वसुधामा महाज्योतिरनुत्तम: । मातामहो मातरिश्वा नभस्वा-न्नागहारधृक् ॥ 73 ॥
पुलस्त्य: पुलहोऽगस्त्यो जातूकर्ण्य: पराशर: । निरावरणनिर्वारो वैरञ्च्यो विष्टरश्रवा: ॥ 74 ॥
आत्मभूरनिरुद्धोऽत्रिर्ज्ञानमूर्तिर्महायशा: । लोकवीराग्रणीर्वीरश्चण्ड: सत्यपराक्रम: ॥ 75 ॥
व्यालाकल्पो महाकल्प: कल्पवृक्ष: कलाधर: । अलंकरिष्णुरचलो रोचिष्णुर्विक्रमोन्नत: ॥ 76 ॥
आयु: शब्दपतिर्वेगी प्लवन: शिखिसारथि: । असंसृष्टोऽतिथि: शक्रप्रमाथी पादपासन: ॥ 77 ॥
वसुश्रवा हव्यवाह: प्रतप्तो विश्वभोजन: । जप्यो जरादिशमनो लोहितात्मा तनूनपात् ॥ 78 ॥
बृहदश्वो नभोयोनि: सुप्रतीकस्तमिस्रहा । निदाघस्तपनो मेघ: स्वक्ष: परपुरञ्जय: ॥ 79 ॥
सुखानिल: सुनिष्पन्न: सुरभि: शिशिरात्मक: । वसन्तो माधवो ग्रीष्मो नभस्यो बीजवाहन: ॥ 80 ॥

अंगिरा गुरुरात्रेयो विमलो विश्ववाहन: । पावन: सुमतिर्विद्वांस्त्रैविद्यो वरवाहन: ॥ 81 ॥
मनोबुद्धिरहंकार: क्षेत्रज्ञ: क्षेत्रपालक: । जमदग्निर्बलनिधि-र्विगालो विश्वगालव: ॥ 82 ॥
अघोरोऽनुत्तरो यज्ञ: श्रेष्ठो नि:श्रेयसप्रद: । शैलो गगनकुन्दाभो दानवारिररिंदम: ॥ 83 ॥
रजनीजनक-श्चारुर्नि:शल्यो लोकशल्यधृक् । चतुर्वेदश्चतुर्भावश्चतुरश्चतुरप्रिय: ॥ 84 ॥
आम्नायोऽथ समाम्नायस्तीर्थदेव-शिवालय: । बहुरूपो महारूप: सर्वरूपश्चराचर: ॥ 85 ॥
न्यायनिर्मायको न्यायी न्यायगम्यो निरञ्जन: । सहस्रमूर्द्धा देवेन्द्र: सर्वशस्त्र-प्रभञ्जन: ॥ 86 ॥
मुण्डो विरूपो विक्रान्तो दण्डी दान्तो गुणोत्तम: । पिंगलाक्षो जनाध्यक्षो नीलग्रीवो निरामय: ॥ 87 ॥
सहस्रबाहु: सर्वेश: शरण्य: सर्वलोकधृक् । पद्मासन: परं ज्योति: पारम्पर्य्यफलप्रद: ॥ 88 ॥

पद्मगर्भो महागर्भो विश्वगर्भो विचक्षणः। परावरज्ञो वरदो वरेण्यश्च महास्वनः॥ 89॥
देवासुर-गुरुर्देवो देवासुर-नमस्कृतः। देवासुर-महामित्रो देवासुर-महेश्वरः ॥ 90॥

देवासुरेश्वरो दिव्यो देवासुर-महाश्रयः। देवदेवमयोऽचिन्त्यो देवदेवात्म-सम्भवः॥ 91॥
सद्योनिरसुर-व्याघ्रो देवसिंहो दिवाकरः। विबुधाग्रचरश्रेष्ठः सर्वदेवोत्तमोत्तमः॥ 92॥
शिवज्ञानरतः श्रीमाञ्छिखिश्रीपर्वतप्रियः। वज्रहस्तः सिद्धखड्गो नरसिंहनिपातनः॥ 93॥
ब्रह्मचारी लोकचारी धर्मचारी धनाधिपः। नन्दी नन्दीश्वरोऽनन्तो नग्नव्रतधरः शुचिः॥ 94॥
लिंगाध्यक्षः सुराध्यक्षो योगाध्यक्षो युगावहः। स्वधर्मा स्वर्गतः स्वर्गस्वरः स्वरमयस्वनः॥ 95॥
बाणाध्यक्षो बीजकर्ता धर्मकृद्धर्मसम्भवः। दम्भोऽलोभोऽर्थविच्छम्भुः सर्वभूतमहेश्वरः॥ 96॥
श्मशाननिलयस्त्र्यक्षः सेतुरप्रतिमाकृतिः। लोकोत्तरस्फुटालोकस्त्र्यम्बको नागभूषणः॥ 97॥
अन्धकारिर्मखद्वेषी विष्णुकन्धरपातनः। हीनदोषोऽक्षयगुणो दक्षारिः पूषदन्तभित् ॥ 98॥
धूर्जटिः खण्डपरशुः सकलो निष्कलोऽनघः। अकालः सकलाधारः पाण्डुराभो मृडो नटः॥ 99॥
पूर्णः पूरयिता पुण्यः सुकुमारः सुलोचनः। सामगेयप्रियोऽक्रूरः पुण्यकीर्तिरनामयः॥ 100॥

मनोजवस्तीर्थकरो जटिलो जीवितेश्वरः। जीवितान्तकरो नित्यो वसुरेता वसुप्रदः॥ 101॥
सद्गतिः सत्कृतिः सिद्धिः सज्जातिः खलकण्टकः। कलाधरो महाकालभूतः सत्यपरायणः॥ 102॥
लोकलावण्यकर्ता च लोकोत्तरसुखालयः। चन्द्रसंजीवनः शास्ता लोकगूढो महाधिपः॥ 103॥
लोकबन्धुर्लोकनाथः कृतज्ञः कीर्तिभूषणः। अनपायोऽक्षरः कान्तः सर्वशस्त्रभृतां वरः॥ 104॥
तेजोमयो द्युतिधरो लोकानामग्रणीरणुः। शुचिस्मितः प्रसन्नात्मा दुर्जेयो दुरतिक्रमः॥ 105॥
ज्योतिर्मयो जगन्नाथो निराकारो जलेश्वरः। तुम्बवीणो महाकोपो विशोकः शोकनाशनः॥ 106॥
त्रिलोकपस्त्रिलोकेशः सर्वशुद्धिरधोक्षजः। अव्यक्तलक्षणो देवो व्यक्ताव्यक्तो-विशाम्पतिः॥ 107॥
वरशीलो वरगुणः सारो मानधनो मयः। ब्रह्मा विष्णुः प्रजापालो हंसो हंसगतिर्वयः॥ 108॥
वेधा विधाता धाता च स्रष्टा हर्ता चतुर्मुखः। कैलासशिखरावासी सर्वावासी सदागतिः॥ 109॥
हिरण्यगर्भो द्रुहिणो भूतपालोऽथ भूपतिः। सद्योगी योगविद्योगी वरदो ब्राह्मणप्रियः॥ 110॥

देवप्रियो देवनाथो देवज्ञो देवचिन्तकः। विषमाक्षो विशालाक्षो वृषदो वृषवर्धनः॥ 111॥
निर्ममो निरहंकारो निर्मोहो निरुपद्रवः। दर्पहा दर्पदो दृप्तः सर्वर्तुपरिवर्तकः ॥ 112॥
सहस्रजित् सहस्रार्चिः स्निग्धप्रकृतिदक्षिणः। भूतभव्य-भवन्नाथः प्रभवो भूतिनाशनः॥ 113॥
अर्थोऽनर्थो महाकोशः परकार्यैक-पण्डितः। निष्कण्टकः कृतानन्दो निर्व्याजो व्याजमर्दनः॥ 114॥
सत्त्ववान्सात्त्विकः सत्य-कीर्तिः स्नेहकृतागमः। अकम्पितो गुणग्राही नैकात्मा नैककर्मकृत् ॥ 115॥
सुप्रीतः सुमुखः सूक्ष्मः सुकरो दक्षिणानिलः। नन्दिस्कन्धधरो धुर्यः प्रकटः प्रीतिवर्धनः॥ 116॥
अपराजितः सर्वसत्त्वो गोविन्दः सत्त्ववाहनः। अधृतः स्वधृतः सिद्धः पूतमूर्तिर्यशोधनः॥ 117॥
वाराहशृंगधृक्छृंगी बलवानेकनायकः। श्रुतिप्रकाशः श्रुतिमानेक-बन्धुरनेककृत् ॥ 118॥

श्रीवत्सल-शिवारम्भः शान्तभद्रः समो यशः। भूशयो भूषणो भूतिर्भूतकृद् भूतभावनः॥ 119॥
अकम्पो भक्तिकायस्तु कालहा नीललोहितः। सत्यव्रत-महात्यागी नित्यशान्तिपरायणः॥ 120॥

परार्थवृत्तिर्वरदो विरक्तस्तु विशारदः। शुभदः शुभकर्ता च शुभनामा शुभः स्वयम् ॥ 121॥
अनर्थितोऽगुणः साक्षी ह्यकर्ता कनकप्रभः। स्वभावभद्रो मध्यस्थः शत्रुघ्नो विघ्ननाशनः॥ 122॥
शिखण्डी कवची शूली जटी मुण्डी च कुण्डली। अमृत्युः सर्वदृक्सिंह-स्तेजोराशिर्महामणिः॥ 123॥
असंख्येयोऽप्रमेयात्मा वीर्यवान् वीर्यकोविदः। वेद्यश्चैव वियोगात्मा परावरमुनीश्वरः॥ 124॥
अनुत्तमो दुराधर्षो मधुरप्रियदर्शनः। सुरेशः शरणं सर्वः शब्दब्रह्म सतां गतिः॥ 125॥
कालपक्षः कालकालः कंकणीकृतवासुकिः। महेष्वासो महीभर्ता निष्कलंको विशृंखलः॥ 126॥
द्युमणिस्तरणिर्धन्यः सिद्धिदः सिद्धिसाधनः। विश्वतः संवृतः स्तुत्यो व्यूढोरस्को महाभुजः॥ 127॥
सर्वयोनिर्निरातंको नरनारायणप्रियः। निर्लेपो निष्प्रपञ्चात्मा निर्व्यंगो व्यंगनाशनः॥ 128॥
स्तव्यः स्तवप्रियः स्तोता व्यासमूर्तिर्निरंकुशः। निरवद्यमयोपायो विद्याराशी रसप्रियः॥ 129॥
प्रशान्तबुद्धि-रक्षुण्णः संग्रही नित्यसुन्दरः। वैयाघ्रधुर्यो धात्रीशः शाकल्यः शर्वरीपतिः॥ 130॥
परमार्थगुरुर्दत्तः सूरिराश्रित-वत्सलः। सोमो रसज्ञो रसदः सर्वसत्त्वावलम्बनः॥ 131॥

ॐ शान्तिः शान्तिः शान्तिः ॥ हरिः ॐ ॥

शिव के पाँच आवरणों की स्तुति

स्तोत्रं वक्ष्यामि ते कृष्ण पञ्चावरणमार्गतः।
योगेश्वरमिदं पुण्यं कर्म येन समाप्यते ॥ 1 ॥

जय जय जगदेकनाथ शम्भो
प्रकृतिमनोहर नित्यचित्स्वभाव ।
अतिगतकलुष-प्रपञ्चवाचां-
अपि मनसां पदवीमतीत-तत्त्वम् ॥ 2 ॥

स्वभावनिर्मलाभोग जय सुन्दरचेष्टित ।
स्वात्मतुल्य-महाशक्ते जय शुद्धगुणार्णव ॥ 3 ॥

अनन्तकान्ति-सम्पन्न जयासदृश-विग्रह।
अतर्क्य-महिमाधार जयानाकुलमंगल ॥ 4 ॥

निरञ्जन निराधार जय निष्कारणोदय ।
निरन्तर-परानन्द जय निर्वृतिकारण ॥ 5 ॥

जयातिपरमैश्वर्य जयातिकरुणास्पद ।
जय स्वतन्त्रसर्वस्व जयासदृशवैभव ॥ 6 ॥

जयावृतमहाविश्व जयानावृत केनचित् ।
जयोत्तर समस्तस्य जयात्यन्त-निरुत्तर ॥ 7 ॥

जयाद्भुत जयाक्षुद्र जयाक्षत जयाव्यय ।
जयामेय जयामाय जयाभव जयामल ॥ 8 ॥

महाभुज महासार महागुण महाकथ ।
महाबल महामाय महारस महारथ ॥ 9 ॥

नमः परमदेवाय नमः परमहेतवे ।
नमः शिवाय शान्ताय नमः शिवतराय ते ॥ 10 ॥

त्वदधीनमिदं कृत्स्नं जगद्धि ससुरासुरम् ॥ 11 ॥

अत-स्त्वद्विहितामाज्ञां क्षमते कोऽतिवर्तितुम् ॥ 12 ॥

अयं पुनर्जनो नित्य भवदेकसमाश्रयः।
भवानतो-ऽनुगृह्यास्मै प्रार्थितं सम्प्रयच्छतु ॥ 13 ॥

जयाम्बिके जगन्मातर्जय सर्वजगन्मयि ।
जयानवधिकैश्वर्ये जयानुपमविग्रहे ॥ 14 ॥

जय वाङ्मनसातीते जयांचिद्ध्वान्त-भञ्जिके ।
जय जन्मजराहीने जय कालोत्तरोत्तरे ॥ 15 ॥

जयानेकविधानस्थे जय विश्वेश्वरप्रिये ।
जय विश्वसुराराध्ये जय विश्वविजृम्भिणि ॥ 16 ॥

जय मंगलदिव्यांगि जय मंगलदीपिके ।
जय मंगलचारित्रे जय मंगलदायिनि ॥ 17 ॥

नमः परमकल्याण-गुणसंचयमूर्तये ।
त्वत्तः खलु समुत्पन्नं जगत्त्वय्येव लीयते ॥ 18 ॥

त्वद्विनातः फलं दातुमीश्वरोऽपि न शक्नुयात् ।
जन्मप्रभृति देवेशि जनोऽयं त्वदुपाश्रितः ॥ 19 ॥

अतोऽस्य तव भक्तस्य निर्वर्तय मनोरथम् ।
पञ्चवक्त्रो दशभुजः शुद्धस्फटिकसंनिभः ॥ 20 ॥

वर्णब्रह्म-कलादेहो देवः सकलनिष्कलः ।
शिवमूर्तिसमारूढः शान्त्यतीतः सदाशिवः ।
भक्त्या मयार्चितो मह्यं प्रार्थितं शं प्रयच्छतु ॥ 21 ॥

सदा-शिवांकमारूढा शक्तिरिच्छा शिवाह्वया ।
जननी सर्वलोकानां प्रयच्छतु मनोरथम् ॥ 22 ॥

शिवयोर्दयितौ पुत्रौ देवौ हेरम्बषण्मुखौ ।
शिवानुभावौ सर्वज्ञौ शिवज्ञाना-मृताशिनौ ॥ 23 ॥

तृप्तौ परस्परं स्निग्धौ शिवाभ्यां नित्यसत्कृतौ ।
सत्कृतौ च सदा देवौ ब्रह्माद्यै-स्त्रिदशैरपि ॥ 24 ॥

सर्वलोकपरित्राणं कर्तुमभ्युदितौ सदा ।
स्वेच्छावतारं कुर्वन्तौ स्वांशभेदै-रनेकशः ॥ 25 ॥

ताविमौ शिवयोः पार्श्वे नित्यमित्थं मयार्चितौ ।
तयोराज्ञां पुरस्कृत्य प्रार्थितं मे प्रयच्छताम् ॥ 26 ॥

शुद्धस्फटिक-संकाशमीशानाख्यं सदाशिवम् ।
मूर्द्धाभिमानिनी मूर्तिः शिवस्य परमात्मनः ॥ 27 ॥

शिवार्चनरतं शान्तं शान्त्यतीतं खमास्थितम् ।
पञ्चाक्षरान्तिमं बीजं कलाभि: पञ्चभिर्युतम् ॥ 28 ॥

प्रथमावरणे पूर्वं शक्त्या सह समर्चितम् ।
पवित्रं परमं ब्रह्म प्रार्थितं मे प्रयच्छतु ॥ 29 ॥

बालसूर्यप्रतीकाशं पुरुषाख्यं पुरातनम् ।
पूर्ववक्त्राभिमानं च शिवस्य परमेष्ठिन: ॥ 30 ॥

शान्त्यात्मकं मरुत्संस्थं शम्भो: पादार्चने रतम् ।
प्रथमं शिवबीजेषु कलासु च चतुष्कलम् ॥ 31 ॥

पूर्वभागे मया भक्त्या शक्त्या सह समर्चितम् ।
पवित्रं परमं ब्रह्म प्रार्थितं मे प्रयच्छतु ॥ 32 ॥

अञ्जनादि-प्रतीकाशमघोरं घोरविग्रहम् ।
देवस्य दक्षिणं वक्त्रं देवदेव-पदार्चकम् ॥ 33 ॥

विद्यापदं समारूढं वह्निमण्डल-मध्यगम् ।
द्वितीयं शिवबीजेषु कलास्वष्टकलान्वितम् ॥ 34 ॥

शम्भोर्दक्षिण-दिग्भागे शक्त्या सह समर्चितम् ।
पवित्रं परमं ब्रह्म प्रार्थितं मे प्रयच्छतु ॥ 35 ॥

कुंकुमक्षोद-संकाशं वामाख्यं वरवेषधृक् ।
वक्त्र-मुत्तरमीशस्य प्रतिष्ठायां प्रतिष्ठितम् ॥ 36 ॥

वारिमण्डल-मध्यस्थं महादेवार्चने रतम् ।
तुरीयं शिवबीजेषु त्रयोदश-कलान्वितम् ॥ 37 ॥

देवस्योत्तरदिग्भागे शक्त्या सह समर्चितम् ।
पवित्रं परमं ब्रह्म प्रार्थितं मे प्रयच्छतु ॥ 38 ॥

शंखकुन्देन्दुधवलं सद्याख्यं सौम्यलक्षणम् ।
शिवस्य पश्चिमं वक्त्रं शिवपादार्चने रतम् ॥ 39 ॥

निवृत्तिपदनिष्ठं च पृथिव्यां समवस्थितम् ।
तृतीयं शिवबीजेषु कलाभि-श्चाष्टभिर्युतम् ॥ 40 ॥

देवस्य पश्चिमे भागे शक्त्या सह समर्चितम् ।
पवित्रं परमं ब्रह्म प्रार्थितं मे प्रयच्छतु ॥ 41 ॥

शिवस्य तु शिवायाश्च हृन्मूर्त्तौ शिवभाविते ।
तयोराज्ञां पुरस्कृत्य ते मे कामं प्रयच्छताम् ॥ 42 ॥

शिवस्य च शिवायाश्च शिखामूर्त्तौ शिवाश्रिते ।
सत्कृत्य शिवयोराज्ञां ते मे कामं प्रयच्छताम् ॥ 43 ॥

शिवस्य च शिवायाश्च वर्मणा शिवभाविते ।
सत्कृत्य शिवयोराज्ञां ते मे कामं प्रयच्छताम् ॥ 44 ॥

शिवस्य च शिवायाश्च नेत्रमूर्त्तौ शिवाश्रिते ।
सत्कृत्य शिवयोराज्ञां ते मे कामं प्रयच्छताम् ॥ 45 ॥

अस्त्रमूर्त्तौ च शिवयोर्नित्यमर्चन-तत्परे ।
सत्कृत्य शिवयोराज्ञां ते मे कामं प्रयच्छताम् ॥ 46 ॥

वामो ज्येष्ठस्तथा रुद्रः कालो विकरणस्तथा ।
बलो विकरणश्चैव बलप्रमथनः परः ॥ 47 ॥

सर्वभूतस्य दमनस्तादृशा-श्चाष्टशक्तयः ।
प्रार्थितं मे प्रयच्छन्तु शिवयोरेव शासनात् ॥ 48 ॥

अथानन्तश्च सूक्ष्मश्च शिवश्चाप्येक-नेत्रकः ।
एकरुद्रस्त्रिमूर्तिश्च श्रीकण्ठश्च शिखण्डिकः ॥ 49 ॥

तथाष्टौ शक्तयस्तेषां द्वितीयावरणेऽर्चिताः ।
ते मे कामं प्रयच्छन्तु शिवयोरेव शासनात् ॥ 50 ॥

भवाद्या मूर्तयश्चाष्टौ तासामपि च शक्तयः ।
महादेवादय-श्चान्ये तथैकादशमूर्तयः ॥ 51 ॥

शक्तिभिः सहिताः सर्वे तृतीयावरणे स्थिताः ।
सत्कृत्य शिवयोराज्ञां दिशन्तु फलमीप्सितम् ॥ 52 ॥

वृषराजो महातेजा महामेघसमस्वनः ।
मेरुमन्दर-कैलासहिमाद्रि-शिखरोपमः ॥ 53 ॥

सिताभ्र-शिखराकार-ककुदा परिशोभितः ।
महाभोगीन्द्रकल्पेन वालेन च विराजितः ॥ 54 ॥

रक्तास्यशृंगचरणो रक्तप्रायविलोचनः ।
पीवरोन्नत-सर्वांगः सुचारु-गमनोज्ज्वलः ॥ 55 ॥

प्रशस्तलक्षण: श्रीमान् प्रज्वलन्मणिभूषण: ।
शिवप्रिय: शिवासक्त: शिवयोर्ध्वज-वाहन: ॥ 56 ॥

तथा तच्चरणन्यास-पावितापरविग्रह: ।
गोराजपुरुष: श्रीमाञ् श्रीमच्छूलवरायुध: ।
तयोराज्ञां पुरस्कृत्य स मे कामं प्रयच्छतु ॥ 57 ॥

नन्दीश्वरो महातेजा नगेन्द्र-तनयात्मज: ।
सनारायणकै-र्देवैर्नित्यमभ्यर्च्य वन्दित: ॥ 58 ॥

शर्वस्यान्त: पुरद्वारि सार्द्धं परिजनै: स्थित: ।
सर्वेश्वरसमप्रख्य: सर्वासुरविमर्दन: ॥ 59 ॥

सर्वेषां शिवधर्माणाम-ध्यक्षत्वेऽभिषेचित: ।
शिवप्रिय: शिवासक्त: श्रीमच्छूलवरायुध: ॥ 60 ॥

शिवाश्रितेषु संसक्त-स्त्वनुरक्तश्च तैरपि ।
सत्कृत्य शिवयोराज्ञां स मे कामं प्रयच्छतु ॥ 61 ॥

महाकालो महाबाहुर्महादेव इवापर: ।
महादेवाश्रितानां तु नित्यमेवाभिरक्षतु ॥ 62 ॥

शिवप्रिय: शिवासक्त: शिवयोरर्चक: सदा ।
सत्कृत्य शिवयोराज्ञां स मे दिशतु कांक्षितम् ॥ 63 ॥

सर्वशास्त्रार्थ-तत्त्वज्ञ: शास्ता विष्णो: परा तनु: ।
महामोहात्म-तनयो मधुमांसासवप्रिय: ।
तयोराज्ञां पुरस्कृत्य स मे कामं प्रयच्छतु ॥ 64 ॥

ब्रह्माणी चैव माहेशी कौमारी वैष्णवी तथा ।
वाराही चैव माहेन्द्री चामुण्डा चण्डविक्रमा ॥ 65 ॥

एता वै मातर: सप्त सर्वलोकस्य मातर: ।
प्रार्थितं मे प्रयच्छन्तु परमेश्वर-शासनात् ॥ 66 ॥

मत्तमातंगवदनो गंगोमा-शंकरात्मज: ।
आकाशदेहो दिग्बाहु: सोमसूर्याग्निलोचन: ॥ 67 ॥

ऐरावतादिभि-र्दिव्यैर्दिग्गजै-र्नित्यमर्चित: ।
शिवज्ञानमदोद्भिन्न-स्त्रिदशानामविघ्नकृत् ॥ 68 ॥

विघ्नकृच्चासुरादीनां विघ्नेश: शिवभावित: ।
सत्कृत्य शिवयोराज्ञां स मे दिशतु कांक्षितम् ॥ 69 ॥

षण्मुख: शिवसम्भूत: शक्तिवज्रधर: प्रभु: ।
अग्नेश्च तनयो देवो ह्यपर्णातनय: पुन: ॥ 70 ॥

गंगायाश्च गणाम्बाया: कृत्तिकानां तथैव च ।
विशाखेन च शाखेन नैगमेयेन चावृत: ॥ 71 ॥

इन्द्रजिच्चेन्द्रसेनानी-स्तारकासुरजित्तथा ।
शैलानां मेरुमुख्यानां वेधकश्च स्वतेजसा ॥ 72 ॥

तप्तचामीकरप्रख्य: शतपत्रदलेक्षण: ।
कुमार: सुकुमाराणां रूपोदाहरणं महत् ॥ 73 ॥

शिवप्रिय: शिवासक्त: शिवपादार्चक: सदा ।
सत्कृत्य शिवयोराज्ञां स मे दिशतु कांक्षितम् ॥ 74 ॥

ज्येष्ठा वरिष्ठा वरदा शिवयोर्यजने रता ।
तयोराज्ञां पुरस्कृत्य सा मे दिशतु कांक्षितम् ॥ 75 ॥

त्रैलोक्यवन्दिता साक्षादुल्काकारा गणाम्बिका ।
जगत्सृष्टि-विवृद्ध्यर्थं-ब्रह्मणाभ्यर्थिता शिवात् ॥ 76 ॥

शिवाया: प्रविभक्ताया भ्रुवोरन्तर-निस्सृता ।
दाक्षायणी सती मेना तथा हैमवती ह्युमा ॥ 77 ॥

कौशिक्याश्चैव जननी भद्रकाल्यास्तथैव च ।
अपर्णायाश्च जननी पाटलायास्तथैव च ॥ 78 ॥

शिवार्चनरता नित्यं रुद्राणी रुद्रवल्लभा ।
सत्कृत्य शिवयोराज्ञां सा मे दिशतु कांक्षितम् ॥ 79 ॥

चण्ड: सर्वगणेशान: शम्भोर्वदनसम्भव: ।
सत्कृत्य शिवयोराज्ञां स मे दिशतु कांक्षितम् ॥ 80 ॥

पिंगलो गणप: श्रीमाञ् शिवासक्त: शिवप्रिय: ।
आज्ञया शिवयोरेव स मे कामं प्रयच्छतु ॥ 81 ॥

भृंगीशो नाम गणप: शिवाराधनतत्पर: ।
प्रयच्छतु स मे कामं पत्युराज्ञा-पुरस्सरम् ॥ 82 ॥

वीरभद्रो महातेजा हिमकुन्देन्दुसंनिभः।
भद्रकालीप्रियो नित्यं मातृणां चाभिरक्षिता ॥ 83 ॥

यज्ञस्य च शिरोहर्ता दक्षस्य च दुरात्मनः।
उपेन्द्रेन्द्र-यमादीनां देवानामंगतक्षकः ॥ 84 ॥

शिवस्यानुचरः श्रीमाञ् शिवशासनपालकः।
शिवयोः शासनादेव स मे दिशतु कांक्षितम् ॥ 85 ॥

सरस्वती महेशस्य वाक्सरोजसमुद्भवा ।
शिवयोः पूजने सक्ता सा मे दिशतु कांक्षितम् ॥ 86 ॥

विष्णोर्वक्षःस्थिता लक्ष्मीः शिवयोः पूजने रता ।
शिवयोः शासनादेव सा मे दिशतु कांक्षितम् ॥ 87 ॥

महामोटी महादेव्याः पादपूजापरायणा ।
तस्या एव नियोगेन सा मे दिशतु कांक्षितम् ॥ 88 ॥

कौशिकी सिंहमारूढा पार्वत्याः परमा सुता ।
विष्णोर्निद्रा महामाया महामहिषमर्दिनी ॥ 89 ॥

निशुम्भशुम्भ-संहर्त्री मधुमांसासवप्रिया ।
सत्कृत्य शासनं मातुः सा मे दिशतु कांक्षितम् ॥ 90 ॥

रुद्रा रुद्रसमप्रख्याः प्रमथाः प्रथितौजसः।
भूताख्याश्च महावीर्या महादेव-समप्रभाः ॥ 91 ॥

नित्यमुक्ता निरुपमा निर्द्वन्द्वा निरुपप्लवाः।
सशक्तयः सानुचराः सर्वलोक-नमस्कृताः ॥ 92 ॥

सर्वेषामेव लोकानां सृष्टि-संहरणक्षमाः।
परस्परानुरक्ताश्च परस्परमनुव्रताः ॥ 93 ॥

परस्परमतिस्निग्धाः परस्परनमस्कृताः।
शिवप्रियतमा नित्यं शिवलक्षणलक्षिताः ॥ 94 ॥

सौम्या घोरास्तथा मिश्रा-श्चान्तरालद्वयात्मिकाः।
विरूपाश्च सुरूपाश्च नानारूपधरास्तथा ॥ 95 ॥

सत्कृत्य शिवयोराज्ञां ते मे कामं दिशन्तु वै ।
देव्याः प्रियसखीवर्गो देवीलक्षणलक्षितः ॥ 96 ॥

सहितो रुद्रकन्याभिः शक्तिभि-श्चाप्यनेकशः।
तृतीयावरणे शम्भोर्भक्त्या नित्यं समर्चितः॥ 97॥

सत्कृत्य शिवयोराज्ञां स मे दिशतु मंगलम् ।
दिवाकरो महेशस्य मूर्तिर्दीप्त-सुमण्डलः॥ 98॥

निर्गुणो गुणसंकीर्णस्तथैव गुणकेवलः।
अविकारात्मकश्चाद्यः एकः सामान्य-विक्रियः॥ 99॥

असाधारणकर्मा च सृष्टिस्थिति-लयक्रमात् ।
एवं त्रिधा चतुर्द्धा च विभक्तः पञ्चधा पुनः॥ 100॥

चतुर्थावरणे शम्भोः पूजितश्चानुगैः सह ।
शिवप्रियः शिवासक्तः शिवपादार्चने रतः॥ 101॥

सत्कृत्य शिवयोराज्ञां स मे दिशतु मंगलम् ।
दिवाकर-षडंगानि दीप्ताद्या-श्चाष्टशक्तयः॥ 102॥

आदित्यो भास्करो भानू रवि-श्चेत्यनुपूर्वशः।
अर्को ब्रह्मा तथा रुद्रो विष्णु-श्चादित्यमूर्तयः॥ 103॥

विस्तरा सुतरा बोधिन्या-प्यायिन्यपराः पुनः।
उषा प्रभा तथा प्राज्ञा संध्या चेत्यपि शक्तयः॥ 104॥

सोमादिकेतु-पर्यन्ता ग्रहाश्च शिवभाविताः।
शिवयोराज्ञया नुन्ना मंगलं प्रदिशन्तु मे ॥ 105॥

अथ वा द्वादशादित्या-स्तथा द्वादश शक्तयः।
ऋषयो देवगन्धर्वाः पन्नगाप्सरसां गणाः॥ 106॥

ग्रामण्यश्च तथा यक्षा राक्षसाश्च सुरास्तथा ।
सप्त सप्तगणाश्चैते सप्तच्छन्दोमया हयाः॥ 107॥

वालखिल्यादय-श्चैव सर्वे शिवपदार्चकाः।
सत्कृत्य शिवयोराज्ञां मंगलं प्रदिशन्तु मे ॥ 108॥

ब्रह्माथ देवदेवस्य मूर्तिर्भूमण्डलाधिपः।
चतुःषष्टिगुणैश्वर्यो बुद्धितत्त्वे प्रतिष्ठितः॥ 109॥

निर्गुणो गुणसंकीर्णस्तथैव गुणकेवलः।
अविकारात्मको देवस्ततः साधारणः पुरः॥ 110॥

असाधारणकर्मा च सृष्टिस्थिति-लयक्रमात् ।
एवं त्रिधा चतुर्द्धा च विभक्तः पञ्चधा पुनः ॥ 111 ॥

चतुर्थावरणे शम्भोः पूजितश्च सहानुगैः।
शिवप्रियः शिवासक्तः शिवपादार्चने रतः ॥ 112 ॥

सत्कृत्य शिवयोराज्ञां स मे दिशतु मंगलम् ।
हिरण्यगर्भो लोकेशो विराट् कालश्च पूरुषः ॥ 113 ॥

सनत्कुमारः सनकः सनन्दश्च सनातनः।
प्रजानां पतयश्चैव दक्षाद्या ब्रह्मसूनवः ॥ 114 ॥

एकादश सपत्नीका धर्मः संकल्प एव च ।
शिवार्चन-रताश्चैते शिवभक्ति-परायणाः ॥ 115 ॥

शिवाज्ञावशगाः सर्वे दिशन्तु मम मंगलम् ।
चत्वारश्च तथा वेदाः सेतिहास-पुराणकाः ॥ 116 ॥

धर्मशास्त्राणि विद्याभि-र्वैदिकीभिः समन्विताः।
परस्परा-विरुद्धार्थाः शिवप्रकृति-पादकाः ॥ 117 ॥

सत्कृत्य शिवयोराज्ञां मंगलं प्रदिशन्तु मे ।
अथ रुद्रो महादेवः शम्भोर्मूर्तिर्गरीयसी ॥ 118 ॥

वाह्नेय-मण्डलाधीशः पौरुषैश्वर्यवान् प्रभुः।
शिवाभिमान-सम्पन्नो निर्गुणस्त्रिगुणात्मकः ॥ 119 ॥

केवलं सात्त्विकश्चापि राजसश्चैव तामसः।
अविकाररतः पूर्वं ततस्तु समविक्रियः ॥ 120 ॥

असाधारण-कर्मा च सृष्ट्यादि-करणात्पृथक् ।
ब्रह्मणोऽपि शिरश्छेत्ता जनकस्तस्य तत्सुतः ॥ 121 ॥

जनकस्तनय-श्चापि विष्णोरपि नियामकः।
बोधकश्च तयोर्नित्य-मनुग्रहकरः प्रभुः ॥ 122 ॥

अण्डस्यान्त-र्बहिर्वर्ती रुद्रो लोकद्वयाधिपः।
शिवप्रियः शिवासक्तः शिवपादार्चने रतः ॥ 123 ॥

शिवस्याज्ञां पुरस्कृत्य स मे दिशतु मंगलम् ।
तस्य ब्रह्म षडंगानि विद्येशानां तथाष्टकम् ॥ 124 ॥

चत्वारो मूर्तिभेदाश्च शिवपूर्वाः शिवार्चकाः।
शिवो भवो हरश्चैव मृडश्चैव तथापरः।
शिवस्याज्ञां पुरस्कृत्य मंगलं प्रदिशन्तु मे ॥ 125 ॥

अथ विष्णुर्महेशस्य शिवस्यैव परा तनुः।
वारितत्त्वाधिपः साक्षादव्यक्त-पदसंस्थितः ॥ 126 ॥

निर्गुणः सत्त्व-बहुलस्तथैव गुणकेवलः।
अविकाराभिमानी च त्रिसाधारण-विक्रियः ॥ 127 ॥

असाधारणकर्मा च सृष्ट्यादि-करणात्पृथक् ।
दक्षिणांगभवेनापि स्पर्धमानः स्वयम्भुवा ॥ 128 ॥

आद्येन ब्रह्मणा साक्षात्सृष्टः स्त्रष्टा च तस्य तु ।
अण्डस्यान्त-र्बहिर्वर्ती विष्णुर्लोक-द्वयाधिपः ॥ 129 ॥

असुरान्त-करश्चक्री शक्रस्यापि तथानुजः।
प्रादुर्भूतश्च दशधा भृगुशाप-च्छलादिह ॥ 130 ॥

भूभार-निग्रहार्थाय स्वेच्छया-वातरत् क्षितौ ।
अप्रमेयबलो मायी मायया मोहयञ्जगत् ॥ 131 ॥

मूर्तिं कृत्वा महाविष्णुं सदाविष्णुमथापि वा ।
वैष्णवैः पूजितो नित्यं मूर्तित्रयमयासने ॥ 132 ॥

शिवप्रियः शिवासक्तः शिवपादार्चने रतः।
शिवस्याज्ञां पुरस्कृत्य स मे दिशतु मंगलम् ॥ 133 ॥

वासुदेवोऽनिरुद्धश्च प्रद्युम्नश्च ततः परः।
संकर्षणः समाख्याता-श्चतस्त्रो मूर्तयो हरेः ॥ 134 ॥

मत्स्यः कूर्मो वराहश्च नारसिंहोऽथ वामनः।
रामत्रयं तथा कृष्णो विष्णु-स्तुरगवक्त्रकः ॥ 135 ॥

चक्रं नारायणस्यास्त्रं पाञ्चजन्यं च शार्ंगकम् ।
सत्कृत्य शिवयोराज्ञां मंगलं प्रदिशन्तु मे ॥ 136 ॥

प्रभा सरस्वती गौरी लक्ष्मीश्च शिवभाविता ।
शिवयोः शासनादेता मंगलं प्रदिशन्तु मे ॥ 137 ॥

इन्द्रोऽग्निश्च यमश्चैव निर्ऋति-र्वरुणस्तथा ।
वायुः सोमः कुबेरश्च तथेशानस्त्रिशूलधृक् ॥ 138 ॥

सर्वे शिवार्चनरता: शिवसद्भाव-भाविता:।
सत्कृत्य शिवयोराज्ञां मंगलं प्रदिशन्तु मे ॥ 139॥

त्रिशूलमथ वज्रं च तथा परशुसायकौ ।
खड्ग-पाशांकुशाश्चैव पिनाकश्चायुधोत्तम: ॥ 140॥

दिव्यायुधानि देवस्य देव्याश्चैतानि नित्यश:।
सत्कृत्य शिवयोराज्ञां रक्षां कुर्वन्तु मे सदा ॥ 141॥

वृषरूपधरो देव: सौरभेयो महाबल:।
वडवाख्यानल-स्पर्द्धी पञ्चगो-मातृभिर्वृत: ॥ 142॥

वाहनत्वमनुप्राप्त-स्तपसा परमेशयो:।
तयोराज्ञां पुरस्कृत्य स मे कामं प्रयच्छतु ॥ 143॥

नन्दा सुनन्दा सुरभि: सुशीला सुमनास्तथा ।
पञ्च गोमातरस्त्वेता: शिवलोके व्यवस्थिता: ॥ 144॥

शिवभक्तिपरा नित्यं शिवार्चन-परायणा:।
शिवयो: शासनादेव दिशन्तु मम वाञ्छितम् ॥ 145॥

क्षेत्रपालो महातेजा नीलजीमूतसंनिभ:।
दंष्ट्राकरालवदन: स्फुरद्रक्ता-धरोज्ज्वल: ॥ 146॥

रक्तोर्ध्वमूर्द्धज: श्रीमान् भ्रुकुटी-कुटिलेक्षण:।
रक्तवृत्त-त्रिनयन: शशिपन्नग-भूषण: ॥ 147॥

नग्नस्त्रिशूल-पाशासि-कपालोद्यत-पाणिक:।
भैरवो भैरवै: सिद्धैर्योगिनीभिश्च संवृत: ॥ 148॥

क्षेत्रे क्षेत्रसमासीन: स्थितो यो रक्षक: सताम् ।
शिवप्रणामपरम: शिवसद्भाव-भावित: ॥ 149॥

शिवाश्रितान् विशेषेण रक्षन् पुत्रानिवौरसान् ।
सत्कृत्य शिवयोराज्ञां स मे दिशतु मंगलम् ॥ 150॥

तालजंघादय-स्तस्य प्रथमावरणेऽर्चिता:।
सत्कृत्य शिवयोराज्ञां चत्वार: समवन्तु माम् ॥ 151॥

भैरवद्याश्च ये चान्ये समन्तात्तस्य वेष्टिता:।
तेऽपि मामनुगृह्णन्तु शिवशासन-गौरवात् ॥ 152॥

नारदाद्याश्च मुनयो दिव्या देवैश्च पूजिताः ।
साध्या नागाश्च ये देवा जनलोक-निवासिनः ॥ 153 ॥

विनिर्वृत्ताधिकाराश्च महर्लोक-निवासिनः ।
सप्तर्षय-स्तथान्ये वै वैमानिकगणैः सह ॥ 154 ॥

सर्वे शिवार्चनरताः शिवाज्ञा-वशवर्तिनः ।
शिवयोराज्ञया मह्यं दिशन्तु समकांक्षितम् ॥ 155 ॥

गन्धर्वाद्याः पिशाचान्ता-श्चतस्रो देवयोनयः ।
सिद्धा विद्याधराद्याश्च येऽपि चान्ये नभश्चराः ॥ 156 ॥

असुरा राक्षसाश्चैव पातालतल-वासिनः ।
अनन्ताद्याश्च नागेन्द्रा वैनतेयादयो द्विजाः ॥ 157 ॥

कूष्माण्डाः प्रेतवेताला ग्रहा भूतगणाः परे ।
डाकिन्यश्चापि योगिन्यः शाकिन्यश्चापि तादृशाः ॥ 158 ॥

क्षेत्राराम-गृहादीनि तीर्थान्या-यतनानि च ।
द्वीपाः समुद्रा नद्यश्च नदाश्चान्ये सरांसि च ॥ 159 ॥

गिरयश्च सुमेर्वाद्याः काननानि समन्ततः ।
पशवः पक्षिणो वृक्षाः कृमिकीटादयो मृगाः ॥ 160 ॥

भुवनान्यपि सर्वाणि भुवनानाम-धीश्वराः ।
अण्डान्यावरणैः सार्द्धं मासाश्च दश दिग्गजाः ॥ 161 ॥

वर्णाः पदानि मन्त्राश्च तत्त्वान्यपि सहाधिपैः ।
ब्रह्माण्डधारका रुद्रा रुद्राश्चान्ये सशक्तिकाः ॥ 162 ॥

यच्च किंचित्-जगत्यस्मिन्दृष्टं चानुमितं श्रुतम् ।
सर्वे कामं प्रयच्छन्तु शिवयोरेव शासनात् ॥ 163 ॥

अथ विद्या परा शैवी पशुपाश-विमोचिनी ।
पञ्चार्थसंहिता दिव्या पशुविद्या-बहिष्कृता ॥ 164 ॥

शास्त्रं च शिवधर्माख्यं धर्माख्यं च तदुत्तरम् ।
शैवाख्यं शिवधर्माख्यं पुराणं श्रुतिसम्मितम् ॥ 165 ॥

शैवागमाश्च ये चान्ये कामिकाद्या-श्चतुर्विधाः ।
शिवाभ्याम-विशेषेण उत्कृत्येह समर्चिताः ॥ 166 ॥

ताभ्यामेव समाज्ञाता ममाभिप्रेत-सिद्धये ।
कर्मेदम-नुमन्यन्तां सफलं साध्वनुष्ठितम् ॥ 167 ॥

श्वेताद्या नकुलीशान्ता: सशिष्याश्चापि देशिका: ।
तत्संततीया गुरवो विशेषाद् गुरवो मम ॥ 168 ॥

शैवा माहेश्वराश्चैव ज्ञानकर्म-परायणा: ।
कर्मेदम-नुमन्यन्तां सफलं साध्वनुष्ठितम् ॥ 169 ॥

लौकिका ब्राह्मणा: सर्वे क्षत्रियाश्च विश:क्रमात् ।
वेदवेदांग-तत्त्वज्ञा: सर्वशास्त्र-विशारदा: ॥ 170 ॥

सांख्या वैशेषिकाश्चैव यौगा नैयायिका नरा: ।
सौरा ब्राह्मास्तथा रौद्रा वैष्णवाश्चापरे नरा: ॥ 171 ॥

शिष्टा: सर्वे विशिष्टाश्च शिवशासन-यन्त्रिता: ।
कर्मेदम-नुमन्यन्तां ममाभिप्रेत-साधकम् ॥ 172 ॥

शैवा: सिद्धान्तमार्गस्था: शैवा: पाशुपतास्तथा ।
शैवा महाव्रतधरा: शैवा: कापालिका: परे ॥ 173 ॥

शिवाज्ञापालका: पूज्या ममापि शिवशासनात् ।
सर्वे मामनुगृह्णन्तु शंसन्तु सफलक्रियाम् ॥ 174 ॥

दक्षिण-ज्ञाननिष्ठाश्च दक्षिणोत्तर-मार्गगा: ।
अविरोधेन वर्तन्तां मन्त्रं श्रेयोऽर्थिनो मम ॥ 175 ॥

नास्तिकाश्च शठाश्चैव कृतघ्नाश्चैव तामसा: ।
पाषण्डा-श्चातिपापाश्च वर्तन्तां दूरतो मम ॥ 176 ॥

बहुभि: किं स्तुतैरत्र येऽपि केऽपि चिदास्तिका: ।
सर्वे मामनुगृह्णन्तु सन्त: शंसन्तु मंगलम् ॥ 177 ॥

नम: शिवाय साम्बाय ससुतायादि-हेतवे ।
पञ्चावरणरूपेण प्रपञ्चेनावृताय ते ॥ 178 ॥

इत्युक्त्वा दण्डवद् भूमौ प्रणिपत्य शिवं शिवाम् ।
जपेत्पञ्चाक्षरीं विद्या-मष्टोत्तरशतावराम् ॥ 179 ॥

तथैव शक्तिविद्यां च जपित्वा तत्समर्पणम् ।
कृत्वा तं क्षमयित्वेशं पूजाशेषं समापयेत् ॥ 180 ॥

एतत्पुण्यतमं स्तोत्रं शिवयो-र्हृदयंगमम् ।
सर्वाभीष्टप्रदं साक्षाद्-भक्तिमुक्त्येक-साधनम् ॥ 181 ॥

य इदं कीर्तयेन्नित्यं शृणुयाद्वा समाहितः ।
स विधूयाशु पापानि शिवसायुज्य-माप्नुयात् ॥ 182 ॥

गोघ्नश्चैव कृतघ्नश्च वीरहा भ्रूणहापि वा ।
शरणागतघाती च मित्रविश्रम्भ-घातकः ॥ 183 ॥

दुष्टपाप-समाचारो मातृहा पितृहापि वा ।
स्तवेनानेन जप्तेन तत्तत्पापात् प्रमुच्यते ॥ 184 ॥

दुःस्वप्नादि-महानर्थ-सूचकेषु भयेषु च ।
यदि संकीर्तयेदेतन्न ततोऽनर्थभाग्भवेत् ॥ 185 ॥

आयुरारोग्यमैश्वर्यं यच्चान्यदपि वाञ्छितम् ।
स्तोत्रस्यास्य जपे तिष्ठंस्तत्सर्वं लभते नरः ॥ 186 ॥

असम्पूज्य शिवं स्तोत्रजपात्-फलमुदाहृतम् ।
सम्पूज्य च जपे तस्य फलं वक्तुं न शक्यते ॥ 187 ॥

आस्तामियं फलावाप्ति-रस्मिन् संकीर्तिते सति ।
सार्द्धमम्बिकया देवः श्रुत्वैव दिवि तिष्ठति ॥ 188 ॥

तस्मान्नभसि सम्पूज्य देवदेवं सहोमया ।
कृताञ्जलि-पुटस्तिष्ठन् स्तोत्रमेतदुदीरयेत् ॥ 189 ॥

ॐ शान्तिः शान्तिः शान्तिः ॥ हरिः ॐ ॥

शिव-अपराध-क्षमापन-स्तोत्रम्

आदौ कर्मप्रसंगात् कलयति कलुषं मातृकुक्षौ स्थितं मां
विण्मूत्रामेध्य-मध्ये क्वथयति नितरां जाठरो जातवेदाः।
यद्यद्वै तत्र दुःखं व्यथयति नितरां शक्यते केन वक्तुं
क्षन्तव्यो मेऽपराधः शिव शिव शिव भो श्रीमहादेव शम्भो ॥1॥

बाल्ये दुःखातिरेको मललुलितवपुः स्तन्यपाने पिपासा
नो शक्तश्चेन्द्रियेभ्यो भवगुणजनिता जन्तवो मां तुदन्ति ।
नानारोगादि-दुःखाद्रुदनपरवशः शंकरं न स्मरामि
क्षन्तव्यो मेऽपराधः शिव शिव शिव भो श्रीमहादेव शम्भो ॥2॥

प्रौढोऽहं यौवनस्थो विषयविषधरैः पञ्चभिर्मर्मसन्धौ
दष्टो नष्टो विवेकः सुतधनयुवति-स्वादसौख्ये निषण्णः।
शैवीचिन्ताविहीनं मम हृदयमहो मानगर्वाधिरूढं
क्षन्तव्यो मेऽपराधः शिव शिव शिव भो श्रीमहादेव शम्भो ॥3॥

वार्द्धक्ये चेन्द्रियाणां विगतगति-मतिश्चाधिदैवादितापैः
पापै रोगैर्वियोगैस्त्वन-वसितवपुः प्रौढिहीनं च दीनम् ।
मिथ्यामोहाभिलाषैर्भ्रमति मम मनो धूर्जटेर्ध्यानशून्यं
क्षन्तव्यो मेऽपराधः शिव शिव शिव भो श्रीमहादेव शम्भो ॥4॥

नो शक्यं स्मार्तकर्म प्रतिपदगहन-प्रत्यवायाकुलाख्यं
श्रौते वार्ता कथं मे द्विजकुलविहिते ब्रह्ममार्गे सुसारे ।
नास्था धर्मे विचारः श्रवणमननयोः किं निदिध्यासितव्यं
क्षन्तव्यो मेऽपराधः शिव शिव शिव भो श्रीमहादेव शम्भो ॥5॥

स्नात्वा प्रत्यूषकाले स्नपनविधिविधौ नाहृतं गांगतोयं
पूजार्थं वा कदाचिद्-बहुतरगहनात्खण्ड-बिल्वीदलानि ।
नानीता पद्ममाला सरसि विकसिता गन्धपुष्पे त्वदर्थं
क्षन्तव्यो मेऽपराधः शिव शिव शिव भो श्रीमहादेव शम्भो ॥6॥

दुग्धैर्मध्वाज्य-युक्तैर्दधिसितसहितैः स्नापितं नैव लिंगं
नो लिप्तं चन्दनाद्यैः कनकविरचितैः पूजितं न प्रसूनैः।
धूपैः कर्पूरदीपैर्विविधरसयुतैर्नैव भक्ष्योपहारैः
क्षन्तव्यो मेऽपराधः शिव शिव शिव भो श्रीमहादेव शम्भो ॥7॥

ध्यात्वा चित्ते शिवाख्यं प्रचुरतरधनं नैव दत्तं द्विजेभ्यो
हव्यं ते लक्षसंख्यैर्हुतवहवदने नार्पितं बीजमन्त्रैः।
नो तप्तं गांगतीरे व्रतजपनियमैः रुद्रजाप्यैर्न वेदैः
क्षन्तव्यो मेऽपराधः शिव शिव शिव भो श्रीमहादेव शम्भो ॥8॥

स्थित्वा स्थाने सरोजे प्रणवमयमरुत्कुण्डले सूक्ष्ममार्गे
शान्ते स्वान्ते प्रलीने प्रकटितविभवे ज्योतिरूपे पराख्ये ।
लिंगज्ञे ब्रह्मवाक्ये सकलतनुगतं शंकरं न स्मरामि
क्षन्तव्यो मेऽपराधः शिव शिव शिव भो श्रीमहादेव शम्भो ॥9॥

नग्नो निःसंगशुद्धस्त्रिगुण-विरहितो ध्वस्तमोहान्धकारो
नासाग्रे न्यस्तदृष्टिर्विदितभवगुणो नैव दृष्टः कदाचित् ।
उन्मन्यावस्थया त्वां विगतकलिमलं शंकरं न स्मरामि
क्षन्तव्यो मेऽपराधः शिव शिव शिव भो श्रीमहादेव शम्भो ॥10॥

चन्द्रोद्भासितशेखरे स्मरहरे गंगाधरे शंकरे
सर्पैर्भूषितकण्ठकर्णविवरे नेत्रोत्थवैश्वानरे ।
दन्तित्वक्कृत-सुन्दराम्बरधरे त्रैलोक्यसारे हरे
मोक्षार्थं कुरु चित्तवृत्तिमखिलामन्यैस्तु किं कर्मभिः॥11॥

किं वानेन धनेन वाजिकरिभिः प्राप्तेन राज्येन किं
किं वा पुत्रकलत्रमित्र-पशुभिर्देहेन गेहेन किम् ।
ज्ञात्वैतत्क्षणभंगुरं सपदि रे त्याज्यं मनो दूरतः
स्वात्मार्थं गुरुवाक्यतो भज भज श्रीपार्वतीवल्लभम् ॥12॥

आयुर्नश्यति पश्यतां प्रतिदिनं याति क्षयं यौवनं
प्रत्यायान्ति गताः पुनर्न दिवसाः कालो जगद्भक्षकः।
लक्ष्मीस्तोयतरंग-भंगचपला विद्युच्चलं जीवितं
तस्मान्मां शरणागतं शरणद त्वं रक्ष रक्षाधुना ॥13॥

करचरणकृतं वाक्कायजं कर्मजं वा
श्रवणनयनजं वा मानसं वापराधम् ।
विहितमविहितं वा सर्वमेतत्क्षमस्व
जय जय करुणाब्धे श्रीमहादेव शम्भो ॥14॥

ॐ शान्तिः शान्तिः शान्तिः ॥ हरिः ॐ ॥

शिव स्तुति

जय शिवशंकर, जय गंगाधर, करुणाकर करतार हरे,
जय कैलाशी, जय अविनाशी, सुखराशी, सुख-सार हरे,
जय शशि-शेखर, जय डमरू-धर, जय जय प्रेमागार हरे,
जय त्रिपुरारी, जय मदहारी, अमित अनन्त अपार हरे,
निर्गुण जय जय, सगुण अनामय, निराकार, साकार हरे,
पारवती पति, हर हर शम्भो, पाहि पाहि दातार हरे ॥ 1 ॥

जय रामेश्वर, जय नागेश्वर, वैद्यनाथ केदार हरे,
मल्लिकार्जुन, सोमनाथ जय, महाकाल ओंकार हरे,
त्र्यम्बकेश्वर, जय घुश्मेश्वर, भीमेश्वर जगतार हरे,
काशीपति, श्री विश्वनाथ जय, मंगलमय, अघ हार हरे,
नीलकण्ठ जय, भूतनाथ जय, मृत्युंजय अविकार हरे,
पारवती पति, हर हर शम्भो, पाहि पाहि दातार हरे ॥ 2 ॥

जय महेश, जय जय भवेश, जय आदि देव, महादेव विभो,
किस मुख से हे गुणातीत प्रभु, तव अपार गुण वर्णन हो,
जय भवकारक, तारक, हारक, पातक-दारक, शिव शम्भो,
दीन दुःखहर, सर्व सुखाकर, प्रेम सुधाकर दया करो,
पार लगा दो भवसागर से, बनकर कर्णाधार हरे,
पारवती पति, हर हर शम्भो, पाहि पाहि दातार हरे ॥ 3 ॥

जय मन भावन, जय अतिपावन, शोक नशावन शिव शम्भो,
विपद विदारन, अधम उबारन, सत्य सनातन शिव शम्भो,
सहज वचन हर, जलज नयन वर, धवल वरन तन शिव शम्भो,
मदन कदन कर पाप हरन हर, चरन मनन धन शिव शम्भो,
विवसन, विश्वरूप, प्रलयंकर, जग के मूलाधार हरे,
पारवती पति, हर हर शम्भो, पाहि पाहि दातार हरे ॥ 4 ॥

गंगाधर आरती

ॐ जय गंगाधर जय हर जय गिरिजाधीशा ।
त्वं मां पालय नित्यं कृपया जगदीशा ।
हर हर हर महादेव ॥ 1 ॥

कैलासे गिरिशिखरे, कल्पद्रुमविपिने ।
गुञ्जति मधुकरपुञ्जे, कुंजवने गहने ।
कोकिल-कूजितखेलत, हंसावनललिता ।
रचयति कलाकलापं, नृत्यति मुदसहिता ।
हर हर हर महादेव ॥ 2 ॥

तस्मिल्ललितसुदेशे, शाला मणिरचिता ।
तन्मध्ये हरनिकटे, गौरी मुदसहिता ।
क्रीडा रचयति भूषा, रञ्जितनिजमीशम् ।
इन्द्रादिक सुरसेवत, नामयते शीशम् ।
हर हर हर महादेव ॥ 3 ॥

बिबुधबधूबहुनृत्यत, हृदयेमुदसहिता ।
किन्नरगायनकुरुते, सप्तस्वरसहिता ।
धिनकत थै थै, धिनकत मृदंग वादयते ।
क्वण क्वण ललिता वेणुं मधुरं नाटयते ।
हर हर हर महादेव ॥ 4 ॥

रुण-रुण चरणेरचयति, नूपुर मुऽज्वलिता ।
चक्रावर्ते भ्रमयति, कुरुते तां धिक तां ।
तां तां लुपचुप, तां तां डमरू वादयते ।
अंगुष्ठांगुलिनादं, लासकतां कुरुते ।
हर हर हर महादेव ॥ 5 ॥

कर्पूरद्युतिगौरं, पञ्चाननसहितम् ।
त्रिनयन-शशिधरमौलिं, विषधरकण्ठयुतम् ।
सुन्दरजटा कलापं, पावकयुतभालम् ।
डमरूत्रिशूलपिनाकं, कर धृत नृ कपालम् ।
हर हर हर महादेव ॥ 6 ॥

मुण्डै रचयति माला, पन्नगमुपवीतम् ।
वामविभागे गिरिजा, रूपं अतिललितम् ।
सुन्दर सकलशरीरे, कृतभस्माभरणम् ।
इति वृषभध्वजरूपं, तापत्रय हरणम् ।
हर हर हर महादेव ॥ 7 ॥

शंखनिनादं कृत्वा, झल्लरिनादयते ।
नीराजयते ब्रह्मा, वेदऋचां पठते ।
अति मृदुचरणसरोजं, हृत्कमले धृत्वा ।
अवलोकयति महेशं, ईशं अभिनत्वा ।
हर हर हर महादेव ॥ 8 ॥

ध्यानं आरतिसमये, हृदये अति कृत्वा ।
रामस्त्रिजटानाथं, ईशं अभिनत्वा ।
संगतिमेवं प्रतिदिन, पठनं यः कुरुते ।
शिवसायुज्यं गच्छति, भक्त्या यः शृणुते ।
हर हर हर महादेव ॥ 9 ॥

ॐ शान्तिः शान्तिः शान्तिः ॥ हरिः ॐ ॥

महादेव आरती

हर हर हर महादेव ॥
सत्य, सनातन, सुन्दर शिव! सबके स्वामी ।
अविकारी, अविनाशी, अज, अन्तर्यामी ॥
हर हर हर महादेव ॥ 1 ॥

आदि, अनन्त, अनामय, अकल, कलाधारी ।
अमल, अरूप, अगोचर, अविचल, अघहारी ॥
हर हर हर महादेव ॥ 2 ॥

ब्रह्मा, विष्णु, महेश्वर, तुम त्रिमूर्तिधारी ।
कर्ता, भर्ता, धर्ता तुम ही संहारी ॥
हर हर हर महादेव ॥ 3 ॥

रक्षक, भक्षक, प्रेरक, प्रिय औढरदानी ।
साक्षी, परम अकर्ता, कर्ता, अभिमानी ॥
हर हर हर महादेव ॥ 4 ॥

मणिमय-भवन-निवासी, अति भोगी, रागी ।
सदा श्मशान विहारी, योगी वैरागी ॥
हर हर हर महादेव ॥ 5 ॥

छाल-कपाल, गरल-गल, मुण्डमाल, व्याली ।
चिताभस्मतन, त्रिनयन, अयनमहाकाली ॥
हर हर हर महादेव ॥ 6 ॥

प्रेत - पिशाच - सुसेवित, पीतजटाधारी ।
विवसन विकट रूपधर, रुद्र प्रलयकारी ॥
हर हर हर महादेव ॥ 7 ॥

शुभ्र-सौम्य, सुरसरिधर, शशिधर, सुखकारी ।
अतिकमनीय, शान्तिकर, शिवमुनि-मन-हारी ॥
हर हर हर महादेव ॥ 8 ॥

निर्गुण, सगुण, निरञ्जन, जगमय, नित्य-प्रभो ।
कालरूप केवल हर! कालातीत विभो ॥
हर हर हर महादेव ॥ 9 ॥

सत्, चित्, आनँद, रसमय, करुणामय धाता ।
प्रेम-सुधा-निधि, प्रियतम, अखिल विश्व-त्राता ॥
हर हर हर महादेव ॥ 10 ॥

हम अति दीन, दयामय! चरण-शरण दीजै ।
सब बिधि निर्मल मति कर, अपनो कर लीजै ॥
हर हर हर महादेव ॥ 11 ॥

ॐ शान्ति: शान्ति: शान्ति: ॥ हरि: ॐ ॥

124

कैलासवासी आरती

शीश गंग अर्धंग पार्वती, सदा विराजत कैलासी ।
नंदी भृंगी नृत्य करत हैं, धरत ध्यान सुर सुखरासी ॥

शीतल मन्द सुगन्ध पवन बह, बैठे हैं शिव अविनाशी ।
करत गान गन्धर्व सप्त स्वर, राग रागिनी मधुरा-सी ॥

यक्ष-रक्ष भैरव जहँ डोलत, बोलत हैं वनके वासी ।
कोयल शब्द सुनावत सुन्दर, भ्रमर करत हैं गुंजा-सी ॥

कल्पद्रुम अरु पारिजात तरु, लाग रहे हैं लक्षासी ।
कामधेनु कोटिन जहँ डोलत, करत दुग्धकी वर्षा-सी ॥

सूर्यकान्त सम पर्वत शोभित, चन्द्रकान्त सम हिमराशी ।
नित्य छहों ऋतु रहत सुशोभित, सेवत सदा प्रकृति-दासी ॥

ऋषि-मुनि देव दनुज नित सेवत, गान करत श्रुति गुणराशी ।
ब्रह्मा-विष्णु निहारत निसिदिन, कछु शिव हमकूँ फरमासी ॥

ऋद्धि सिद्धि के दाता शंकर, नित सत् चित् आनँदराशी ।
जिनके सुमिरत ही कट जाती, कठिन काल-यमकी फाँसी ॥

त्रिशूलधरजीका नाम निरंतर, प्रेम सहित जो नर गासी ।
दूर होय विपदा उस नरकी, जन्म-जन्म शिवपद पासी ॥

कैलासी काशीके वासी, अविनाशी मेरी सुध लीजो ।
सेवक जान सदा चरननको, अपनो जान कृपा कीजो ॥

ॐ शान्ति: शान्ति: शान्ति: ॥ हरि: ॐ ॥

शिव आरती

जय शिव ओंकारा भज शिव ओंकारा ।
ब्रह्मा विष्णु सदाशिव अर्द्धांगी धारा ॥ जय शिव...

एकानन चतुरानन पंचानन राजे ।
हंसासन गरुड़ासन बृषवाहन साजे ॥ जय शिव...

दो भुज चारु चतुर्भुज दसभुज अति सोहे ।
तीनों रूप निरखते त्रिभुवन जन मोहे ॥ जय शिव...

अक्षमाला वनमाला मुण्डमाला धारी ।
चंदन मृगमद सोहे भोले शुभकारी ॥ जय शिव...

श्वेताम्बर पीताम्बर बाघम्बर अंगे ।
सनकादिक ब्रह्मादिक भूतादिक संगे ॥ जय शिव...

कर मध्ये सुकमण्डलु चक्र शूलधारी ।
सुखकारी दुखहारी जग पालनकारी ॥ जय शिव...

ब्रह्मा विष्णु सदाशिव जानत अविवेका ।
प्रणवाक्षर में शोभित ये तीनों एका ॥ जय शिव...

त्रिगुण शिवजी की आरती जो कोई नर गावे ।
कहत शिवानन्द स्वामी मनवांछित फल पावे ॥ जय ॥

ॐ शान्ति: शान्ति: शान्ति: ॥ हरि: ॐ ॥

126

Liṅgāṣṭakam

1. Brahma murāri surārchita liṅgam
   Nirmala bhāsita śobhita liṅgam.
   Janmaja duḥkha vināśana liṅgam
   Tatpraṇamāmi sadāśiva liṅgam.

2. Deva muni pravarārchita liṅgam
   Kāma-dahana karuṇākara liṅgam.
   Rāvaṇa darpa vināśana liṅgam
   Tatpraṇamāmi sadāśiva liṅgam.

3. Sarva sugandhi sulepita liṅgam
   Buddhi-vivarddhana kāraṇa liṅgam.
   Siddhasurāsura vandita liṅgam
   Tatpraṇamāmi sadāśiva liṅgam.

4. Kanaka mahāmaṇi bhūṣita liṅgam
   Phaṇipati-veṣṭita śobhita liṅgam.
   Dakṣa suyajña vināśana liṅgam
   Tatpraṇamāmi sadāśiva liṅgam.

5. Kuṅkuma chandana lepita liṅgam
   Paṅkaja hāra suśobhita liṅgam.
   Sañchita pāpa vināśana liṅgam
   Tatpraṇamāmi sadāśiva liṅgam.

6. Devagaṇārchita sevita liṅgam
   Bhāvairbhaktibhireva cha liṅgam.
   Dinakara koṭi prabhākara liṅgam
   Tatpraṇamāmi sadāśiva liṅgam.

7. Aṣṭadalo pariveṣṭita liṅgam
   Sarva samudbhava kāraṇa liṅgam.
   Aṣṭa daridra vināśana liṅgam
   Tatpraṇamāmi sadāśiva liṅgam.

8. Suraguru suravara pūjita liṅgam
   Surataru puṣpa sadārchita liṅgam.
   Parātparaṃ paramātmaka liṅgam
   Tatpraṇamāmi sadāśiva liṅgam.

Om śāntiḥ śāntiḥ śāntiḥ. Hariḥ om

127

Śrī-śivamahimnaḥ Stotram

1. Mahimnaḥ pāraṃ te paramaviduṣo yadyasadṛśī
Stutirbrahmādīnāmapi tadavasannāstvayi giraḥ.
Athāvāchyaḥ sarvaḥ svamati-pariṇāmāvadhi gṛṇan
Mamāpyeṣa stotre hara nirapavādaḥ parikaraḥ.

2. Atītaḥ panthānaṃ tava cha mahimā vāṅmanasayoḥ
Atadvyāvṛttyā yaṃ chakitamabhidhatte śrutirapi.
Saḥ kasya stotavyaḥ katividhaguṇaḥ kasya viṣayaḥ
Pade tvarvāchīne patati na manaḥ kasya na vachaḥ.

3. Madhusphītā vāchaḥ paramamamṛtaṃ nirmitavataḥ
Tava brahmankiṃ vāgapi suragurorvismaya-padam.
Mama tvetāṃ vāṇīṃ guṇakathana-puṇyena bhavataḥ
Punāmītyarthe'sminpuramathana buddhirvyavasitā.

4. Tavaiśvaryaṃ yattajjagadudayarakṣā-pralayakṛt
Trayīvastu vyastaṃ tisṛṣu guṇabhinnāsu tanuṣu.
Abhavyānāmasmin varada ramaṇīyāma-ramaṇīṃ
Vihantuṃ vyākrośīṃ vidadhata ihaike jaḍadhiyaḥ.

5. Kimīhaḥ kiṅkāyaḥ sa khalu kimupāyastribhuvanaṃ
Kimādhāro dhātā sṛjati kimupādāna iti cha.
Atarkyaiśvarye tvayyanavasaraduḥstho hatadhiyaḥ
Kutarko'yaṃ kāṃśchinmukharayati mohāya jagataḥ.

6. Ajanmāno lokāḥ kimavayavavanto'pi jagatām
Adhiṣṭhātāraṃ kiṃ bhavavidhiranādṛtya bhavati.
Anīśo vā kuryād bhuvanajanane kaḥ parikaro
Yato mandāstvāṃ pratyamaravara saṃśerata ime.

7. Trayī sāṅkhyaṃ yogaḥ paśupatimataṃ vaiṣṇavamiti
Prabhinne prasthāne paramidamadaḥ pathyamiti cha.
Ruchīnāṃ vaichitryād ṛjukuṭila-nānāpathajuṣāṃ
Nṛṇāmeko gamyastvamasi payasāmarṇava iva.

8. Mahokṣaḥ khaṭvāṅgaṃ paraśurajinaṃ bhasma phaṇinaḥ
Kapālaṃ chetīyattava varada tantropakaraṇam.
Surāstāṃ tāmṛddhiṃ dadhati tu bhavadbhrūpraṇihitāṃ
Na hi svātmārāmaṃ viṣayamṛgatṛṣṇā bhramayati.

9. Dhruvaṃ kaśchitsarvaṃ sakalamaparastvadhruvamidaṃ
Paro dhrauvyādhrauvye jagati gadati vyastaviṣaye.
Samaste'pyetasmin puramathana tairvismita iva
Stuvañjihremi tvāṃ na khalu nanu dhṛṣṭā mukharatā.

10. Tavaiśvaryaṃ yatnādyadupari viriñchirhariradhaḥ
Parichchhettuṃ yātā-vanalamanalaskandha-vapuṣaḥ.
Tato bhaktiśraddhābharagurugṛṇadbhyāṃ girīśa yat
Svayaṃ tasthe tābhyāṃ tava kimanuvṛttirna phalati.

11. Ayatnādāpādya tribhuvanamavairavyatikaraṃ
Daśāsyo yadbāhūnabhṛta raṇakaṇḍūparavaśān.
Śiraḥpadma śreṇīrachitacharaṇāmbhoruhabaleḥ
Sthirāyāstvadbhakte-stripurahara visphūrjitamidam.

12. Amuṣya tvatsevā-samadhigatasāraṃ bhujavanaṃ
Balātkailāse'pi tvadadhivasatau vikramayataḥ.
Alabhyā pātāle'pyalasachalitāṅguṣṭhaśirasi
Pratiṣṭhā tvayyāsīd dhruvamupachito muhyati khalaḥ.

13. Yadṛddhiṃ sutrāmṇo varada paramochchairapi satīm
Adhaśchakre bāṇaḥ parijanavidheyastribhuvanaḥ.
Na tachchitraṃ tasmin varivasitari tvachcharaṇayoḥ
Na kasyā unnatyai bhavati śirasastvayyavanatiḥ.

14. Akāṇḍabrahmāṇḍa-kṣayachakita-devāsurakṛpā-
Vidheyasyāsīdyastrinayana viṣaṃ saṃhṛtavataḥ.
Sa kalmāṣaḥ kaṇṭhe tava na kurute na śriyamaho
Vikāro'pi ślāghyo bhuvanabhaya-bhaṅgavyasaninaḥ.

15. Asiddhārthā naiva kvachidapi sadevāsuranare
Nivartante nityaṃ jagati jayino yasya viśikhāḥ.
Sa paśyannīśa tvāmitara-surasādhāraṇamabhūt-
Smaraḥ smartavyātmā na hi vaśiṣu pathyaḥ paribhavaḥ.

16. Mahī pādāghātād vrajati sahasā saṃśayapadaṃ
Padaṃ viṣṇorbhrāmyadbhujaparigha-rugṇagrahagaṇam.
Muhurdyaurdausthyaṃ yātyanibhṛta-jaṭātāḍitataṭā
Jagadrakṣāyai tvaṃ naṭasi nanu vāmaiva vibhutā.

17. Viyadvyāpī tārā-gaṇaguṇita-phenodgamaruchiḥ
Pravāho vārāṃ yaḥ pṛṣatalaghudṛṣṭaḥ śirasi te.

Jagaddvīpākāraṃ jaladhivalayaṃ tena kṛtamit-
Yanenaivonneyaṃ dhṛtamahima divyaṃ tava vapuḥ.

18. Rathaḥ kṣoṇī yantā śatadhṛtiragendro dhanuratho
Rathāṅge chandrārkau rathacharaṇapāṇiḥ śara iti.
Didhakṣoste ko'yaṃ tripuratṛṇamāḍambaravidhiḥ
Vidheyaiḥ krīḍantyo na khalu paratantrāḥ prabhudhiyaḥ.

19. Hariste sāhasraṃ kamalabalimādhāya padayoḥ
Yadekone tasminnijamudaharannetra-kamalam.
Gato bhaktyudrekaḥ pariṇatimasau chakravapuṣā
Trayāṇāṃ rakṣāyai tripurahara jāgarti jagatām.

20. Kratau supte jāgrattvamasi phalayoge kratumatāṃ
Kva karma pradhvastaṃ phalati puruṣārādhanamṛte.
Atastvāṃ samprekṣya kratuṣu phaladānapratibhuvaṃ
Śrutau śraddhāṃ badhvā dṛḍhaparikaraḥ karmasu janaḥ.

21. Kriyādakṣo dakṣaḥ kratupatiradhīśastanubhṛtām-
Ṛṣīṇāmārttvijyaṃ śaraṇada sadasyāḥ suragaṇāḥ.
Kratubhraṃśastvattaḥ kratuphalavidhāna-vyasanino
Dhruvaṃ kartuḥ śraddhāvidhuramabhichārāya hi makhāḥ.

22. Prajānāthaṃ nātha prasabhamabhikaṃ svāṃ duhitaraṃ
Gataṃ rohidbhūtāṃ riramayiṣu-mṛṣyasya vapuṣā.
Dhanuṣpāṇeryātaṃ divamapi sapatrākṛtamamuṃ
Trasantaṃ te'dyāpi tyajati na mṛgavyādharabhasaḥ.

23. Svalāvaṇyāśaṃsā dhṛtadhanuṣamahnāya tṛṇavat-
Puraḥ pluṣṭaṃ dṛṣṭvā puramathana puṣpāyudhamapi.
Yadi strainaṃ devī yamanirata dehārdhaghaṭanād-
Avaiti tvāmaddhā bata varada mugdhā yuvatayaḥ.

24. Śmaśāneṣvākrīḍā smarahara piśāchāḥ sahacharāḥ
Chitābhasmālepaḥ sragapi nṛkaroṭīparikaraḥ.
Amaṅgalyaṃ śīlaṃ tava bhavatu nāmaivamakhilaṃ
Tathāpi smartṛṇāṃ varada paramaṃ maṅgalamasi.

25. Manaḥ pratyakchitte savidhamavadhāyātta-marutaḥ
Prahṛṣyadromāṇaḥ pramada-salilotsaṅgitadṛśaḥ.
Yadālokyāhlādaṃ hrada iva nimajyāmṛtamaye
Dadhatyantastattvaṃ kimapi yaminastatkila bhavān.

26. Tvamarkastvaṃ somastvamasi pavanastvaṃ hutavahaḥ
Tvamāpastvaṃ vyoma tvamu dharaṇirātmā tvamiti cha.
Parichchhinnāmevaṃ tvayi pariṇatā bibhratu giraṃ
Na vidmastattattvaṃ vayamiha tu yattvaṃ na bhavasi.

27. Trayīṃ tisro vṛttīstribhuvanamatho trīnapi surān-
Akārādyairvarṇai-stribhirabhidadhattīrṇa-vikṛti.
Turīyaṃ te dhāma dhvanibhiravarundhānamaṇubhiḥ
Samastaṃ vyastaṃ tvāṃ śaraṇada gṛṇātyomiti padam.

28. Bhavaḥ śarvo rudraḥ paśupatirathograḥ saha mahān
Tathā bhīmeśānāviti yadabhidhānāṣṭakamidam.
Amuṣminpratyekaṃ pravicharati deva śrutirapi
Priyāyāsmai dhāmne praṇihita-namasyo'smi bhavate.

29. Namo nediṣṭhāya priyadava daviṣṭhāya cha namo
Namaḥ kṣodhiṣṭhāya smarahara mahiṣṭhāya cha namaḥ.
Namo varṣiṣṭhāya trinayana yaviṣṭhāya cha namo
Namaḥ sarvasmai te tadidamitisarvāya cha namaḥ.

30. Bahalarajase viśvotpattau bhavāya namo namaḥ
Prabalatamase tatsaṃhāre harāya namo namaḥ.
Janasukhakṛte sattvodriktau mṛḍāya namo namaḥ
Pramahasi pade nistraiguṇye śivāya namo namaḥ.

31. Kṛśapariṇati chetaḥ kleśavaśyaṃ kva chedaṃ
Kva cha tava guṇasīmollaṅghinī śaśvadṛddhiḥ.
Iti chakitama-mandīkṛtya māṃ bhaktirādhād
Varada charaṇayoste vākya-puṣpopahāram.

32. Asitagirisamaṃ syātkajjalaṃ sindhupātre
Surataruvaraśākhā lekhanī patramurvī.
Likhati yadi gṛhītvā śāradā sarva kālaṃ
Tadapi tava guṇānāmīśa pāraṃ na yāti.

33. Asurasura-munīndrairarchitasyendu-mauleḥ
Grathitaguṇamahimno nirguṇasyeśvarasya.
Sakalagaṇavariṣṭhaḥ puṣpadantābhidhāno
Ruchiramalaghuvṛttaiḥ stotrametachchakāra.

34. Aharaharanavadyaṃ dhūrjaṭeḥ stotrametat
Paṭhati paramabhaktyā śuddhachittaḥ pumānyaḥ.

Sa bhavati śivaloke rudratulyastathā'tra
Prachurataradhanāyuḥ putravānkīrttimāṃścha.

35. Dīkṣā dānaṃ tapastīrthaṃ jñānaṃ yāgādikāḥ kriyāḥ.
Mahimnastavapāṭhasya kalāṃ nārhanti ṣoḍaśīm.

36. Āsamāptamidaṃ stotraṃ puṇyaṃ gandharvabhāṣitam.
Anaupamyaṃ manohāri śivamīśvaravarṇanam.

37. Maheśānnāparo devo mahimno nāparā stutiḥ.
Aghorānnāparo mantro nāsti tattvaṃ guroḥ param.

38. Kusumadaśananāmā sarvagandharvarājaḥ
Śiśuśaśidhara-maulerdevadevasya dāsaḥ.
Sa khalu nijamahimno bhraṣṭa evāsya roṣāt
Stavanamidamakārṣīddivyadivyaṃ mahimnaḥ.

39. Suravaramunipūjyaṃ svargamokṣaikahetuṃ
Paṭhati yadi manuṣyaḥ prāñjalirnānyachetāḥ.
Vrajati śivasamīpaṃ kinnaraiḥ stūyamānaḥ
Stavanamidamamoghaṃ puṣpadantapraṇītam.

40. Śrīpuṣpadanta-mukhapaṅkaja-nirgatena
Stotreṇa kilviṣahareṇa harapriyeṇa.
Kaṇṭhasthitena paṭhitena samāhitena
Suprīṇito bhavati bhūtapatirmaheśaḥ.

41. Ityeṣā vāṅmayī pūjā śrīmachchhaṅkarapādayoḥ
Arpitā tena deveśaḥ prīyatāṃ me sadaśivaḥ.

42. Yadakṣaraṃ padaṃ bhraṣṭaṃ mātrāhīnaṃ cha yadbhavet.
Tatsarvaṃ kṣamyatāṃ deva prasīda parameśvara.

Hariḥ om pūrṇamadaḥ pūrṇamidaṃ pūrṇātpūrṇamudachyate.
Pūrṇasya pūrṇamādāya pūrṇamevāvaśiṣyate.

Om śāntiḥ śāntiḥ śāntiḥ. Hariḥ om

Śiva-tāṇḍava-stotram

1. Jaṭāṭavī-galajjala-pravāha-pāvitasthale
   Gale'valambya-lambitāṃ bhujaṅga-tuṅga-mālikām.
   Ḍamaḍ-ḍamaḍ ḍamaḍ ḍamaḍ-nināda-vaḍḍamarvayam
   Chakāra-chaṇḍa tāṇḍavaṃ tanotu naḥ śivaḥ śivam.

2. Jaṭākaṭāhasambhrama-bhramannilimpa nirjharī
   Vilola-vīchi-vallarī virājamāna-mūrddhani.
   Dhagad-dhagad-dhagad-jvalallalāṭa-paṭṭa pāvake
   Kiśora-chandra-śekhare ratiḥ pratikṣaṇaṃ mama.

3. Dharā-dharendra nandinī vilāsa bandhu bandhura-
   Sphurat diganta santati pramodamāna mānase.
   Kṛpā-kaṭākṣa-dhoraṇī niruddha durdharāpadi
   Kvachid-digambare mano vinodametu vastuni.

4. Jaṭā-bhujaṅga-piṅgala-sphurat-phaṇā-maṇi-prabhā-
   Kadamba-kuṅkuma-drava-pralipta-digvadhūmukhe.
   Madāndha-sindhura-sphurat-tvaguttarīyamedure
   Mano-vinodamadbhutaṃ bibhartu bhūtabhartari.

5. Sahasra-lochana-prabhṛtya śeṣa lekha śekhara-
   Prasūna-dhūli-dhoraṇī vidhūsarāṅghripīṭhabhūḥ.
   Bhujaṅgarājamālayā nibaddha-jāṭa-jūṭakaḥ
   Śriyai chirāya jāyatāṃ chakora-bandhu śekharaḥ.

6. Lalāṭa-chatvarajvalad dhanañjaya-sphuliṅgabhā-
   Nipīta-pañcha-sāyakaṃ namannilimpa-nāyakam.
   Sudhā-mayūkha-lekhayā-virājamāna-śekharaṃ
   Mahākapāli-sampade śiro jaṭālamastu naḥ.

7. Karāla-bhāla paṭṭikā dhagad-dhagad-dhagad-jvalad-
   Dhanañjayāhutī-kṛta prachaṇḍa pañcha-sāyake.
   Dharā-dharendra-nandinī kuchāgrachitra patraka-
   Prakalpanaika-śilpinī trilochane ratirmama.

8. Navīna-megha-maṇḍalī-niruddha-durdharasphurat-
   Kuhū-niśīthinītamaḥ prabandha-baddha-kandharaḥ.
   Nilimpa-nirjharī-dharastanotu kṛtti-sindhuraḥ
   Kalā-nidhāna-bandhuraḥ śriyaṃ jagaddhurandharaḥ.

133

9. Praphulla-nīla-paṅkaja-prapañcha-kālima-prabhā-
Valambi-kaṇṭha kandalī-ruchi-prabaddha-kandharam.
Smarachchhidaṃ purachchhidaṃ bhavachchhidaṃ makhachchhidaṃ
Gajachchhidāndhakachchhidaṃ tamantakachchhidaṃ bhaje.

10. Akharva-sarva-maṅgalā kalā-kadamba-mañjarī-
Rasa-pravāha-mādhurī-vijṛmbhaṇā madhuvratam.
Smarāntakaṃ purāntakaṃ bhavāntakaṃ makhāntakaṃ
Gajānta-kāndhakāntakaṃ tamantakāntakaṃ bhaje.

11. Jayatvadabhra-vibhrama-bhramad-bhujaṅgamaśvasad-
Vinirgamat-kramasphurat-karāla-bhāla-havyavāṭ.
Dhimid-dhimid-dhimid dhvanan-mṛdaṅgatuṅga-maṅgala
Dhvani-krama pravartita-prachaṇḍa tāṇḍavaḥ śivaḥ.

12. Dṛṣad vichitra-talpayorbhujaṅga-mauktika-srajoḥ-
Gariṣṭharatna-loṣṭhayoḥ suhṛd-vipakṣa-pakṣayoḥ.
Tṛṇāravinda-chakṣuṣoḥ prajā-mahī-mahendrayoḥ
Samapravṛttikaḥ kadā sadāśivaṃ bhajāmyaham.

13. Kadā nilimpa-nirjharī-nikuñja-koṭare vasan
Vimuktadurmatiḥ sadā śiraḥsthamañjaliṃ vahan.
Vilola-lola-lochano lalāma-bhāla-lagnakaḥ
Śiveti mantramuchcharan kadā sukhī bhavāmyaham.

Om śāntiḥ śāntiḥ śāntiḥ. Hariḥ om

Śivanāmāvalyaṣṭakam

1. He chandrachūḍa madanāntaka śūlapāṇe,
Sthāṇo girīśa girijeśa maheśa śambho.
Bhūteśa bhītabhayasūdana māmanātham,
Saṃsāra-duḥkha-gahanājjagadīśa rakṣa.

2. He pārvatī hṛdayavallabha-chandramaule,
Bhūtādhipa pramathanātha girīśajāpa.
He vāmadeva bhava rudra pinākapāṇe,
Saṃsāra-duḥkha-gahanājjagadīśa rakṣa.

3. He nīlakaṇṭha vṛṣabhadhvaja pañchavaktra,
Lokeśa śeṣavalaya pramatheśa śarva.
He dhūrjaṭe paśupate girijāpate māṃ,
Saṃsāra-duḥkha-gahanājjagadīśa rakṣa.

4. He viśvanātha śivaśaṅkara devadeva,
Gaṅgādhara pramathanāyaka nandikeśa.
Bāṇeśvarāndhakaripo hara lokanātha,
Saṃsāra-duḥkha-gahanājjagadīśa rakṣa.

5. Vārāṇasīpurapate maṇikarṇikeśa,
Vīreśa dakṣamakhakāla vibho gaṇeśa.
Sarvajña sarvahṛdayaika-nivāsa nātha,
Saṃsāra-duḥkha-gahanājjagadīśa rakṣa.

6. Śrī manmaheśvara kṛpāmaya he dayālo,
He vyomakeśa śitikaṇṭha gaṇādhinātha.
Bhasmāṅgarāga nṛkapāla-kalāpamāla,
Saṃsāra-duḥkha-gahanājjagadīśa rakṣa.

7. Kailāsaśaila-vinivāsa vṛṣākape he,
Mṛtyuñjaya trinayana trijagannivāsa.
Nārāyaṇapriya madāpaha śaktinātha,
Saṃsāra-duḥkha-gahanājjagadīśa rakṣa.

8. Viśveśa viśvabhayanāśaka viśvarūpa,
Viśvātmaka tribhuvanaikaguṇādhivāsa.
He viśvanātha karuṇāmaya dīnabandho,
Saṃsāra-duḥkha-gahanājjagadīśa rakṣa.

Om śāntiḥ śāntiḥ śāntiḥ. Hariḥ om

Vedasāra-śiva-stotram

1. Paśūnāṃ patiṃ pāpanāśaṃ pareśaṃ,
Gajendrasya kṛttiṃ vasānaṃ vareṇyam.
Jaṭājūṭamadhye sphurad-gāṅga-vāriṃ,
Mahādevamekaṃ smarāmi smarārim.

2. Maheśaṃ sureśaṃ surārārtināśaṃ,
Vibhuṃ viśvanāthaṃ vibhūtyaṅgabhūṣam.
Virūpākṣamindvarka-vahni-trinetraṃ
Sadānandamīḍe prabhuṃ pañchavaktram.

3. Girīśaṃ gaṇeśaṃ gale nīlavarṇaṃ,
Gavendrādhirūḍhaṃ guṇātītarūpam.
Bhavaṃ bhāsvaraṃ bhasmanā bhūṣitāṅgaṃ,
Bhavānīkalatraṃ bhaje pañchavaktram.

4. Śivākānta śambho śaśāṅkārdhamaule
Maheśāna śūlin jaṭājūṭadhārin.
Tvameko jagadvyāpako viśvarūpaḥ
Prasīda prasīda prabho pūrṇarūpa.

5. Parātmānamekaṃ jagad-bījamādyāṃ
Nirīhaṃ nirākāramoṅkāravedyam.
Yato jāyate pālyate yena viśvaṃ
Tamīśaṃ bhaje līyate yatra viśvam.

6. Na bhūmirna chāpo na vahnirna vāyuḥ
Na chākāśamāste na tandrā na nidrā.
Na grīṣmo na śītaṃ na deśo na veṣo
Na yasyāsti mūrttistrimūrttiṃ tamīḍe.

7. Ajaṃ śāśvataṃ kāraṇaṃ kāraṇānāṃ
Śivaṃ kevalaṃ bhāsakaṃ bhāsakānām.
Turīyaṃ tamaḥ pāramādyantahīnaṃ
Prapadye paraṃ pāvanaṃ dvaitahīnam.

8. Namaste namaste vibho viśvamūrtte
Namaste namaste chidānandamūrtte.
Namaste namaste tapoyogagamya
Namaste namaste śrutijñānagamya.

Om śāntiḥ śāntiḥ śāntiḥ. Hariḥ om

Śivapañchākṣara-stotram

1. Nāgendrahārāya trilochanāya
   Bhasmāṅgarāgāya maheśvarāya.
   Nityāya śuddhāya digambarāya
   Tasmai 'na' kārāya namaḥ śivāya.

2. Mandākinīsalila-chandanacharchitāya
   Nandīśvara-pramathanātha-maheśvarāya.
   Mandārapuṣpa-bahupuṣpa supūjitāya
   Tasmai 'ma' kārāya namaḥ śivāya.

3. Śivāya gaurīvadanābjavṛnda
   Sūryāya dakṣādhvara-nāśakāya.
   Śrīnīlakaṇṭhāya vṛṣadhvajāya
   Tasmai 'śi' kārāya namaḥ śivāya.

4. Vasiṣṭhakumbhodbhava-gautamārya
   Munīndra devārchitaśekharāya.
   Chandrārka-vaiśvānara-lochanāya
   Tasmai 'va' kārāya namaḥ śivāya.

5. Yakṣasvarūpāya jaṭādharāya
   Pinākahastāya sanātanāya.
   Divyāya devāya digambarāya
   Tasmai 'ya' kārāya namaḥ śivāya.

Om śāntiḥ śāntiḥ śāntiḥ. Hariḥ om

137

Śivaṣaḍakṣara-stotram

1. Omkāraṃ bindu saṃyuktaṃ nityaṃ dhyāyanti yoginaḥ.
   Kāmadaṃ mokṣadaṃ chaiva omkārāya namo namaḥ.

2. Namanti ṛṣayo devāḥ namantyapsarasāṅgaṇāḥ.
   Narāḥ namanti deveśaṃ nakārāya namo namaḥ.

3. Mahādevaṃ mahātmānaṃ mahādhyānaparāyaṇam.
   Mahāpāpaharaṃ devaṃ makārāya namo namaḥ.

4. Śivaṃ śāntaṃ jagannāthaṃ lokānugrahakārakam.
   Śivamekapadaṃ nityaṃ śikārāya namo namaḥ.

5. Vāhanaṃ vṛṣabho yasya vāsukī kaṇṭhabhūṣaṇam.
   Vāme śaktidharaṃ devaṃ vakārāya namo namaḥ.

6. Yatra yatra sthito devāḥ sarvavyāpī maheśvaraḥ.
   Yo guruḥ sarvadevānāṃ yakārāya namo namaḥ.

Om śāntiḥ śāntiḥ śāntiḥ. Hariḥ om

138

Śrī-śivāṣṭakam

1. Prabhumīśamanīśamaśeṣaguṇaṃ
   Guṇahīnamahīśagarābharaṇam.
   Raṇanirjita-durjayadaityapuraṃ
   Praṇamāmi śivaṃ śivakalpatarum.

2. Girirājasutānvita-vāmatanuṃ
   Tanuninditarājita-koṭividhum.
   Vidhiviṣṇu-śirodhṛtapādayugaṃ
   Praṇamāmi śivaṃ śivakalpatarum.

3. Śaśalāñchhita-rañjitasanmukuṭaṃ
   Kaṭilambita-sundarakṛttipaṭam.
   Suraśaivalinī-kṛtapūtajaṭaṃ
   Praṇamāmi śivaṃ śivakalpatarum.

4. Nayanatraya-bhūṣitachārumukhaṃ
   Mukhapadmaparājita-koṭividhum.
   Vidhukhaṇḍa-vimaṇḍita-bhālataṭaṃ
   Praṇamāmi śivaṃ śivakalpatarum.

5. Vṛṣarāja-niketanamādiguruṃ
   Garalāśanamāji-viṣāṇadharam.
   Pramathādhipasevaka-rañjanakaṃ
   Praṇamāmi śivaṃ śivakalpatarum.

6. Makaradhvaja-mattamataṅgaharaṃ
   Karicharmaganāga-vibodhakaram.
   Varamārgaṇaśūla-viṣāṇadharaṃ
   Praṇamāmi śivaṃ śivakalpatarum.

7. Jagadudbhavapālana-nāśakaraṃ
   Tridiveśaśiromaṇi-dhṛṣṭapadam.
   Priyamānava-sādhujanaikagatiṃ
   Praṇamāmi śivaṃ śivakalpatarum.

8. Hṛdasthatamaḥ prakārapaharaṃ
   Nṛmanojanitāgha-vināśakaram.
   Bhajato'khila-duḥkhasamiddhaharaṃ
   Praṇamāmi śivaṃ śivakalpatarum.

Om śāntiḥ śāntiḥ śāntiḥ. Hariḥ om

139

Dvādaśa Jyotirliṅgāni

1. Saurāṣṭre somanāthaṃ cha śrīśaile mallikārjunam.
   Ujjayinyāṃ mahākālamoṅkāre parameśvaram.

2. Kedāraṃ himavatpṛṣṭhe ḍākinyāṃ bhīmaśaṅkaram.
   Vārāṇasyāṃ cha viśveśaṃ tryambakaṃ gautamītaṭe.

3. Vaidyanāthaṃ chitābhūmau nāgeśaṃ dārukāvane.
   Setubandhe cha rāmeśaṃ ghuśmeśaṃ tu śivālaye.

4. Dvādaśaitāni nāmāni prātarutthāya yaḥ paṭhet.
   Sarvapāpairvinirmuktaḥ sarvasiddhiphalaṃ labhet.

Om śāntiḥ śāntiḥ śāntiḥ. Hariḥ om

Umāmaheśvara-stotram

1. Namaḥ śivābhyāṃ navayauvanābhyāṃ
Parasparāśliṣṭa vapurdharābhyām.
Nagendrakanyā-vṛṣaketanābhyāṃ
Namo namaḥ śaṅkarapārvatībhyām.

2. Namaḥ śivābhyāṃ sarasotsavābhyāṃ
Namaskṛtā-bhīṣṭa-varapradābhyām.
Nārāyaṇenārchita-pādukābhyāṃ
Namo namaḥ śaṅkarapārvatībhyām.

3. Namaḥ śivābhyāṃ vṛṣavāhanābhyāṃ
Viriñchiviṣṇvindra-supūjitābhyām.
Vibhūtipāṭīra-vilepanābhyāṃ
Namo namaḥ śaṅkarapārvatībhyām.

4. Namaḥ śivābhyāṃ jagadīśvarābhyāṃ
Jagatpatibhyāṃ jayavigrahābhyām.
Jambhārimukhyairabhi-vanditābhyāṃ
Namo namaḥ śaṅkarapārvatībhyām.

5. Namaḥ śivābhyāṃ paramauṣadhābhyāṃ
Pañchākṣarī pañjararañjitābhyām.
Prapañcha sṛṣṭisthiti saṃhṛtābhyāṃ
Namo namaḥ śaṅkarapārvatībhyām.

6. Namaḥ śivābhyāṃ atisundarābhyāṃ
Atyantamāsakta-hṛdambujābhyām.
Aśeṣalokaika-hitaṅkarābhyāṃ
Namo namaḥ śaṅkarapārvatībhyām.

7. Namaḥ śivābhyāṃ kalināśanābhyāṃ
Kaṅkālakalyāṇa-vapurdharābhyām.
Kailāsaśailasthita-devatābhyāṃ
Namo namaḥ śaṅkarapārvatībhyām.

8. Namaḥ śivābhyāṃ aśubhāpahābhyāṃ
Aśeṣalokaika-viśeṣitābhyām.
Akuṇṭhitābhyāṃ smṛtisambhṛtābhyāṃ
Namo namaḥ śaṅkarapārvatībhyām.

9. Namaḥ śivābhyāṃ rathavāhanābhyāṃ
   Ravīnduvaiśvānara-lochanābhyām.
   Rākā śaśāṅkābha mukhāmbujābhyāṃ
   Namo namaḥ śaṅkarapārvatībhyām.

10. Namaḥ śivābhyāṃ jaṭilandharābhyāṃ
    Jarāmṛtibhyāṃ cha vivarjitābhyām.
    Janārdanābjodbhava-pūjitābhyāṃ
    Namo namaḥ śaṅkarapārvatībhyām.

11. Namaḥ śivābhyāṃ viṣamekṣaṇābhyāṃ
    Bilvachchhadā-mallikadāmabhṛdbhyām.
    Śobhāvatī śāntavatīśvarābhyāṃ
    Namo namaḥ śaṅkarapārvatībhyām.

12. Namaḥ śivābhyāṃ paśupālakābhyāṃ
    Jagattrayīrakṣaṇa baddhahṛdbhyām.
    Samasta devāsurapūjitābhyāṃ
    Namo namaḥ śaṅkarapārvatībhyām.

Om śāntiḥ śāntiḥ śāntiḥ. Hariḥ om

142

Śivāṣṭaka

1. Tasmai namaḥ paramakāraṇa-kāraṇāya
   dīptojjvala-jjvalita piṅgalalochanāya.
   Nāgendrahārakṛta-kuṇḍalabhūṣaṇāya
   brahmendraviṣṇu-varadāya namaḥ śivāya.

2. Śrīmatprasanna-śaśipannaga-bhūṣaṇāya
   śailendrajāvadana-chumbitalochanāya.
   Kailāsamandara-mahendraniketanāya
   lokatrayārti-haraṇāya namaḥ śivāya.

3. Padmāvadāta-maṇikuṇḍalagovṛṣāya
   kṛṣṇāgaruprachura-chandanacharchitāya.
   Bhasmānuṣakta-vikachotpala-mallikāya
   nīlābjakaṇṭhasadṛśāya namaḥ śivāya.

4. Lambatsapiṅgala-jaṭāmukuṭotkaṭāya
   daṃṣṭrākarāla-vikaṭotkaṭabhairavāya.
   Vyāghrājināmbaradharāya manoharāya
   trailokyanāthanamitāya namaḥ śivāya.

5. Dakṣaprajāpati-mahāmakhanāśanāya
   kṣipraṃ mahātripuradānava-ghātanāya.
   Brahmorjitordhvagakaroṭi-nikṛntanāya
   yogāya yoganamitāya namaḥ śivāya.

6. Saṃsārasṛṣṭi-ghaṭanāparivartanāya
   rakṣaḥ piśāchagaṇa-siddhasamākulāya.
   Siddhoragagrahagaṇendra niṣevitāya
   śārdūlacharmavasanāya namaḥ śivāya.

7. Bhasmāṅgarāgakṛta-rūpamanoharāya
   saumyāvadāta-vanamāśritamāśritāya.
   Gaurīkaṭākṣa-nayanārdha-nirīkṣaṇāya
   gokṣīradhāra-dhavalāya namaḥ śivāya.

8. Āditya-soma-varuṇānilasevitāya
   yajñāgnihotravaradhūma-niketanāya.
   Ṛksāmaveda-munibhiḥ stutisaṃyutāya
   gopāya gopanamitāya namaḥ śivāya.

Om śāntiḥ śāntiḥ śāntiḥ. Hariḥ om

Dvādaśa Jyotirliṅga Stotra

1. Saurāṣṭradeśe viśade'tiramye
   jyotirmayaṃ chandrakalāvataṃsam.
   Bhaktipradānāya kṛpāvatīrṇaṃ taṃ
   somanāthaṃ śaraṇaṃ prapadye.

2. Śrīśailaśṛṅge vibudhātisaṅge
   tulādrituṅge'pi mudāvasantam.
   Tamarjunaṃ mallikapūrvamekaṃ
   namāmi saṃsārasamudrasetum.

3. Avantikāyāṃ vihitāvatāraṃ
   muktipradānāya cha sajjanānām.
   Akālamṛtyoḥ parirakṣaṇārthaṃ
   vande mahākālamahāsureśam.

4. Kāverikānarmadayoḥ pavitre
   samāgame sajjanatāraṇāya.
   Sadaiva māndhātṛpure
   vasantamoṅkāramīśaṃ śivamekamīḍe.

5. Pūrvottare prajvalikānidhāne sadā
   vasantaṃ girijāsametam.
   Surāsurārādhitapādapadmaṃ
   śrīvaidyanāthaṃ tamahaṃ namāmi.

6. Yāmye sadaṅge nagare'tiramye
   vibhūṣitāṅgaṃ vividhaiścha bhogaiḥ.
   Sadbhaktimukti-pradamīśamekaṃ
   śrīnāganāthaṃ śaraṇaṃ prapadye.

7. Mahādripārśve cha taṭe ramantaṃ
   sampūjyamānaṃ satataṃ munīndraiḥ.
   Surāsurairyakṣa-mahoragādyaiḥ
   kedāramīśaṃ śivamekamīḍe.

8. Sahyādriśīrṣe vimale vasantaṃ
   godāvarītīrapavitradeśe.
   Yarśanātpātakamāśu nāśaṃ prayāti
   taṃ tryambakamīśamīḍe.

9. Sutāmraparṇī-jalarāśiyoge nibadhya
setuṃ viśikhairasaṅkhyaiḥ.
Śrīrāmachandreṇa samarpitaṃ taṃ
rāmeśvarākhyaṃ niyataṃ namāmi.

10. Yaṃ ḍākinī-śākinikāsamāje
niṣevyamāṇaṃ piśitāśanaiścha.
Sadaiva bhīmādipadaprasiddhaṃ
taṃ śaṅkaraṃ bhaktahitaṃ namāmi.

11. Sānandamānandavane
vasantamānandakandaṃ hatapāpavṛndam.
Vārāṇasī-nāthamanāthanāthaṃ
śrīviśvanāthaṃ śaraṇaṃ prapadye.

12. Ilāpure ramyaviśālake'smin
samullasantaṃ cha jagadvareṇyam.
Vande mahodāratarasvabhāvaṃ
ghṛṣṇeśvarākhyaṃ śaraṇaṃ prapadye.

Om śāntiḥ śāntiḥ śāntiḥ. Hariḥ om

145

Śrīpaśupatyaṣṭaka

1. Paśupatiṃ dyupatiṃ dharaṇīpatiṃ
bhujagalokapatiṃ cha satīpatiṃ.
Praṇatabhaktajanārtiharaṃ paraṃ
bhajata re manujā girijāpatim.

2. Na janako jananī na cha sodaro na
tanayo na cha bhūribalaṃ kulam.
Avati ko'pi na kālavaśaṃ gataṃ
bhajata re manujā girijāpatim.

3. Murajaḍiṇḍima-vādyavilakṣaṇaṃ
madhurapañchama-nādaviśāradam.
Pramathabhūtagaṇairapi sevitaṃ
bhajata re manujā girijāpatim.

4. Śaraṇadaṃ sukhadaṃ śaraṇānvitaṃ
śiva śiveti śiveti nataṃ nṛṇām.
Abhayadaṃ karuṇāvaruṇālayaṃ
bhajata re manujā girijāpatim.

5. Naraśirorachitaṃ maṇikuṇḍalaṃ
bhujagahāramudaṃ vṛṣabhadhvajam.
Chitirajodhavalī-kṛtavigrahaṃ bhajata
re manujā girijāpatim.

6. Makhavināśakaraṃ śaśiśekharaṃ
satatamadhvarabhāji phalapradam.
Pralayadagdha-surāsuramānavaṃ
bhajata re manujā girijāpatim.

7. Madamapāsya chiraṃ hṛdi saṃsthitaṃ
maraṇa-janma-jarā-bhaya-pīḍitam.
Jagadudīkṣya samīpabhayākulaṃ
bhajata re manujā girijāpatim.

8. Hariviranchi-surādhipapūjitaṃ
yamajaneśadhaneśa-namaskṛtam.
Trinayanaṃ bhuvanatrintayādhipaṃ
bhajata re manujā girijāpatim.

Om śāntiḥ śāntiḥ śāntiḥ. Hariḥ om

Śrīviśvanāthāṣṭakaḥ

1. Gaṅgātaraṅgaramaṇīya-jaṭākalāpaṃ
gaurīnirantara-vibhūṣitavāmabhāgam.
Nārāyaṇapriyamanaṅgamadāpahāraṃ
vārāṇasīpurapatiṃ bhaja viśvanātham.

2. Vāchāmagocharamaneka-guṇasvarūpaṃ
vāgīśaviṣṇu-surasevitapādapīṭham.
Vāmena vigrahavareṇa kalatravantaṃ
vārāṇasīpurapatiṃ bhaja viśvanātham.

3. Bhūtādhipaṃ bhujagabhūṣaṇa-bhūṣitāṅgaṃ
vyāghrājināmbaradharaṃ jaṭilaṃ trinetram.
Pāśāṅkuśābhayavaraprada-śūlapāṇiṃ
vārāṇasīpurapatiṃ bhaja viśvanātham.

4. Śītāṃśuśobhita-kirīṭavirājamānaṃ
bhālekṣaṇānalaviśoṣita-pañchabāṇam.
Nāgādhipārachitabhāsura-karṇapūraṃ
vārāṇasīpurapatiṃ bhaja viśvanātham.

5. Pañchānanaṃ duritamattamataṅgajānāṃ
nāgāntakaṃ danujapuṅgavapannagānām.
Dāvānalaṃ maraṇaśokajarāṭavīnāṃ
vārāṇasīpurapatiṃ bhaja viśvanātham.

6. Tejomayaṃ saguṇanirguṇamadvitīya-
mānandakandamaparājitamaprameyam.
Nāgātmakaṃ sakala-niṣkalamātmarūpaṃ
vārāṇasīpurapatiṃ bhaja viśvanātham.

7. Rāgādidoṣarahitaṃ svajanānurāgaṃ
vairāgyaśānti-nilayaṃ girijāsahāyam.
Mādhuryadhairyasubhagaṃ garalābhirāmaṃ
vārāṇasīpurapatiṃ bhaja viśvanātham.

8. Āśāṃ vihāya parihṛtya parasya nindāṃ pāpe
ratiṃ cha sunivārya manaḥ samādhau.
Ādāya hṛtkamala-madhyagataṃ pareśaṃ
vārāṇasīpurapatiṃ bhaja viśvanātham.

Om śāntiḥ śāntiḥ śāntiḥ. Hariḥ om

147

Dāridrya-dahana-stotram

1. Viśveśvarāya narakārṇavatāraṇāya
   karṇāmṛtāya śaśiśekharadhāraṇāya.
   Karpūrakāntidhavalāya jaṭādharāya
   dāridryaduḥkhadahanāya namaḥ śivāya.

2. Gauripriyāya rajanīśakalā-dharāya
   kālāntakāya bhujagādhipakaṅkaṇāya.
   Gaṅgādharāya gajarāja-vimardanāya
   dāridryaduḥkhadahanāya namaḥ śivāya.

3. Bhaktipriyāya bhava-roga-bhayāpahāya
   ugrāya durgabhava-sāgaratāraṇāya.
   Jyotirmayāya guṇanāmasunṛtyakāya
   dāridryaduḥkhadahanāya namaḥ śivāya.

4. Charmāmbarāya śavabhasmavilepanāya
   bhālekṣaṇāya maṇikuṇḍalamaṇḍitāya.
   Mañjīrapādayugalāya jaṭādharāya
   dāridryaduḥkhadahanāya namaḥ śivāya.

5. Pañchānanāya phaṇirājavibhūṣaṇāya
   hemāṃśukāya bhuvanatrayamaṇḍitāya.
   Ānandabhūmivaradāya tamomayāya
   dāridryaduḥkhadahanāya namaḥ śivāya.

6. Bhānupriyāya bhavasāgara-tāraṇāya
   kālāntakāya kamalāsanapūjitāya.
   Netratrayāya śubhalakṣaṇa-lakṣitāya
   dāridryaduḥkhadahanāya namaḥ śivāya.

7. Rāmapriyāya raghunāthavara pradāya
   nāgapriyāya narakārṇavatāraṇāya.
   Puṇyeṣu puṇyabharitāya surārchitāya
   dāridryaduḥkhadahanāya namaḥ śivāya.

8. Mukteśvarāya phaladāya gaṇeśvarāya
   gītapriyāya vṛṣabheśvaravāhanāya.
   Mātaṅgacharmavasanāya maheśvarāya
   dāridryaduḥkhadahanāya namaḥ śivāya.

Om śāntiḥ śāntiḥ śāntiḥ. Hariḥ om

Śrī-dakṣiṇāmūrtti-stotram

1. Viśvaṃ darpaṇadṛśyamāna-nagarītulyaṃ nijāntargataṃ
   paśyannātmani māyayā bahirivodbhūtaṃ yathā nidrayā.
   Yassākṣātkurute prabodhasamaye svātmānamevādvayaṃ
   tasmai śrīgurumūrttaye nama idaṃ śrīdakṣiṇāmūrttaye.

2. Bījasyāntarivāṅkuro jagadidaṃ prāṅnirvikalpaṃ punaḥ
   māyākalpita-deśakāla-kalanā vaichitrya-chitrīkṛtam.
   Māyāvīva vijṛmbhayatyapi mahāyogīva yaḥ svechchhayā tasmai
   śrīgurumūrttaye nama idaṃ śrīdakṣiṇāmūrttaye.

3. Yasyaiva sphuraṇaṃ sadātmakamasatkalpārthakaṃ bhāsate
   sākṣāttattvamasīti vedavachasā yo bodhayatyāśritān.
   Yatsākṣātkaraṇādbhavenna punarāvṛttirbhavāmbhonidhau
   tasmai śrīgurumūrttaye nama idaṃ śrīdakṣiṇāmūrttaye.

4. Nānāchchhidra-ghaṭodarasthita mahādīpa-prabhābhāsvaraṃ
   jñānaṃ yasya tu chakṣurādikaraṇadvārā bahiḥ spandate.
   Jānāmīti tameva bhāntamanubhātyetatsamastaṃ jagat tasmai
   śrīgurumūrttaye nama idaṃ śrīdakṣiṇāmūrttaye.

149

5. Dehaṃ prāṇamapīndriyāṇyapi chalāṃ buddhiṃ cha śūnyaṃ viduḥ strībālāndhajaḍopamāstvahamiti bhrāntā bhṛśaṃ vādinaḥ.
Māyāśakti-vilāsakalpita-mahāvyāmohasaṃhāriṇe tasmai śrīgurumūrttaye nama idaṃ śrīdakṣiṇāmūrttaye.

6. Rāhugrasta-divākarendusadṛśo māyāsamāchchhādanāt sanmātraḥ karaṇopasaṃharaṇato yo'bhūtsuṣuptaḥ pumān. Prāgasvāpsamiti prabodhasamaye yaḥ pratyabhijñāyate tasmai śrīgurumūrttaye nama idaṃ śrīdakṣiṇāmūrttaye.

7. Vālyādiṣvapi jāgradādiṣu tathā sarvāsvavasthāsvapi vyāvṛttāsvanuvartamāna-mahamityantaḥ sphurantaṃ sadā. Svātmānaṃ prakaṭīkaroti bhajatāṃ yo mudrayā bhadrayā tasmai śrīgurumūrttaye nama idaṃ śrīdakṣiṇāmūrttaye.

8. Viśvaṃ paśyati kāryakāraṇatayā svasvāmi-sambandhataḥ śiṣyāchāryatayā tathaiva pitṛputrādyātmanā bhedataḥ. Svapne jāgrati vā ya eṣa puruṣo māyāparibhrāmitaḥ tasmai śrīgurumūrttaye nama idaṃ śrīdakṣiṇāmūrttaye.

9. Bhūrambhāṃsyanalo'nilo'mbaramaharnātho himāṃśuḥ pumān ityābhāti charācharātmakamidaṃ yasyaivaṃ mūrttyaṣṭakam. Nānyatkiñchana vidyate vimṛśatāṃ yasmātparasmādvibhoḥ tasmai śrīgurumūrttaye nama idaṃ śrīdakṣiṇāmūrttaye.

10. Sarvātmatvamiti sphuṭīkṛtamidaṃ yasmādamuṣminstave tenāsya śravaṇāttadartha-mananād-dhyānāchcha saṅkīrtanāt. Sarvātmatva-mahāvibhūti-sahitaṃ syādīśvaratvaṃ svataḥ siddhayettatpunaraṣṭadhā pariṇataṃ chaiśvaryamavyāhatam.

Om śāntiḥ śāntiḥ śāntiḥ. Hariḥ om

Himālayakṛtaṃ Śivastotram

1. Tvaṃ brahmā sṛṣṭikartā cha tvaṃ viṣṇuḥ paripālakaḥ.
   Tvaṃ śivaḥ śivado'nantaḥ sarvasaṃhārakārakaḥ.

2. Tvamīśvaro guṇātīto jyotīrūpaḥ sanātanaḥ.
   Prakṛtiḥ prakṛitīśaścha prākṛtaḥ prakṛteḥ paraḥ.

3. Nānārūpavidhātā tvaṃ bhaktānāṃ dhyānahetave.
   Yeṣu rūpeṣu yatprītistattadrūpaṃ bibharṣi cha.

4. Sūryastvaṃ sṛṣṭijanaka ādhāraḥ sarvatejasām.
   Somastvaṃ śasya pātā cha satataṃ śītaraśminā.

5. Vāyustvaṃ varuṇastvaṃ cha tvamagniḥ sarvadāhakaḥ.
   Indrastvaṃ devarājaścha kālo mṛtyuryamastathā.

6. Mṛtyuñjayo mṛtyumṛtyuḥ kālakālo yamāntakaḥ.
   Vedastvaṃ vedakartā cha vedavedāṅgapāragaḥ.

7. Viduṣāṃ janakastvaṃ cha vidvāṃścha viduṣāṃ guruḥ.
   Mantrastvaṃ hi japastvaṃ hi tapastvaṃ tatphalapradaḥ.

8. Vāk tvaṃ vāgadhidevī tvaṃ tatkartā tadguruḥ svayam.
   Aho sarasvatībījaṃ kastvāṃ stotumiheśvaraḥ.

9. Ityevamuktvā śailendrastasthau dhṛtvā padāmbujam.
   Tatrovāsa tamābodhya chāvaruhya vṛṣāchchhivaḥ.

Om śāntiḥ śāntiḥ śāntiḥ. Hariḥ om

Bāṇāsurakṛtaṃ Śivastotram

1. Vande surāṇāṃ sāraṃ cha sureśaṃ nīlalohitam.
   Yogīśvaraṃ yogabījaṃ yogināṃ cha gurorgurum.

2. Jñānānandaṃ jñānarūpaṃ jñānabījaṃ sanātanam.
   Tapasāṃ phaladātāraṃ dātāraṃ sarvasampadām.

3. Taporūpaṃ tapobījaṃ tapodhanadhanaṃ varam.
   Varaṃ vareṇyaṃ varadamīḍyaṃ siddhagaṇairvaraiḥ.

4. Kāraṇaṃ bhuktimuktīnāṃ narakārṇavatāraṇam.
   Āśutoṣaṃ prasannāsyaṃ karuṇāmaya-sāgaram.

5. Himachandana-kundendu-kumudāmbhoja-sannibham.
   Brahmajyotiḥsvarūpaṃ cha bhaktānugrahavigraham.

6. Viṣayāṇāṃ vibhedena bibhrantaṃ bahurūpakam.
   Jalarūpamagnirūpamākāśarūpamīśvaram.

7. Vāyurūpaṃ chandrarūpaṃ sūryarūpaṃ mahatprabhum.
   Ātmanaḥ svapadaṃ dātuṃ samarthamavalīlayā.

8. Bhaktajīvanamīśaṃ cha bhaktānugraha-kātaram.
   Vedā na śaktā yaṃ stotuṃ kimahaṃ staumi taṃ prabhum.

9. Aparichchhinnamīśānamaho vāṅmanasoḥ param.
   Vyāghracharmāmbaradharaṃ vṛṣabhasthaṃ digambaram.

10. Triśūlapaṭṭiśadharaṃ sasmitaṃ chandraśekharam.
    Kathitaṃ cha mahāstotraṃ śūlinaḥ paramādbhutam.

Om śāntiḥ śāntiḥ śāntiḥ. Hariḥ om

Asitakṛtaṃ Śivastotram

1. Jagadguro namastubhyaṃ śivāya śivadāya cha.
   Yogīndrāṇāṃ cha yogīndra gurūṇāṃ gurave namaḥ.

2. Mṛtyormṛtyusvarūpeṇa mṛtyusaṃsārakhaṇḍana.
   Mṛtyorīśa mṛtyubīja mṛtyuñjaya namo'stu te.

3. Kālarūpaṃ kalayatāṃ kālakāleśa kāraṇa.
   Kālādatīta kālasya kālakāla namo'stu te.

4. Guṇātīta guṇādhāra guṇabīja guṇātmaka
   Guṇīśa guṇināṃ bīja guṇināṃ gurave namaḥ.

5. Brahmasvarūpa brahmajña brahmabhāvanatatpara.
   Brahmabījasvarūpeṇa brahmabīja namo'stu te.

6. Iti stutvā śivaṃ natvā purastasthau munīśvaraḥ.
   Dīnavat sāśrunetraścha pulakāñchitavigrahaḥ.

7. Asitena kṛtaṃ stotraṃ bhaktiyuktaścha yaḥ paṭhet.
   Varṣamekaṃ haviṣyāśī śaṅkarasya mahātmanaḥ.

Om śāntiḥ śāntiḥ śāntiḥ. Hariḥ om

153

Andhakakṛtā Śivastutiḥ

1. Kṛtsnasya yo'sya jagataḥ sacharācharasya kartā
   kṛtasya cha tathā sukhaduḥkhahetuḥ.
   Saṃhāraheturapi yaḥ punarantakāle taṃ śaṅkaraṃ
   śaraṇadaṃ śaraṇaṃ vrajāmi.

2. Yaṃ yogino-vigatamoha-tamorajaskā
   bhaktyaikatāna-manaso vinivṛttakāmāḥ.
   Dhyāyanti niśchaladhiyo'mitadivyabhāvaṃ taṃ
   śaṅkaraṃ śaraṇadaṃ śaraṇaṃ vrajāmi.

3. Yaśchendu-khaṇḍamamalaṃ vilasanmayūkhaṃ
   baddhvā sadā priyatamāṃ śirasā bibharti.
   Yaśchārdha-dehamadadād girirājaputryai taṃ
   śaṅkaraṃ śaraṇadaṃ śaraṇaṃ vrajāmi.

4. Yo'yaṃ sakṛdvimalachāru-vilolatoyāṃ gaṅgāṃ
   mahormiviṣamāṃ gaganāt patantīm.
   Mūrdhnā'dade srajamiva pratilolapuṣpāṃ taṃ
   śaṅkaraṃ śaraṇadaṃ śaraṇaṃ vrajāmi.

5. Kailāsaśaila-śikharaṃ pratikampyamānaṃ
   kailāsaśṛṅga-sadṛśena daśānanena.
   Yaḥ pādapadma-parivādanamādadhānastaṃ
   śaṅkaraṃ śaraṇadaṃ śaraṇaṃ vrajāmi.

6. Yenāsakṛd ditisutāḥ samare nirastā
   vidyādharoragagaṇāścha varaiḥ samagrāḥ.
   Saṃyojitā munivarāḥ phalamūlabhakṣāstaṃ
   śaṅkaraṃ śaraṇadaṃ śaraṇaṃ vrajāmi.

7. Dagdhvādhvaraṃ cha nayane cha tathā bhagasya
   pūṣṇastathā daśanapaṅktimapātayachcha.
   Tastambha yaḥ kuliśayukta-mahendrahastaṃ taṃ
   śaṅkaraṃ śaraṇadaṃ śaraṇaṃ vrajāmi.

8. Enaskṛto'pi viṣayeṣvapi saktabhāvā
   jñānānvayaśruta-guṇairapi naiva yuktāḥ.
   Yaṃ saṃśritāḥ sukhabhujaḥ puruṣā bhavanti taṃ
   śaṅkaraṃ śaraṇadaṃ śaraṇaṃ vrajāmi.

9. Atriprasūti-ravikoṭisamānatejāḥ santrāsanaṃ
   vibudhadānava-sattamānām.
   Yaḥ kālakūṭamapibat samudīrṇavegaṃ taṃ
   śaṅkaraṃ śaraṇadaṃ śaraṇaṃ vrajāmi.

10. Brahmendrarudramarutāṃ cha saṣaṇmukhānāṃ
    yo'dād varāṃścha bahuśo bhagavān maheśaḥ.
    Nandiṃ cha mṛtyuvadanāt punarujjahāra taṃ
    śaṅkaraṃ śaraṇadaṃ śaraṇaṃ vrajāmi.

11. Ārādhitaḥ sutapasā himavannikuñje dhūmravratena
    manasā'pi parairagamyaḥ.
    Sañjīvanī samadadād bhṛgave mahātmā taṃ
    śaṅkaraṃ śaraṇadaṃ śaraṇaṃ vrajāmi.

12. Nānāvidhairgajabiḍāla-samānavaktrairdakṣādhvara-
    pramathanairbalibhirgaṇaughaiḥ.
    Yo'bhyarchyate'maragaṇaiścha salokapālaistaṃ
    śaṅkaraṃ śaraṇadaṃ śaraṇaṃ vrajāmi.

13. Krīḍārthameva bhagavān bhuvanāni sapta
    nānānadī-vihagapādapa-maṇḍitāni.
    Sabrahmakāni vyasṛjat sukṛtāhitāni taṃ śaṅkaraṃ
    śaraṇadaṃ śaraṇaṃ vrajāmi.

14. Yasyākhilaṃ jagadidaṃ vaśavarti nityaṃ
    yo'ṣṭābhireva tanubhirbhuvanāni bhuṅkte.
    Yaḥ kāraṇaṃ sumahatāmapi kāraṇānāṃ taṃ
    śaṅkaraṃ śaraṇadaṃ śaraṇaṃ vrajāmi.

15. Śaṅkhendu-kundadhavalaṃ vṛṣabhapravīramāruhya
    yaḥ kṣitidharendra-sutānuyātaḥ.
    Yātyambare himavibhūti-vibhūṣitāṅgastaṃ
    śaṅkaraṃ śaraṇadaṃ śaraṇaṃ vrajāmi.

16. Śāntaṃ muniṃ yamaniyogaparāyaṇaṃ
    tairbhīmairyamasya puruṣaiḥ pratinīyamānam.
    Bhaktyā nataṃ stutiparaṃ prasabhaṃ rarakṣa taṃ
    śaṅkaraṃ śaraṇadaṃ śaraṇaṃ vrajāmi.

17. Yaḥ savyapāṇi-kamalāgranakhena devastat
    pañchamaṃ prasabhameva puraḥ surāṇām.
    Brāhmaṃ śirastaruṇapadmanibhaṃ chakarta taṃ
    śaṅkaraṃ śaraṇadaṃ śaraṇaṃ vrajāmi.

18. Yasya praṇamya charaṇau varadasya bhaktyā
    stutvā cha vāgbhiramalābhiratandritābhiḥ.
    Dīptaistamāṃsi nudate svakarairvivasvāṃ staṃ
    śaṅkaraṃ śaraṇadaṃ śaraṇaṃ vrajāmi.

Om śāntiḥ śāntiḥ śāntiḥ. Hariḥ om

Skandakṛtā Śivastutiḥ

1. Namaḥ śivāyāstu nirāmayāya namaḥ
śivāyāstu manomayāya.
Namaḥ śivāyāstu surārchitāya
tubhyaṃ sadā bhaktakṛpāparāya.

2. Namo bhavāyāstu bhavodbhavāya
namo'stu te dhvastamanobhavāya.
Namo'stu te gūḍhamahāvratāya
namo'stu māyāgahanāśrayāya.

3. Namo'stu śarvāya namaḥ śivāya
namo'stu siddhāya purātanāya.
Namo'stu kālāya namaḥ kalāya
namo'stu te kālakalātigāya.

4. Namo nisargātmakabhūtikāya
namo'stvameyokṣamaharddhikāya.
Namaḥ śaraṇyāya namo'guṇāya
namo'stu te bhīmaguṇānugāya.

5. Namo'stu nānābhuvanādhikartre
namo'stu bhaktābhimatapradātre.
Namo'stu karmaprasavāya dhātre
namaḥ sadā te bhagavan sukartre.

6. Anantarūpāya sadaiva
tubhyamasahyakopāya sadaiva tubhyam.
Ameyamānāya namo'stu tubhyaṃ
vṛṣendrayānāya namo'stu tubhyam.

7. Namaḥ prasiddhāya mahauṣadhāya
namo'stu te vyādhigaṇāpahāya.
Charācharāyātha vichāradāya
kumāranāthāya namaḥ śivāya.

8. Mameśa bhūteśa maheśvaro'si
kāmeśa vāgīśa baleśa dhīśa.
Krodheśa moheśa parāpareśa
namo'stu mokṣeśa guhāśayeśa.

Om śāntiḥ śāntiḥ śāntiḥ. Hariḥ om

Śrīrāmakṛtā Śambhustutiḥ

1. Namāmi śambhuṃ puruṣaṃ purāṇaṃ
namāmi sarvajñamapārabhāvam.
Namāmi rudraṃ prabhumakṣayaṃ taṃ
namāmi śarvaṃ śirasā namāmi.

2. Namāmi devaṃ paramavyayaṃ
tamumāpatiṃ lokaguruṃ namāmi.
Namāmi dāridryavidāraṇaṃ taṃ namāmi
rogāpaharaṃ namāmi.

3. Namāmi kalyāṇamachintyarūpaṃ namāmi
viśvodbhava-bījarūpam.
Namāmi viśvasthitikāraṇaṃ taṃ namāmi
saṃhārakaraṃ namāmi.

4. Namāmi gaurīpriyamavyayaṃ taṃ namāmi
nityaṃ kṣaramakṣaraṃ tam.

Namāmi chidrūpamameyabhāvaṃ
trilochanaṃ taṃ śirasā namāmi.

5. Namāmi kāruṇyakaraṃ bhavasya
bhayaṅkaraṃ vā'pi sadā namāmi.
Namāmi dātāramabhīpsitānāṃ namāmi
someśamumeśamādau.

6. Namāmi vedatrayalochanaṃ taṃ namāmi
mūrtitrayavarjitaṃ tam.
Namāmi puṇyaṃ sadasadvyatītaṃ namāmi
taṃ pāpaharaṃ namāmi.

7. Namāmi viśvasya hite rataṃ taṃ namāmi
rūpāṇi bahūni dhatte.
Yo viśvagoptā sadasatpraṇetā namāmi taṃ
viśvapatiṃ namāmi.

8. Yajñeśvaraṃ samprati havyakavyaṃ
tathāgatiṃ lokasadāśivo yaḥ.
Ārādhito yaścha dadāti sarvaṃ namāmi
dānapriyamiṣṭadevam.

9. Namāmi someśvaramasvatantramumāpatiṃ
taṃ vijayaṃ namāmi.
Namāmi vighneśvara-nandināthaṃ
putrapriyaṃ taṃ śirasā namāmi.

10. Namāmi devaṃ bhavaduḥkhaśokavināśanaṃ
chandradharaṃ namāmi.
Namāmi gaṅgādharamīśamīḍyamumādhavaṃ
devavaraṃ namāmi.

11. Namāmyajādīśa-purandarādi-
surāsurairarchita-pādapadmam.
Namāmi devīmukha-
vādanānāmīkṣārthamakṣitritayaṃ ya aichchhat.

12. Pañchāmṛtairgandha-sudhūpadīpairvichitra-
puṣpairvividhaiścha mantraiḥ.
Annaprakāraiḥ sakalopachāraiḥ sampūjitaṃ
somamahaṃ namāmi.

Om śāntiḥ śāntiḥ śāntiḥ. Hariḥ om

Bṛhaspatikṛtā Mahādevastutiḥ

1. Jaya śaṅkara śānta śaśāṅkaruche ruchirārthada sarvada sarvaśuche.
Śuchidattagṛhītamahopahṛte hṛtabhaktajanoddhatatāpatate.

2. Tatasarvahṛdambara varada nate natavṛjinamahāvanadāhakṛte.
Kṛtavividha-charitratano sutano tanuviśikha-viśoṣaṇadhairyanidhe.

3. Nidhanādi-vivarjita kṛtanatikṛt kṛtivihita-manorathapannagabhṛt.
Nagabhartṛsutārpitavāmavapuḥ svavapuḥ paripūritasarvajagat.

4. Trijaganmayarūpa virūpa sudṛg dṛgudañchana kuñchanakṛtahutabhuk.
Bhava bhūtapate pramathaikapate patiteṣvapi dattakaraprasṛte.

5. Prasṛtākhila-bhūtalasaṃvaraṇa praṇavadhvanisaudhasudhāṃśudhara.
Dhararājakumārikayā parayā paritaḥ parituṣṭa nato'smi śiva.

6. Śiva deva girīśa maheśa vibho vibhavaprada giriśa śiveśa mṛḍa.
Mṛḍayoḍupatidhra jagat tritayaṃ kṛtayantraṇabhakti-vighātakṛtām.

7. Na kṛtāntata eṣa vibhemi hara praharāśu mahāghamamoghamate.
Na matāntaramanyadavaimi śivaṃ śivapādanateḥ praṇato'smi tataḥ.

8. Vitate'tra jagatyakhile'ghaharaṃ haratoṣaṇameva paraṃ guṇavat.
Guṇahīnamahīna-mahāvalayaṃ pralayāntakamīśa nato'smi tataḥ.

9. Iti stutvā mahādevaṃ virarāmāṅgiraḥ sutaḥ.
Vyatarachchamaheśānaḥ stutyā tuṣṭo varān bahūn.

10. Bṛhatā tapasā'nena bṛhatāṃ patiredhyaho.
Nāmnā bṛhaspatiriti graheṣvarchyo bhava dvija.

Om śāntiḥ śāntiḥ śāntiḥ. Hariḥ om

Brahmākṛtā Mahākālastutiḥ

1. Namo'stvanantarūpāya nīlakaṇṭha namo'stu te.
Avijñātasvarūpāya kaivalyāyāmṛtāya cha.

2. Nāntaṃ devā vijānanti yasya tasmai namo namaḥ.
Yaṃ na vāchaḥ praśaṃsanti namastasmai chidātmane.

3. Yogino yaṃ hṛdaḥkośe praṇidhānena niśchalāḥ.
Jyotīrūpaṃ prapaśyanti tasmai śrībrahmaṇe namaḥ.

4. Kālātparāya kālāya svechchhayā puruṣāya cha.
Guṇatrayasvarūpāya namaḥ prakṛtirūpiṇe.

5. Viṣṇave sattvarūpāya rajorūpāya vedhase.
Tamorūpāya rudrāya sthiti-sargāntakāriṇe.

6. Namo namaḥ svarūpāya pañchabuddhīndriyātmane.
Kṣityādipañcharūpāya namaste viṣayātmane.

7. Namo brahmāṇḍarūpāya tadantarvartine namaḥ.
Arvāchīna-parāchīnaviśvarūpāya te namaḥ.

8. Achintya-nityarūpāya sadasatpataye namaḥ.
Namaste bhaktakṛpayā svechchhāviṣkṛta-vigraha.

9. Tava niḥśvasitaṃ vedāstava vedo'khilaṃ jagat.
Viśvabhūtāni te pādaḥ śiro dhyauḥ samavartata.

10. Nābhyā āsīdantarikṣaṃ lomāni cha vanaspatiḥ.
Chandramā manaso jātaśchakṣoḥ sūryastava prabho.

11. Tvameva sarvaṃ tvayi deva sarvaṃ sarvastutistavya iha tvameva.
Īśa tvayā vāsyamidaṃ hi sarvaṃ namo'stu bhūyo'pi namo namaste.

Om śāntiḥ śāntiḥ śāntiḥ. Hariḥ om

Śivatāṇḍavastutiḥ

1. Devā dikpatayaḥ prayāta parataḥ khaṃ muñchatāmbhomuchaḥ
Pātālaṃ vraja medini praviśata kṣoṇītalaṃ bhūdharāḥ.
Brahmannunnaya dūramātmabhūvanaṃ nāthasya no nṛtyataḥ
Śambhoḥ saṅkaṭametadityavatu vaḥ protsāraṇā nandinaḥ.

2. Dordaṇḍadvaya-līlayāchala-giribhrāmyattaduchchai rava-
Dhvānodbhīta-jagadbhramatpadabharālolatphaṇāgryoragam.
Bhṛṅgāpiṅgajaṭāṭavī-parisarodgaṅgormimālāchalat-
Chandraṃ chāru maheśvarasya bhavatānnaḥ śreyase tāṇḍavam.

3. Sandhyātāṇḍava-ḍambaravyasanino bhargasya chaṇḍabhrami-
Vyānṛtyadbhujadaṇḍa-maṇḍalabhuvo jhañjhānilāḥ pāntu vaḥ.
Yeṣāmuchchhalatāṃ javena jhaṭiti vyūheṣu bhūmībhṛtāṃ-
Uḍḍīneṣu viḍaujasā punarasau dambholirālokitā.

4. Śarvāṇīpāṇi-tālaiśchalavalaya-jhaṇatkāribhiḥ ślāghyamānaṃ
Sthānesambhāvyamānaṃ pulakitavapuṣā śambhunāprekṣakeṇa.
Khelatpichchhālikekā-kalakalakalitaṃ krauñchabhidbarhiyūno
Herambākāṇḍa-bṛṃhātaralita-manasastāṇḍavaṃ tvā dhunotu.

5. Devastraiguṇyabhedāt sṛjati vitanute saṃharatyeṣa lokān-
Asyaiva vyāpinībhistanubhirapi jagadvyāptamaṣṭābhireva.
Vandyo nāsyeti paśyanniva charaṇagataḥ pātu puṣpāñjalirvaḥ
Śambhornṛtyāvatāre valayaphaṇiphaṇā-phūtkṛtairviprakīrṇaḥ.

Om śāntiḥ śāntiḥ śāntiḥ. Hariḥ om

Śrīviśvanāthamaṅgalastotram

1. Gaṅgādharaṃ śaśikiśoradharaṃ trilokī-
Rakṣādharaṃ niṭilachandradharaṃ tridhāram.
Bhasmāvadhūlanadharaṃ girirājakanyā-
Divyāvalokanadharaṃ varadaṃ prapadye.

2. Kāśīśvaraṃ sakalabhaktajanārtihāraṃ
Viśveśvaraṃ praṇatapālana-bhavyabhāraṃ.
Rāmeśvaraṃ vijayadānavidhānadhīraṃ
Gaurīśvaraṃ varadahastadharaṃ namāmaḥ.

3. Gaṅgottamāṅgakalitaṃ lalitaṃ viśālaṃ
Taṃ maṅgalaṃ garalanīlagalaṃ lalāmam.
Śrīmuṇḍamālyavalayojjvalamañjulīlaṃ
Lakṣmīśvarārchita-padāmbujamābhajāmaḥ.

4. Dāridryaduḥkhadahanaṃ kamanaṃ surāṇāṃ
Dīnārtidāvadahanaṃ damanaṃ ripūṇāṃ.
Dānaṃ śriyāṃ praṇamanaṃ bhuvanādhipānāṃ
Mānaṃ satāṃ vṛṣabhavāhanamānamāmaḥ.

5. Śrīkṛṣṇachandraśaraṇaṃ ramaṇaṃ bhavānyāḥ
Śaśvatprapannabharaṇaṃ dharaṇaṃ dharāyāḥ.
Saṃsārabhāraharaṇaṃ karuṇaṃ vareṇyaṃ
Santāpatāpakaraṇaṃ karavai śaraṇyam.

6. Chaṇḍīpichaṇḍila-vituṇḍadhṛtābhiṣekaṃ
Śrīkārtikeyakala-nṛtyakalāvalokam.
Nandīśvarāsya-varavādyamahotsavāḍhyaṃ
Sollāsahāsagirijaṃ giriśaṃ tamīḍe.

7. Śrīmohinī-nividarāgabharopagūḍhaṃ
Yogeśvareśvara-hṛdambujavāsarāsam.
Sammohanaṃ girisutāñchita-chandrachūḍaṃ
Śrīviśvanāthamadhināthamupaimi nityam.

Om śāntiḥ śāntiḥ śāntiḥ. Hariḥ om

Śrīkāśīviśveśvarādistotram

Pujya Gurudev

1. Namaḥ śrīviśvanāthāya devavandyapadāya te.
   Kāśīśeśāvatāro me devadeva hyupādiśa.
2. Māyādhīśaṃ mahātmānaṃ sarvakāraṇakāraṇaṃ.
   Vande taṃ mādhavaṃ devaṃ yaḥ kāśīṃ chādhitiṣṭhati.
3. Vande taṃ dharmagoptāraṃ sarvaguhyārthavedinam.
   Gaṇadevaṃ ḍhuṇḍhirājaṃ taṃ mahāntaṃ suvighnaham.
4. Bhāraṃ voḍhuṃ svabhaktānāṃ yo yogaṃ prāpta uttamam.
   Taṃ saḍhuṇḍhiṃ daṇḍapāṇiṃ vande gaṅgātaṭasthitam.
5. Bhairavaṃ daṃṣṭrākarālaṃ bhaktābhayakaraṃ bhaje.
   Duṣṭadaṇḍa-śūlaśīrṣadharaṃ vāmādhvachāriṇam.
6. Śrīkāśīṃ pāpaśamanīṃ damanīṃ duṣṭachetasaḥ.
   Svarniḥśreṇiṃ chāvimuktapurīṃ martyahitāṃ bhaje.
7. Namāmi chaturārādhyāṃ sadā'ṇimni sthitiṃ guhām.
   Śrīgaṅge bhairavīṃ dūrīkuru kalyāṇi yātanām.
8. Bhavāni rakṣānnapūrṇe sadvarṇitaguṇe'mbike.
   Devarṣivandyāmbu-maṇikarṇikāṃ mokṣadāṃ bhaje.

Om śāntiḥ śāntiḥ śāntiḥ. Hariḥ om

Ardhanārīnaṭeśvarastotram

1. Chāmpeyagaurārdha-śarīrakāyai karpūragaurārdha-śarīrakāya.
Dhammillakāyai cha jaṭādharāya namaḥ śivāyai cha namaḥ śivāya.

2. Kastūrikākuṅkuma-charchitāyai chitārajaḥpuñjavicharchitāya.
Kṛtasmarāyai vikṛtasmarāya namaḥ śivāyai cha namaḥ śivāya.

3. Chalatkvaṇatkaṅkaṇa-nūpurāyai pādābja-rājatphaṇinūpurāya.
Hemāṅgadāyai bhujagāṅgadāya namaḥ śivāyai cha namaḥ śivāya.

4. Viśālanīlotpala-lochanāyai vikāsipaṅkeruha-lochanāya.
Samekṣaṇāyai viṣamekṣaṇāya namaḥ śivāyai cha namaḥ śivāya.

5. Mandāramālā-kalitālakāyai kapālamālāṅkita-kandharāya.
Divyāmbarāyai cha digambarāya namaḥ śivāyai cha namaḥ śivāya.

6. Ambhodharaśyāmala-kuntalāyai taḍitprabhātāmra-jaṭādharāya.
Nirīśvarāyai nikhileśvarāya namaḥ śivāyai cha namaḥ śivāya.

7. Prapañchasṛṣṭyunmukha-lāsyakāyai samastasaṃhāraka-tāṇḍavāya.
Jagajjananyaijagadekapitre namaḥ śivāyai cha namaḥ śivāya.

8. Pradīptaratnojjvala-kuṇḍalāyai sphuranmahāpannaga-bhūṣaṇāya.
Śivānvitāyai cha śivānvitāya namaḥ śivāyai cha namaḥ śivāya.

Om śāntiḥ śāntiḥ śāntiḥ. Hariḥ om

Viśvamūrtyaṣṭakastotram

1. Akāraṇāyākhila-kāraṇāya namo mahākāraṇa-kāraṇāya.
   Namo'stu kālānala-lochanāya kṛtāgasaṃ māmava viśvamūrte.

2. Namo'stvahīnā-bharaṇāya nityaṃ namaḥ paśūnāṃ pataye mṛḍāya.
   Vedānta-vedyāya namo namaste kṛtāgasaṃ māmava viśvamūrte.

3. Namo'stu bhakterhita-dānadātre sarvauṣadhīnāṃ pataye namo'stu.
   Brahmaṇya-devāya namo namaste kṛtāgasaṃ māmava viśvamūrte.

4. Kālāya kālānala-sannibhāya hiraṇyagarbhāya namo namaste.
   Hālāhalādāya sadā namaste kṛtāgasaṃ māmava viśvamūrte.

5. Viriñchi-nārāyaṇa-śakramukhyairajñāta-vīryāya namo namaste.
   Sūkṣmā'tisūkṣmāya namo'ghahantre kṛtāgasaṃ māmava viśvamūrte.

6. Anekakoṭīndunibhāya te'stu namo girīṇāṃ pataye'ghahantre.
   Namo'stu te bhakta-vipaddharāya kṛtāgasaṃ māmava viśvamūrte.

7. Sarvāntara-sthāya viśuddha-dhāmne namo'stu te duṣṭa-kulāntakāya.
   Samasta-tejonidhaye namaste kṛtāgasaṃ māmava viśvamūrte.

8. Yajñāya yajñādiphala-pradātre yajñasvarūpāya namo namaste.
   Namo mahānandamayāya nityaṃ kṛtāgasaṃ māmava viśvamūrte.

Om śāntiḥ śāntiḥ śāntiḥ. Hariḥ om

Śivāṣṭottaraśatanāmastotram

1. Jaya śambho vibho rudra svayambho jaya śaṅkara.
   Jayeśvara jayeśāna jaya jaya sarvajña kāmadaṃ.
2. Nīlakaṇṭha jaya śrīda śrīkaṇṭha jaya dhūrjaṭe.
   Aṣṭamūrte'nantamūrte mahāmūrte jayānagha.
3. Jaya pāpaharānaṅganiḥsaṅga bhaṅganāśana.
   Jaya tvaṃ tridaśādhāra trilokeśa trilochana.
4. Jaya tvaṃ tripathādhāra trimārga tribhirūrjita.
   Tripurāre tridhāmūrte jayaikatrijaṭātmaka.
5. Śaśiśekhara śūleśa paśupāla śivāpriya.
   Śivātmaka śiva śrīda suhṛchchhrīśatano jaya.
6. Sarva sarveśa bhūteśa giriśa tavaṃ girīśvaraḥ.
   Jayograrūpa bhīmeśa bhava bharga jaya prabho.
7. Jaya dakṣādhvara-dhvaṃsinnandhaka-dhvaṃsakāraka.
   Ruṇḍamālin kapālī tva bhujaṅgā'jinabhūṣaṇa.
8. Digambara diśānātha vyomakeśa chitāpate.
   Jayādhāra nirādhāra bhasmādhāra dharādhara.
9. Devadeva mahādeva devateśādidaivata.
   Vahnivīrya jaya sthāṇo jayāyonijasambhava.
10. Bhava śarva mahākāla bhasmāṅga sarpabhūṣaṇa.
    Tryambaka sthapate vāchāmpate bho jagatāmpate.
11. Śipiviṣṭa virūpākṣa jaya liṅga vṛṣadhvaja.
    Nīlalohita piṅgākṣa jaya khaṭvāṅgamaṇḍana.
12. Kṛttivāsa ahirbudhnya mṛḍānīśa jaṭāmbubhṛt.
    Jagadbhrātarjaganmātarjagattāta jagadguro.
13. Pañchavaktra mahāvaktra kālavaktra gajāsyabhṛt.
    Daśabāho mahābāho mahāvīrya mahābala.
14. Aghoraghoravaktra tvaṃ sadyojāta umāpate.
    Sadānanda mahānanda nandamūrte jayeśvara.

Om śāntiḥ śāntiḥ śāntiḥ. Hariḥ om

Gaurīpatiśatanāmastotram

1. Namo rudrāya nīlāya bhīmāya paramātmane.
   Kapardine sureśāya vyomakeśāya vai namaḥ.
2. Vṛṣabhadhvajāya somāya somanāthāya śambhave.
   Digambarāya bhargāya umākāntāya vai namaḥ.
3. Tapomayāya bhavyāya śivaśreṣṭhāya viṣṇave.
   Vyālapriyāya vyālāya vyālānāṃ pataye namaḥ.
4. Mahīdharāya vyāghrāya paśūnāṃ pataye namaḥ.
   Purāntakāya siṃhāya śardūlāya makhāya cha.
5. Mīnāya mīnanāthāya siddhāya parameṣṭhine.
   Kāmāntakāya buddhāya buddhīnāṃ pataye namaḥ.
6. Kapotāya viśiṣṭāya śiṣṭāya sakalātmane.
   Vedāya vedajīvāya vedaguhyāya vai namaḥ.
7. Dīrghāya dīrgharūpāya dīrghārthāyāvināśine.
   Namo jagatpratiṣṭhāya vyomarūpāya vai namaḥ.
8. Gajāsura-mahākālāyāndhakāsura-bhedine.
   Nīlalohita-śuklāya chaṇḍamuṇḍa-priyāya cha.
9. Bhaktipriyāya devāya jñātre jñānāvyayāya cha.
   Maheśāya namastubhyaṃ mahādeva harāya cha.
10. Trinetrāya trivedāya vedāṅgāya namo namaḥ.
    Arthāya chārtharūpāya paramārthāya vai namaḥ.
11. Viśvabhūpāya viśvāya viśvanāthāya vai namaḥ.
    Śaṅkarāya cha kālāya kālāvayava-rūpiṇe.
12. Arūpāya virūpāya sūkṣmasūkṣmāya vai namaḥ.
    Śmaśānavāsine bhūyo namaste kṛttivāsase.
13. Śaśāṅkaśekharāyeśāyogra-bhūmiśayāya cha.
    Durgāya durgapārāya durgāvayavasākṣiṇe.
14. Liṅgarūpāya liṅgāya liṅgānāṃ pataye namaḥ.
    Namaḥ pralayarūpāya praṇavārthāya vai namaḥ.
15. Namo namaḥ kāraṇakāraṇāya mṛtyuñjayāyātma-
    bhavasvarūpiṇe.
    Śrītryambakāyāsita-kaṇṭhaśarva gaurīpate
    sakalamaṅgala-hetave namaḥ.

Om śāntiḥ śāntiḥ śāntiḥ. Hariḥ om

Sadāśiva Ke Vibhinna Svarūpoṃ Kā Dhyāna

Bhagavān sadāśiva

Yo dhatte bhuvanāni sapta guṇavān sraṣṭā rajaḥsaṃśrayaḥ
Saṃhartā tamasānvito guṇavatīṃ māyāmatītya sthitaḥ.
Satyānandamananta-bodhamamalaṃ brahmādisañjñāspadaṃ
Nityaṃ sattvasamanvayādadhigataṃ pūrṇaṃ śivaṃ dhīmahi.

Paramātmaprabhu śiva

Vedānteṣu yamāhurekapuruṣaṃ vyāpya sthitaṃ rodasī
Yasminnīśvara ityananyaviṣayaḥ śabdo yathārthākṣaraḥ.
Antaryaścha mumukṣubhirniyamita-prāṇādibhirmṛgyate
Sa sthāṇuḥ sthirabhaktiyogasulabho niḥśreyasāyāstu vaḥ.

Bhagavān śiva

Kṛpālalitavīkṣaṇaṃ smitamanojñavaktrāmbujaṃ
Śaśāṅkakalayojjvalaṃ śamitaghoratāpatrayam.
Karotu kimapi sphuratparama-saukhyasachchidvapuḥ
Dharādharasutā-bhujodvalayitaṃ maho maṅgalam.

Bhagavān ardhanārīśvara

Nīlapravālaruchiraṃ vilasattrinetraṃ
Pāśāruṇotpala-kapālatriśūlahastam.
Ardhāmbikeśamaniśaṃ pravibhaktabhūṣaṃ
Bālendubaddhamukuṭaṃ praṇamāmi rūpam.

Yo dhatte nijamāyayaiva bhuvanākāraṃ vikārojjhito
Yasyāhuḥ karuṇākaṭākṣavibhavau svargāpavargābhidhau.
Pratyagbodhasukhādvayaṃ hṛdi sadā paśyanti yaṃ yoginaḥ
Tasmai śailasutāñchitārdhavapuṣe śaśvannamastejase.

Bhagavān śaṅkara

Vande vandanatuṣṭamānasamatipremapriyaṃ premadaṃ
Pūrṇaṃ pūrṇakaraṃ prapūrṇanikhilaiśvaryaikavāsaṃ śivam.
Satyaṃ satyamayaṃ trisatyavibhavaṃ satyapriyaṃ satyadaṃ
Viṣṇubrahmanutaṃ svakīya-kṛpayopāttākṛtiṃ śaṅkaram.

Bhagavān gaurīpati śiva

Viśvodbhavasthiti-layādiṣu hetumekaṃ
Gaurīpatiṃ viditatattvamanantakīrtim.

Māyāśrayaṃ vigata-māyamachintyarūpaṃ
Bodhasvarūpamamalaṃ hi śivaṃ namāmi.

Bhagavān mahāmaheśvara

Dhyāyennityaṃ maheśaṃ rajatagirinibhaṃ chāruchandrāvataṃsaṃ
Ratnākalpojjvalāṅgaṃ paraśumṛgavarābhītihastaṃ prasannam.
Padmāsīnaṃ samantāt stutamamaragaṇairvyāghrakṛttiṃ vasānaṃ
Viśvādyaṃ viśvabījaṃ nikhilabhayaharaṃ pañchavaktraṃ trinetram.

Bhagavān pañchamukha sadāśiva

Muktāpīta-payodamauktika-javāvarṇairmukhaiḥ pañchabhiḥ
Tryakṣairañchitamīśamindu-mukuṭaṃ pūrṇendukoṭiprabham.
Śūlaṃ ṭaṅkakṛpāṇa-vajradahanān nāgendraghaṇṭāṅkuśān
Pāśaṃ bhītiharaṃ dadhānamamitākalpojjvalaṃ chintayet.

Bhagavān ambikeśvara

Ādyantamaṅgalamajāta-samānabhāvaṃ-
Āryaṃ tamīśamajarāmaramātma-devam.
Pañchānanaṃ prabalapañchavinodaśīlaṃ
Sambhāvaye manasi śaṅkaramambikeśam.

Bhagavān pañchānana

Śūlāhī ṭaṅkaghaṇṭāsi-śṛṇikuliśa-pāśāgnyabhītīrdadhānaṃ
Dorbhiḥ śītāṃśukhaṇḍa-pratighaṭita-jaṭābhāramauliṃ trinetram.
Nānākalpābhirāmāpaghanamabhimatārthapradaṃ suprasannaṃ
Padmasthaṃ pañchavaktraṃ sphaṭika-maṇinibhaṃ pārvatīśaṃ
namāmi.

Bhagavān mahākāla

Sraṣṭāro'pi prajānāṃ prabalabhavabhayād yaṃ namasyanti devā
Yaśchitte sampraviṣṭo'pyavahitamanasāṃ dhyānamuktātmanāṃ cha.
Lokānāmādidevaḥ sa jayatu bhagavāñchhrīmahākālanāmā
Bibhrāṇaḥ somalekhāmahivalayayutaṃ vyaktaliṅgaṃ kapālam.

Bhagavān śrīnīlakaṇṭha

Bālārkāyutatejasaṃ dhṛtajaṭājūṭendukhaṇḍojjvalaṃ
Nāgendraiḥ kṛtabhūṣaṇaṃ japavaṭīṃ śūlaṃ kapālaṃ karaiḥ.
Khaṭvāṅgaṃ dadhataṃ trinetravilasatpañchānanaṃ sundaraṃ
Vyāghratvakparidhānamabjanilayaṃ śrīnīlakaṇṭhaṃ bhaje.

Bhagavān paśupati

Madhyāhnārkasama-prabhaṃ śaśidharaṃ bhīmāṭṭahāsojjvalaṃ
Tryakṣaṃ pannagabhūṣaṇaṃ śikhiśikhāśmaśru-sphuranmūrdhajam.
Hastābjaistriśikhaṃ samudgaramasiṃ śaktiṃ dadhānaṃ vibhuṃ
Daṃṣṭrābhīmachaturmukhaṃ paśupatiṃ divyāstrarūpaṃ smaret.

Bhagavān dakṣiṇāmūrti

Mudrāṃ bhadrārthadātrīṃ saparaśuhariṇāṃ bāhubhirbāhumekaṃ
Jānvāsaktaṃ dadhāno bhujagavara-samābaddhakakṣo vaṭādhaḥ.
Āsīnaśchandrakhaṇḍa-pratighaṭitajaṭaḥ kṣīragaurastrinetro
Dadyādādyaiḥ śukādyairmunibhirabhivṛto bhāvaśuddhiṃ bhavo vaḥ.

Bhagavān mahāmṛtyuñjaya

Hastābhyāṃ kalaśadvayāmṛtarasairāplāvayantaṃ śiro
Dvābhyāṃ tau dadhataṃ mṛgākṣavalaye dvābhyāṃ vahantaṃ param.
Aṅkanyastakaradvayāmṛtaghaṭaṃ kailāsakāntaṃ śivaṃ
Svachchhāmbhojagataṃ navendumukuṭaṃ devaṃ trinetraṃ bhaje.

Hastāmbhojayugasthakumbhayugalāduddhṛtya toyaṃ śiraḥ
Siñchantaṃ karayoryugena dadhataṃ svāṅke sakumbhau karau.
Akṣasraṅmṛgahastamambujagataṃ mūrdhasthachandrasravat
Pīyūṣārdratanuṃ bhaje sagirijaṃ tryakṣaṃ cha mṛtyuñjayam.

Om śāntiḥ śāntiḥ śāntiḥ. Hariḥ om

Mṛtasañjīvanakavacham

1. Evamārādhya gaurīśaṃ devaṃ mṛtyuñjayeśvaram.
Mṛtasañjīvanaṃ nāma kavachaṃ prajapet sadā.

2. Sārāt sārataraṃ puṇyaṃ guhyād guhyataraṃ śubhaṃ.
Mahādevasya kavachaṃ mṛtasañjīvanābhidham.

3. Samāhitamanā bhūtvā śṛṇuṣva kavachaṃ śubham.
Śrutvaitad divyakavachaṃ rahasyaṃ kuru sarvadā.

4. Jarābhayakaro yajvā sarvadevaniṣevitaḥ.
Mṛtyuñjayo mahādevaḥ prāchyāṃ māṃ pātu sarvadā.

5. Dadhānaḥ śaktimabhayāṃ trimukhaḥ ṣaḍbhujaḥ prabhuḥ.
Sadāśivoḍgnirūpī māmāgneyyāṃ pātu sarvadā.

6. Aṣṭādaśabhujopeto daṇḍābhayakaro vibhuḥ.
Yamarūpī mahādevo dakṣiṇasyāṃ sadā'vatu.

7. Khaḍgābhayakaro dhīro rakṣogaṇaniṣevitaḥ.
Rakṣorūpī maheśo māṃ nairṛtyāṃ sarvadā'vatu.

8. Pāśābhayabhujaḥ sarvaratnākaraniṣevitaḥ.
Varuṇātmā mahādevaḥ paśchime māṃ sadā'vatu.

9. Gadābhayakaraḥ prāṇanāyakaḥ sarvadāgatiḥ.
Vāyavyāṃ mārutātmā māṃ śaṅkaraḥ pātu sarvadā.

10. Śaṅkhābhayakarastho māṃ nāyakaḥ parameśvaraḥ.
    Sarvātmāntaradigbhāge pātu māṃ śaṅkaraḥ prabhuḥ.

11. Śūlābhayakaraḥ sarvavidyānāmadhināyakaḥ.
    Īśānātmā tathaiśānyāṃ pātu māṃ parameśvaraḥ.

12. Ūrdhvabhāge brahmarūpī viśvātmā'dhaḥ sadā'vatu.
    Śiro me śaṅkaraḥ pātu lalāṭaṃ chandraśekharaḥ.

13. Bhrūmadhyaṃ sarvalokeśa-strinetro'vatu lochane.
    Bhrūyugmāṃ giriśaḥ pātu karṇau pātu maheśvaraḥ.

14. Nāsikāṃ me mahādeva oṣṭhau pātu vṛṣadhvajaḥ.
    Jihvāṃ me dakṣiṇāmūrtirdantān me giriśo'vatu.

15. Mṛtyuñjayo mukhaṃ pātu kaṇṭhaṃ me nāgabhūṣaṇaḥ.
    Pinākī matkarau pātu triśūlī hṛdayaṃ mama.

16. Pañchavaktraḥ stanau pātu udaraṃ jagadīśvaraḥ.
    Nābhiṃ pātu virūpākṣaḥ pārśve me pārvatīpatiḥ.

17. Kaṭidvayaṃ girīśo me pṛṣṭhaṃ me pramathādhipaḥ.
    Guhyaṃ maheśvaraḥ pātu mamorū pātu bhairavaḥ.

18. Jānunī me jagaddhartā jaṅghe me jagadambikā.
    Pādau me satataṃ pātu lokavandyaḥ sadāśivaḥ.

19. Girīśaḥ pātu me bhāryāṃ bhavaḥ pātu sutān mama.
    Mṛtyuñjayo mamāyuṣyaṃ chittaṃ me gaṇanāyakaḥ.

20. Sarvāṅgaṃ me sadā pātu kālakālaḥ sadāśivaḥ.
    Etatte kavachaṃ puṇyaṃ devatānāṃ cha durlabham.

21. Mṛtasañjīvanaṃ nāmnā mahādevena kīrtitam.
    Sahasrāvartanaṃ chāsya puraścharaṇamīritam.

22. Yaḥ paṭhechchhṛṇuyānnityaṃ śrāvayet susamāhitaḥ.
    So'kālamṛtyuṃ nirjitya sadāyuṣyaṃ samaśnute.

Om śāntiḥ śāntiḥ śāntiḥ. Hariḥ om

Vande Śivaṃ Śaṅkaram

1. Vande devamumāpatiṃ suraguruṃ vande jagatkāraṇaṃ
Vande pannagabhūṣaṇaṃ mṛgadharaṃ vande paśūnāṃ patim.
Vande sūryaśaśāṅka-vahninayanaṃ vande mukundapriyaṃ
Vande bhaktajanāśrayaṃ cha varadaṃ vande śivaṃ śaṅkaram.

2. Vande sarvajagadvihāramatulaṃ vande'ndhakadhvaṃsinaṃ
Vande devaśikhāmaṇiṃ śaśinibhaṃ vande harervallabham.
Vande nāgabhujaṅga-bhūṣaṇadharaṃ vande śivaṃ chinmayaṃ
Vande bhaktajanāśrayaṃ cha varadaṃ vande śivaṃ śaṅkaram.

3. Vande divyamachintyamadvayamahaṃ vande'rkadarpāpahaṃ
Vande nirmalamādi-mūlamaniśaṃ vande makhadhvaṃsinam.
Vande satyamanantamādyamabhayaṃ vande'tiśāntākṛtiṃ
Vande bhaktajanāśrayaṃ cha varadaṃ vande śivaṃ śaṅkaram.

4. Vande bhūrathamambujākṣa-viśikhaṃ vande śrutitroṭakaṃ
Vande śailaśarāsanaṃ phaṇiguṇaṃ vande'dhitūṇīrakam.
Vande padmajasārathiṃ puraharaṃ vande mahābhairavaṃ
Vande bhaktajanāśrayaṃ cha varadaṃ vande śivaṃ śaṅkaram.

5. Vande pañchamukhāmbujaṃ trinayanaṃ vande lalāṭekṣaṇaṃ
Vande vyomagataṃ jaṭāsumukuṭaṃ chandrārdhagaṅgādharam.
Vande bhasmakṛtatripuṇḍrajaṭilaṃ vandeṣṭamūrtyātmakaṃ
Vande bhaktajanāśrayaṃ cha varadaṃ vande śivaṃ śaṅkaram.

6. Vande kālaharaṃ haraṃ viṣadharaṃ vande mṛḍaṃ dhūrjaṭiṃ
Vande sarvagataṃ dayāmṛtanidhiṃ vande nṛsiṃhāpaham.
Vande viprasurārchitāṅghrikamalaṃ vande bhagākṣāpahaṃ
Vande bhaktajanāśrayaṃ cha varadaṃ vande śivaṃ śaṅkaram.

7. Vande maṅgalarājatādrinilayaṃ vande surādhīśvaraṃ
Vande śaṅkaramaprameyamatulaṃ vande yamadveṣiṇam.
Vande kuṇḍalirāja-kuṇḍaladharaṃ vande sahasrānanaṃ
Vande bhaktajanāśrayaṃ cha varadaṃ vande śivaṃ śaṅkaram.

8. Vande haṃsamatīndriyaṃ smaraharaṃ vande virūpekṣaṇaṃ
Vande bhūtagaṇeśamavyayamahaṃ vande'rtharājyapradam.
Vande sundarasaurabheyagamanaṃ vande triśūlāyudhaṃ
Vande bhaktajanāśrayaṃ cha varadaṃ vande śivaṃ śaṅkaram.

9. Vande sūkṣmamanantamādyamabhayaṃ vande'ndhakārāpahaṃ
Vande phūlananandi-bhṛṅgivinataṃ vande suparṇāvṛtam.
Vande śailasutārdha-bhāgavapuṣaṃ vande'bhayaṃ tryambakaṃ
Vande bhaktajanāśrayaṃ cha varadaṃ vande śivaṃ śaṅkaram.

10. Vande pāvanamambarātmavibhavaṃ vande mahendreśvaraṃ
Vande bhaktajanāśrayāmaratarum vande natābhīṣṭadam.
Vande jahnusutāmbikeśamaniśaṃ vande gaṇādhīśvaraṃ
Vande bhaktajanāśrayaṃ cha varadaṃ vande śivaṃ śaṅkaram.

Om śāntiḥ śāntiḥ śāntiḥ. Hariḥ om

Śivarakṣāstotram

1. Charitaṃ devadevasya mahādevasya pāvanam.
   Apāraṃ paramodāraṃ chaturvargasya sādhanam.

2. Gaurīvināyakopetaṃ pañchavaktraṃ trinetrakam.
   Śivaṃ dhyātvā daśabhujaṃ śivarakṣāṃ paṭhennaraḥ.

3. Gaṅgādharaḥ śiraḥ pātu bhālamardhenduśekharaḥ.
   Nayane madanadhvaṃsī karṇau sarpavibhūṣaṇaḥ.

4. Ghrāṇaṃ pātu purārātirmukhaṃ pātu jagatpatiḥ.
   Jihvāṃ vāgīśvaraḥ pātu kandharāṃ śitikandharaḥ.

5. Śrīkaṇṭhaḥ pātu me kaṇṭhaṃ skandhau viśvadhurandharaḥ.
   Bhujau bhūbhārasaṃhartā karau pātu pinākadhṛk.

6. Hṛdayaṃ śaṅkaraḥ pātu jaṭharaṃ girijāpatiḥ.
   Nābhiṃ mṛtyuñjayaḥ pātu kaṭī vyāghrājināmbaraḥ.

7. Sakthinī pātu dīnārta-śaraṇāgatavatsalaḥ.
   Ūrū maheśvaraḥ pātu jānunī jagadīśvaraḥ.

8. Jaṅghe pātu jagatkartā gulphau pātu gaṇādhipaḥ.
   Charaṇau karuṇāsindhuḥ sarvāṅgāni sadāśivaḥ.

Om śāntiḥ śāntiḥ śāntiḥ. Hariḥ om

Śrīviśvanāthastavaḥ

1. Bhavānīkalatraṃ haraṃ śūlapāṇiṃ
Śaraṇyaṃ śivaṃ sarpahāraṃ girīśam.
Ajñānāntakaṃ bhaktavijñānadaṃ taṃ
Bhaje'haṃ mano'bhīṣṭadaṃ viśvanātham.

2. Ajaṃ pañchavaktraṃ trinetraṃ guṇajñaṃ
Dayājñānasindhuṃ prabhuṃ prāṇanātham.
Vibhuṃ bhāvagamyaṃ bhavaṃ nīlakaṇṭhaṃ
Bhaje'haṃ mano'bhīṣṭadaṃ viśvanātham.

3. Chitābhasma-bhūṣārchitābhāsurāṅgaṃ
Śmaśānālayaṃ tryambakaṃ muṇḍamālam.
Karābhyāṃ dadhānaṃ triśūlaṃ kapālaṃ
Bhaje'haṃ mano'bhīṣṭadaṃ viśvanātham.

4. Aghaghnaṃ mahābhairavaṃ bhīmadaṃṣṭraṃ
Nirīhaṃ tuṣārāchalābhāṅgagauram.
Gajāriṃ girau saṃsthitaṃ chandrachūḍaṃ
Bhaje'haṃ mano'bhīṣṭadaṃ viśvanātham.

5. Vidhuṃ bhāladeśe vibhātaṃ dadhānaṃ
Bhujaṅgeśasevyaṃ purāriṃ maheśam.
Śivāsaṅgṛhītārddhadehaṃ prasannaṃ
Bhaje'haṃ mano'bhīṣṭadaṃ viśvanātham.

6. Bhavānīpatiṃ śrījagannāthanāthaṃ
Gaṇeśaṃ gṛhītaṃ balīvardayānam.
Sadā vighnavichchhedahetuṃ kṛpāluṃ
Bhaje'haṃ mano'bhīṣṭadaṃ viśvanātham.

7. Agamyaṃ naṭaṃ yogibhirdaṇḍapāṇiṃ
Prasannānanaṃ vyomakeśaṃ bhayaghnam.
Stutaṃ brahmamāyādibhiḥ pādakañjaṃ
Bhaje'haṃ mano'bhīṣṭadaṃ viśvanātham.

8. Mṛḍaṃ yogamudrākṛtaṃ dhyānaniṣṭhaṃ
Dhṛtaṃ nāgayajñopavītaṃ tripuṇḍram.
Dadānaṃ padāmbhojanamrāya kāmaṃ
Bhaje'haṃ mano'bhīṣṭadaṃ viśvanātham.

9. Mṛḍasya svayaṃ yaḥ prabhāte paṭhennā
Hṛdisthaḥ śivastasya nityaṃ prasannaḥ.
Chirasthaṃ dhanaṃ mitravargaṃ kalatraṃ
Suputraṃ mano'bhīṣṭamokṣaṃ dadāti.

10. Yogīśamiśramukhapaṅkaja-nirgataṃ yo
Viśveśvarāṣṭakamidaṃ paṭhati prabhāte.
Āsādya śaṅkarapadāmbujayugmabhaktiṃ
Bhuktvā samṛddhimiha yāti śivāntike'nte.

Om śāntiḥ śāntiḥ śāntiḥ. Hariḥ om

Śiva-mānasa-pūjā

1. Ratnaiḥ kalpitamāsanaṃ himajalaiḥ snānaṃ cha divyāmbaraṃ
Nānāratnavibhūṣitaṃ mṛgamadāmodāṅkitaṃ chandanam.
Jātichampaka-bilvapatrarachitaṃ puṣpaṃ cha dhūpaṃ tathā
Dīpaṃ deva dayānidhe paśupate hṛtkalpitaṃ gṛhyatām.

2. Sauvarṇe navaratnakhaṇḍarachite pātre ghṛtaṃ pāyasaṃ
Bhakṣyaṃ pañchavidhaṃ payodadhiyutaṃ rambhāphalaṃ pānakam.
Śākānāmayutaṃ jalaṃ ruchikaraṃ karpūrakhaṇḍojjvalaṃ
Tāmbūlaṃ manasā mayā virachitaṃ bhaktyā prabho svīkuru.

3. Chhatraṃ chāmarayoryugaṃ vyajanakaṃ chādarśakaṃ nirmalaṃ
Vīṇābherimṛdaṅga-kāhalakalā gītaṃ cha nṛtyaṃ tathā.
Sāṣṭāṅgapraṇatiḥ stutirbahuvidhā hyetatsamastaṃ mayā
Saṅkalpena samarpitaṃ tava vibho pūjāṃ gṛhāṇa prabho.

4. Ātmā tvaṃ girijā matiḥ sahacharāḥ prāṇāḥ śarīraṃ gṛhaṃ
Pūjā te viṣayopabhogarachanā nidrā samādhisthitiḥ.
Sañchāraḥ padayoḥ pradakṣiṇavidhiḥ stotrāṇi sarvā giro
Yadyatkarma karomi tattadakhilaṃ śambho tavārādhanam.

5. Karacharaṇakṛtaṃ vākkāyajaṃ karmajaṃ vā
Śravaṇanayanajaṃ vā mānasaṃ vā'parādham.
Vihitamavihitaṃ vā sarvametatkṣamasva
Jaya jaya karuṇābdhe śrīmahādeva śambho.

Om śāntiḥ śāntiḥ śāntiḥ. Hariḥ om

Amoghaśivakavacham

Atha dhyānam

Vajradaṃṣṭraṃ trinayanaṃ kāla-kaṇṭhamarindamam.
Sahasrakarama-pyugraṃ vande śambhumumā-patim.

Ṛṣabha uvācha

Athāparaṃ sarvapurāṇaguhyaṃ
niḥśeṣa-pāpaughaharaṃ pavitram.
Jayapradaṃ sarva-vipadvimochanaṃ
vakṣyāmi śaivaṃ kavachaṃ hitāya te.

1. Namaskṛtya mahādevaṃ
viśva-vyāpinamīśvaram.
Vakṣye śivamayaṃ varma
sarvarakṣākaraṃ nṛṇām.

2. Śuchau deśe samāsīno
yathāvat-kalpitāsanaḥ.
Jitendriyo jitaprāṇa-
śchintayechchhiva-mavyayam.

3. Hṛtpuṇḍarīkāntara-sanniviṣṭaṃ
svatejasā vyāpta-nabho'vakāśam.
Atīndriyaṃ sūkṣmamanantamādyaṃ
dhyāyet parānandamayaṃ maheśam.

4. Dhyānāvadhūtākhila-karmabandhaśchiraṃ
chidānanda-nimagnachetāḥ.
Ṣaḍakṣaranyāsa-samāhitātmā śaivena
kuryāt kavachena rakṣām.

5. Māṃ pātu devo'khila-devatātmā
saṃsārakūpe patitaṃ gabhīre.
Tannāma divyaṃ varamantramūlaṃ
dhunotu me sarvamaghaṃ hṛdistham.

6. Sarvatra māṃ rakṣatu viśvamūrtir-
jyotirmayānanda-ghanaśchidātmā.
Aṇoraṇīyā-nuruśaktirekaḥ sa īśvaraḥ
pātu bhayādaśeṣāt.

7. Yo bhūsvarūpeṇa bibharti viśvaṃ pāyāt
sa bhūmergiriśo-'ṣṭamūrtiḥ.
Yo'pāṃ svarūpeṇa nṛṇāṃ karoti
sañjīvanaṃ so'vatu māṃ jalebhyaḥ.

8. Kalpāvasāne bhuvanāni dagdhvā
sarvāṇi yo nṛtyati bhūrilīlaḥ.
Sa kālarudro'vatu māṃ davāgner-
vātyādibhīte-rakhilāchcha tāpāt.

9. Pradīpta-vidyutkanakā-vabhāso
vidyāvarā-bhītikuṭhārapāṇiḥ.
Chaturmukhastat puruṣastrinetraḥ
prāchyāṃ sthitaṃ rakṣatu māmajasram.

10. Kuṭhāravedāṅkuśa-pāśaśūla-
kapālaḍhakkākṣa-guṇān dadhānaḥ.
Chaturmukho nīlaruchi-strinetraḥ
pāyādaghoro diśi dakṣiṇasyām.

11. Kundendu-śaṅkhasphaṭikāvabhāso
vedākṣamālā-varadābhayāṅkaḥ.
Tryakṣa-śchaturvaktra uru-prabhāvaḥ
sadyo'dhi-jāto'vatu māṃ pratīchyām.

12. Varākṣamālā-bhayaṭaṅkahastaḥ
sarojakiñjalka-samānavarṇaḥ.
Trilochana-śchāruchaturmukho māṃ
pāyādudīchyāṃ diśi vāmadevaḥ.

13. Vedābhayeṣṭāṅkuśa-pāśaṭaṅka-
kapālaḍhakkākṣaka-śūlapāṇiḥ.
Sitadyutiḥ pañchamukho'vatānmāmīśāna
ūrdhvaṃ paramaprakāśaḥ.

14. Mūrddhānama-vyānmama chandramaulir-
bhālaṃ mamāvyādatha bhālanetraḥ.
Netre mamāvyād bhaganetrahārī nāsāṃ
sadā rakṣatu viśvanāthaḥ.

15. Pāyāchchhrutī me śrutigītakīrtiḥ
kapolamavyāt satataṃ kapālī.
Vaktraṃ sadā rakṣatu pañchavaktro
jihvāṃ sadā rakṣatu vedajihvaḥ.

16. Kaṇṭhaṃ girīśo'vatu nīlakaṇṭhaḥ
pāṇidvayaṃ pātu pinākapāṇiḥ.
Dormūla-mavyānmama dharmabāhur-
vakṣaḥsthalaṃ dakṣamakhānta-ko'vyāt.

17. Mamodaraṃ pātu girīndradhanvā
madhyaṃ mamāvyān-madanāntakārī.
Herambatāto mama pātu nābhiṃ pāyāt
kaṭī dhūrjaṭirīśvaro me.

18. Ūrudvayaṃ pātu kuberamitro
jānudvayaṃ me jagadīśvaro'vyāt.
Jaṅghāyugaṃ puṅgavaketura-vyāt
pādau mamāvyāt suravandyapādaḥ.

19. Maheśvaraḥ pātu dinādi-yāme māṃ
madhya-yāme'vatu vāmadevaḥ.
Triyambakaḥ pātu tṛtīyayāme
vṛṣadhvajaḥ pātu dināntyayāme.

20. Pāyā-nniśādau śaśiśekharo māṃ
gaṅgādharo rakṣatu māṃ niśīthe.
Gaurīpatiḥ pātu niśāvasāne mṛtyuñjayo
rakṣatu sarvakālam.

21. Antaḥsthitaṃ rakṣatu śaṅkaro māṃ
sthāṇuḥ sadā pātu bahiḥsthitaṃ māṃ.
Tadantare pātu patiḥ paśūnāṃ sadāśivo
rakṣatu māṃ samantāt.

22. Tiṣṭhantamavyād-bhuvanaikanāthaḥ
pāyād vrajantaṃ pramathādhināthaḥ.
Vedāntavedyo'vatu māṃ niṣaṇṇaṃ
māmavyayaḥ pātu śivaḥ śayānam.

23. Mārgeṣu māṃ rakṣatu nīlakaṇṭhaḥ
śailādidurgeṣu puratrayāriḥ.
Araṇyavāsādi-mahāpravāse
pāyānmṛga-vyādha udāraśaktiḥ.

24. Kalpānta-kāṭopapaṭu-prakopaḥ
sphuṭāṭṭa-hāsochchalitāṇḍa-kośaḥ.
Ghorārisenārṇava-durnivāra-
mahābhayād rakṣatu vīrabhadraḥ.

25. Pattyaśva-mātaṅga-ghaṭāvarūtha-
sahasralakṣāyuta-koṭibhīṣaṇam.
Akṣauhiṇīnāṃ śatamātatāyināṃ
chhindyānmṛḍo ghorakuṭhāra-dhārayā.

26. Nihantu dasyūn pralayānalārchir-jvalat
triśūlaṃ tripurāntakasya.
Śārdūlasiṃharkṣa-vṛkādihiṃsrān
santrāsayat-vīśadhanuḥ pinākam.

27. Duḥsvapna-duśśakuna-durgatidaurmanasya-
durbhikṣa-durvyasana-dussaha-duryaśāṃsi.
Utpātatāpa-viṣabhītimasadgrahārti-
vyādhīṃścha nāśayatu me jagatāmadhīśaḥ.

Om namo bhagavate sadāśivāya sakala-tattvātmakāya sakalatattva-vihārāya sakala-lokaikakartre sakala-lokaikabhartre sakala-lokaikahartre sakala-lokaikagurave sakala-lokaikasākṣiṇe sakala-nigamaguhyāya sakala-varapradāya sakala-duritārtti-bhañjanāya sakala-jagad-bhayaṅkarāya sakala-lokaika-śaṅkarāya śaśāṅka-śekharāya śāśvata-nijābhāsāya nirguṇāya nirupamāya nīrūpāya nirābhāsāya nirāmayāya niṣprapañchāya niṣkalaṅkāya nirdvandvāya nissaṅgāya nirmalāya nirgamāya nityarūpa-vibhavāya nirupama-vibhavāya nirādhārāya nityaśuddhabuddha-paripūrṇa-sachchidānandā-dvayāya paramaśānta-prakāśa-tejorūpāya jaya jaya mahārudra mahāraudra bhadrāvatāra duḥkhadāvadāraṇa mahābhairava kālabhairava kalpāntabhairava kapāla-mālādhara khaṭvāṅga-khaḍga charmapāśāṅkuśa-ḍamaruśūla-chāpabāṇagadā śaktibhindipāla-tomaramusala-mudgarapaṭṭiśa-paraśuparigha-bhuśuṇḍī-śataghnī-chakrādyāyudha-bhīṣaṇakara sahasramukha daṃṣṭrākarāla vikaṭāṭṭa-hāsavisphārita-brahmāṇḍamaṇḍala-nāgendrakuṇḍala nāgendrahāra nagendravalaya nagendracharmadhara mṛtyuñjaya tryambaka tripurāntaka virūpākṣa viśveśvara viśvarūpa vṛṣabhavāhana viṣabhūṣaṇa viśvatomukha sarvato rakṣa rakṣa mām jvala jvala mahāmṛtyubhaya-mapamṛtyubhayaṃ nāśaya nāśaya rogabhaya-mutsādayotsādaya viṣasarpabhayaṃ śamaya śamaya chorabhayaṃ māraya māraya mama śatrūnuchchāṭayochchāṭaya śūlena vidāraya vidāraya kuṭhāreṇa bhindhi bhindhi khaḍgena chhindhi chhindhi khaṭvāṅgena

vipothaya vipothaya musalena niṣpeṣaya niṣpeṣaya bāṇaiḥ
santāḍaya santāḍaya rakṣāṃsi bhīṣaya bhīṣaya bhūtāni
vidrāvaya vidrāvaya kūṣmāṇḍa-vetālamārīgaṇa-brahmarākṣasān
santrāsaya santrāsaya māmabhayaṃ kuru kuru vitrastaṃ
māmāśvāsayāśvāsaya narakabhayān-māmuddhārayoddhāraya
sañjīvaya sañjīvaya kṣuttṛḍbhyāṃ māmāpyāya-yāpyāyaya
duḥkhāturaṃ māmānandayānandaya śivakavachena
māmāchchhādayāchchhādaya tryambaka sadāśiva namaste
namaste namaste.

Om śāntiḥ śāntiḥ śāntiḥ. Hariḥ om

Mṛtyuñjaya-stotram

1. Devādhideva deveśa sarvaprāṇabhṛtāmbara.
   Prāṇināmapi nāthastvaṃ mṛtyuñjaya namo'stu te.

2. Dehināṃ jīvabhūto'si jīvo jīvasya kāraṇam.
   Jagatāṃ rakṣakastvaṃ vai mṛtyuñjaya namo'stu te.

3. Hemādriśikharākāraṃ sudhāvīchimanoharam.
   Puṇḍarīkaparaṃ jyotirmṛtyuñjaya namo'stu te.

4. Dhyānādhāraṃ mahājñānaṃ sarvajñānaikakāraṇam.
   Paritrāṇāsi lokānāṃ mṛtyuñjaya namo'stu te.

5. Nihatā yena kālena sa devā-'sura-mānuṣāḥ.
   Gandharvā'psarasaśchaiva siddhavidyādharāstathā.

6. Sādhyāścha vasavo rudrāstathā'śvinisutāvubhau.
   Marutaścha diśo nāgāḥ sthāvarā jaṅgamāstathā.

7. Jitaḥso'pi tvayā dhyāyan mṛtyuñjaya namo'stu te.

8. Ye dhyāyanti parāṃ mūrtiṃ pūjayantyamarādayaḥ.
   Na te mṛtyuvaśaṃ yānti mṛtyuñjaya namo'stu te.

9. Tvamoṅkāro'si vedānāṃ devānāṃ cha sadāśivaḥ.
   Ādhāraśaktiḥ śaktīnāṃ mṛtyuñjaya namo'stu te.

10. Sthāvare jaṅgame vā'pi yāvattiṣṭhati dehagaḥ.
    Jīvatyapatyaloko'yaṃ mṛtyuñjaya namo'stu te.

11. Soma-sūryā-'gni-madhyastha vyomavyāpin sadāśivaḥ.
    Kālatraya mahākāla mṛtyuñjaya namo'stu te.

12. Prabuddhe chā'prabuddhe cha tvameva sṛjase jagat.
    Sṛṣṭirūpeṇa deveśa mṛtyuñjaya namo'stu te.

13. Vyomni tvaṃ vyomarūpo'si tejaḥ sarvatra tejasi.
    Jñānināṃ jñānarūpo'si mṛtyuñjaya namo'stu te.

14. Jagajjīvo jagatprāṇaḥ sraṣṭā tvaṃ jagataḥ prabhuḥ.
    Kāraṇaṃ sarvatīrthānāṃ mṛtyuñjaya namo'stu te.

15. Netā tvamindriyāṇāṃ cha sarvajñānaprabodhakaḥ.
    Sāṅkhyayogaścha haṃsaścha mṛtyuñjaya namo'stu te.

16. Rūpātītaḥ surūpaścha piṇḍasthapadameva cha.
Chaturyogakalādhāra mṛtyuñjaya namo'stu te.

17. Rechake vahnirūpo'si somarūpo'si pūrake.
Kumbhake śivarūpo'si mṛtyuñjaya namo'stu te.

18. Kṣayaṃ karoṣi pāpānāṃ puṇyānāmapi varddhanam.
Hetustvaṃ śreyasāṃ nityaṃ mṛtyuñjaya namo'stu te.

19. Sarvamāyākalātīta sarvendriyaparāvara.
Sarvendriyakalādhīśa mṛtyuñjaya namo'stu te.

20. Rūpaṃ gandho rasaḥ sparśaḥ śabdaḥ saṃskāra eva cha.
Tvattaḥ prakāśa eteṣāṃ mṛtyuñjaya namo'stu te.

21. Chaturvidhānāṃ sṛṣṭīnāṃ hetustvaṃ kāraṇeśvara.
Bhāvā'bhāva-parichchhinna mṛtyuñjaya namo'stu te.

22. Tvameko niṣkalo loke sakale bhuvanatraye.
Atisūkṣmātirūpastvaṃ mṛtyuñjaya namo'stu te.

23. Tvaṃ prabodhastvamādhārastvadbījaṃ bhuvanatrayam.
Sattvaṃ rajastamastvaṃ hi mṛtyuñjaya namo'stu te.

24. Tvaṃ somastvaṃ dineśaścha tvamātmā prakṛteḥ paraḥ.
Aṣṭātriṃśatkalānātha mṛtyuñjaya namo'stu te.

25. Sarvendriyāṇāmādhāraḥ sarvabhūtaguṇāśrayaḥ.
Sarvajñānamayānanta mṛtyuñjaya namo'stu te.

26. Tvamātmā sarvabhūtānāṃ gaṇānāṃ tvamadhīśvaraḥ.
Sarvānandamayādhāra mṛtyuñjaya namo'stu te.

27. Tvaṃ yajñaḥ sarvayajñānāṃ tvaṃ buddhirbodhalakṣaṇam.
Śabdabrahmatvamoṅkāra mṛtyuñjaya namo'stu te.

Om śāntiḥ śāntiḥ śāntiḥ. Hariḥ om

Mahāmṛtyuñjayakavacham

1. Om tryambakaṃ me śiraḥ pātu lalāṭaṃ me yajāmahe.
   Sugandhiṃ pātu hṛdayaṃ jaṭharaṃ puṣṭivardhanam.

2. Nābhimurvārukamiva pātu māṃ pārvatīpatiḥ.
   Bandhanādūruyugmaṃ me pātu kāmāṅgaśāsanaḥ.

3. Mṛtyorjānuyugaṃ pātu dakṣayajña-vināśanaḥ.
   Jaṅghāyugmaṃ cha mukṣīya pātu māṃ chandraśekharaḥ.

4. Mā'mṛtāchcha padadvandvaṃ pātu sarveśvaro haraḥ.
   Om sau me śrīśivaḥ pātu nīlakaṇṭhaścha pārśvayoḥ.

5. Ūrdhvameva sadā pātu soma-sūryā-'gnilochanaḥ.
   Adhaḥ pātu sadā śambhuḥ sarvāpadvinivāraṇaḥ.

6. Vāruṇyāmardhanārīśo vāyavyāṃ pātu śaṅkaraḥ.
   Kapardī pātu kauveryāmaiśānyāṃ īśvaro'vatu.

7. Īśānaḥ salile pāyādaghoraḥ pātu kānane.
   Antarikṣe vāmadevaḥ pāyāttatpuruṣo bhuvi.

8. Śrīkaṇṭhaḥ śayane pātu bhojane nīlalohitaḥ.
   Gamane tryambakaḥ pātu sarvakāryeṣu suvrataḥ.

9. Sarvatra sarvadehaṃ me sadā mṛtyuñjayo'vatu.

Om śāntiḥ śāntiḥ śāntiḥ. Hariḥ om

Śrīmṛtyuñjayastotram

1. Ratnasānu-śarāsanaṃ rajatādri-śṛṅganiketanaṃ
Śiñjinīkṛta-pannageśvara-machyutānala-sāyakam.
Kṣipradagdha-puratrayaṃ tridaśālayai-rabhivanditaṃ
Chandraśekharamāśraye mama kiṃ kariṣyati vai yamaḥ.

2. Pañchapādapa-puṣpagandhi-padāmbujadvaya-śobhitaṃ
Bhālalochana-jātapāvaka-dagdhamanmatha-vigraham.
Bhasmadigdha-kalevaraṃ bhavanāśinaṃ bhavamavyayaṃ
Chandraśekharamāśraye mama kiṃ kariṣyati vai yamaḥ.

3. Mattavāraṇa-mukhyacharma-kṛtottarīya-manoharaṃ
Paṅkajāsana-padmalochana-pūjitāṅghri-saroruham.
Devasiddha-taraṅgiṇī-karasiktaśīta-jaṭādharaṃ
Chandraśekharamāśraye mama kiṃ kariṣyati vai yamaḥ.

4. Kuṇḍalīkṛta-kuṇḍalīśvara-kuṇḍalaṃ vṛṣavāhanaṃ
Nāradādimunīśvara-stutavaibhavaṃ bhuvaneśvaram.
Andhakāntaka-māśritā-marapādapaṃ śamanāntakaṃ
Chandraśekharamāśraye mama kiṃ kariṣyati vai yamaḥ.

5. Yakṣarājasakhaṃ bhagākṣiharaṃ bhujaṅgavibhūṣaṇaṃ
Śailarājasutā-pariṣkṛta-chāruvāmakalevaram.
Kṣveḍanīlagalaṃ paraśvadha-dhāriṇaṃ mṛgadhāriṇaṃ
Chandraśekharamāśraye mama kiṃ kariṣyati vai yamaḥ.

6. Bheṣajaṃ bhavarogiṇāma-khilāpadāmapa-hāriṇaṃ
Dakṣayajñavināśinaṃ triguṇātmakaṃ trivilochanam.
Bhuktimukti-phalapradaṃ nikhilāgha-saṅghanibarhaṇaṃ
Chandraśekharamāśraye mama kiṃ kariṣyati vai yamaḥ.

7. Bhaktavatsala-marchatāṃ nidhimakṣayaṃ haridambaraṃ
Sarvabhūtapatiṃ parātparama-prameyamanūpamam.
Bhūmivārina-bhohutāśana-somapālita-svākṛtiṃ
Chandraśekharamāśraye mama kiṃ kariṣyati vai yamaḥ.

8. Viśvasṛṣṭi-vidhāyinaṃ punareva pālanatatparaṃ
Saṃharantamatha prapañchama-śeṣalokanivāsinam.
Krīḍayanta-maharniśaṃ gaṇanātha-yūthasamāvṛtaṃ
Chandraśekharamāśraye mama kiṃ kariṣyati vai yamaḥ.

9. Rudraṃ paśupatiṃ sthāṇuṃ nīlakaṇṭhamumāpatim.
Namāmi śirasā devaṃ kiṃ no mṛtyuḥ kariṣyati.

10. Kālakaṇṭhaṃ kalāmūrtiṃ kālāgniṃ kālanāśanam.
Namāmi śirasā devaṃ kiṃ no mṛtyuḥ kariṣyati.

11. Nīlakaṇṭhaṃ virūpākṣaṃ nirmalaṃ nirupadravam.
Namāmi śirasā devaṃ kiṃ no mṛtyuḥ kariṣyati.

12. Vāmadevaṃ mahādevaṃ lokanāthaṃ jagadgurum.
Namāmi śirasā devaṃ kiṃ no mṛtyuḥ kariṣyati.

13. Devadevaṃ jagannāthaṃ deveśamṛṣabha-dhvajam.
Namāmi śirasā devaṃ kiṃ no mṛtyuḥ kariṣyati.

14. Anantamavyayaṃ śāntamakṣa-mālādharaṃ haram.
Namāmi śirasā devaṃ kiṃ no mṛtyuḥ kariṣyati.

15. Ānandaṃ paramaṃ nityaṃ kaivalya-padakāraṇam.
Namāmi śirasā devaṃ kiṃ no mṛtyuḥ kariṣyati.

16. Svargāpavargadātāraṃ sṛṣṭisthityanta-kāriṇam.
Namāmi śirasā devaṃ kiṃ no mṛtyuḥ kariṣyati.

Om śāntiḥ śāntiḥ śāntiḥ. Hariḥ om

Mahāmṛtyuñjaya-sahasranāma-stotra

1. Om jūṃ saḥ hauṃ mahādevo mantrajño mānadāyakaḥ.
Mānī manoramāṅgaścha manasvī mānavardhanaḥ.

2. Māyākarttā mallarūpo mallo marāntako muniḥ.
Maheśvaro mahāmānyo mantrī mantrajana priyaḥ.

3. Mārutī marutāṃ śreṣṭho māsikaḥ pakṣiko mṛtaḥ.
Mātagaṅgo māttachitto mattachin mattabhāvanaḥ.

4. Mānaveṣṭhaprado meśo mīnakī pati vallabhaḥ.
Mānakāyo madhusteyī mārayukto jitendriyaḥ.

5. Jayo vijayado jetā jayeśo jayavallabhaḥ.
Ḍāmareśo virūpākṣo viśvabhakto vibhāvasuḥ.

6. Viśveśo viśvatātaścha viśvasū viśvanāyakaḥ.
Vinīto vinayī vādī vāntado vāgabhavo baṭuḥ.

7. Sthūlaḥ sūkṣmaśchalo lolo lalañjihvā karālakaḥ.
Virādhyeyo virāgīṇo vilāsī lāsyalālasaḥ.

8. Lolākṣo laladhīrdharmī dhanado dhanadārchitaḥ.
Dhanī dhyeyo'pyadhyeyaścha dharmo dharmamayodayaḥ.

9. Dayāvān devajanako devasavyo dayāpatiḥ.
Durṇichakṣudarīvāso dāmbhī devadayātmakaḥ.

10. Kurūpaḥ kīrtidaḥ kāntaḥ klavaḥ klībātmakaḥ kujaḥ.
Budho vidyāmayaḥ kāmī kāmakālāndhakāntakaḥ.

11. Jīvo jīvapradaḥ śukraḥ śuddhaḥ śarmaprado'naghaḥ.
Śanaiścharo vegagatirvāchālorāhuravyayaḥ.

12. Ketū rākāpatiḥ kālaḥ sūryo'mataparākramaḥ.
Chandro bhadraprado bhāsvān bhāgyado bhargarūpabhṛt.

13. Kūrto dhūrto viyogī cha saṅgī gaṅgādharo gajaḥ.
Gajānanopreyo gīto jñānī snānārchanaḥ priyaḥ.

14. Paramaḥ pīvarāṅgaścha pārvatīvallabho mahān.
Parātmako virāṭvāsyo vānaro'mitakarmakṛt.

15. Chidānandī chārurūpo garuḍo garuḍapriyaḥ.
Nandīśvaro nayo nāgo nāgālaṅkāramaṇḍitaḥ.

16. Nāgahāro mahānāgī godharo gopatistapaḥ.
Trilochanaḥ trilokeśaḥ trimūrtistripurāntakaḥ.

17. Tridhāmayo lokamayo lokaikavyasanāpahaḥ.
Vyasanī toṣitaḥ śambhustridhārūpastrivarṇabhāk.

18. Trijyotistripurīnāthastridhā-śāntastridhāgatiḥ.
Tridhāguṇī viśvakartā viśvabhartā tripuruṣaḥ.

19. Umeśo vāsukirvīro vainateyo vichārakṛt.
Vivekākṣo viśālākṣo vidhirvidhiranuttamaḥ.

20. Vidyānidhiḥ sarojākṣī nismaraḥ smaraśāsanaḥ.
Smṛtidaḥ smṛtimān smārto brahmā brahmavidāmbaraḥ.

21. Brāhmī vratī brahmachārī chaturaśchaturānanaḥ.
Chalāchalo chalagatirvegī vīrādhipo paraḥ.

22. Sarvavāsaḥ sarvagatissarvamānyaḥ sanātanaḥ.
Sarvavyāpī sarvarūpaḥ sāgaraścha sameśvaraḥ.

23. Samanetraḥ samadyutiḥ samakāyaḥ sarovaraḥ.
Sarasvān satyavāk satyaḥ satyarūpī sudhīḥ sukhī.

24. Svārāṭ satyaḥ satyavatī rudro rudravapurvasuḥ.
Vasumān vasudhānātho vasurūpā vasupradaḥ.

25. Īśānaḥ sarvadevānāmīśānaḥ sarvabodhinām.
Īśo vaśeṣo vayavī śeṣāśāyī śrīyaḥ patiḥ.

26. Indraśchandrāvataṃsī cha charāchara jagatpatiḥ.
Sthiraḥ sthāṇuraṇuḥ pīnaḥ pīnavakṣāparātparaḥ.

27. Pīnarūpo jaṭādhārī jaṭājūṭasamākulaḥ.
Paśurūpaḥ paśupatiḥ paśujñānī payonidhiḥ.

28. Vedyo vaidyovedamayo vidhijño vidhimān mṛduḥ.
Śūlī śubhaṅkaraḥ śobhyaḥ śubhakartā śachīpatiḥ.

29. Śaśāṅkadhavalaḥ svāmī vajrīśaṅkhī gadādharaḥ.
Chaturbhujaśchāṣṭabhujaḥ sahasrabhujamaṇḍitaḥ.

30. Sruvahasto dīrghakeśo dīrgho dambhavivarjitaḥ.
Devo mahodadhirdivyo divyakīrtirdivākaraḥ.

31. Ugrarūpaśchograpatirugra vakṣāstapomayaḥ.
Tapasvī jaṭilastāpī tāpahā tāpavarjitaḥ.

32. Hariddhayo hayapatirhayado harimaṇḍitaḥ.
Harivāhī mahojasko nityo nityātmako nalaḥ.

33. Samānīsaṃsṛtīstyāgī saṅgī sannidhiravyayaḥ.
Vidyādharo vimānī cha vaimānīkavarapradaḥ.

34. Vāchaspativamāsāro vāmāchārī balandharaḥ.
Vāgbhavo vāsavo vāyurvāsanā-bījamaṇḍitaḥ.

35. Vāgmī kaulaśrutirdakṣo dakṣayajñavināśanaḥ.
Dakṣo daurbhāgyahā daityamardano bhogavardhanaḥ.

36. Bhogī rogaharo yogī hārī harivibhūṣaṇaḥ.
Bahurūpo bahumati vaṅgavittī vichakṣaṇaḥ.

37. Nṛtakṛchchittasantoṣo nṛtyagīta viśāradaḥ.
Śaradarṇavibhūṣāḍhyo galadagdho'ghanāśanaḥ.

38. Nāgī nāgamayo'nanto'nantarūpaḥ pinākabhṛt.
Naṭalo nārakeśāno varīyān vavivarṇabhṛt.

39. Sāṅkāro ṭaṅkahastaścha pāśī śārṅgī śaśiprabhaḥ.
Sahasrarūpī samaguḥ sādhūnāmabhayapradaḥ.

40. Sādhusevyaḥ sādhugatiḥ sevāphalaprado vibhuḥ.
Svamaho madhyamo matto mantramūrtiḥ sumantakaḥ.

41. Kīlālīlākaro lūto bhavabandhaikamochanaḥ.
Rechiṣṇurvichyurato mūtano nūtano navaḥ.

42. Nyagrodharūpo bhayado bhayahārītidhāraṇaḥ.
Dharaṇīdharasevyaścha dharādharasutāpatiḥ.

43. Dharādharo'ndhaka-ripurvijñānī mohavarjitaḥ.
Sthāṇuḥ keśo jaṭo grāmyo grāmārāmo ramāpriyaḥ.

44. Priyakṛt priyarūpaścha viprayogī pratāpanaḥ.
Prabhākaraḥ prabhādīpto manumān mānaveśvaraḥ.

45. Tīkṣṇa bāhustīkṣṇa-karastīkṣṇāṃśustīkṣṇalochanaḥ.
Tīkṣṇachittastrayīrūpastrayīmūrtistrayītanuḥ.

46. Havibhug haviṣāṃ jyotirhālāhalo halīpatiḥ.
Haviṣmallochano hālāmayo hariṇarūpabhṛt.

47. Mradimāmrabhayo vṛkṣo hutāśo hutabhug guṇī.
Guṇajño garuḍo gānatatparo vikramī guṇī.

48. Krameśvaraḥ kramakaraḥ krimikṛt klāntamānasaḥ.
Mahātejo mahāmārī mohito mohavallabhaḥ.

49. Manasvī tridaśovālo vālyāpatiraghāpahaḥ.
Bālyo ripuharo hāryo gavirgavimatoguṇaḥ.

50. Saguṇo vittarāṭa gīyo virochano vibhāvasuḥ.
Mālāmalo mādhavaścha vikartano vikatthanaḥ.

51. Mānakṛt muktido gulyaḥ sādhyaḥ śatrubhayaṅkaraḥ.
Hiraṇyaretāśubhagaḥ satīnāthaḥ surāpatiḥ.

52. Meḍhrī maināka bhaginīpatiruttamarūprabhṛt.
Ādityo ditijeśāno ditiputraḥ kṣayaṅkaraḥ.

53. Vāsudevo mahābhāgyo viśvāvasurvapriyaḥ.
Samudro'mitatejaścha khagendro viśikhī śikhī.

54. Gurutmān vajrahastaścha paulomīnātha īśvaraḥ.
Yajñipeyo vājapeyaḥ śatakratuḥ śatānanaḥ.

55. Pratiṣṭastīvravisrambhī gambhīro bhāvavardhanaḥ.
Gāyiṣṭo madhurālāpo madhumattaścha mādhavaḥ.

56. Māyātmā bhogināṃ trātā nākināmiṣṭadāyakaḥ.
Nākendro janako janyaḥ stambhano rambhanāśanaḥ.

57. Īśāna īśvaraḥ īśaḥ śarvarīpatiśekharaḥ.
Liṅgādhyakṣaḥ surādhyakṣo vedādhyakṣo vichārakaḥ.

58. Bhavyo'nargho nareśāno narakāntakasevitaḥ.
Chaturo bhavitā bhāvī virāmo rātrivallabhaḥ.

59. Maṅgalo dharaṇīputro dhanyo budhivivardhanaḥ.
Jayo jīveśvaro jāro jāṭharo jahnutāpanaḥ.

60. Jahnukanyādharaḥ kalpo vatsaro māsa eva cha.
Katurṛbhusutādhyakṣo vihārī vihagāpatiḥ.

61. Śuklāmbaro nīlakaṇṭhaḥ śuklabhṛgusuto bhagaḥ.
Śāntaḥ śivaprado bhavyo bhedakṛchchhāntakṛtpatiḥ.

62. Nātho dā to bhikṣurūpo dhanyaśreṣṭho viśāmpatiḥ.
Kumāraḥ krodhanaḥ krodhī virodhī vigrahīrasaḥ.

63. Nīrasaḥ surasaḥ siddho vṛṣaṇī vṛṣaghātanaḥ.
Pañchāsyaḥ ṣaḍmukhaśchaiva vimukhaḥ sumukhī priyaḥ.

64. Durmukho durjayo duḥkhī sukhī sukhavilāsadaḥ.
Pātrī pautrī pavitrachśra bhūtāktā pūtanāntakaḥ.

65. Akṣaraṃ paramaṃ tatvaṃ balavān balaghātanaḥ.
Bhallī maulibhavābhāvo bhāvābhāvavimochanaḥ.

66. Nārāyaṇo yuktakeśo digdevo dharmanāyakaḥ.
Kārāmokṣaprado jeyo mahāṅgaḥ sāmagāyanaḥ.

67. Utsaṅgamonāmakārī chārī smaraniṣūdanaḥ.
Kṛṣṇaḥ kṛṣṇāmbaraḥ stutyastārāvarṇastrayākulaḥ.

68. Trayāmāndurgatitrātā durgamo durgaghātakaḥ.
    Mahānetro mahādhātā nānāśāstravichakṣaṇaḥ.

69. Mahāmūrdhā mahādanto mahākarṇo mahoragaḥ.
    Mahāchakṣurmahānāśo mahāgrīvo digālayaḥ.

70. Digvāso ditijeśāno muṇḍī muṇḍākṣāsūtradhṛt.
    Śmaśānanilayo rāgī mahākaṭiranūtanaḥ.

71. Purāṇapuruṣaḥ pāramparamātmā mahākaraḥ.
    Mahālasyo mahākeśo maheśo mohano virāṭ.

72. Mahāsukho mahājaṅgho maṇḍalī kuṇḍalī naṭaḥ.
    Asapatnyaḥ patrakaraḥ patrahastaścha pāṭavaḥ.

73. Lālasaḥ sālasaḥ sālaḥ kalpavṛkṣaścha kalpitaḥ.
    Kalpahā kalpanāhārī mahāketuḥ kaṭhorakaḥ.

74. Analaḥ pavanaḥ pāṭhaḥ pīṭhasthaḥ pīṭharūpakaḥ.
    Pāṭhīnaḥ kulaśī pīno merudhāmā mahāguṇī.

75. Mahātūṇīra-saṃyukto devadānava-darpahā.
    Atharvaśeṣaḥ saumyāsya ṛksahasrāmitekṣaṇaḥ.

76. Yajuḥ sāmamukho guhyo yajurvedavichakṣaṇaḥ.
    Yājñiko yajñarūpaścha yajñajño dharaṇīpatiḥ.

77. Jaṅgamī bhaṅgadī bhāsā dakṣā bhigamadarśanaḥ.
    Agamyaḥ sugamaḥ kharvaḥ kheṭī kheṭānano nayaḥ.

78. Amodyārthaḥ sindhupatiḥ saindhavaḥ sānumadhyagaḥ.
    Trikālajñaḥ sagaṇakaḥ puṣkarasthaḥ paropakṛtaḥ.

79. Upakartāpakartā cha ghṛṇī raṇabhayapradaḥ.
    Dharmo charmāmbaraśchārarūmaścharuvibhūṣaṇaḥ.

80. Naktaścharaḥ kālavaśī vaśīvaśivaśo vaśaḥ.
    Vaśyo vaśyakaro bhasmaśāyī bhasmavilepanaḥ.

81. Bhasmāṅgī malināṅgaścha mālāmaṇḍitamūrdhajaḥ.
    Gaṇakāryaḥ kulāchāraḥ sarvāchāraḥ sakhā samaḥ.

82. Makāro gotrabhid goptā bhītarūpo bhayānakaḥ.
    Aruṇaśchaikavittaścha triśaṅku śaṅkudhāraṇaḥ.

83. Āśrayī brāhmaṇo vajrī kṣatriyaḥ kāryahetukaḥ.
    Vaiśyaḥ śūdraḥ kapotastha tvāruṣṭo ruṣākulaḥ.

84. Rogī rogapahā śūraḥ kapilaḥ kapināyakaḥ.
    Pinākī chāṣṭamūrtiścha kṣitimān dhṛtimāṃstathā.

192

85. Jalamūrtirvāyumūrtiḥ gatāśaḥ somamūrtimān.
Sūryadevo yajamāna ākāśaḥ parameśvaraḥ.

86. Bhavahā bhavamūrtiścha bhūtātmā bhūtabhāvanaḥ.
Bhavaḥ sarvastathārudraḥ paśunāthaścha śaṅkara.

87. Girijo girijānātho girendraścha maheśvaraḥ.
Bhīma īśāna bhītijñaḥ khaṇḍapaśchaṇḍavikramaḥ.

88. Khaṇḍabhṛt khaṇḍaparaśuḥ kṛttivāso vṛṣāpahaḥ.
Kaṅkāla kalanākāraḥ śrīkaṇṭho nīlalohita.

89. Guṇīśvaro guṇī nandī dharmmarājo durantakaḥ.
Śṛṅgarīṭī rasāsāro dayālū rūpamaṇḍitaḥ.

90. Amṛtaḥ kālarudraścha kālāgniḥ śaśiśekharaḥ.
Tripurāntaka īśānastrinetraḥ pañchavaktrakaḥ.

91. Kālahṛt kevalātmā cha ṛgyajuḥ sāmavedavān.
Īśānaḥ sarvabhūtānāmīśvaraḥ sarvarakṣasām.

92. Brahmaṇādhipatirbrahma brahmaṇodhipatistathā.
Brahmā śivaḥ sadānandī sadānandaḥ sadāśivaḥ.

93. Meṣasvarūpaśchārvāṅge gāyatrī rūpadhāraṇaḥ.
Agorebhyo'tha ghorebhyo ghoraghoratarāya cha.

94. Sarvataḥ sarvasarvebhyo namaste rudrarūpiṇe.
Vāmadevasthā jyeṣṭhaḥ śreṣṭhaḥ kālakarālakaḥ.

95. Mahākālo bhairaveśo veśī kālavikāraṇaḥ.
Balavikāraṇo bālo balapramathanastathā.

96. Sarvabhūtādidamano devadevo manonmanaḥ.
Sadyojātaṃ prapadyāṃi sadyojātāya vai namaḥ.

97. Bhave bhavenādhibhave bhajasva māṃ bhavodbhavaḥ.
Bhavano bhāvano bhāvyo balakārī parampadam.

98. Paraḥ śivaḥ paro dhyeyaḥ paraṃ jñānaṃ parātparaḥ.
Parāvaraḥ palāśī cha māṃsāśī vaiṣṇavottamaḥ.

99. Auṃ aiṃ śrīṃ hsauṃ devaḥ
Auṃ hrīṃ haiṃ bhairavottamaḥ.
Auṃ hrāṃ namaḥ śivāyeti mantro vaṭurvarāyudhaḥ.

100. Auṃ hrauṃ sadāśivaḥ
Auṃ hrīṃ āpaduddhāraṇomataḥ.
Auṃ hrīṃ mahākarālāsya
Auṃ hrīṃ vaṭukabhairavaḥ.

101. Bhagavāṃstrayambaka
Auṃ hrīṃ chandrārdhaśekharaḥ.
Auṃ hrīṃ sauṃ jaṭilo dhūmra
Auṃ aiṃ tripuraghātakaḥ.

102. Hrāṃ hrīṃ hraṃ harivāmāṅga
Auṃ hrīṃ hraṃ hrīṃ trilochanaḥ.
Auṃ vedarūpo vedajña ṛgyajuḥ sāmarūpavān.

103. Rudro ghoraravo ghora
Auṃ kṣm hraṃ aghorakaḥ.
Auṃ jūṃ saḥ pīyūṣasaktomṛtādhyakṣo mṛtālasaḥ.

104. Tryambakaṃ yajāmahe sugandhiṃ puṣṭivardhanam.
Urvārukamiva bandhanānmṛtyormukṣīya māmṛtāt.

Auṃ hroṃ jūṃ saḥ
Auṃ bhūrbhuvaḥ svaḥ
Auṃ jūṃ saḥ mṛtyuñjayaḥ.

Om śāntiḥ śāntiḥ śāntiḥ. Hariḥ om.

Śiva-sahasranāma-stotram-mūla Pāṭh

1. Sthiraḥ sthāṇuḥ prabhurbhīmaḥ pravaro varado varaḥ.
   Sarvātmā sarvavikhyātaḥ sarvaḥ sarvakaro bhavaḥ.
2. Jaṭī charmī śikhaṇḍī cha sarvāṅgaḥ sarvabhāvanaḥ.
   Haraścha hariṇākṣaścha sarvabhūtaharaḥ prabhuḥ.
3. Pravṛttiścha nivṛttiścha niyataḥ śāśvato dhruvaḥ.
   Śmaśānavāsī bhagavān khacharo gocharo'rdanaḥ.
4. Abhivādyo mahākarmā tapasvī bhūtabhāvanaḥ.
   Unmattaveṣa-prachchhannaḥ sarvaloka-prajāpatiḥ.
5. Mahārūpo mahākāyo vṛṣarūpo mahāyaśāḥ.
   Mahātmā sarvabhūtātmā viśvarūpo mahāhanuḥ.
6. Lokapālo-'ntarhitātmā prasādo hayagardabhiḥ.
   Pavitraṃ cha mahāṃśchaiva niyamo niyamāśritaḥ.
7. Sarvakarmā svayambhūta ādirādikaro nidhiḥ.
   Sahasrākṣo viśālākṣaḥ somo nakṣatrasādhakaḥ.
8. Chandraḥ sūryaḥ śaniḥ keturgraho grahapatirvaraḥ.
   Atriratryā namaskartā mṛgabāṇārpaṇo'naghaḥ.
9. Mahātapā ghoratapā adīno dīnasādhakaḥ.
   Saṃvatsarakaro mantraḥ pramāṇaṃ paramaṃ tapaḥ.
10. Yogī yojyo mahābījo mahāretā mahābalaḥ.
    Suvarṇaretāḥ sarvajñaḥ subījo bījavāhanaḥ.
11. Daśabāhustvanimiṣo nīlakaṇṭha umāpatiḥ.
    Viśvarūpaḥ svayaṃ śreṣṭho balavīro'balogaṇaḥ.
12. Gaṇakartā gaṇapatir-digvāsāḥ kāma eva cha.
    Mantravit paramo mantraḥ sarvabhāvakaro haraḥ.
13. Kamaṇḍaludharo dhanvī bāṇahastaḥ kapālavān.
    Aśanī śataghnī khaḍgī paṭṭiśī chāyudhī mahān.
14. Sruvahastaḥ surūpaścha tejastejaskaro nidhiḥ.
    Uṣṇīṣī cha suvaktraścha udagro vinatastathā.
15. Dīrghaścha harīkeśaścha sutīrthaḥ kṛṣṇa eva cha.
    Śṛgālarūpaḥ siddhārtho muṇḍaḥ sarvaśubhaṅkaraḥ.
16. Ajaścha bahurūpaścha gandhadhārī kapardyapi.
    Ūrdhvaretā ūrdhvaliṅga ūrdhvaśāyī nabhaḥsthalaḥ.

17. Trijaṭī chīravāsāścha rudraḥ senāpatir-vibhuḥ.
Ahaścharo naktañchara-stigmamanyuḥ suvarchasaḥ.

18. Gajahā daityahā kālo lokadhātā guṇākaraḥ.
Siṃhaśārdūla-rūpaścha ārdra-charmāmbarāvṛtaḥ.

19. Kālayogī mahānādaḥ sarvakāmaśchatuṣpathaḥ.
Niśācharaḥ pretachārī bhūtachārī maheśvaraḥ.

20. Bahubhūto bahudharaḥ svarbhānuramito gatiḥ.
Nṛtyapriyo nityanarto nartakaḥ sarvalālasaḥ.

21. Ghoro mahātapāḥ pāśo nityo giriruho nabhaḥ.
Sahasrahasto vijayo vyavasāyo hyatandritaḥ.

22. Adharṣaṇo dharṣaṇātmā yajñahā kāmanāśakaḥ.
Dakṣayāgāpahārī cha susaho madhyamastathā.

23. Tejo'pahārī balahā mudito'rtho'jito'varaḥ.
Gambhīraghoṣo gambhīro gambhīrabalavāhanaḥ.

24. Nyagrodharūpo nyagrodho vṛkṣakarṇasthitirvibhuḥ.
Sutīkṣṇa-daśanaśchaiva mahākāyo mahānanaḥ.

25. Viṣvakseno hariryajñaḥ saṃyugāpīḍavāhanaḥ.
Tīkṣṇatāpaścha haryaśvaḥ sahāyaḥ karmakālavit.

26. Viṣṇuprasādito yajñaḥ samudro vaḍavāmukhaḥ.
Hutāśana-sahāyaścha praśāntātmā hutāśanaḥ.

27. Ugratejā mahātejā janyo vijayakālavit.
Jyotiṣāmayanaṃ siddhiḥ sarvavigraha eva cha.

28. Śikhī muṇḍī jaṭī jvālī mūrtijo mūrddhago balī.
Veṇavī paṇavī tālī khalī kālakaṭaṅkaṭaḥ.

29. Nakṣatravigraha-matirguṇa-buddhirlayo'gamaḥ.
Prajāpatir-viśvabāhur-vibhāgaḥ sarvago'mukhaḥ.

30. Vimochanaḥ susaraṇo hiraṇya-kavachodbhavaḥ.
Meḍhrajo balachārī cha mahīchārī srutastathā.

31. Sarvatūrya-ninādī cha sarvātodya-parigrahaḥ.
Vyālarūpo guhāvāsī guho mālī taraṅgavit.

32. Tridaśastrikāladhṛk karma sarvabandha-vimochanaḥ.
Bandhanastva-surendrāṇāṃ yudhiśatru-vināśanaḥ.

33. Sāṅkhyaprasādo durvāsāḥ sarvasādhuniṣevitaḥ.
Praskandano vibhāgajño'tulyo yajñavibhāgavit.

34. Sarvavāsaḥ sarvachārī durvāsā vāsavo'maraḥ.
Haimo hemakaro'yajñaḥ sarvadhārī dharottamaḥ.

35. Lohitākṣo mahākṣaścha vijayākṣo viśāradaḥ.
Saṅgraho nigrahaḥ kartā sarpachīra-nivāsanaḥ.

36. Mukhyo'mukhyaścha dehaścha kāhaliḥ sarvakāmadaḥ.
Sarvakālaprasādaścha subalo balarūpadhṛk.

37. Sarvakāmavaraśchaiva sarvadaḥ sarvatomukhaḥ.
Ākāśanirvirūpaścha nipātī hyavaśaḥ khagaḥ.

38. Raudrarūpoṃ'śurādityo bahuraśmiḥ suvarchasī.
Vasuvego mahāvego manovego niśācharaḥ.

39. Sarvavāsī śriyāvāsī upadeśakaro'karaḥ.
Munirātma-nirālokaḥ sambhagnaścha sahasradaḥ.

40. Pakṣī cha pakṣarūpaścha atidīpto viśāmpatiḥ.
Unmādo madanaḥ kāmo hyaśvattho-'rthakaro yaśaḥ.

41. Vāmadevaścha vāmaścha prāg dakṣiṇaścha vāmanaḥ.
Siddhayogī maharṣiścha siddhārthaḥ siddhasādhakaḥ.

42. Bhikṣuścha bhikṣurūpaścha vipaṇo mṛduravyayaḥ.
Mahāseno viśākhaścha ṣaṣṭibhāgo gavāṃ patiḥ.

43. Vajrahastaścha viṣkambhī chamūstambhana eva cha.
Vṛttāvṛtta-karastālo madhurmadhukalochanaḥ.

44. Vāchaspatyo vājasano nityamāśramapūjitaḥ.
Brahmachārī lokachārī sarvachārī vichāravit.

45. Īśāna īśvaraḥ kālo niśāchārī pinākavān.
Nimittastho nimittaṃ cha nandir-nandikaro hariḥ.

46. Nandīśvaraścha nandī cha nandano nandivarddhanaḥ.
Bhagahārī nihantā cha kālo brahmā pitāmahaḥ.

47. Chaturmukho mahāliṅga-śchāruliṅga-stathaiva cha.
Liṅgādhyakṣaḥ surādhyakṣo yogādhyakṣo yugāvahaḥ.

48. Bījādhyakṣo bījakartā adhyātmānugato balaḥ.
Itihāsaḥ sakalpaścha gautamo'tha niśākaraḥ.

49. Dambho hyadambho vaidambho vaśyo vaśakaraḥ kaliḥ.
Lokakartā paśupatir-mahākartā hyanauṣadhaḥ.

50. Akṣaraṃ paramaṃ brahma balavachchhakra eva cha.
Nītirhyanītiḥ śuddhātmā śuddho mānyo gatāgataḥ.

51. Bahuprasādaḥ susvapno darpaṇo'tha tvamitrajit.
Vedakāro mantrakāro vidvān samaramardanaḥ.

52. Mahāmeghanivāsī cha mahāghoro vaśī karaḥ.
Agnijvālo mahājvālo atidhūmro huto haviḥ.

53. Vṛṣaṇaḥ śaṅkaro nityaṃ varchasvī dhūmaketanaḥ.
Nīlastathāṅga-lubdhaścha śobhano niravagrahaḥ.

54. Svastidaḥ svastibhāvaścha bhāgī bhāgakaro laghuḥ.
Utsaṅgaścha mahāṅgaścha mahāgarbhaparāyaṇaḥ.

55. Kṛṣṇavarṇaḥ suvarṇaścha indriyaṃ sarvadehinām.
Mahāpādo mahāhasto mahākāyo mahāyaśāḥ.

56. Mahāmūrdhā mahāmātro mahānetro niśālayaḥ.
Mahāntako mahākarṇo mahoṣṭhaścha mahāhanuḥ.

57. Mahānāso mahākambur-mahāgrīvaḥ śmaśānabhāk.
Mahāvakṣā mahorasko hyantarātmā mṛgālayaḥ.

58. Lambano lambitoṣṭhaścha mahāmāyaḥ payonidhiḥ.
Mahādanto mahādaṃṣṭro mahājihvo mahāmukhaḥ.

59. Mahānakho mahāromā mahākośo mahājaṭaḥ.
Prasannaścha prasādaścha pratyayo girisādhanaḥ.

60. Snehano'snehanaśchaiva ajitaścha mahāmuniḥ.
Vṛkṣākāro vṛkṣaketu-ranalo vāyuvāhanaḥ.

61. Gaṇḍalī merudhāmā cha devādhipatireva cha.
Atharvaśīrṣaḥ sāmāsya ṛksahasrā-mitekṣaṇaḥ.

62. Yajuḥ pādabhujo guhyaḥ prakāśo jaṅgamastathā.
Amogharthaḥ prasādaścha abhigamyaḥ sudarśanaḥ.

63. Upakāraḥ priyaḥ sarvaḥ kanakaḥ kāñchanachchhaviḥ.
Nābhirnandikaro bhāvaḥ puṣkarasthapatiḥ sthiraḥ.

64. Dvadaśa-strāsanaśchādyo yajño yajñasamāhitaḥ.
Naktaṃ kaliścha kālaścha makaraḥ kālapūjitaḥ.

65. Sagaṇo gaṇakāraścha bhūtavāhanasārathiḥ.
Bhasmaśayo bhasmagoptā bhasmabhūta-starurgaṇaḥ.

66. Lokapāla-stathāloko mahātmā sarvapūjitaḥ.
Śuklastriśuklaḥ sampannaḥ śuchirbhūta-niṣevitaḥ.

67. Āśramasthaḥ kriyāvastho viśvakarma-matirvaraḥ.
Viśāla-śākhastāmroṣṭho hyambujālaḥ suniśchalaḥ.

68. Kapilaḥ kapiśaḥ śukla āyuśchaiva paro'paraḥ.
Gandharvo hyaditistārkṣyaḥ suvijñeyaḥ suśāradaḥ.

69. Paraśvadhā-yudho devo anukārī subāndhavaḥ.
Tumbavīṇo mahākrodha ūrdhvaretā jaleśayaḥ.

70. Ugro vaṃśakaro vaṃśo vaṃśanādo hyaninditaḥ.
Sarvāṅgarūpo māyāvī suhṛdo hyanilo'nalaḥ.

71. Bandhano bandhakartā cha subandhanavimochanaḥ.
Sayajñāriḥ sakāmārir-mahādaṃṣṭro mahāyudhaḥ.

72. Bahudhā ninditaḥ śarvaḥ śaṅkaraḥ śaṅkaro'dhanaḥ.
Amareśo mahādevo viśvadevaḥ surārihā.

73. Ahirbudhnyo-'nilābhaścha chekitāno havistathā.
Ajaikapāchcha kāpālī triśaṅkurajitaḥ śivaḥ.

74. Dhanvantarir-dhūmaketuḥ skando vaiśravaṇastathā.
Dhātā śakraścha viṣṇuścha mitrastvaṣṭā dhruvo dharaḥ.

75. Prabhāvaḥ sarvago vāyuraryamā savitā raviḥ.
Uṣaṅguścha vidhātā cha māndhātā bhūtabhāvanaḥ.

76. Vibhurvarṇa-vibhāvī cha sarvakāma-guṇāvahaḥ.
Padmanābho mahāgarbha-śchandra vaktro'nilo'nalaḥ.

77. Balavāṃśchopa-śāntaścha purāṇaḥ puṇyachañchurī.
Kurukartā kuruvāsī kurubhūto guṇauṣadhaḥ.

78. Sarvāśayo darbhachārī sarveṣāṃ prāṇināṃ patiḥ.
Devadevaḥ sukhāsaktaḥ sadasatsarva-ratnavit.

79. Kailāsagiri-vāsī cha himavadgiri-saṃśrayaḥ.
Kūlahārī kūlakartā bahuvidyo bahupradaḥ.

80. Vaṇijo vardhakī vṛkṣo bakulaśchandana-śchhadaḥ.
Sāragrīvo mahājatrura-lolaścha mahauṣadhaḥ.

81. Siddharthakārī siddhārthaśchhando-vyākaraṇottaraḥ.
Siṃhanādaḥ siṃhadaṃṣṭraḥ siṃhagaḥ siṃhavāhanaḥ.

82. Prabhāvātmā jagatkāla-sthālo lokahitastaruḥ.
Sāraṅgo navachakrāṅgaḥ ketumālī sabhāvanaḥ.

83. Bhūtālayo bhūtapatira-horātramaninditaḥ.

84. Vāhitā sarvabhūtānāṃ nilayaścha vibhurbhavaḥ.
Amoghaḥ saṃyato hyaśvo bhojanaḥ prāṇadhāraṇaḥ.

85. Dhṛtimān matimān dakṣaḥ satkṛtaścha yugādhipaḥ.
Gopālir-gopatirgrāmo gocharmavasano hariḥ.

86. Hiraṇyabāhuścha tathā guhāpālaḥ praveśinām.
Prakṛṣṭārir-mahāharṣo jitakāmo jitendriyaḥ.

87. Gāndhāraścha suvāsaścha tapaḥsakto ratirnaraḥ.
Mahāgīto mahānṛtyo hyapasarogaṇa-sevitaḥ.

88. Mahāketur-mahādhātur-naikasānucharaśchalaḥ.
Āvedanīya ādeśaḥ sarvagandha-sukhāvahaḥ.

89. Toraṇastāraṇo vātaḥ paridhī patikhecharaḥ.
Saṃyogo vardhano vṛddho ativṛddho guṇādhikaḥ.

90. Nitya ātmasahāyaścha devāsurapatiḥ patiḥ.
Yuktaścha yuktabāhuścha devo divisuparvaṇaḥ.

91. Āṣāḍhaścha suṣāḍhaścha dhruvo'tha hariṇo haraḥ.
Vapurāvartamānebhyo vasuśreṣṭho mahāpathaḥ.

92. Śirohārī vimarśaścha sarvalakṣaṇalakṣitaḥ.
Akṣaścha rathayogī cha sarvayogī mahābalaḥ.

93. Samāmnāyo-'samāmnāya-stīrthadevo mahārathaḥ.
Nirjīvo jīvano mantraḥ śubhākṣo bahukarkaśaḥ.

94. Ratnaprabhūto ratnāṅgo maharṇava-nipānavit.
Mūlaṃ viśālo hyamṛto vyaktāvyakta-staponidhiḥ.

95. Ārohaṇo-'dhirohaścha śīladhārī mahāyaśāḥ.
Senākalpo mahākalpo yogo yugakaro hariḥ.

96. Yugarūpo mahārūpo mahānāgahano'vadhaḥ.
Nyāyanirvapaṇaḥ pādaḥ paṇḍito hyachalopamaḥ.

97. Bahumālo mahāmālaḥ śaśī harasulochanaḥ.
Vistāro lavaṇaḥ kūpastriyugaḥ saphalodayaḥ.

98. Trilochano viṣaṇṇāṅgo maṇividdho jaṭādharaḥ.
Bindurvisargaḥ sumukhaḥ śaraḥ sarvāyudhaḥ sahaḥ.

99. Nivedanaḥ sukhājātaḥ sugandhāro mahādhunaḥ.
Gandhapālī cha bhagavānutthānaḥ sarvakarmaṇām.

100. Manthāno bahulo vāyuḥ sakalaḥ sarvalochanaḥ.
Tatastālaḥ karasthālī ūrdhva-saṃhanano mahān.

101. Chhatraṃ suchchhatro vikhyāto lokaḥ sarvāśrayaḥ kramaḥ.
Muṇḍo virūpo vikṛto daṇḍī kuṇḍī vikurvaṇaḥ.

102. Haryakṣaḥ kakubho vajrī śatajihvaḥ sahasrapāt.
Sahasramūrdhā devendraḥ sarvadevamayo guruḥ.

103. Sahasrabāhuḥ sarvāṅgaḥ śaraṇyaḥ sarvalokakṛt.
Pavitraṃ trikakunmantraḥ kaniṣṭhaḥ kṛṣṇapiṅgalaḥ.

104. Brahmadaṇḍa-vinirmātā śataghnīpāśa-śaktimān.
Padmagarbho mahāgarbho brahmagarbho jalodbhavaḥ.

105. Gabhastir-brahmakṛd brahmī brahmavid brāhmaṇo gatiḥ.
Anantarūpo naikātmā tigmatejāḥ svayambhuvaḥ.

106. Ūrdhvagātmā paśupatirvātaraṃhā manojavaḥ.
Chandanī padmanālāgraḥ surabhyuttaraṇo naraḥ.

107. Karṇikāra-mahāsragvī nīlamauliḥ pinākadhṛt.
Umāpatirumākānto jāhnavīdhṛdumādhavaḥ.

108. Varo varāho varado vareṇyaḥ sumahāsvanaḥ.
Mahāprasādo damanaḥ śatruhā śvetapiṅgalaḥ.

109. Pītātmā paramātmā cha prayatātmā pradhānadhṛt.
Sarvapārśvamukhastryakṣo dharmasādhāraṇo varaḥ.

110. Charācharātmā sūkṣmātmā amṛto govṛṣeśvaraḥ.
Sādhyarṣir-vasurādityo vivasvān savitāmṛtaḥ.

111. Vyāsaḥ sargaḥ susaṃkṣepo vistaraḥ paryayo naraḥ.
Ṛtuḥ saṃvatsaro māsaḥ pakṣaḥ saṅkhyāsamāpanaḥ.

112. Kalāḥ kāṣṭhā lavā mātrā muhūrtāhaḥ kṣapāḥ kṣaṇāḥ.
Viśvakṣetraṃ prajābījaṃ liṅgamādyastu nirgamaḥ.

113. Sadasad vyaktamavyaktaṃ pitā mātā pitāmahaḥ.
Svargadvāraṃ prajādvāraṃ mokṣadvāraṃ triviṣṭapam.

114. Nirvāṇaṃ hlādanaśchaiva brahmalokaḥ parā gatiḥ.
Devāsura-vinirmātā devāsura-parāyaṇaḥ.

115. Devāsura-gururdevo devāsura-namaskṛtaḥ.
Devāsura-mahāmātro devāsura-gaṇāśrayaḥ.

116. Devāsura-gaṇādhyakṣo devāsura-gaṇāgraṇīḥ.
Devātidevo devarṣir-devāsura-varapradaḥ.

117. Devāsureśvero viśvo devāsura-maheśvaraḥ.
Sarvadevamayo-'chintyo devatātmā''tmasambhavaḥ.

118. Udbhit trivikramo vaidyo virajo nīrajo'maraḥ.
Īḍyo hastīśvaro vyāghro devasiṃho nararṣabhaḥ.

119. Vibudho'gravaraḥ sūkṣmaḥ sarvadevastapomayaḥ.
Suyuktaḥ śobhano vajrī prāsānāṃ prabhavo'vyayaḥ.

120. Guhaḥ kānto nijaḥ sargaḥ pavitraṃ sarvapāvanaḥ.
Śṛṅgī śṛṅgapriyo babhrū rājarājo nirāmayaḥ.

121. Abhirāmaḥ suragaṇo virāmaḥ sarvasādhanaḥ.
Lalāṭākṣo viśvadevo hariṇo brahmavarchasaḥ.

122. Sthāvarāṇāṃ patiśchaiva niyamendriya-vardhanaḥ.
Siddhārthaḥ siddhabhūtārtho-'chintyaḥ satyavrataḥ śuchiḥ.

123. Vratādhipaḥ paraṃ brahma bhaktānāṃ paramā gatiḥ.
Vimukto muktatejāścha śrīmāñśrīvardhano jagat.

Om śāntiḥ śāntiḥ śāntiḥ. Hariḥ om.

Śiva-sahasra-nāmāvaliḥ

1. Om sthirāya namaḥ
2. Om sthāṇave namaḥ
3. Om prabhave namaḥ
4. Om bhīmāya namaḥ
5. Om pravarāya namaḥ
6. Om varadāya namaḥ
7. Om varāya namaḥ
8. Om sarvātmane namaḥ
9. Om sarvavikhyātāya namaḥ
10. Om sarvasmai namaḥ
11. Om sarvakarāya namaḥ
12. Om bhavāya namaḥ
13. Om jaṭine namaḥ
14. Om charmiṇe namaḥ
15. Om śikhaṇḍine namaḥ
16. Om sarvāṅgāya namaḥ
17. Om sarvabhāvāya namaḥ
18. Om harāya namaḥ
19. Om hariṇākṣāya namaḥ
20. Om sarvabhūtaharāya namaḥ
21. Om prabhave namaḥ
22. Om pravṛttaye namaḥ
23. Om nivṛttaye namaḥ
24. Om niyatāya namaḥ
25. Om śāśvatāya namaḥ
26. Om dhruvāya namaḥ
27. Om śmaśānavāsine namaḥ
28. Om bhagavate namaḥ
29. Om khecharāya namaḥ
30. Om gocharāya namaḥ
31. Om ardanāya namaḥ
32. Om abhivādyāya namaḥ
33. Om mahākarmaṇe namaḥ
34. Om tapasvine namaḥ
35. Om bhūtabhāvanāya namaḥ
36. Om unmattaveṣa-prachchhannāya namaḥ
37. Om sarvalokaprajāpataye namaḥ
38. Om mahārūpāya namaḥ
39. Om mahākāyāya namaḥ
40. Om vṛṣarūpāya namaḥ
41. Om mahāyaśase namaḥ
42. Om mahātmane namaḥ
43. Om sarvabhūtātmane namaḥ
44. Om viśvarūpāya namaḥ
45. Om mahāhanave namaḥ
46. Om lokapālāya namaḥ
47. Om antarhitātmane namaḥ
48. Om prasādāya namaḥ
49. Om hayagardabhāya namaḥ
50. Om pavitrāya namaḥ
51. Om mahate namaḥ
52. Om niyamāya namaḥ
53. Om niyamāśritāya namaḥ
54. Om sarvakarmaṇe namaḥ
55. Om svayambhūtāya namaḥ
56. Om ādaye namaḥ
57. Om ādikarāya namaḥ
58. Om nidhaye namaḥ
59. Om sahasrākṣāya namaḥ
60. Om viśālākṣāya namaḥ
61. Om somāya namaḥ
62. Om nakṣatrasādhakāya namaḥ
63. Om chandrāya namaḥ
64. Om sūryāya namaḥ
65. Om śanaye namaḥ
66. Om ketave namaḥ
67. Om grahāya namaḥ
68. Om grahapataye namaḥ
69. Om varāya namaḥ
70. Om atraye namaḥ
71. Om atryānamaskartre namaḥ
72. Om mṛgabāṇārpaṇāya namaḥ

73. Om anaghāya namaḥ
74. Om mahātapase namaḥ
75. Om ghoratapase namaḥ
76. Om adīnāya namaḥ
77. Om dīnasādhakakarāya namaḥ
78. Om saṃvatsarakarāya namaḥ
79. Om mantrāya namaḥ
80. Om pramāṇāya namaḥ
81. Om paramantapāya namaḥ
82. Om yogine namaḥ
83. Om yojyāya namaḥ
84. Om mahābījāya namaḥ
85. Om mahāretase namaḥ
86. Om mahābalāya namaḥ
87. Om suvarṇaretase namaḥ
88. Om sarvajñāya namaḥ
89. Om subījāya namaḥ
90. Om bījavāhanāya namaḥ
91. Om daśabāhave namaḥ
92. Om animiṣāya namaḥ
93. Om nīlakaṇṭhāya namaḥ
94. Om umāpataye namaḥ
95. Om viśvarūpāya namaḥ
96. Om svayaṃśreṣṭhāya namaḥ
97. Om balavīrāya namaḥ
98. Om abalogaṇāya namaḥ
99. Om gaṇakartre namaḥ
100. Om gaṇapataye namaḥ
101. Om digvāsase namaḥ
102. Om kāmāya namaḥ
103. Om mantravide namaḥ
104. Om paramamantrāya namaḥ
105. Om sarvabhāvakarāya namaḥ
106. Om harāya namaḥ
107. Om kamaṇḍaludharāya namaḥ
108. Om dhanvine namaḥ
109. Om bāṇahastāya namaḥ
110. Om kapālavate namaḥ
111. Om aśanine namaḥ
112. Om śataghnine namaḥ
113. Om khaḍgine namaḥ
114. Om paṭṭiśine namaḥ
115. Om āyudhine namaḥ
116. Om mahate namaḥ
117. Om sruvahastāya namaḥ
118. Om surūpāya namaḥ
119. Om tejase namaḥ
120. Om tejaskaranidhaye namaḥ
121. Om uṣṇīṣiṇe namaḥ
122. Om suvaktrāya namaḥ
123. Om udagrāya namaḥ
124. Om vinatāya namaḥ
125. Om dīrghāya namaḥ
126. Om harikeśāya namaḥ
127. Om sutīrthāya namaḥ
128. Om kṛṣṇāya namaḥ
129. Om śṛgālarūpāya namaḥ
130. Om siddhārthāya namaḥ
131. Om muṇḍāya namaḥ
132. Om sarvaśubhaṅkarāya namaḥ
133. Om ajāya namaḥ
134. Om bahurūpāya namaḥ
135. Om gandhadhāriṇe namaḥ
136. Om kapardine namaḥ
137. Om ūrdhvaretase namaḥ
138. Om ūrdhvaliṅgāya namaḥ
139. Om ūrdhvaśāyine namaḥ
140. Om nabhasthalāya namaḥ
141. Om trijaṭāya namaḥ
142. Om chīravāsase namaḥ
143. Om rudrāya namaḥ
144. Om senāpataye namaḥ
145. Om vibhave namaḥ
146. Om ahaścharāya namaḥ
147. Om naktañcharāya namaḥ
148. Om tigmamanyave namaḥ
149. Om suvarchasāya namaḥ
150. Om gajaghne namaḥ
151. Om daityaghne namaḥ

152. Om kālāya namaḥ
153. Om lokadhātre namaḥ
154. Om guṇākarāya namaḥ
155. Om siṃhaśārdūlarūpāya namaḥ
156. Om ārdracharmāmbarāvṛtāya namaḥ
157. Om kālayogine namaḥ
158. Om mahānādāya namaḥ
159. Om sarvakāmāya namaḥ
160. Om chatuṣpathāya namaḥ
161. Om niśācharāya namaḥ
162. Om pretachāriṇe namaḥ
163. Om bhūtachāriṇe namaḥ
164. Om maheśvarāya namaḥ
165. Om bahubhūtāya namaḥ
166. Om bahudharāya namaḥ
167. Om svarbhānave namaḥ
168. Om amitāya namaḥ
169. Om gataye namaḥ
170. Om nṛtyapriyāya namaḥ
171. Om nityanartāya namaḥ
172. Om nartakāya namaḥ
173. Om sarvalālasāya namaḥ
174. Om ghorāya namaḥ
175. Om mahātapase namaḥ
176. Om pāśāya namaḥ
177. Om nityāya namaḥ
178. Om giriruhāya namaḥ
179. Om nabhase namaḥ
180. Om sahasrahastāya namaḥ
181. Om vijayāya namaḥ
182. Om vyavasāyāya namaḥ
183. Om atandritāya namaḥ
184. Om adharṣaṇāya namaḥ
185. Om dharṣaṇātmane namaḥ
186. Om yajñaghne namaḥ
187. Om kāmanāśakāya namaḥ
188. Om dakṣayāgāpahāriṇe namaḥ

189. Om susahāya namaḥ
190. Om madhyamāya namaḥ
191. Om tejopahāriṇe namaḥ
192. Om balaghne namaḥ
193. Om muditāya namaḥ
194. Om arthāya namaḥ
195. Om ajitāya namaḥ
196. Om avarāya namaḥ
197. Om gambhīraghoṣāya namaḥ
198. Om gambhīrāya namaḥ
199. Om gambhīrabalavāhanāya namaḥ
200. Om nyagrodharūpāya namaḥ
201. Om nyagrodhāya namaḥ
202. Om vṛkṣakarṇasthitaye namaḥ
203. Om vibhave namaḥ
204. Om sutīkṣṇadaśanāya namaḥ
205. Om mahākāyāya namaḥ
206. Om mahānanāya namaḥ
207. Om viṣvaksenāya namaḥ
208. Om haraye namaḥ
209. Om yajñāya namaḥ
210. Om saṃyugāpīḍavāhanāya namaḥ
211. Om tīkṣṇatāpāya namaḥ
212. Om haryaśvāya namaḥ
213. Om sahāyāya namaḥ
214. Om karmakālavide namaḥ
215. Om viṣṇuprasāditāya namaḥ
216. Om yajñāya namaḥ
217. Om samudrāya namaḥ
218. Om vaḍavāmukhāya namaḥ
219. Om hutāśanasahāyāya namaḥ
220. Om praśāntātmane namaḥ
221. Om hutāśanāya namaḥ
222. Om ugratejase namaḥ
223. Om mahātejase namaḥ

224. Om janyāya namaḥ
225. Om vijayakālavide namaḥ
226. Om jyotiṣāmayanāya namaḥ
227. Om siddhaye namaḥ
228. Om sarvavigrahāya namaḥ
229. Om śikhine namaḥ
230. Om muṇḍine namaḥ
231. Om jaṭine namaḥ
232. Om jvāline namaḥ
233. Om mūrttijāya namaḥ
234. Om mūrddhagāya namaḥ
235. Om baline namaḥ
236. Om veṇavine namaḥ
237. Om paṇavine namaḥ
238. Om tāline namaḥ
239. Om khaline namaḥ
240. Om kālakaṭaṅkaṭāya namaḥ
241. Om nakṣatravigrahamataye namaḥ
242. Om guṇabuddhaye namaḥ
243. Om layāya namaḥ
244. Om agamāya namaḥ
245. Om prajāpataye namaḥ
246. Om viśvabāhave namaḥ
247. Om vibhāgāya namaḥ
248. Om sarvagāya namaḥ
249. Om amukhāya namaḥ
250. Om vimochanāya namaḥ
251. Om susaraṇāya namaḥ
252. Om hiraṇyakavachod-bhavāya namaḥ
253. Om meḍhrajāya namaḥ
254. Om balachāriṇe namaḥ
255. Om mahīchāriṇe namaḥ
256. Om srutāya namaḥ
257. Om sarvatūryaninādine namaḥ
258. Om sarvatodyaparigrahāya namaḥ
259. Om vyālarūpāya namaḥ
260. Om guhāvāsine namaḥ
261. Om guhāya namaḥ
262. Om māline namaḥ
263. Om taraṅgavide namaḥ
264. Om tridaśāya namaḥ
265. Om trikāladhṛge namaḥ
266. Om karmasarvabandha-vimochanāya namaḥ
267. Om asurendrāṇāṃ bandhanāya namaḥ
268. Om yudhi śatruvināśine namaḥ
269. Om sāṅkhyaprasādāya namaḥ
270. Om durvāsase namaḥ
271. Om sarvasādhuniṣevitāya namaḥ
272. Om praskandanāya namaḥ
273. Om vibhāgajñāya namaḥ
274. Om atulyāya namaḥ
275. Om yajñavibhāgavide namaḥ
276. Om sarvachāriṇe namaḥ
277. Om sarvavāsāya namaḥ
278. Om durvāsase namaḥ
279. Om vāsavāya namaḥ
280. Om amarāya namaḥ
281. Om haimāya namaḥ
282. Om hemakarāya namaḥ
283. Om ayajñasarvadhāriṇe namaḥ
284. Om dharottamāya namaḥ
285. Om lohitākṣāya namaḥ
286. Om mahākṣāya namaḥ
287. Om vijayākṣāya namaḥ
288. Om viśāradāya namaḥ
289. Om saṅgrahāya namaḥ
290. Om nigrahāya namaḥ
291. Om kartre namaḥ
292. Om sarpachīranivasanāya namaḥ

293. Om mukhyāya namaḥ
294. Om amukhyāya namaḥ
295. Om dehāya namaḥ
296. Om kāhalaye namaḥ
297. Om sarvakāmadāya namaḥ
298. Om sarvakālaprasādāya namaḥ
299. Om subalāya namaḥ
300. Om balarūpadhṛge namaḥ
301. Om sarvakāmavarāya namaḥ
302. Om sarvadāya namaḥ
303. Om sarvatomukhāya namaḥ
304. Om ākāśanirvirūpāya namaḥ
305. Om nipātine namaḥ
306. Om avaśāya namaḥ
307. Om khagāya namaḥ
308. Om raudrarūpāya namaḥ
309. Om aṃśave namaḥ
310. Om ādityāya namaḥ
311. Om bahuraśmaye namaḥ
312. Om suvarchasine namaḥ
313. Om vasuvegāya namaḥ
314. Om mahāvegāya namaḥ
315. Om manovegāya namaḥ
316. Om niśācharāya namaḥ
317. Om sarvavāsine namaḥ
318. Om śriyāvāsine namaḥ
319. Om upadeśakarāya namaḥ
320. Om akarāya namaḥ
321. Om munaye namaḥ
322. Om ātmanirālokāya namaḥ
323. Om saṃbhagnāya namaḥ
324. Om sahasradāya namaḥ
325. Om pakṣiṇe namaḥ
326. Om pakṣarūpāya namaḥ
327. Om atidīptāya namaḥ
328. Om viśāmpataye namaḥ
329. Om unmādāya namaḥ
330. Om madanāya namaḥ
331. Om kāmāya namaḥ
332. Om aśvatthāya namaḥ
333. Om arthakarāya namaḥ
334. Om yaśase namaḥ
335. Om vāmadevāya namaḥ
336. Om vāmāya namaḥ
337. Om prāche namaḥ
338. Om dakṣiṇāya namaḥ
339. Om vāmanāya namaḥ
340. Om siddhayogine namaḥ
341. Om maharṣaye namaḥ
342. Om siddhārthāya namaḥ
343. Om siddhasādhakāya namaḥ
344. Om bhikṣave namaḥ
345. Om bhikṣurūpāya namaḥ
346. Om vipaṇāya namaḥ
347. Om mṛdave namaḥ
348. Om avyayāya namaḥ
349. Om mahāsenāya namaḥ
350. Om viśākhāya namaḥ
351. Om ṣaṣṭibhāgāya namaḥ
352. Om gavāmpataye namaḥ
353. Om vajrahastāya namaḥ
354. Om viṣkambhine namaḥ
355. Om chamūstambhanāya namaḥ
356. Om vṛttāvṛttakarāya namaḥ
357. Om tālāya namaḥ
358. Om madhave namaḥ
359. Om madhukalochanāya namaḥ
360. Om vāchaspataye namaḥ
361. Om vājasanāya namaḥ
362. Om nityamāśramapūjitāya namaḥ
363. Om brahmachāriṇe namaḥ
364. Om lokachāriṇe namaḥ
365. Om sarvachāriṇe namaḥ
366. Om vichāravide namaḥ
367. Om īśānāya namaḥ
368. Om īśvarāya namaḥ

369. Om kālāya namaḥ
370. Om niśāchāriṇe namaḥ
371. Om pinākadhṛge namaḥ
372. Om nimittasthāya namaḥ
373. Om nimittāya namaḥ
374. Om nandaye namaḥ
375. Om nandikarāya namaḥ
376. Om haraye namaḥ
377. Om nandīśvarāya namaḥ
378. Om nandine namaḥ
379. Om nandanāya namaḥ
380. Om nandivardhanāya namaḥ
381. Om bhagahāriṇe namaḥ
382. Om nihantre namaḥ
383. Om kālāya namaḥ
384. Om brahmaṇe namaḥ
385. Om pitāmahāya namaḥ
386. Om chaturmukhāya namaḥ
387. Om mahāliṅgāya namaḥ
388. Om chāruliṅgāya namaḥ
389. Om liṅgādhyakṣāya namaḥ
390. Om surādhyakṣāya namaḥ
391. Om yogādhyakṣāya namaḥ
392. Om yugāvahāya namaḥ
393. Om bījādhyakṣāya namaḥ
394. Om bījakartre namaḥ
395. Om adhyātmānugatāya namaḥ
396. Om balāya namaḥ
397. Om itihāsāya namaḥ
398. Om sakalpāya namaḥ
399. Om gautamāya namaḥ
400. Om niśākarāya namaḥ
401. Om dambhāya namaḥ
402. Om adambhāya namaḥ
403. Om vaidambhāya namaḥ
404. Om vaśyāya namaḥ
405. Om vaśakarāya namaḥ
406. Om kalaye namaḥ
407. Om lokakartre namaḥ
408. Om paśupataye namaḥ
409. Om mahākartre namaḥ
410. Om anauṣadhāya namaḥ
411. Om akṣarāya namaḥ
412. Om parabrahmaṇe namaḥ
413. Om balavate namaḥ
414. Om śakrāya namaḥ
415. Om nītaye namaḥ
416. Om anītaye namaḥ
417. Om śuddhātmane namaḥ
418. Om mānyāya namaḥ
419. Om śuddhāya namaḥ
420. Om gatāgatāya namaḥ
421. Om bahuprasādāya namaḥ
422. Om susvapnāya namaḥ
423. Om darpaṇāya namaḥ
424. Om amitrajite namaḥ
425. Om vedakārāya namaḥ
426. Om mantrakārāya namaḥ
427. Om viduṣe namaḥ
428. Om samaramardanāya namaḥ
429. Om mahāmeghanivāsine namaḥ
430. Om mahāghorāya namaḥ
431. Om vaśine namaḥ
432. Om karāya namaḥ
433. Om agnijvālāya namaḥ
434. Om mahājvālāya namaḥ
435. Om atidhūmrāya namaḥ
436. Om hutāya namaḥ
437. Om haviṣe namaḥ
438. Om vṛṣaṇāya namaḥ
439. Om śaṅkarāya namaḥ
440. Om nityaṃvarchasvine namaḥ
441. Om dhūmaketanāya namaḥ
442. Om nīlāya namaḥ
443. Om aṅgalubdhāya namaḥ
444. Om śobhanāya namaḥ
445. Om niravagrahāya namaḥ

446. Om svastidāyakāya namaḥ
447. Om svastibhāvāya namaḥ
448. Om bhāgine namaḥ
449. Om bhāgakarāya namaḥ
450. Om laghave namaḥ
451. Om utsaṅgāya namaḥ
452. Om mahāṅgāya namaḥ
453. Om mahāgarbhaparāyaṇāya
     namaḥ
454. Om kṛṣṇavarṇāya namaḥ
455. Om suvarṇāya namaḥ
456. Om sarvadehināmindriyāya
     namaḥ
457. Om mahāpādāya namaḥ
458. Om mahāhastāya namaḥ
459. Om mahākāyāya namaḥ
460. Om mahāyaśase namaḥ
461. Om mahāmūrdhne namaḥ
462. Om mahāmātrāya namaḥ
463. Om mahānetrāya namaḥ
464. Om niśālayāya namaḥ
465. Om mahāntakāya namaḥ
466. Om mahākarṇāya namaḥ
467. Om mahoṣṭhāya namaḥ
468. Om mahāhanave namaḥ
469. Om mahānāsāya namaḥ
470. Om mahākambave namaḥ
471. Om mahāgrīvāya namaḥ
472. Om śmaśānabhāje namaḥ
473. Om mahāvakṣase namaḥ
474. Om mahoraskāya namaḥ
475. Om antarātmane namaḥ
476. Om mṛgālayāya namaḥ
477. Om lambanāya namaḥ
478. Om lambitoṣṭhāya namaḥ
479. Om mahāmāyāya namaḥ
480. Om payonidhaye namaḥ
481. Om mahādantāya namaḥ
482. Om mahādaṃṣṭrāya namaḥ
483. Om mahājihvāya namaḥ
484. Om mahāmukhāya namaḥ
485. Om mahānakhāya namaḥ
486. Om mahāromṇe namaḥ
487. Om mahākośāya namaḥ
488. Om mahājaṭāya namaḥ
489. Om prasannāya namaḥ
490. Om prasādāya namaḥ
491. Om pratyayāya namaḥ
492. Om girisādhanāya namaḥ
493. Om snehanāya namaḥ
494. Om asnehanāya namaḥ
495. Om ajitāya namaḥ
496. Om mahāmunaye namaḥ
497. Om vṛkṣākārāya namaḥ
498. Om vṛkṣaketave namaḥ
499. Om analāya namaḥ
500. Om vāyuvāhanāya namaḥ
501. Om gaṇḍaline namaḥ
502. Om merudhāmne namaḥ
503. Om devādhipataye namaḥ
504. Om atharvaśīrṣāya namaḥ
505. Om sāmāsyāya namaḥ
506. Om ṛksahasrāmitekṣaṇāya
     namaḥ
507. Om yajuḥpādabhujāya namaḥ
508. Om guhyāya namaḥ
509. Om prakāśāya namaḥ
510. Om jaṅgamāya namaḥ
511. Om amoghārthāya namaḥ
512. Om prasādāya namaḥ
513. Om abhigamyāya namaḥ
514. Om sudarśanāya namaḥ
515. Om upakārāya namaḥ
516. Om priyāya namaḥ
517. Om sarvāya namaḥ
518. Om kanakāya namaḥ
519. Om kāñchanachchhavaye
     namaḥ
520. Om nābhaye namaḥ
521. Om nandikarāya namaḥ

522. Om bhāvāya namaḥ
523. Om puṣkarasthapataye namaḥ
524. Om sthirāya namaḥ
525. Om dvādaśāya namaḥ
526. Om trāsanāya namaḥ
527. Om ādyāya namaḥ
528. Om yajñāya namaḥ
529. Om yajñasamāhitāya namaḥ
530. Om naktaṃsvarūpāya namaḥ
531. Om kalaye namaḥ
532. Om kālāya namaḥ
533. Om makarāya namaḥ
534. Om kālapūjitāya namaḥ
535. Om sagaṇāya namaḥ
536. Om gaṇakārāya namaḥ
537. Om bhūtavāhanasārathaye namaḥ
538. Om bhasmaśayāya namaḥ
539. Om bhasmagoptre namaḥ
540. Om bhasmabhūtāya namaḥ
541. Om tarave namaḥ
542. Om gaṇāya namaḥ
543. Om lokapālāya namaḥ
544. Om alokāya namaḥ
545. Om mahātmane namaḥ
546. Om sarvapūjitāya namaḥ
547. Om śuklāya namaḥ
548. Om triśuklāya namaḥ
549. Om sampannāya namaḥ
550. Om śuchaye namaḥ
551. Om bhūtaniṣevitāya namaḥ
552. Om āśramasthāya namaḥ
553. Om kriyāvasthāya namaḥ
554. Om viśvakarmamataye namaḥ
555. Om varāya namaḥ
556. Om viśālaśākhāya namaḥ
557. Om tāmroṣṭhāya namaḥ
558. Om ambujālāya namaḥ
559. Om suniśchalāya namaḥ
560. Om kapilāya namaḥ
561. Om kapiśāya namaḥ
562. Om śuklāya namaḥ
563. Om āyuṣe namaḥ
564. Om parāya namaḥ
565. Om aparāya namaḥ
566. Om gandharvāya namaḥ
567. Om aditaye namaḥ
568. Om tārkṣyāya namaḥ
569. Om suvijñeyāya namaḥ
570. Om suśāradāya namaḥ
571. Om paraśvadhāyudhāya namaḥ
572. Om devāya namaḥ
573. Om anukāriṇe namaḥ
574. Om subāndhavāya namaḥ
575. Om tumbavīṇāya namaḥ
576. Om mahākrodhāya namaḥ
577. Om ūrdhvaretase namaḥ
578. Om jaleśayāya namaḥ
579. Om ugrāya namaḥ
580. Om vaṃśakarāya namaḥ
581. Om vaṃśāya namaḥ
582. Om vaṃśanādāya namaḥ
583. Om aninditāya namaḥ
584. Om sarvāṅgarūpāya namaḥ
585. Om māyāvine namaḥ
586. Om suhṛde namaḥ
587. Om anilāya namaḥ
588. Om analāya namaḥ
589. Om bandhanāya namaḥ
590. Om bandhakartre namaḥ
591. Om subandhanavimochanāya namaḥ
592. Om sayajñāraye namaḥ
593. Om sakāmāraye namaḥ
594. Om mahādaṃṣṭrāya namaḥ

595. Om mahāyudhāya namaḥ
596. Om bahudhāninditāya namaḥ
597. Om śarvāya namaḥ
598. Om śaṅkarāya namaḥ
599. Om śaṃ karāya namaḥ
600. Om adhanāya namaḥ
601. Om amareśāya namaḥ
602. Om mahādevāya namaḥ
603. Om viśvadevāya namaḥ
604. Om surārighne namaḥ
605. Om ahirbudhnyāya namaḥ
606. Om anilābhāya namaḥ
607. Om chekitānāya namaḥ
608. Om haviṣe namaḥ
609. Om ajaikapāde namaḥ
610. Om kāpāline namaḥ
611. Om triśaṅkave namaḥ
612. Om ajitāya namaḥ
613. Om śivāya namaḥ
614. Om dhanvantaraye namaḥ
615. Om dhūmaketave namaḥ
616. Om skandāya namaḥ
617. Om vaiśravaṇāya namaḥ
618. Om dhātre namaḥ
619. Om śakrāya namaḥ
620. Om viṣṇave namaḥ
621. Om mitrāya namaḥ
622. Om tvaṣṭre namaḥ
623. Om dhruvāya namaḥ
624. Om dharāya namaḥ
625. Om prabhāvāya namaḥ
626. Om sarvagovāyave namaḥ
627. Om aryamṇe namaḥ
628. Om savitre namaḥ
629. Om ravaye namaḥ
630. Om uṣaṅgave namaḥ
631. Om vidhātre namaḥ
632. Om mānadhātre namaḥ
633. Om bhūtabhāvanāya namaḥ
634. Om vibhave namaḥ
635. Om varṇavibhāvine namaḥ
636. Om sarvakāmaguṇāvahāya namaḥ
637. Om padmanābhāya namaḥ
638. Om mahāgarbhāya namaḥ
639. Om chandravaktrāya namaḥ
640. Om anilāya namaḥ
641. Om analāya namaḥ
642. Om balavate namaḥ
643. Om upaśāntāya namaḥ
644. Om purāṇāya namaḥ
645. Om puṇyachañchave namaḥ
646. Om 'ī' rūpāya namaḥ
647. Om kurukartre namaḥ
648. Om kuruvāsine namaḥ
649. Om kurubhūtāya namaḥ
650. Om guṇauṣadhāya namaḥ
651. Om sarvāśayāya namaḥ
652. Om darbhachāriṇe namaḥ
653. Om sarvaprāṇipataye namaḥ
654. Om devadevāya namaḥ
655. Om sukhāsaktāya namaḥ
656. Om 'sat' svarūpāya namaḥ
657. Om 'asat' rūpāya namaḥ
658. Om sarvaratnavide namaḥ
659. Om kailāsagirivāsine namaḥ
660. Om himavadgirisaṃśrayāya namaḥ
661. Om kūlahāriṇe namaḥ
662. Om kulakartre namaḥ
663. Om bahuvidyāya namaḥ
664. Om bahupradāya namaḥ
665. Om vaṇijāya namaḥ
666. Om vardhakine namaḥ
667. Om vṛkṣāya namaḥ
668. Om bakulāya namaḥ
669. Om chandanāya namaḥ
670. Om chhadāya namaḥ
671. Om sāragrīvāya namaḥ

672. Om mahājatrave namaḥ
673. Om alolāya namaḥ
674. Om mahauṣadhāya namaḥ
675. Om siddhārthakāriṇe namaḥ
676. Om chhandovyākaraṇottara-siddhārthāya namaḥ
677. Om siṃhanādāya namaḥ
678. Om siṃhadaṃṣṭrāya namaḥ
679. Om siṃhagāya namaḥ
680. Om siṃhavāhanāya namaḥ
681. Om prabhāvātmane namaḥ
682. Om jagatkālasthalāya namaḥ
683. Om lokahitāya namaḥ
684. Om tarave namaḥ
685. Om sāraṅgāya namaḥ
686. Om navachakrāṅgāya namaḥ
687. Om ketumāline namaḥ
688. Om sabhāvanāya namaḥ
689. Om bhūtālayāya namaḥ
690. Om bhūtapataye namaḥ
691. Om ahorātrāya namaḥ
692. Om aninditāya namaḥ
693. Om sarvabhūtavāhitre namaḥ
694. Om sarvabhūtanilayāya namaḥ
695. Om vibhave namaḥ
696. Om bhavāya namaḥ
697. Om amoghāya namaḥ
698. Om saṃyatāya namaḥ
699. Om aśvāya namaḥ
700. Om bhojanāya namaḥ
701. Om prāṇadhāraṇāya namaḥ
702. Om dhṛtimate namaḥ
703. Om matimate namaḥ
704. Om dakṣāya namaḥ
705. Om satkṛtāya namaḥ
706. Om yugādhipāya namaḥ
707. Om gopālyai namaḥ
708. Om gopataye namaḥ
709. Om grāmāya namaḥ
710. Om gocharmavasanāya namaḥ
711. Om haraye namaḥ
712. Om hiraṇyabāhave namaḥ
713. Om praveśināṅguhāpālāya namaḥ
714. Om prakṛṣṭāraye namaḥ
715. Om mahāharṣāya namaḥ
716. Om jitakāmāya namaḥ
717. Om jitendriyāya namaḥ
718. Om gāndhārāya namaḥ
719. Om suvāsāya namaḥ
720. Om tapaḥsaktāya namaḥ
721. Om rataye namaḥ
722. Om narāya namaḥ
723. Om mahāgītāya namaḥ
724. Om mahānṛtyāya namaḥ
725. Om apsarogaṇasevitāya namaḥ
726. Om mahāketave namaḥ
727. Om mahādhātave namaḥ
728. Om naikasānucharāya namaḥ
729. Om chalāya namaḥ
730. Om āvedanīyāya namaḥ
731. Om ādeśāya namaḥ
732. Om sarvagandha-sukhāvahāya namaḥ
733. Om toraṇāya namaḥ
734. Om tāraṇāya namaḥ
735. Om vātāya namaḥ
736. Om paridhaye namaḥ
737. Om patikhecharāya namaḥ
738. Om saṃyogavardhanāya namaḥ
739. Om vṛddhāya namaḥ
740. Om guṇādhikāya namaḥ
741. Om ativṛddhāya namaḥ
742. Om nityātmasahāyāya namaḥ

743. Om devāsurapataye namaḥ
744. Om patye namaḥ
745. Om yuktāya namaḥ
746. Om yuktabāhave namaḥ
747. Om divisuparvadevāya namaḥ
748. Om āṣāḍhāya namaḥ
749. Om suṣāḍhāya namaḥ
750. Om dhruvāya namaḥ
751. Om hariṇāya namaḥ
752. Om harāya namaḥ
753. Om āvartamānavapuṣe namaḥ
754. Om vasuśreṣṭhāya namaḥ
755. Om mahāpathāya namaḥ
756. Om vimarṣaśirohāriṇe namaḥ
757. Om sarvalakṣaṇalakṣitāya namaḥ
758. Om akṣarathayogine namaḥ
759. Om sarvayogine namaḥ
760. Om mahābalāya namaḥ
761. Om samāmnāyāya namaḥ
762. Om asamāmnāyāya namaḥ
763. Om tīrthadevāya namaḥ
764. Om mahārathāya namaḥ
765. Om nirjīvāya namaḥ
766. Om jīvanāya namaḥ
767. Om mantrāya namaḥ
768. Om śubhākṣāya namaḥ
769. Om bahukarkaśāya namaḥ
770. Om ratnaprabhūtāya namaḥ
771. Om ratnāṅgāya namaḥ
772. Om mahārṇavanipānavide namaḥ
773. Om mūlāya namaḥ
774. Om viśālāya namaḥ
775. Om amṛtāya namaḥ
776. Om vyaktā'vyaktāya namaḥ
777. Om taponidhaye namaḥ
778. Om ārohaṇāya namaḥ
779. Om adhirohāya namaḥ
780. Om śīladhāriṇe namaḥ
781. Om mahāyaśase namaḥ
782. Om senākalpāya namaḥ
783. Om mahākalpāya namaḥ
784. Om yogāya namaḥ
785. Om yugakarāya namaḥ
786. Om haraye namaḥ
787. Om yugarūpāya namaḥ
788. Om mahārūpāya namaḥ
789. Om mahānāgahatakāya namaḥ
790. Om avadhāya namaḥ
791. Om nyāyanirvapaṇāya namaḥ
792. Om pādāya namaḥ
793. Om paṇḍitāya namaḥ
794. Om achalopamāya namaḥ
795. Om bahumālāya namaḥ
796. Om mahāmālāya namaḥ
797. Om śaśiharasulochanāya namaḥ
798. Om vistāralavaṇakūpāya namaḥ
799. Om triyugāya namaḥ
800. Om saphalodayāya namaḥ
801. Om trilochanāya namaḥ
802. Om viṣaṇḍāṅgāya namaḥ
803. Om maṇividdhāya namaḥ
804. Om jaṭādharāya namaḥ
805. Om bindave namaḥ
806. Om visargāya namaḥ
807. Om sumukhāya namaḥ
808. Om śarāya namaḥ
809. Om sarvāyudhāya namaḥ
810. Om sahāya namaḥ
811. Om nivedanāya namaḥ
812. Om sukhājātāya namaḥ
813. Om sugandharāya namaḥ
814. Om mahādhanuṣe namaḥ

815. Om gandhapālibhagavate namaḥ
816. Om sarvakarmotthānāya namaḥ
817. Om manthānabahulavāyave namaḥ
818. Om sakalāya namaḥ
819. Om sarvalochanāya namaḥ
820. Om talastālāya namaḥ
821. Om karasthāline namaḥ
822. Om ūrdhvasaṃhananāya namaḥ
823. Om mahate namaḥ
824. Om chhātrāya namaḥ
825. Om suchchhatrāya namaḥ
826. Om vikhyātalokāya namaḥ
827. Om sarvāśrayakramāya namaḥ
828. Om muṇḍāya namaḥ
829. Om virūpāya namaḥ
830. Om vikṛtāya namaḥ
831. Om daṇḍine namaḥ
832. Om kuṇḍine namaḥ
833. Om vikurvaṇāya namaḥ
834. Om haryakṣāya namaḥ
835. Om kakubhāya namaḥ
836. Om vajriṇe namaḥ
837. Om śatajihvāya namaḥ
838. Om sahasrapade namaḥ
839. Om sahasramūrdhne namaḥ
840. Om devendrāya namaḥ
841. Om sarvadevamayāya namaḥ
842. Om gurave namaḥ
843. Om sahasrabāhave namaḥ
844. Om sarvāṅgāya namaḥ
845. Om śaraṇyāya namaḥ
846. Om sarvalokakṛte namaḥ
847. Om pavitrāya namaḥ
848. Om trikakunmantrāya namaḥ
849. Om kaniṣṭhāya namaḥ
850. Om kṛṣṇapiṅgalāya namaḥ
851. Om brahmadaṇḍavinirmātre namaḥ
852. Om śataghnīpāśaśaktimate namaḥ
853. Om padmagarbhāya namaḥ
854. Om mahāgarbhāya namaḥ
855. Om brahmagarbhāya namaḥ
856. Om jalodbhavāya namaḥ
857. Om gabhastaye namaḥ
858. Om brahmakṛte namaḥ
859. Om brahmiṇe namaḥ
860. Om brahmavide namaḥ
861. Om brāhmaṇāya namaḥ
862. Om gataye namaḥ
863. Om anantarūpāya namaḥ
864. Om naikātmane namaḥ
865. Om svayaṃbhuvatigmatejase namaḥ
866. Om ūrdhvagātmane namaḥ
867. Om paśupatye namaḥ
868. Om vātaraṃhase namaḥ
869. Om manojavāya namaḥ
870. Om chandanine namaḥ
871. Om padmanālāgrāya namaḥ
872. Om surabhyuttāraṇāya namaḥ
873. Om narāya namaḥ
874. Om karṇikāramahāsragviṇe namaḥ
875. Om nīlamaulaye namaḥ
876. Om pinākadhṛṣe namaḥ
877. Om umāpataye namaḥ
878. Om umākāntāya namaḥ
879. Om jāhnavīdhṛṣe namaḥ
880. Om umādhavāya namaḥ
881. Om varavarāhāya namaḥ
882. Om varadāya namaḥ

883. Om vareṇyāya namaḥ
884. Om sumahāsvanāya namaḥ
885. Om mahāprasādāya namaḥ
886. Om damanāya namaḥ
887. Om śatrughne namaḥ
888. Om śvetapiṅgalāya namaḥ
889. Om pītātmane namaḥ
890. Om paramātmane namaḥ
891. Om prayatātmane namaḥ
892. Om pradhānadhṛṣe namaḥ
893. Om sarvapārśvamukhāya namaḥ
894. Om tryakṣāya namaḥ
895. Om dharmasādhāraṇavarāya namaḥ
896. Om charācharātmane namaḥ
897. Om sūkṣmātmane namaḥ
898. Om amṛtagovṛṣeśvarāya namaḥ
899. Om sādhyarṣaye namaḥ
900. Om ādityavasave namaḥ
901. Om vivasvatsavitramṛtāya namaḥ
902. Om vyāsāya namaḥ
903. Om sargasusaṅkṣe-pavistarāya namaḥ
904. Om paryayonarāya namaḥ
905. Om ṛtave namaḥ
906. Om saṃvatsarāya namaḥ
907. Om māsāya namaḥ
908. Om pakṣāya namaḥ
909. Om saṃkhyāsamāpanāya namaḥ
910. Om kalāyai namaḥ
911. Om kāṣṭhāyai namaḥ
912. Om lavebhyo namaḥ
913. Om mātrebhyo namaḥ
914. Om muhūrtāhaḥkṣapābhyo namaḥ
915. Om kṣaṇebhyo namaḥ
916. Om viśvakṣetrāya namaḥ
917. Om prajābījāya namaḥ
918. Om liṅgāya namaḥ
919. Om ādyanirgamāya namaḥ
920. Om 'sat' svarūpāya namaḥ
921. Om 'asat' rūpāya namaḥ
922. Om vyaktāya namaḥ
923. Om avyaktāya namaḥ
924. Om pitre namaḥ
925. Om mātre namaḥ
926. Om pitāmahāya namaḥ
927. Om svargadvārāya namaḥ
928. Om prajādvārāya namaḥ
929. Om mokṣadvārāya namaḥ
930. Om triviṣṭapāya namaḥ
931. Om nirvāṇāya namaḥ
932. Om hlādanāya namaḥ
933. Om brahmalokāya namaḥ
934. Om parāgataye namaḥ
935. Om devāsuravinirmātre namaḥ
936. Om devāsuraparāyaṇāya namaḥ
937. Om devāsuragurave namaḥ
938. Om devāya namaḥ
939. Om devāsuranamaskṛtāya namaḥ
940. Om devāsuramahāmātrāya namaḥ
941. Om devāsuragaṇāśrayāya namaḥ
942. Om devāsuragaṇādhyakṣāya namaḥ
943. Om devāsuragaṇāgraṇye namaḥ
944. Om devātidevāya namaḥ
945. Om devarṣaye namaḥ
946. Om devāsuravarapradāya namaḥ

947. Om devāsureśvarāya namaḥ
948. Om viśvāya namaḥ
949. Om devāsuramaheśvarāya namaḥ
950. Om sarvadevamayāya namaḥ
951. Om achintyāya namaḥ
952. Om devatātmane namaḥ
953. Om ātmasambhavāya namaḥ
954. Om udbhide namaḥ
955. Om trivikramāya namaḥ
956. Om vaidyāya namaḥ
957. Om virajāya namaḥ
958. Om nīrajāya namaḥ
959. Om amarāya namaḥ
960. Om īḍyāya namaḥ
961. Om hastīśvarāya namaḥ
962. Om vyāghrāya namaḥ
963. Om devasiṃhāya namaḥ
964. Om nararṣabhāya namaḥ
965. Om vibudhāya namaḥ
966. Om agravarāya namaḥ
967. Om sūkṣmāya namaḥ
968. Om sarvadevāya namaḥ
969. Om tapomayāya namaḥ
970. Om suyuktāya namaḥ
971. Om śobhanāya namaḥ
972. Om vajriṇe namaḥ
973. Om prāsānāmprabhavāya namaḥ
974. Om avyayāya namaḥ
975. Om guhāya namaḥ
976. Om kāntāya namaḥ
977. Om nijasargāya namaḥ
978. Om pavitrāya namaḥ
979. Om sarvapāvanāya namaḥ
980. Om śṛṅgiṇe namaḥ
981. Om śṛṅgapriyāya namaḥ
982. Om babhrave namaḥ
983. Om rājarājāya namaḥ
984. Om nirāmayāya namaḥ
985. Om abhirāmāya namaḥ
986. Om suragaṇāya namaḥ
987. Om virāmāya namaḥ
988. Om sarvasādhanāya namaḥ
989. Om lalāṭākṣāya namaḥ
990. Om viśvadevāya namaḥ
991. Om hariṇāya namaḥ
992. Om brahmavarchase namaḥ
993. Om sthāvarapataye namaḥ
994. Om niyamendriyavardhanāya namaḥ
995. Om siddhārthāya namaḥ
996. Om siddhabhūtārthāya namaḥ
997. Om achintyāya namaḥ
998. Om satyavratāya namaḥ
999. Om śuchaye namaḥ
1000. Om vratādhipāya namaḥ
1001. Om parāya namaḥ
1002. Om brahmaṇe namaḥ
1003. Om bhaktānāmparamāgataye namaḥ
1004. Om vimuktāya namaḥ
1005. Om muktatejase namaḥ
1006. Om śrīmate namaḥ
1007. Om śrīvardhanāya namaḥ
1008. Om jagate namaḥ

Om śāntiḥ śāntiḥ śāntiḥ. Hariḥ om.

Śrī-viṣṇu-kṛta Śivasahasranāma-stotra

1. Śivo haro mṛḍo rudraḥ puṣkaraḥ puṣpalochanaḥ.
   Arthigamyaḥ sadāchāraḥ śarvaḥ śambhurmaheśvaraḥ.
2. Chandrāpīḍaśchandramaulirviśvaṃ viśvambhareśvaraḥ.
   Vedāntasārasandohaḥ kapālī nīlalohitaḥ.
3. Dhyānādhāro'parichchhedyo gaurībhartā gaṇeśvaraḥ.
   Aṣṭamūrtirviśvamūrtistrivarga-svargasādhanaḥ.
4. Jñānagamyo dṛḍhaprajño devadevastrilochanaḥ.
   Vāmadevo mahādevaḥ paṭuḥ parivṛḍho dṛḍhaḥ.
5. Viśvarūpo virūpākṣo vāgīśaḥ śuchisattamaḥ.
   Sarvapramāṇa-saṃvādī vṛṣāṅko vṛṣavāhanaḥ.
6. Īśaḥ pinākī khaṭvāṅgī chitraveṣaśchirantanaḥ.
   Tamoharo mahāyogī goptā brahmā cha dhūrjaṭiḥ.
7. Kālakālaḥ kṛttivāsāḥ subhagaḥ praṇavātmakaḥ.
   Unnadhraḥ puruṣo juṣyo durvāsāḥ puraśāsanaḥ.
8. Divyāyudhaḥ skandaguruḥ parameṣṭhī parātparaḥ.
   Anādimadhyanidhano girīśo girijādhavaḥ.
9. Kuberabandhuḥ śrīkaṇṭho lokavarṇottamo mṛduḥ.
   Samādhivedyaḥ kodaṇḍī nīlakaṇṭhaḥ paraśvadhī.
10. Viśālākṣo mṛgavyādhaḥ sureśaḥ sūryatāpanaḥ.
    Dharmadhāma kṣamākṣetraṃ bhagavān bhaganetrabhit.

11. Ugraḥ paśupatistārkṣyaḥ priyabhaktaḥ parantapaḥ.
    Dātā dayākaro dakṣaḥ kapardī kāmaśāsanaḥ.
12. Śmaśānanilayaḥ sūkṣmaḥ śmaśānastho maheśvaraḥ.
    Lokakarttā mṛgapatirmahākarttā mahauṣadhiḥ.
13. Uttaro gopatirgoptā jñānagamyaḥ purātanaḥ.
    Nītiḥ sunītiḥ śuddhātmā somaḥ somarataḥ sukhī.
14. Somapo'mṛtapaḥ saumyo mahātejā mahādyutiḥ.
    Tejomayo'mṛtamayo'nnamayaścha sudhāpatiḥ.
15. Ajātaśatrurālokaḥ sambhāvyo havyavāhanaḥ.
    Lokakaro vedakaraḥ sūtrakāraḥ sanātanaḥ.
16. Maharṣikapilāchāryo viśvadīptistrilochanaḥ.
    Pinākapāṇirbhūdevaḥ svastidaḥ svastikṛtsudhīḥ.
17. Dhātṛdhāmā dhāmakaraḥ sarvagaḥ sarvagocharaḥ.
    Brahmasṛgviśvasṛksargaḥ karṇikārapriyaḥ kaviḥ.
18. Śākho viśākho gośākhaḥ śivo bhiṣaganuttamaḥ.
    Gaṅgāplavodako bhavyaḥ puṣkalaḥ sthapatiḥ sthiraḥ.

19. Vijitātmā vidheyātmā bhūtavāhanasārathiḥ.
    Sagaṇo gaṇakāyaścha sukīrtiśchhinnasaṃśayaḥ.
20. Kāmadevaḥ kāmapālo bhasmod dhūlitavigrahaḥ.
    Bhasmapriyo bhasmaśāyī kāmī kāntaḥ kṛtāgamaḥ.

21. Samāvarto'nivṛttātmā dharmapuñjaḥ sadāśivaḥ.
    Akalmaṣaśchaturbāhurdurāvāso durāsadaḥ.
22. Durlabho durgamo durgaḥ sarvāyudhaviśāradaḥ.
    Adhyātmayoganilayaḥ sutantustantuvardhanaḥ.
23. Śubhāṅgo lokasāraṅgo jagadīśo janārdanaḥ.
    Bhasmaśuddhikaro merurojasvī śuddhavigrahaḥ.
24. Asādhyaḥ sādhusādhyaścha bhṛtyamarkaṭa-rūpadhṛk.
    Hiraṇyaretāḥ paurāṇo ripujīvaharo balī.
25. Mahāhrado mahāgartaḥ siddhavṛndāravanditaḥ.
    Vyāghracharmāmbaro vyālī mahābhūto mahānidhiḥ.
26. Amṛtāśo'mṛtavapuḥ pāñchajanyaḥ prabhañjanaḥ.
    Pañchaviṃśati-tattvasthaḥ pārijātaḥ parāvaraḥ.
27. Sulabhaḥ suvrataḥ śūro brahmaveda-nidhirnidhiḥ.
    Varṇāśrama-gururvarṇī śatrujichchhatrutāpanaḥ.
28. Āśramaḥ kṣapaṇaḥ kṣāmo jñānavānachaleśvaraḥ.
    Pramāṇabhūto durjñeyaḥ suparṇo vāyuvāhanaḥ.
29. Dhanurdharo dhanurvedo guṇarāśirguṇākaraḥ.
    Satyaḥ satyaparo'dīno dharmāṅgo dharmasādhanaḥ.
30. Anantadṛṣṭirānando daṇḍo damayitā damaḥ.
    Abhivādyo mahāmāyo viśvakarmaviśāradaḥ.

31. Vītarāgo vinītātmā tapasvī bhūtabhāvanaḥ.
    Unmattaveṣaḥ prachchhanno jitakāmo'jitapriyaḥ.
32. Kalyāṇaprakṛtiḥ kalpaḥ sarvaloka-prajāpatiḥ.
    Tarasvī tārako dhīmān pradhānaḥ prabhuravyayaḥ.
33. Lokapālo'ntarhitātmā kalpādiḥ kamalekṣaṇaḥ.
    Vedaśāstrārtha-tattvajño'niyamoniyatāśrayaḥ.
34. Chandraḥ sūryaḥ śaniḥ keturvarāṅgo vidrumachchhaviḥ.
    Bhaktivaśyaḥ parabrahma mṛga-bāṇārpaṇo'naghaḥ.
35. Adriradryālayaḥ kāntaḥ paramātmā jagadguruḥ.
    Sarvakarmālayastuṣṭo maṅgalyo maṅgalāvṛtaḥ.
36. Mahātapā dīrghatapāḥ sthaviṣṭhaḥ sthaviro dhruvaḥ.
    Ahaḥ saṃvatsaro vyāptiḥ pramāṇaṃ paramaṃ tapaḥ.
37. Saṃvatsarakaro mantra-pratyayaḥ sarvadarśanaḥ.
    Ajaḥ sarveśvaraḥ siddho mahāretā mahābalaḥ.

38. Yogī yogyo mahātejāḥ siddhiḥ sarvādiragrahaḥ.
Vasurvasumanāḥ satyaḥ sarvapāpaharo haraḥ.
39. Sukīrtiśobhanaḥ śrīmān vedāṅgo vedavinmuniḥ.
Bhrājiṣṇurbhojanaṃ bhoktā lokanātho durādharaḥ.
40. Amṛtaḥ śāśvataḥ śānto bāṇahastaḥ pratāpavān.
Kamaṇḍaludharo dhanvī avāṅmanasa-gocharaḥ.

41. Atīndriyo mahāmāyaḥ sarvāvāsaśchatuṣpathaḥ.
Kālayogī mahānādo mahotsāho mahābalaḥ.
42. Mahābuddhirmahāvīryo bhūtachārī purandaraḥ.
Niśācharaḥ pretachārī mahāśaktirmahādyutiḥ.
43. Anirdeśyavapuḥ śrīmān sarvāchāryamanogatiḥ.
Bahuśruto'mahāmāyo niyatātmā dhruvo'dhruvaḥ.
44. Ojastejo-dyutidharo janakaḥ sarvaśāsanaḥ.
Nṛtyapriyo nityanṛtyaḥ prakāśātmā prakāśakaḥ.
45. Spaṣṭākṣaro budho mantraḥ samānaḥ sārasamplavaḥ.
Yugādi-kṛdyugāvarto gambhīro vṛṣavāhanaḥ.
46. Iṣṭo'viśiṣṭaḥ śiṣṭeṣṭaḥ sulabhaḥ sāraśodhanaḥ.
Tīrtharūpastīrthanāmā tīrthadṛśyastu tīrthadaḥ.
47. Apānnidhiradhiṣṭhānaṃ durjayo jayakālavit.
Pratiṣṭhitaḥ pramāṇajño hiraṇyakavacho hariḥ.
48. Vimochanaḥ suragaṇo vidyeśo vindusaṃśrayaḥ.
Bālarūpo'balonmatto'vikartā gahano guhaḥ.
49. Karaṇaṃ kāraṇaṃ kartā sarvabandhavimochanaḥ.
Vyavasāyo vyavasthānaḥ sthānado jagadādijaḥ.
50. Gurudo lalito'bhedo bhāvātmā"tmani saṃsthitaḥ.
Vīreśvaro vīrabhadro vīrāsanavidhirvirāṭ.

51. Vīrachūḍāmaṇirvettā chidānando nadīdharaḥ.
Ājñādhārastriśūlī cha śipiviṣṭaḥ śivālayaḥ.
52. Vālakhilyo mahāchāpastigmāṃśurbadhiraḥ khagaḥ.
Abhirāmaḥ suśaraṇaḥ subrahmaṇyaḥ sudhāpatiḥ.
53. Maghavānkauśiko gomānvirāmaḥ sarvasādhanaḥ.
Lalāṭākṣo viśvadehaḥ sāraḥ saṃsārachakrabhṛt.
54. Amoghadaṇḍo madhyastho hiraṇyo brahmavarchasī.
Paramārthaḥ paro māyī śambaro vyāghralochanaḥ.
55. Ruchirvirañchiḥ svarbandhurvāchaspatiraharpatiḥ.
Ravirvirochanaḥ skandaḥ śāstā vaivasvato yamaḥ.
56. Yuktirunnata-kīrtiścha sānurāgaḥ parañjayaḥ.
Kailāsādhipatiḥ kāntaḥ savitā ravilochanaḥ.

57. Vidvattamo vītabhayo viśvabharttā-nivāritaḥ.
Nityo niyatakalyāṇaḥ puṇyaśravaṇakīrtanaḥ.
58. Dūraśravā viśvasaho dhyeyo duḥsvapnanāśanaḥ.
Uttāraṇo duṣkṛtihā vijñeyo dussaho'bhavaḥ.
59. Anādirbhūrbhuvo lakṣmīḥ kirīṭī tridaśādhipaḥ.
Viśvagoptā viśvakartā suvīro ruchirāṅgadaḥ.
60. Janano janajanmādiḥ prītimānnītimāndhavaḥ.
Vasiṣṭhaḥ kaśyapo bhānurbhīmo bhīmaparākramaḥ.

61. Praṇavaḥ satpathāchāro mahākośo mahādhanaḥ.
Janmādhipo mahādevaḥ sakalāgamapāragaḥ.
62. Tattvaṃ tattvavidekātmā vibhurviśvavibhūṣaṇaḥ.
Ṛṣirbrāhmaṇa aiśvarya-janmamṛtyu-jarātigaḥ.
63. Pañchayajña-samutpattir-viśveśo vimalodayaḥ.
Ātmayoniranādyanto vatsalo bhaktalokadhṛk.
64. Gāyatrīvallabhaḥ prāṃśurviśvāvāsaḥ prabhākaraḥ.
Śiśurgiriratah samrāṭ suṣeṇaḥ suraśatruhā.
65. Amogho'riṣṭanemiścha kumudo vigatajvaraḥ.
Svayañjyotistanujyotirātmajyotirachañchalaḥ.
66. Piṅgalaḥ kapilaśmaśrurbhālanetrastrayītanuḥ.
Jñānaskando mahānītir-viśvotpattirupaplavaḥ.
67. Bhago vivasvānādityo yogapāro divaspatiḥ.
Kalyāṇaguṇanāmā cha pāpahā puṇyadarśanaḥ.
68. Udārakīrtirudyogī sadyogī sadasanmayaḥ.
Nakṣatramālī nākeśaḥ svādhiṣṭhāna-padāśrayaḥ.
69. Pavitraḥ pāpahārī cha maṇipūro nabhogatiḥ.
Hṛtpuṇḍarīkamāsīnaḥ śakraḥ śānto vṛṣākapiḥ.
70. Uṣṇo gṛhapatiḥ kṛṣṇaḥ samartho'narthanāśanaḥ.
Adharmaśatrurajñeyaḥ puruhūtaḥ puruśrutaḥ.

71. Brahmagarbho bṛhadgarbho dharmadhenurdhanāgamaḥ.
Jagaddhitaiṣī sugataḥ kumāraḥ kuśalāgamaḥ.
72. Hiraṇyavarṇo jyotiṣmānnānābhūtarato dhvaniḥ.
Arāgo nayanādhyakṣo viśvāmitro dhaneśvaraḥ.
73. Brahmajyotirvasudhāmā mahājyotiranuttamaḥ.
Mātāmaho mātariśvā nabhasvā-nnāgahāradhṛk.
74. Pulastyaḥ pulaho'gastyo jātūkarṇyaḥ parāśaraḥ.
Nirāvaraṇanirvāro vairañchyo viṣṭaraśravāḥ.
75. Ātmabhūraniruddho'trirjñānamūrtirmahāyaśāḥ.
Lokavīrāgraṇīrvīraśchaṇḍaḥ satyaparākramaḥ.

76. Vyālākalpo mahākalpaḥ kalpavṛkṣaḥ kalādharaḥ.
    Alaṅkariṣṇurachalo rochiṣṇurvikramonnataḥ.
77. Āyuḥ śabdapatirvegī plavanaḥ śikhisārathiḥ.
    Asaṃsṛṣṭo'tithiḥ śakrapramāthī pādapāsanaḥ.
78. Vasuśravā havyavāhaḥ pratapto viśvabhojanaḥ.
    Japyo jarādiśamano lohitātmā tanūnapāt.
79. Bṛhadaśvo nabhoyoniḥ supratīkastamisrahā.
    Nidāghastapano meghaḥ svakṣaḥ parapurañjayaḥ.
80. Sukhānilaḥ suniṣpannaḥ surabhiḥ śiśirātmakaḥ.
    Vasanto mādhavo grīṣmo nabhasyo bījavāhanaḥ.

81. Aṅgirā gururātreyo vimalo viśvavāhanaḥ.
    Pāvanaḥ sumatirvidvāṃstraividyo varavāhanaḥ.
82. Manobuddhirahaṅkāraḥ kṣetrajñaḥ kṣetrapālakaḥ.
    Jamadagnirbalanidhir-vigālo viśvagālavaḥ.
83. Aghoro'nuttaro yajñaḥ śreṣṭho niḥśreyasapradaḥ.
    Śailo gaganakundābho dānavārirarindamaḥ.
84. Rajanījanaka-śchārurniḥśalyo lokaśalyadhṛk.
    Chaturvedaśchaturbhāvaśchaturaśchaturapriyaḥ.
85. Āmnāyo'tha samāmnāyastīrthadeva-śivālayaḥ.
    Bahurūpo mahārūpaḥ sarvarūpaścharācharaḥ.
86. Nyāyanirmāyako nyāyī nyāyagamyo nirañjanaḥ.
    Sahasramūrddhā devendraḥ sarvaśasra-prabhañjanaḥ.
87. Muṇḍovirūpo vikrānto daṇḍī dānto guṇottamaḥ.
    Piṅgalākṣo janādhyakṣo nīlagrīvo nirāmayaḥ.
88. Sahasrabāhuḥ sarveśaḥ śaraṇyaḥ sarvalokadhṛk.
    Padmāsanaḥ paraṃ jyotiḥ pāramparyyaphalapradaḥ.
89. Padmagarbho mahāgarbho viśvagarbho vichakṣaṇaḥ.
    Parāvarajño varado vareṇyaścha mahāsvanaḥ.
90. Devāsura-gururdevo devāsura-namaskṛtaḥ.
    Devāsura-mahāmitro devāsura-maheśvaraḥ.

91. Devāsureśvaro divyo devāsura-mahāśrayaḥ.
    Devadevamayo'chintyo devadevātma-sambhavaḥ.
92. Sadyonirasura-vyāghro devasiṃho divākaraḥ.
    Vibudhāgracharaśreṣṭhaḥ sarvadevottamottamaḥ.
93. Śivajñānarataḥ śrīmāñchhikhiśrīparvatapriyaḥ.
    Vajrahastaḥ siddhakhaḍgo narasiṃhanipātanaḥ.
94. Brahmachārī lokachārī dharmachārī dhanādhipaḥ.
    Nandī nandīśvaro'nanto nagnavratadharaḥ śuchiḥ.

95. Liṅgādhyakṣaḥ surādhyakṣo yogādhyakṣo yugāvahaḥ.
Svadharmā svargataḥ svargasvaraḥ svaramayasvanaḥ.
96. Bāṇādhyakṣo bījakartā dharmakṛddharmasambhavaḥ.
Dambho'lobho'rthavichchhambhuḥ sarvabhūtamaheśvaraḥ.
97. Śmaśānanilayastryakṣaḥ seturapratimākṛtiḥ.
Lokottarasphuṭālokastryambako nāgabhūṣaṇaḥ.
98. Andhakārirmakhadveṣī viṣṇukandharapātanaḥ.
Hīnadoṣo'kṣayaguṇo dakṣāriḥ pūṣadantabhit.
99. Dhūrjaṭiḥ khaṇḍaparaśuḥ sakalo niṣkalo'naghaḥ.
Akālaḥ sakalādhāraḥ pāṇḍurābho mṛḍo naṭaḥ.
100. Pūrṇaḥ pūrayitā puṇyaḥ sukumāraḥ sulochanaḥ.
Sāmageyapriyo'krūraḥ puṇyakīrtiranāmayaḥ.

101. Manojavastīrthakaro jaṭilo jīviteśvaraḥ.
Jīvitāntakaro nityo vasuretā vasupradaḥ.
102. Sadgatiḥ satkṛtiḥ siddhiḥ sajjātiḥ khalakaṇṭakaḥ.
Kalādharo mahākālabhūtaḥ satyaparāyaṇaḥ.
103. Lokalāvaṇyakartā cha lokottarasukhālayaḥ.
Chandrasañjīvanaḥ śāstā lokagūḍho mahādhipaḥ.
104. Lokabandhurlokanāthaḥ kṛtajñaḥ kīrtibhūṣaṇaḥ.
Anapāyo'kṣaraḥ kāntaḥ sarvaśastrabhṛtāṃ varaḥ.
105. Tejomayo dyutidharo lokānāmagraṇīraṇuḥ.
Śuchismitaḥ prasannātmā durjeyo duratikramaḥ.
106. Jyotirmayo jagannātho nirākāro jaleśvaraḥ.
Tumbavīṇo mahākopo viśokaḥ śokanāśanaḥ.
107. Trilokapastrilokeśaḥ sarvaśuddhiradhokṣajaḥ.
Avyaktalakṣaṇo devo vyaktāvyakto-viśāmpatiḥ.
108. Varaśīlo varaguṇaḥ sāro mānadhano mayaḥ.
Brahmā viṣṇuḥ prajāpālo haṃso haṃsagatirvayaḥ.
109. Vedhā vidhātā dhātā cha sraṣṭā hartā chaturmukhaḥ.
Kailāsaśikharāvāsī sarvāvāsī sadāgatiḥ.
110. Hiraṇyagarbho druhiṇo bhūtapālo'tha bhūpatiḥ.
Sadyogī yogavidyogī varado brāhmaṇapriyaḥ.

111. Devapriyo devanātho devajño devachintakaḥ.
Viṣamākṣo viśālākṣo vṛṣado vṛṣavardhanaḥ.
112. Nirmamo nirahaṅkāro nirmoho nirupadravaḥ.
Darpahā darpado dṛptaḥ sarvartuparivartakaḥ.
113. Sahasrajit sahasrārchiḥ snigdhaprakṛtidakṣiṇaḥ.
Bhūtabhavya-bhavannāthaḥ prabhavo bhūtināśanaḥ.

114. Artho'nartho mahākośaḥ parakāryaika-paṇḍitaḥ.
Niṣkaṇṭakaḥ kṛtānando nirvyājo vyājamardanaḥ.
115. Sattvavānsāttvikaḥ satya-kīrtiḥ snehakṛtāgamaḥ.
Akampito guṇagrāhī naikātmā naikakarmakṛt.
116. Suprītaḥ sumukhaḥ sūkṣmaḥ sukaro dakṣiṇānilaḥ.
Nandiskandhadharo dhuryaḥ prakaṭaḥ prītivardhanaḥ.
117. Aparājitaḥ sarvasattvo govindaḥ sattvavāhanaḥ.
Adhṛtaḥ svadhṛtaḥ siddhaḥ pūtamūrtiryaśodhanaḥ.
118. Vārāhaśṛṅgadhṛkchhṛṅgī balavānekanāyakaḥ.
Śrutiprakāśaḥ śrutimāneka-bandhuranekakṛt.
119. Śrīvatsala-śivārambhaḥ śāntabhadraḥ samo yaśaḥ.
Bhūśayo bhūṣaṇo bhūtirbhūtakṛd bhūtabhāvanaḥ.
120. Akampo bhaktikāyastu kālahā nīlalohitaḥ.
Satyavrata-mahātyāgī nityaśāntiparāyaṇaḥ.

121. Parārthavṛttirvarado viraktastu viśāradaḥ.
Śubhadaḥ śubhakartā cha śubhanāmā śubhaḥ svayam.
122. Anarthito'guṇaḥ sākṣī hyakartā kanakaprabhaḥ.
Svabhāvabhadro madhyasthaḥ śatrughno vighnanāśanaḥ.
123. Śikhaṇḍīkavachī śūlī jaṭī muṇḍī cha kuṇḍalī.
Amṛtyuḥ sarvadṛksiṃha-stejorāśirmahāmaṇiḥ.
124. Asaṅkhyeyo'prameyātmā vīryavān vīryakovidaḥ.
Vedyaśchaiva viyogātmā parāvaramunīśvaraḥ.
125. Anuttamo durādharṣo madhurapriyadarśanaḥ.
Sureśaḥ śaraṇaṃ sarvaḥ śabdabrahma satāṃ gatiḥ.
126. Kālapakṣaḥ kālakālaḥ kaṅkaṇīkṛtavāsukiḥ.
Maheṣvāso mahībhartā niṣkalaṅko viśṛṅkhalaḥ.
127. Dyumaṇistaraṇirdhanyaḥ siddhidaḥ siddhisādhanaḥ.
Viśvataḥ saṃvṛtaḥ stutyo vyūḍhorasko mahābhujaḥ.
128. Sarvayonirnirātaṅko naranārāyaṇapriyaḥ.
Nirlepo niṣprapañchātmā nirvyaṅgo vyaṅganāśanaḥ.
129. Stavyaḥ stavapriyaḥ stotā vyāsamūrtirniraṅkuśaḥ.
Niravadyamayopāyo vidyārāśī rasapriyaḥ.
130. Praśāntabuddhi-rakṣuṇṇaḥ saṅgrahī nityasundaraḥ.
Vaiyāghradhuryo dhātrīśaḥ śākalyaḥ śarvarīpatiḥ.
131. Paramārthagururdattaḥ sūrirāśrita-vatsalaḥ.
Somo rasajño rasadaḥ sarvasattvāvalambanaḥ.

Om śāntiḥ śāntiḥ śāntiḥ. Hariḥ om.

Śiva Ke Pāñcha Āvaraṇoṃ Kī Stuti

1. Stotraṃ vakṣyāmi te kṛṣṇa pañchāvaraṇamārgataḥ.
   Yogeśvaramidaṃ puṇyaṃ karma yena samāpyate.
2. Jaya jaya jagadekanātha śambho
   Prakṛtimanohara nityachitsvabhāva.
   Atigatakaluṣa-prapañchavāchāṃ-
   Api manasāṃ padavīmatīta-tattvam.
3. Svabhāvanirmalābhoga jaya sundracheṣṭita.
   Svātmatulya-mahāśakte jaya śuddhaguṇārṇava.
4. Anantakānti-sampanna jayāsadṛśa-vigraha.
   Atarkya-mahimādhāra jayānākulamaṅgala.
5. Nirañjana nirādhāra jaya niṣkāraṇodaya.
   Nirantara-parānanda jaya nirvṛtikāraṇa.
6. Jayātiparamaiśvarya jayātikaruṇāspada.
   Jaya svatantrasarvasva jayāsadṛśavaibhava.
7. Jayāvṛtamahāviśva jayānāvṛta kenachit.
   Jayottara samastasya jayātyanta-niruttara.
8. Jayādbhuta jayākṣudra jayākṣata jayāvyaya.
   Jayāmeya jayāmāya jayābhava jayāmala.
9. Mahābhuja mahāsāra mahāguṇa mahākatha.
   Mahābala mahāmāya mahārasa mahāratha.
10. Namaḥ paramadevāya namaḥ paramahetave.
    Namaḥ śivāya śāntāya namaḥ śivatarāya te.
11. Tvadadhīnamidaṃ kṛtsnaṃ jagaddhi sasurāsuram.
12. Ata-stvadvihitāmājñāṃ kṣamate ko'tivartitum.
13. Ayaṃ punarjano nitya bhavadekasamāśrayaḥ.
    Bhavānato-'nugṛhyāsmai prārthitaṃ samprayachchhatu.
14. Jayāmbike jaganmātarjaya sarvajaganmayi.
    Jayānavadhikaiśvarye jayānupamavigrahe.
15. Jaya vāṅmanasātīte jayāñchiddhvānta-bhañjike.
    Jaya janmajarāhīne jaya kālottarottare.
16. Jayānekavidhānasthe jaya viśveśvarapriye.
    Jaya viśvasurārādhye jaya viśvavijṛmbhiṇi.
17. Jaya maṅgaladivyāṅgi jaya maṅgaladīpike.
    Jaya maṅgalachāritre jaya maṅgaladāyini.
18. Namaḥ paramakalyāṇa-guṇasañchayamūrtaye.
    Tvattaḥ khalu samutpannaṃ jagattvayyeva līyate.

19. Tvadvinātaḥ phalaṃ dātumīśvaro'pi na śaknuyāt.
Janmaprabhṛti deveśi jano'yaṃ tvadupāśritaḥ.
20. Ato'sya tava bhaktasya nirvartaya manoratham.
Pañchavaktro daśabhujaḥ śuddhasphaṭikasannibhaḥ.
21. Varṇabrahma-kalādeho devaḥ sakalaniṣkalaḥ.
Śivamūrtisamārūḍhaḥ śāntyatītaḥ sadāśivaḥ.
Bhaktyā mayārchito mahyaṃ prārthitaṃ śaṃ prayachchhatu.
22. Sadā-śivāṅkamārūḍhā śaktirichchhā śivāhvayā.
Jananī sarvalokānāṃ prayachchhatu manoratham.
23. Śivayordayitau putrau devau herambaṣaṇmukhau.
Śivānubhāvau sarvajñau śivajñānā-mṛtāśinau.
24. Tṛptau parasparaṃ snigdhau śivābhyāṃ nityasatkṛtau.
Satkṛtau cha sadā devau brahmādyai-stridaśairapi.
25. Sarvalokaparitrāṇaṃ kartumabhyuditau sadā.
Svechchhāvatāraṃ kurvantau svāṃśabhedai-ranekaśaḥ.
26. Tāvimau śivayoḥ pārśve nityamitthaṃ mayārchitau.
Tayorājñāṃ puraskṛtya prārthitaṃ me prayachchhatām.
27. Śuddhasphaṭika-saṅkāśāmīśānākhyaṃ sadāśivam.
Mūrddhābhimāninī mūrtiḥ śivasya paramātmanaḥ.
28. Śivārchanarataṃ śāntaṃ śāntyatītaṃ khamāsthitam.
Pañchākṣarāntimaṃ bījaṃ kalābhiḥ pañchabhiryutam.
29. Prathamāvaraṇe pūrvaṃ śaktyā saha samarchitam.
Pavitraṃ paramaṃ brahma prārthitaṃ me prayachchhatu.
30. Bālasūryapratīkāśaṃ puruṣākhyaṃ purātanam.
Pūrvavaktrābhimānaṃ cha śivasya parameṣṭhinaḥ.
31. Śāntyātmakaṃ marutsaṃsthaṃ śambhoḥ pādārchane ratam.
Prathamaṃ śivabījeṣu kalāsu cha chatuṣkalam.
32. Pūrvabhāge mayā bhaktyā śaktyā saha samarchitam.
Pavitraṃ paramaṃ brahma prārthitaṃ me prayachchhatu.
33. Añjanādi-pratīkāśamaghoraṃ ghoravigraham.
Devasya dakṣiṇaṃ vaktraṃ devadeva-padārchakam.
34. Vidyāpadaṃ samārūḍhaṃ vahnimaṇḍala-madhyagam.
Dvitīyaṃ śivabījeṣu kalāsvaṣṭakalānvitam.
35. Śambhordakṣiṇa-digbhāge śaktyā saha samarchitam.
Pavitraṃ paramaṃ brahma prārthitaṃ me prayachchhatu.
36. Kuṅkumakṣoda-saṅkāśaṃ vāmākhyaṃ varaveṣadhṛk.
Vaktra-muttaramīśasya pratiṣṭhāyāṃ pratiṣṭhitam.
37. Vārimaṇḍala-madhyasthaṃ mahādevārchane ratam.
Turīyaṃ śivabījeṣu trayodaśa-kalānvitam.

38. Devasyottaradigbhāge śaktyā saha samarchitam.
Pavitraṃ paramaṃ brahma prārthitaṃ me prayachchhatu.
39. Śaṅkhakundendudhavalaṃ sadyākhyaṃ saumyalakṣaṇam.
Śivasya paśchimaṃ vaktraṃ śivapādārchane ratam.
40. Nivṛttipadaniṣṭhaṃ cha pṛthivyāṃ samavasthitam.
Tṛtīyaṃ śivabījeṣu kalābhi-śchāṣṭabhiryutam.
41. Devasya paśchime bhāge śaktyā saha samarchitam.
Pavitraṃ paramaṃ brahma prārthitaṃ me prayachchhatu.
42. Śivasya tu śivāyāścha hṛnmūrttī śivabhāvite.
Tayorājñāṃ puraskṛtya te me kāmaṃ prayachchhatām.
43. Śivasya cha śivāyāścha śikhāmūrttī śivāśrite.
Satkṛtya śivayorājñāṃ te me kāmaṃ prayachchhatām.
44. Śivasya cha śivāyāścha varmaṇā śivabhāvite.
Satkṛtya śivayorājñāṃ te me kāmaṃ prayachchhatām.
45. Śivasya cha śivāyāścha netramūrttī śivāśrite.
Satkṛtya śivayorājñāṃ te me kāmaṃ prayachchhatām.
46. Astramūrttī cha śivayornityamarchana-tatpare.
Satkṛtya śivayorājñāṃ te me kāmaṃ prayachchhatām.
47. Vāmo jyeṣṭhastathā rudraḥ kālo vikaraṇastathā.
Balo vikaraṇaśchaiva balapramathanaḥ paraḥ.
48. Sarvabhūtasya damanastādṛśā-śchāṣṭaśaktayaḥ.
Prārthitaṃ me prayachchhantu śivayoreva śāsanāt.
49. Athānantaścha sūkṣmaścha śivaśchāpyeka-netrakaḥ.
Ekarudrastrimūrtiścha śrīkaṇṭhaścha śikhaṇḍikaḥ.
50. Tathāṣṭau śaktayasteṣāṃ dvitīyāvaraṇe'rchitāḥ.
Te me kāmaṃ prayachchhantu śivayoreva śāsanāt.
51. Bhavādyā mūrtayaśchāṣṭau tāsāmapi cha śaktayaḥ.
Mahādevādaya-śchānye tathaikādaśamūrtayaḥ.
52. Śaktibhiḥ sahitāḥ sarve tṛtīyāvaraṇe sthitāḥ.
Satkṛtya śivayorājñāṃ diśantu phalamīpsitam.
53. Vṛṣarājo mahātejā mahāmeghasamasvanaḥ.
Merumandara-kailāsahimādri-śikharopamaḥ.
54. Sitābhra-śikharākāra-kakudā pariśobhitaḥ.
Mahābhogīndrakalpena vālena cha virājitaḥ.
55. Raktāsyaśṛṅgacharaṇo raktaprāyavilochanaḥ.
Pīvaronnata-sarvāṅgaḥ suchāru-gamanojjvalaḥ.
56. Praśastalakṣaṇaḥ śrīmān prajvalanmaṇibhūṣaṇaḥ.
Śivapriyaḥ śivāsaktaḥ śivayordhvaja-vāhanaḥ.

57. Tathā tachcharaṇanyāsa-pāvitāparavigrahaḥ.
Gorājapuruṣaḥ śrīmāñ śrīmachchhūlavarāyudhaḥ.
Tayorājñāṃ puraskṛtya sa me kāmaṃ prayachchhatu.
58. Nandīśvaro mahātejā nagendra-tanayātmajaḥ.
Sanārāyaṇakair-devairnityamabhyarchya vanditaḥ.
59. Śarvasyāntaḥ puradvāri sārddhaṃ parijanaiḥ sthitaḥ.
Sarveśvarasamaprakhyaḥ sarvāsuravimardanaḥ.
60. Sarveṣāṃ śivadharmāṇāma-dhyakṣatve'bhiṣechitaḥ.
Śivapriyaḥ śivāsaktaḥ śrīmachchhūlavarāyudhaḥ.
61. Śivāśriteṣu saṃsakta-stvanuraktaścha tairapi.
Satkṛtya śivayorājñāṃ sa me kāmaṃ prayachchhatu.
62. Mahākālo mahābāhurmahādeva ivāparaḥ.
Mahādevāśritānāṃ tu nityamevābhirakṣatu.
63. Śivapriyaḥ śivāsaktaḥ śivayorarchakaḥ sadā.
Satkṛtya śivayorājñāṃ sa me diśatu kāṅkṣitam.
64. Sarvaśāstrārtha-tattvajñaḥ śāstā viṣṇoḥ parā tanuḥ.
Mahāmohātma-tanayo madhumāṃsāsavapriyaḥ.
Tayorājñāṃ puraskṛtya sa me kāmaṃ prayachchhatu.
65. Brahmāṇī chaiva māheśī kaumārī vaiṣṇavī tathā.
Vārāhī chaiva māhendrī chāmuṇḍā chaṇḍavikramā.
66. Etā vai mātaraḥ sapta sarvalokasya mātaraḥ.
Prārthitaṃ me prayachchhantu parameśvara-śāsanāt.
67. Mattamātaṅgavadano gaṅgomā-śaṅkarātmajaḥ.
Ākāśadeho digbāhuḥ somasūryāgnilochanaḥ.
68. Airāvatādibhir-divyairdiggajair-nityamarchitaḥ.
Śivajñānamadodbhinna-stridaśānāmavighnakṛt.
69. Vighnakṛchchāsurādīnāṃ vighneśaḥ śivabhāvitaḥ.
Satkṛtya śivayorājñāṃ sa me diśatu kāṅkṣitam.
70. Ṣaṇmukhaḥ śivasambhūtaḥ śaktivajradharaḥ prabhuḥ.
Agneścha tanayo devo hyaparṇātanayaḥ punaḥ.
71. Gaṅgāyāścha gaṇāmbāyāḥ kṛttikānāṃ tathaiva cha.
Viśākhena cha śākhena naigameyena chāvṛtaḥ.
72. Indrajichchendrasenānī-stārakāsurajittathā.
Śailānāṃ merumukhyānāṃ vedhakaścha svatejasā.
73. Taptachāmīkaraprakhyaḥ śatapatradalekṣaṇaḥ.
Kumāraḥ sukumārāṇāṃ rūpodāharaṇaṃ mahat.
74. Śivapriyaḥ śivāsaktaḥ śivapādārchakaḥ sadā.
Satkṛtya śivayorājñāṃ sa me diśatu kāṅkṣitam.
75. Jyeṣṭhā variṣṭhā varadā śivayoryajane ratā.
Tayorājñāṃ puraskṛtya sā me diśatu kāṅkṣitam.

76. Trailokyavanditā sākṣādulkākārā gaṇāmbikā.
Jagatsṛṣṭi-vivṛddhyartham-brahmaṇābhyarthitā śivāt.
77. Śivāyāḥ pravibhaktāyā bhruvorantara-nissṛtā.
Dākṣāyaṇī satī menā tathā haimavatī hyumā.
78. Kauśikyāśchaiva jananī bhadrakālyāstathaiva cha.
Aparṇāyāścha jananī pāṭalāyāstathaiva cha.
79. Śivārchanaratā nityaṃ rudrāṇī rudravallabhā.
Satkṛtya śivayorājñāṃ sā me diśatu kāṅkṣitam.
80. Chaṇḍaḥ sarvagaṇeśānaḥ śambhorvadanasambhavaḥ.
Satkṛtya śivayorājñāṃ sa me diśatu kāṅkṣitam.
81. Piṅgalo gaṇapaḥ śrīmāñ śivāsaktaḥ śivapriyaḥ.
Ājñayā śivayoreva sa me kāmaṃ prayachchhatu.
82. Bhṛṅgīśo nāma gaṇapaḥ śivārādhanatatparaḥ.
Prayachchhatu sa me kāmaṃ patyurājñā-purassaram.
83. Vīrabhadro mahātejā himakundendusannibhaḥ.
Bhadrakālīpriyo nityaṃ mātṛṇāṃ chābhirakṣitā.
84. Yajñasya cha śirohartā dakṣasya cha durātmanaḥ.
Upendrendra-yamādīnāṃ devānāmaṅgatakṣakaḥ.
85. Śivasyānucharaḥ śrīmāñ śivaśāsanapālakaḥ.
Śivayoḥ śāsanādeva sa me diśatu kāṅkṣitam.
86. Sarasvatī maheśasya vāksarojasamudbhavā.
Śivayoḥ pūjane saktā sā me diśatu kāṅkṣitam.
87. Viṣṇorvakṣaḥsthitā lakṣmīḥ śivayoḥ pūjane ratā.
Śivayoḥ śāsanādeva sā me diśatu kāṅkṣitam.
88. Mahāmoṭī mahādevyāḥ pādapūjāparāyaṇā.
Tasyā eva niyogena sā me diśatu kāṅkṣitam.
89. Kauśikī siṃhamārūḍhā pārvatyāḥ paramā sutā.
Viṣṇornidrā mahāmāyā mahāmahiṣamardinī.
90. Niśumbhaśumbha-saṃhartrī madhumāṃsāsavapriyā.
Satkṛtya śāsanaṃ mātuḥ sā me diśatu kāṅkṣitam.
91. Rudrā rudrasamaprakhyāḥ pramathāḥ prathitaujasaḥ.
Bhūtākhyāścha mahāvīryā mahādeva-samaprabhāḥ.
92. Nityamuktā nirupamā nirdvandvā nirupaplavāḥ.
Saśaktayaḥ sānucharāḥ sarvaloka-namaskṛtāḥ.
93. Sarveṣāmeva lokānāṃ sṛṣṭi-saṃharaṇakṣamāḥ.
Parasparānuraktāścha parasparamanuvratāḥ.
94. Parasparamatisnigdhāḥ parasparanamaskṛtāḥ.
Śivapriyatamā nityaṃ śivalakṣaṇalakṣitāḥ.
95. Saumyā ghorāstathā miśrā-śchāntarāladvayātmikāḥ.
Virūpāścha surūpāścha nānārūpadharāstathā.

96. Satkṛtya śivayorājñāṃ te me kāmaṃ diśantu vai.
    Devyāḥ priyasakhīvargo devīlakṣaṇalakṣitaḥ.
97. Sahito rudrakanyābhiḥ śaktibhi-śchāpyanekaśaḥ.
    Tṛtīyāvaraṇe śambhorbhaktyā nityaṃ samarchitaḥ.
98. Satkṛtya śivayorājñāṃ sa me diśatu maṅgalam.
    Divākaro maheśasya mūrtirdīpta-sumaṇḍalaḥ.
99. Nirguṇo guṇasaṅkīrṇastathaiva guṇakevalaḥ.
    Avikārātmakaśchādyaḥ ekaḥ sāmānya-vikriyaḥ.
100. Asādhāraṇakarmā cha sṛṣṭisthiti-layakramāt.
    Evaṃ tridhā chaturddhā cha vibhaktaḥ pañchadhā punaḥ.
101. Chaturthāvaraṇe śambhoḥ pūjitaśchānugaiḥ saha.
    Śivapriyaḥ śivāsaktaḥ śivapādārchane rataḥ.
102. Satkṛtya śivayorājñāṃ sa me diśatu maṅgalam.
    Divākara-ṣaḍaṅgāni dīptādyā-śchāṣṭaśaktayaḥ.
103. Ādityo bhāskaro bhānū ravi-śchetyanupūrvaśaḥ.
    Arko brahmā tathā rudro viṣṇu-śchādityamūrtayaḥ.
104. Vistarā sutarā bodhinyā-pyāyinyaparāḥ punaḥ.
    Uṣā prabhā tathā prājñā sandhyā chetyapi śaktayaḥ.
105. Somādiketu-paryantā grahāścha śivabhāvitāḥ.
    Śivayorājñayā nunnā maṅgalaṃ pradiśantu me.
106. Atha vā dvādaśādityā-stathā dvādaśa śaktayaḥ.
    Ṛṣayo devagandharvāḥ pannagāpsarasāṃ gaṇāḥ.
107. Grāmaṇyaścha tathā yakṣā rākṣasāścha surāstathā.
    Sapta saptagaṇāśchaite saptachchhandomayā hayāḥ.
108. Vālakhilyādaya-śchaiva sarve śivapadārchakāḥ.
    Satkṛtya śivayorājñāṃ maṅgalaṃ pradiśantu me.
109. Brahmātha devadevasya mūrtirbhūmaṇḍalādhipaḥ.
    Chatuḥṣaṣṭiguṇaiśvaryo buddhitattve pratiṣṭhitaḥ.
110. Nirguṇo guṇasaṅkīrṇastathaiva guṇakevalaḥ.
    Avikārātmako devastataḥ sādhāraṇaḥ puraḥ.
111. Asādhāraṇakarmā cha sṛṣṭisthiti-layakramāt.
    Evaṃ tridhā chaturddhā cha vibhaktaḥ pañchadhā punaḥ.
112. Chaturthāvaraṇe śambhoḥ pūjitaścha sahānugaiḥ.
    Śivapriyaḥ śivāsaktaḥ śivapādārchane rataḥ.
113. Satkṛtya śivayorājñāṃ sa me diśatu maṅgalam.
    Hiraṇyagarbho lokeśo virāṭ kālaścha pūruṣaḥ.
114. Sanatkumāraḥ sanakaḥ sanandaścha sanātanaḥ.
    Prajānāṃ patayaśchaiva dakṣādyā brahmasūnavaḥ.
115. Ekādaśa sapatnīkā dharmaḥ saṅkalpa eva cha.
    Śivārchana-ratāśchaite śivabhakti-parāyaṇāḥ.

116. Śivājñāvaśagāḥ sarve diśantu mama maṅgalam.
Chatvāraścha tathā vedāḥ setihāsa-purāṇakāḥ.
117. Dharmaśāstrāṇi vidyābhir-vaidikībhiḥ samanvitāḥ.
Parasparā-viruddhārthāḥ śivaprakṛti-pādakāḥ.
118. Satkṛtya śivayorājñāṃ maṅgalaṃ pradiśantu me.
Atha rudro mahādevaḥ śambhormūrtirgarīyasī.
119. Vāhneya-maṇḍalādhīśaḥ pauruṣaiśvaryavān prabhuḥ.
Śivābhimāna-sampanno nirguṇastriguṇātmakaḥ.
120. Kevalaṃ sāttvikaśchāpi rājasaśchaiva tāmasaḥ.
Avikārarataḥ pūrvaṃ tatastu samavikriyaḥ.
121. Asādhāraṇa-karmā cha sṛṣṭyādi-karaṇātpṛthak.
Brahmaṇo'pi śiraśchhettā janakastasya tatsutaḥ.
122. Janakastanaya-śchāpi viṣṇorapi niyāmakaḥ.
Bodhakaścha tayornitya-manugrahakaraḥ prabhuḥ.
123. Aṇḍasyāntar-bahirvartī rudro lokadvayādhipaḥ.
Śivapriyaḥ śivāsaktaḥ śivapādārchane rataḥ.
124. Śivasyājñāṃ puraskṛtya sa me diśatu maṅgalam.
Tasya brahma ṣaḍaṅgāni vidyeśānāṃ tathāṣṭakam.
125. Chatvāro mūrtibhedāścha śivapūrvāḥ śivārchakāḥ.
Śivo bhavo haraśchaiva mṛḍaśchaiva tathāparaḥ.
Śivasyājñāṃ puraskṛtya maṅgalaṃ pradiśantu me.
126. Atha viṣṇurmaheśasya śivasyaiva parā tanuḥ.
Vāritattvādhipaḥ sākṣādavyakta-padasaṃsthitaḥ.
127. Nirguṇaḥ sattva-bahulastathaiva guṇakevalaḥ.
Avikārābhimānī cha trisādhāraṇa-vikriyaḥ.
128. Asādhāraṇakarmā cha sṛṣṭyādi-karaṇātpṛthak.
Dakṣiṇāṅgabhavenāpi spardhamānaḥ svayambhuvā.
129. Ādyena brahmaṇā sākṣātsṛṣṭaḥ sraṣṭā cha tasya tu.
Aṇḍasyāntar-bahirvartī viṣṇurloka-dvayādhipaḥ.
130. Asurānta-karaśchakrī śakrasyāpi tathānujaḥ.
Prādurbhūtaścha daśadhā bhṛguśāpa-chchhalādiha.
131. Bhūbhāra-nigrahārthāya svechchhayā-vātarat kṣitau.
Aprameyabalo māyī māyayā mohayañjagat.
132. Mūrtiṃ kṛtvā mahāviṣṇuṃ sadāviṣṇumathāpi vā.
Vaiṣṇavaiḥ pūjito nityaṃ mūrtitrayamayāsane.
133. Śivapriyaḥ śivāsaktaḥ śivapādārchane rataḥ.
Śivasyājñāṃ puraskṛtya sa me diśatu maṅgalam.
134. Vāsudevo'niruddhaścha pradyumnaścha tataḥ paraḥ.
Saṅkarṣaṇaḥ samākhyātā-śchatasro mūrtayo hareḥ.

135. Matsyaḥ kūrmo varāhaścha nārasiṃho'tha vāmanaḥ.
Rāmatrayaṃ tathā kṛṣṇo viṣṇu-sturagavaktrakaḥ.
136. Chakraṃ nārāyaṇasyāstraṃ pāñchajanyaṃ cha śārṅgakam.
Satkṛtya śivayorājñāṃ maṅgalaṃ pradiśantu me.
137. Prabhā sarasvatī gaurī lakṣmīścha śivabhāvitā.
Śivayoḥ śāsanādetā maṅgalaṃ pradiśantu me.
138. Indro'gniścha yamaśchaiva nirṛtir-varuṇastathā.
Vāyuḥ somaḥ kuberaścha tatheśānastriśūladhṛk.
139. Sarve śivārchanaratāḥ śivasadbhāva-bhāvitāḥ.
Satkṛtya śivayorājñāṃ maṅgalaṃ pradiśantu me.
140. Triśūlamatha vajraṃ cha tathā paraśusāyakau.
Khaḍga-pāśāṅkuśāśchaiva pinākaśchāyudhottamaḥ.
141. Divyāyudhāni devasya devyāśchaitāni nityaśaḥ.
Satkṛtya śivayorājñāṃ rakṣāṃ kurvantu me sadā.
142. Vṛṣarūpadharo devaḥ saurabheyo mahābalaḥ.
Vaḍavākhyānala-sparddhī pañchago-mātṛbhirvṛtaḥ.
143. Vāhanatvamanuprāpta-stapasā parameśayoḥ.
Tayorājñāṃ puraskṛtya sa me kāmaṃ prayachchhatu.
144. Nandā sunandā surabhiḥ suśīlā sumanāstathā.
Pañcha gomātarastvetāḥ śivaloke vyavasthitāḥ.
145. Śivabhaktiparā nityaṃ śivārchana-parāyaṇāḥ.
Śivayoḥ śāsanādeva diśantu mama vāñchhitam.
146. Kṣetrapālo mahātejā nīlajīmūtasannibhaḥ.
Daṃṣṭrākarālavadanaḥ sphuradraktā-dharojjvalaḥ.
147. Raktordhvamūrddhajaḥ śrīmān bhrukuṭī-kuṭilekṣaṇaḥ.
Raktavṛtta-trinayanaḥ śaśipannaga-bhūṣaṇaḥ.
148. Nagnastriśūla-pāśāsi-kapālodyata-pāṇikaḥ.
Bhairavo bhairavaiḥ siddhairyoginībhiścha saṃvṛtaḥ.
149. Kṣetre kṣetrasamāsīnaḥ sthito yo rakṣakaḥ satām.
Śivapraṇāmaparamaḥ śivasadbhāva-bhāvitaḥ.
150. Śivāśritān viśeṣeṇa rakṣan putrānivaurasān.
Satkṛtya śivayorājñāṃ sa me diśatu maṅgalam.
151. Tālajaṅghādaya-stasya prathamāvaraṇe'rchitāḥ.
Satkṛtya śivayorājñāṃ chatvāraḥ samavantu mām.
152. Bhairavadyāścha ye chānye samantāttasya veṣṭitāḥ.
Te'pi māmanugṛhṇantu śivaśāsana-gauravāt.
153. Nāradādyāścha munayo divyā devaiścha pūjitāḥ.
Sādhyā nāgāścha ye devā janaloka-nivāsinaḥ.
154. Vinirvṛttādhikārāścha maharloka-nivāsinaḥ.
Saptarṣaya-stathānye vai vaimānikagaṇaiḥ saha.

155. Sarve śivārchanaratāḥ śivājñā-vaśavartinaḥ.
Śivayorājñayā mahyaṃ diśantu samakāṅkṣitam.
156. Gandharvādyāḥ piśāchāntā-śchatasro devayonayaḥ.
Siddhā vidyādharādyāścha ye'pi chānye nabhaścharāḥ.
157. Asurā rākṣasāśchaiva pātālatala-vāsinaḥ.
Anantādyāścha nāgendrā vainateyādayo dvijāḥ.
158. Kūṣmāṇḍāḥ pretavetālā grahā bhūtagaṇāḥ pare.
Ḍākinyaśchāpi yoginyaḥ śākinyaśchāpi tādṛśāḥ.
159. Kṣetrārāma-gṛhādīni tīrthānyā-yatanāni cha.
Dvīpāḥ samudrā nadyaścha nadāśchānye sarāṃsi cha.
160. Girayaścha sumervādyāḥ kānanāni samantataḥ.
Paśavaḥ pakṣiṇo vṛkṣāḥ kṛmikīṭādayo mṛgāḥ.
161. Bhuvanānyapi sarvāṇi bhuvanānāma-dhīśvarāḥ.
Aṇḍānyāvaraṇaiḥ sārddhaṃ māsāścha daśa diggajāḥ.
162. Varṇāḥ padāni mantrāścha tattvānyapi sahādhipaiḥ.
Brahmāṇḍadhārakā rudrā rudrāśchānye saśaktikāḥ.
163. Yachcha kiñchit-jagatyasmindṛṣṭaṃ chānumitaṃ śrutam.
Sarve kāmaṃ prayachchhantu śivayoreva śāsanāt.
164. Atha vidyā parā śaivī paśupāśa-vimochinī.
Pañchārthasaṃhitā divyā paśuvidyā-bahiṣkṛtā.
165. Śāsraṃ cha śivadharmākhyaṃ dharmākhyaṃ cha taduttaram.
Śaivākhyaṃ śivadharmākhyaṃ purāṇaṃ śrutisammitam.
166. Śaivāgamāścha ye chānye kāmikādyā-śchaturvidhāḥ.
Śivābhyāma-viśeṣeṇa utkṛtyeha samarchitāḥ.
167. Tābhyāmeva samājñātā mamābhipreta-siddhaye.
Karmedama-numanyantāṃ saphalaṃ sādhvanuṣṭhitam.
168. Śvetādyā nakulīśāntāḥ saśiṣyāśchāpi deśikāḥ.
Tatsantatīyā guravo viśeṣād guravo mama.
169. Śaivā māheśvarāśchaiva jñānakarma-parāyaṇāḥ.
Karmedama-numanyantāṃ saphalaṃ sādhvanuṣṭhitam.
170. Laukikā brāhmaṇāḥ sarve kṣatriyāścha viśaḥkramāt.
Vedavedāṅga-tattvajñāḥ sarvaśāstra-viśāradāḥ.
171. Sāṅkhyā vaiśeṣikāśchaiva yaugā naiyāyikā narāḥ.
Saurā brāhmāstathā raudrā vaiṣṇavāśchāpare narāḥ.
172. Śiṣṭāḥ sarve viśiṣṭāścha śivaśāsana-yantritāḥ.
Karmedama-numanyantāṃ mamābhipreta-sādhakam.
173. Śaivāḥ siddhāntamārgasthāḥ śaivāḥ pāśupatāstathā.
Śaivā mahāvratadharāḥ śaivāḥ kāpālikāḥ pare.
174. Śivājñāpālakāḥ pūjyā mamāpi śivaśāsanāt.
Sarve māmanugṛhṇantu śaṃsantu saphalakriyām.

175. Dakṣiṇa-jñānaniṣṭhāścha dakṣiñottara-mārgagāḥ.
Avirodhena vartantāṃ mantraṃ śreyo'rthino mama.
176. Nāstikāścha śaṭhāśchaiva kṛtaghnāśchaiva tāmasāḥ.
Pāṣaṇḍā-śchātipāpāścha vartantāṃ dūrato mama.
177. Bahubhiḥ kiṃ stutairatra ye'pi ke'pi chidāstikāḥ.
Sarve māmanugṛhṇantu santaḥ śaṃsantu maṅgalam.
178. Namaḥ śivāya sāmbāya sasutāyādi-hetave.
Pañchāvaraṇarūpeṇa prapañchenāvṛtāya te.
179. Ityuktvā daṇḍavad bhūmau praṇipatya śivaṃ śivām.
Japetpañchākṣarīṃ vidyā-maṣṭottaraśatāvarām.
180. Tathaiva śaktividyāṃ cha japitvā tatsamarpaṇam.
Kṛtvā taṃ kṣamayitveśaṃ pūjāśeṣaṃ samāpayet.
181. Etatpuṇyatamaṃ stotraṃ śivayor-hṛdayaṅgamam.
Sarvābhīṣṭapradaṃ sākṣād-bhaktimuktyeka-sādhanam.
182. Ya idaṃ kīrtayennityaṃ śṛṇuyādvā samāhitaḥ.
Sa vidhūyāśu pāpāni śivasāyujya-māpnuyāt.
183. Goghnaśchaiva kṛtaghnaścha vīrahā bhrūṇahāpi vā.
Śaraṇāgataghātī cha mitraviśrambha-ghātakaḥ.
184. Duṣṭapāpa-samāchāro mātṛhā pitṛhāpi vā.
Stavenānena japtena tattatpāpāt pramuchyate.
185. Duḥsvapnādi-mahānartha-sūchakeṣu bhayeṣu cha.
Yadi saṅkīrtayedetanna tato'narthabhāgbhavet.
186. Āyurārogyamaiśvaryaṃ yachchānyadapi vāñchhitam.
Stotrasyāsya jape tiṣṭhaṃstatsarvaṃ labhate naraḥ.
187. Asampūjya śivaṃ stotrajapāt-phalamudāhṛtam.
Sampūjya cha jape tasya phalaṃ vaktuṃ na śakyate.
188. Āstāmiyaṃ phalāvāpti-rasmin saṅkīrtite sati.
Sārddhamambikayā devaḥ śrutvaiva divi tiṣṭhati.
189. Tasmānnabhasi sampūjya devadevaṃ sahomayā.
Kṛtāñjali-puṭastiṣṭhan stotrametadudīrayet.

Om śāntiḥ śāntiḥ śāntiḥ. Hariḥ om.

Śiva-aparādha-kṣamāpana-stotram

1. Ādau karmaprasaṅgāt kalayati kaluṣaṃ mātṛkukṣau sthitaṃ māṃ
Viṇmūtrāmedhya-madhye kvathayati nitarāṃ jāṭharo jātavedāḥ.
Yadyadvai tatra duḥkhaṃ vyathayati nitarāṃ śakyate kena vaktuṃ
Kṣantavyo me'parādhaḥ śiva śiva śiva bho śrīmahādeva śambho.

2. Bālye duḥkhātireko malalulitavapuḥ stanyapāne pipāsā
No śaktaśchendriyebhyo bhavaguṇajanitā jantavo māṃ tudanti.
Nānārogādi-duḥkhādrudanaparavaśaḥ śaṅkaraṃ na smarāmi
Kṣantavyo me'parādhaḥ śiva śiva śiva bho śrīmahādeva śambho.

3. Prauḍho'haṃ yauvanastho viṣayaviṣadharaiḥ pañchabhirmarmasandhau
Daṣṭo naṣṭo vivekaḥ sutadhanayuvati-svādasaukhye niṣaṇṇaḥ.
Śaivīchintāvihīnaṃ mama hṛdayamaho mānagarvādhirūḍhaṃ
Kṣantavyo me'parādhaḥ śiva śiva śiva bho śrīmahādeva śambho.

4. Vārddhakye chendriyāṇāṃ vigatagati-matiśchādhidaivāditāpaiḥ
Pāpai rogairviyogaistvana-vasitavapuḥ prauḍhihīnaṃ cha dīnam.
Mithyāmohābhilāṣairbhramati mama mano dhūrjaṭerdhyānaśūnyaṃ
Kṣantavyo me'parādhaḥ śiva śiva śiva bho śrīmahādeva śambho.

5. No śakyaṃ smārtakarma pratipadagahana-pratyavāyākulākhyaṃ
Śraute vārtā kathaṃ me dvijakulavihite brahmamārge susāre.
Nāsthā dharme vichāraḥ śravaṇamananayoḥ kiṃ nididhyāsitavyaṃ
Kṣantavyo me'parādhaḥ śiva śiva śiva bho śrīmahādeva śambho.

6. Snātvā pratyūṣakāle snapanavidhividhau nāhṛtaṃ gāṅgatoyaṃ
Pūjārthaṃ vā kadāchid-bahutaragahanātkhaṇḍa-bilvīdalāni.
Nānītā padmamālā sarasi vikasitā gandhapuṣpe tvadarthaṃ
Kṣantavyo me'parādhaḥ śiva śiva śiva bho śrīmahādeva śambho.

7. Dugdhairmadhvājya-yuktairdadhisitasahitaiḥ snāpitaṃ naiva liṅgaṃ
No liptaṃ chandanādyaiḥ kanakavirachitaiḥ pūjitaṃ na prasūnaiḥ.
Dhūpaiḥ karpūradīpairvividharasayutairnaiva bhakṣyopahāraiḥ
Kṣantavyo me'parādhaḥ śiva śiva śiva bho śrīmahādeva śambho.

8. Dhyātvā chitte śivākhyaṃ prachurataradhanaṃ naiva dattaṃ dvijebhyo
Havyaṃ te lakṣasaṅkhyairhutavahavadane nārpitaṃ bījamantraiḥ.
No taptaṃ gāṅgatīre vratajapaniyamaiḥ rudrajāpyairna vedaiḥ
Kṣantavyo me'parādhaḥ śiva śiva śiva bho śrīmahādeva śambho.

9. Sthitvā sthāne saroje praṇavamayamarutkuṇḍale sūkṣmamārge
   Śānte svānte pralīne prakaṭitavibhave jyotirūpe parākhye.
   Liṅgajñe brahmavākye sakalatanugataṃ śaṅkaraṃ na smarāmi
   Kṣantavyo me'parādhaḥ śiva śiva śiva bho śrīmahādeva śambho.

10. Nagno niḥsaṅgaśuddhastriguṇa-virahito dhvastamohāndhakāro
    Nāsāgre nyastadṛṣṭirviditabhavaguṇo naiva dṛṣṭaḥ kadāchit.
    Unmanyāvasthayā tvāṃ vigatakalimalaṃ śaṅkaraṃ na smarāmi
    Kṣantavyo me'parādhaḥ śiva śiva śiva bho śrīmahādeva śambho.

11. Chandrodbhāsitaśekhare smarahare gaṅgādhare śaṅkare
    Sarpairbhūṣitakaṇṭhakarṇavivare netrotthavaiśvānare.
    Dantitvakkṛta-sundarāmbaradhare trailokyasāre hare
    Mokṣārthaṃ kuru chittavṛttimakhilāmanyaistu kiṃ karmabhiḥ.

12. Kiṃ vānena dhanena vājikaribhiḥ prāptena rājyena kiṃ
    Kiṃ vā putrakalatramitra-paśubhirdehena gehena kim.
    Jñātvaitatkṣaṇabhaṅguraṃ sapadi re tyājyaṃ mano dūrataḥ
    Svātmārthaṃ guruvākyato bhaja bhaja śrīpārvatīvallabham.

13. Āyurnaśyati paśyatāṃ pratidinaṃ yāti kṣayaṃ yauvanaṃ
    Pratyāyānti gatāḥ punarna divasāḥ kālo jagadbhakṣakaḥ.
    Lakṣmīstoyataraṅga-bhaṅgachapalā vidyuchchalaṃ jīvitaṃ
    Tasmānmāṃ śaraṇāgataṃ śaraṇada tvaṃ rakṣa rakṣādhunā.

14. Karacharaṇakṛtaṃ vākkāyajaṃ karmajaṃ vā
    Śravaṇanayanajaṃ vā mānasaṃ vāparādham.
    Vihitamavihitaṃ vā sarvametatkṣamasva
    Jaya jaya karuṇābdhe śrīmahādeva śambho.

Om śāntiḥ śāntiḥ śāntiḥ. Hariḥ om

Śiva Stuti

1. Jaya śivaśaṅkara, jaya gaṅgādhara, karuṇākara karatāra hare,
   Jaya kailāśī, jaya avināśī, sukharāśī, sukha-sāra hare,
   Jaya śaśi-śekhara, jaya ḍamarū-dhara, jaya jaya premāgāra hare,
   Jaya tripurārī, jaya madahārī, amita ananta apāra hare,
   Nirguṇa jaya jaya, saguṇa anāmaya, nirākāra, sākāra hare,
   Pāravatī pati, hara hara śambho, pāhi pāhi dātāra hare.

2. Jaya rāmeśvara, jaya nāgeśvara, vaidyanātha kedāra hare,
   Mallikārjuna, somanātha jaya, mahākāla oṅkāra hare,
   Tryambakeśvara, jaya ghuśmeśvara, bhīmeśvara jagatāra hare,
   Kāśīpati, śrī viśvanātha jaya, maṅgalamaya, agha hāra hare,
   Nīlakaṇṭha jaya, bhūtanātha jaya, mṛtyuñjaya avikāra hare,
   Pāravatī pati, hara hara śambho, pāhi pāhi dātāra hare.

3. Jaya maheśa, jaya jaya bhaveśa, jaya ādi deva, mahādeva vibho,
   Kisa mukha se he guṇātīta prabhu, tava apāra guṇa varṇana ho,
   Jaya bhavakāraka, tāraka, hāraka, pātaka-dāraka, śiva śambho,
   Dīna duḥkhahara, sarva sukhākara, prema sudhākara dayā karo,
   Pāra lagā do bhavasāgara se, banakara karṇādhāra hare,
   Pāravatī pati, hara hara śambho, pāhi pāhi dātāra hare.

4. Jaya mana bhāvana, jaya atipāvana, śoka naśāvana śiva śambho,
   Vipada vidārana, adhama ubārana, satya sanātana śiva śambho,
   Sahaja vachana hara, jalaja nayana vara, dhavala varana tana śiva
   śambho,
   Madana kadana kara pāpa harana hara, charana manana dhana
   śiva śambho,
   Vivasana, viśvarūpa, pralayaṅkara, jaga ke mūlādhāra hare,
   Pāravatī pati, hara hara śambho, pāhi pāhi dātāra hare.

Om śāntiḥ śāntiḥ śāntiḥ. Hariḥ om

Gaṅgādhara Āratī

1. Om jaya gaṅgādhara jaya hara jaya girijādhīśā.
   Tvaṃ māṃ pālaya nityaṃ kṛpayā jagadīśā.
   Hara hara hara mahādeva.

2. Kailāse giriśikhare, kalpadrumavipine.
   Guñjati madhukarapuñje, kuñjavane gahane.
   Kokila-kūjitakhelata, haṃsāvanalalitā.
   Rachayati kalākalāpaṃ, nṛtyati mudasahitā.
   Hara hara hara mahādeva.

3. Tasmillalitasudeśe, śālā maṇirachitā.
   Tanmadhye haranikaṭe, gaurī mudasahitā.
   Krīḍā rachayati bhūṣā, rañjitanijamīśam.
   Indrādika surasevata, nāmayate śīśam.
   Hara hara hara mahādeva.

4. Bibudhabadhūbahunṛtyata, hṛdayemudasahitā.
   Kinnaragāyanakurute, saptasvarasahitā.
   Dhinakata thai thai, dhinakata mṛdaṅga vādayate.
   Kvaṇa kvaṇa lalitā veṇuṃ madhuraṃ nāṭayate.
   Hara hara hara mahādeva.

5. Ruṇa-ruṇa charaṇerachayati, nūpura mu'jvalitā.
   Chakrāvarte bhramayati, kurute tāṃ dhika tāṃ.
   Tāṃ tāṃ lupachupa, tāṃ tāṃ ḍamarū vādayate.
   Aṅguṣṭhāṅgulinādaṃ, lāsakatāṃ kurute.
   Hara hara hara mahādeva.

6. Karpūradyutigauraṃ, pañchānanasahitam.
   Trinayana-śaśidharamauliṃ, viṣadharakaṇṭhayutam.
   Sundarajaṭā kalāpaṃ, pāvakayutabhālam.
   Ḍamarūtriśūlapinākaṃ, kara dhṛta nṛ kapālam.
   Hara hara hara mahādeva.

7. Muṇḍai rachayati mālā, pannagamupavītam.
   Vāmavibhāge girijā, rūpaṃ atilalitam.
   Sundara sakalaśarīre, kṛtabhasmābharaṇam.
   Iti vṛṣabhadhvajarūpaṃ, tāpatraya haraṇam.
   Hara hara hara mahādeva.

8. Śaṅkhaninādaṃ kṛtvā, jhallarinādayate.
   Nīrājayate brahmā, vedarchāṃ paṭhate.
   Ati mṛducharaṇasarojaṃ, hṛtkamale dhṛtvā.
   Avalokayati maheśaṃ, īśaṃ abhinatvā.
   Hara hara hara mahādeva.

9. Dhyānaṃ āratisamaye, hṛdaye ati kṛtvā.
   Rāmastrijaṭānāthaṃ, īśaṃ abhinatvā.
   Saṅgatimevaṃ pratidina, paṭhanaṃ yaḥ kurute.
   Śivasāyujyaṃ gachchhati, bhaktyā yaḥ śṛṇute.
   Hara hara hara mahādeva.

Om śāntiḥ śāntiḥ śāntiḥ. Hariḥ om

237

Mahādeva Āratī

1. Hara hara hara mahādeva.
   Satya, sanātana, sundara śiva! sabake svāmī.
   Avikārī, avināśī, aja, antaryāmī.
   Hara hara hara mahādeva.
2. Ādi, ananta, anāmaya, akala, kalādhārī.
   Amala, arūpa, agochara, avichala, aghahārī.
   Hara hara hara mahādeva.
3. Brahmā, viṣṇu, maheśvara, tuma trimūrtidhārī.
   Kartā, bhartā, dhartā tuma hī saṃhārī.
   Hara hara hara mahādeva.
4. Rakṣaka, bhakṣaka, preraka, priya auḍharadānī.
   Sākṣī, parama akartā, kartā, abhimānī.
   Hara hara hara mahādeva.
5. Maṇimaya-bhavana-nivāsī, ati bhogī, rāgī.
   Sadā śmaśāna vihārī, yogī vairāgī.
   Hara hara hara mahādeva.
6. Chhāla-kapāla, garala-gala, muṇḍamāla, vyālī.
   Chitābhasmatana, trinayana, ayanamahākālī.
   Hara hara hara mahādeva.
7. Preta-piśācha-susevita, pītajaṭādhārī.
   Vivasana vikaṭa rūpadhara, rudra pralayakārī.
   Hara hara hara mahādeva.
8. Śubhra-saumya, surasaridhara, śaśidhara, sukhakārī.
   Atikamanīya, śāntikara, śivamuni-mana-hārī.
   Hara hara hara mahādeva.
9. Nirguṇa, saguṇa, nirañjana, jagamaya, nitya-prabho.
   Kālarūpa kevala hara! kālātīta vibho.
   Hara hara hara mahādeva.
10. Sat, chit, ānanda, rasamaya, karuṇāmaya dhātā.
    Prema-sudhā-nidhi, priyatama, akhila viśva-trātā.
    Hara hara hara mahādeva.
11. Hama ati dīna, dayāmaya! charaṇa-śaraṇa dījai.
    Saba bidhi nirmala mati kara, apano kara lījai.
    Hara hara hara mahādeva.

Om śāntiḥ śāntiḥ śāntiḥ. Hariḥ om

Kailāsavāsī Āratī

Śīśa gaṅga ardhaṅga pārvatī, sadā virājata kailāsī.
Nandī bhṛṅgī nṛtya karata haĩ, dharata dhyāna sura sukharāsī.

Śītala manda sugandha pavana baha, baiṭhe haĩ śiva avināśī.
Karata gāna gandharva sapta svara, rāga rāginī madhurā-sī.

Yakṣa-rakṣa bhairava jahā̃ ḍolata, bolata haĩ vanake vāsī.
Koyala śabda sunāvata sundara, bhramara karata haĩ guñjā-sī.

Kalpadruma aru pārijāta taru, lāga rahe haĩ lakṣāsī.
Kāmadhenu koṭina jahā̃ ḍolata, karata dugdhakī varṣā-sī.

Sūryakānta sama parvata śobhita, chandrakānta sama himarāśī.
Nitya chhahõ ṛtu rahata suśobhita, sevata sadā prakṛti-dāsī.

Ṛṣi-muni deva danuja nita sevata, gāna karata śruti guṇarāśī.
Brahmā-viṣṇu nihārata nisidina, kachhu śiva hamakū̃ pharamāsī.

Ṛddhi siddhi ke dātā śaṅkara, nita sat chit ānandarāśī.
Jinake sumirata hī kaṭa jātī, kaṭhina kāla-yamakī phā̃sī.

Triśūladharajīkā nāma nirantara, prema sahita jo nara gāsī.
Dūra hoya vipadā usa narakī, janma-janma śivapada pāsī.

Kailāsī kāśīke vāsī, avinaśī merī sudha lījo.
Sevaka jāna sadā charananako, apano jāna kṛpā kījo.

Om śāntiḥ śāntiḥ śāntiḥ. Hariḥ om

Śiva Āratī

Jaya śiva oṅkārā bhaja śiva oṅkārā.
Brahmā viṣṇu sadāśiva arddhāṅgī dhārā.
Jaya śiva . . .

Ekānana chaturānana pañchānana rāje.
Haṃsāsana garuḍāsana bṛṣavāhana sāje.
Jaya śiva . . .

Do bhuja chāru chaturbhuja dasabhuja ati sohe.
Tīnõ rūpa nirakhate tribhuvana jana mohe.
Jaya śiva . . .

Akṣamālā vanamālā muṇḍamālā dhārī.
Chandana mṛgamada sohe bhole śubhakārī.
Jaya śiva . . .

Śvetāmbara pītāmbara bāghambara aṅge.
Sanakādika brahmādika bhūtādika saṅge.
Jaya śiva . . .

Kara madhye sukamaṇḍalu chakra śūladhārī.
Sukhakārī dukhahārī jaga pālanakārī.
Jaya śiva . . .

Brahmā viṣṇu sadāśiva jānata avivekā.
Praṇavākṣara mẽ śobhita ye tīnõ ekā.
Jaya śiva . . .

Triguṇa śivajī kī āratī jo koī nara gāve.
Kahata śivānanda svāmī manavāñchhita phala pāve.
Jaya śiva . . .

Om śāntiḥ śāntiḥ śāntiḥ. Hariḥ om

रुद्राभिषेक

Rudrabhisheka

शिवलिंग अभिषेक क्रम

आसन पर पूर्व या उत्तर दिशा की ओर मुख करके बैठें और निम्नलिखित मंत्र से जल को अपने ऊपर छिड़कें –

ॐ अपवित्रः पवित्रो वा सर्वावस्थां गतोऽपि वा, यः स्मरेत् पुण्डरीकाक्षं स बाह्याभ्यन्तरः शुचिः। ॐ पुण्डरीकाक्षः पुनातु, ॐ पुण्डरीकाक्षः पुनातु, ॐ पुण्डरीकाक्षः पुनातु।

तत्पश्चात् निम्नलिखित मंत्रों से आचमन करें –

ॐ केशवाय नमः, ॐ नारायणाय नमः, ॐ माधवाय नमः, ॐ हृषीकेशाय नमः

फिर निम्नलिखित मंत्र पढ़ें और दोनों हाथ की मध्यमा में पवित्री धारण करें –

ॐ पवित्रेस्थव्यो वैष्णव्यौ सवितुर्वः प्रसव उत्पुनाम्यच्छिद्रेण पवित्रेण सूर्यस्य रश्मिभिः। तस्य ते पवित्रपते पवित्रपूतस्ययत्कामः पुने तच्छकेयम् ।

प्राणायाम

नाड़ीशोधन प्राणायाम का अभ्यास 3 आवृत्ति करें।

अथ दीप पूजनम्

चावल और फूल से दीप की पूजा करें।

भो दीप! ब्रह्मस्वरूपस्त्वं अन्धकारविनाशकः, यावत्कर्म समाप्तिर्स्यात् तावत्त्वं सुस्थिरो भव। कर्मसाक्षिणे दीपाधिस्ठाय देवाय नमः।

अथ घण्टा पूजनम्

चावल और फूल से घण्टी की पूजा करें।

आगमार्थं देवानां गमनार्थं तु राक्षसाम्, घण्टानादं प्रक्रुर्वीत पश्चात् घण्टां प्रपूजयेत्। घण्टाधिष्ठित देवाय गरुणाय नमः।

अथ शंख पूजनम्

चावल और फूल से शंख की पूजा करें।

त्वं पुरा सागरोत्पन्नः विष्णुना विधृतः स्वयं, निर्मितः सर्वदेवैश्च पांचजन्य नमोऽस्तुते। शंखाधिष्ठित देवाय नमः।

स्वस्तिवाचनं

स्वस्तिवाचन के समय अभिषेक की तैयारी। स्थापित यंत्र, मूर्ति या फोटो को टीका लगायें और माला पहनायें। फिर दाहिने हाथ में गन्ध, अक्षत, पुष्प लेकर गणपति का ध्यान करें –

ॐ आ नो भद्रा: क्रतवो यन्तु विश्वतोऽदब्धासो अपरीतास उद्भिद:। देवा नो यथा सदमिद् वृधे असन्नप्रायुवो रक्षितारो दिवे दिवे। देवानां भद्रा सुमतिर्ऋजूयतां देवानाँ रातिरभि नो निवर्तताम्। देवानाँ सख्यमुपसेदिमा वयं देवा न आयु: प्रतिरन्तु जीवसे। तान्पूर्वया निविदा हूमहे वयं भगं मित्रमदितिं दक्षमस्त्रिधम्। अर्यमणं वरुणँ सोममश्विना सरस्वती न: सुभगा मयस्करत्। तन्नो वातो मयोभु वातु भेषजं तन्माता पृथिवी तत्पिता द्यौ:। तद् ग्रावाण: सोमसुतो मयोभुवस्तदश्विना शृणुतं धिष्ण्या युवम्। तमीशानं जगतस्तस्थुषस्पतिं धियजिंन्वमवसे हूमहे वयम्। पूषा नो यथा वेदसामसद् वृधे रक्षिता पायुरदब्ध: स्वस्तये। स्वस्ति न इन्द्रो वृद्धश्रवा: स्वस्ति न: पूषा विश्ववेदा:। स्वस्ति नस्तार्क्ष्यो अरिष्टनेमि: स्वस्ति नो बृहस्पतिर्दधातु। पृषदश्वा मरुत: पृश्निमातर: शुभं यावानो विदथेषु जग्मय:। अग्निजिह्वा मनव: सूरचक्षुसो विश्वे नो देवा अवसागमन्निह। भद्रं कर्णेभि: शृणुयाम देवा भद्रं पश्येमाक्षभिर्यजत्रा:। स्थिरैरंगै:-तुष्टुवाँ सस्तनूभिर्व्यशेमहि देवहितं यदायु:। शतमिन्नु शरदो अन्ति देवा यत्रा नश्चक्रा जरसं तनूनाम्। पुत्रासो यत्र पितरो भवन्ति मा नो मध्या रीरिषतायुर्गन्तो:। अदितिर्द्यौरदितिरन्तरिक्षमदितिर्माता स पिता स पुत्र:। विश्वे देवा अदिति: पंचजना अदितिर्जातमदितिर्जनि त्वम्। ॐ द्यौ: शान्तिरन्तरिक्षँ शान्ति: पृथिवी शान्तिराप: शान्तिरोषधय: शान्ति:। वनस्पतय: शान्तिर्विश्वे देवा: शान्तिर्ब्रह्म शान्ति: सर्वँ शान्ति: शान्तिरेव शान्ति: सा मा शान्तिरेधि। यतो यत: समीहसे ततो नो अभयं कुरु। शं न: कुरु प्रजाभ्योऽभयं न: पशुभ्य:। सुशान्तिर्भवतु।

तदेव लग्नं सुदिनं तदेव ताराबलं चन्द्रबलं तदेव। विद्या बलं दैवबलं तदेव लक्ष्मीपते तेऽङ्घ्रियुगं स्मरामि। लाभस्तेषां जयस्तेषां कुतस्तेषां पराजय:। येषामिन्दीवरश्यामो हृदयस्थो जनार्दन:। यत्र योगेश्वर: कृष्णो यत्र पार्थो धनुर्धर:। तत्र श्रीर्विजयो भूतिर्ध्रुवा नीतिर्मतिर्मम। अनन्याश्चिन्तयन्तो मां ये जना: पर्युपासते। तेषां नित्याभियुक्तानां योगक्षेमं वहाम्यहम् । स्मृते सकलकल्याणं भाज यत्र जायते। पुरुषं तमजं नित्यं ब्रजामि शरण हरिम्। सर्वेष्वारम्भकार्येषु त्रयस्त्रिभुवनेश्वरा:। देवादिशन्तु न: सिद्धि ब्रह्मेशानजनार्दना:। विश्वेशं माधवं ढुण्ढिं दण्डपाणिं च भैरवम्। वन्दे काशीं गुहां गंगां भवानी मणिकर्णिकाम् । वक्रतुण्ड महाकाय कोटिसूर्यसमप्रभ। निर्विघ्नं कुरु मे देव सर्वकार्येषु सर्वदा। विनायकं गुरुं भानुं ब्रह्माविष्णुमहेश्वरान्। सरस्वती प्रणम्यादौ सर्वकार्यार्थ सिद्धये। सिद्धिबुद्धिसहिताय श्रीमन्महागणाधिपतये नम:।

अथ संकल्प

हाथ में जल, पुष्प, चावल और पैसा लेकर संकल्प करें। फिर संकल्प के बाद हाथ में रखी वस्तुओं को शिवलिंग पर छोड़ दें।

ॐ श्रीविष्णु: श्रीविष्णु: श्रीविष्णु: श्रीमद्भगवतो महापुरुषस्य विष्णोराज्ञया प्रवर्तमानस्य अद्य श्रीब्रह्मणोऽह्नि: द्वितीयपरार्धे श्रीश्वेतवाराहकल्पे वैवस्वतमन्वन्तरे कृतत्रेताद्वापरान्ते अष्टाविंशतितमे कलियुगे कलिप्रथमचरणे कुमारिकाखण्डे जम्बूद्वीपे भारतवर्षे आर्यावर्तैकदेशान्तर्गते .....क्षेत्रे विक्रमशके बौद्धावतारे षष्टिसंवत्सराणां मध्ये .....संवत्सरे .....अयने .....ऋतौ महामांगल्यप्रद-मासोत्तमेमासे .....मासे .....पक्षे .....तिथौ .....वासरे .....नक्षत्रे .....योगे .....करणे .....राशि स्थिते चन्द्रे .....राशि स्थिते श्रीसूर्ये .....राशिस्थिते देवगुरौ शेषेषु ग्रहेषु यथा यथा राशिस्थानस्थितेषु सत्सु एवं ग्रहगुणगणविशेषण विशिष्टायां शुभपुण्यतिथौ ..... गोत्र: ममाऽऽत्मन: श्रुतिस्मृति पुराणोक्तपुण्य फलप्राप्त्यर्थं मम सकुटुम्बस्य सपशो:ऐश्वर्याभिवृद्धयर्थं अप्राप्तलक्ष्मी प्राप्त्यर्थं प्राप्त लक्ष्म्याश्चिरकाल संरक्षणार्थं सकलेप्सितकामना संसिद्धयर्थं लोके सभायां वा राजद्वारे वा सर्वत्र यशोविजयलाभादि प्राप्त्यर्थं इह जन्मनि जन्मान्तरे वा सकलदुरितोपशमनार्थं तथा जन्मराशे: सकाशाद्ये येकेचिद्विरुद्ध चतुर्थाष्टमद्वादश-स्थानस्थिता: क्रूरग्रहास्तै:सूचितं सूचयिष्यमाणं च यत्सर्वारिष्टं तद्विनाशद्वारा एकादशस्थानस्थितवच्छुभफल प्राप्त्यर्थं पुत्रपौत्रादिसन्तते रविच्छिन्नाभिवृद्धयर्थं आदित्या दिनवग्रहानुकूलता सिद्धयर्थं तथा इन्द्रादि-दशदिक्पालप्रसन्नार्थं आधिदैविकाधि-भौतिकाध्यात्मिक-त्रिविधतापोपशमनार्थं धर्मार्थकाम-मोक्षचतुर्विध-पुरुषार्थ सिद्धयर्थं भूर्भुव: स्व: श्रीभवानीशंकरमहारुद्र-देवताप्रीत्यर्थं .....शिवलिंगोपरि यथाज्ञानेन यथामिलितोपचारै: षडंगन्यासपूर्वकं ध्यानावाहनादि षोडशोपचारै: पूजनं दुग्धधारया जलधारया वा सकृद्रुद्रावर्तनेन नमकचमकविधिना महारुद्रेण वा अतिरुद्रेणाऽभिषेक पूजनमहं करिष्ये। संकल्पितेकर्मणि निर्विघ्नतासिद्धयर्थं गणेशाम्बिकयो: पूजनं च करिष्ये।

अथ षडंगन्यास

ॐ मनो जूतिर्जुषतामाज्यस्य वृहस्पतिर्यज्ञमिमं तनो त्वरिष्टं यज्ञ ँ समिमं दधातु। विश्वे देवास ऽइह मा दयन्तामोंऽ प्रतिष्ठ। ॐ हृदयाय नम: ॥ 1 ॥

ॐ अबोद्ध्यग्नि: समिधा जनानां प्रति धेनुमिवा यतीमुषासम्। यह्वा ऽइव प्रवया मुज्जिहाना: प्रभानव: सिस्रते नाकमच्छ। ॐ शिरसे स्वाहा ॥ 2 ॥

ॐ मूर्द्धानं दिवोऽअरतिं पृथिव्या वैश्वानरमृत ऽआजातमग्निम्। कवि ँ सम्राजमतिथिं जनानामासन्ना पात्रं जनयन्त देवा:। ॐ शिखायै वषट् ॥ 3 ॥

ॐ मर्माणि ते वर्मणाच्छादयामि सोमस्त्वा राजामृतेनानु वस्ताम् । उरोर्वरीयो वरुणस्ते कृणोतु जयन्तंत्वानु देवा मदन्तु। ॐ कवचाय हुम् ॥ 4 ॥
ॐ विश्वतश्चक्षुरुत विश्वतोमुखो विश्वतोबाहुरुत विश्वतस्पात्। सं बाहुभ्यां धमति सम्पतत्रैर्द्यावाभूमी जनयन्देवऽएकः। ॐ नेत्रत्रयाय वौषट् ॥ 5 ॥
ॐ मा न स्तोके तनये मा न ऽआयुषि मा नो गोषु मा नो ऽअश्वेषु रीरिषः। मा नो वीरान् रुद्र भामिनो वधीर्हविष्मन्तः सदमित्त्वा हवामहे। ॐ अस्त्राय फट् ॥ 6 ॥

गणपतिपूजनम्

निम्नलिखित मंत्रों को पढ़ते हुए शिवलिंग पर पुष्प अर्पित करें –

ॐ गणानां त्वा गणपति ँ हवामहे प्रियाणां त्वा प्रियपति ँ हवामहे निधीनां त्वा निधिपति ँ हवामहे वसो मम। आहमजानि गर्भधमा त्वमजासि गर्भधम्।
ॐ भूर्भुव स्वः। गणपतये नमः। गणपति समपूजयामि।

अम्बिकापूजनम्

निम्नलिखित मंत्रों को पढ़ते हुए शिवलिंग पर पुष्प अर्पित करें –

ॐ अम्बेऽअम्बिकेऽम्बालिके न मा नयति कश्चन। ससस्त्यश्वकः सुभद्रिकां काम्पीलवासिनीम्। ॐ भूर्भुव स्वः। अम्बिकायै नमः। अम्बिकां समपूजयामि।

नन्दीश्वरपूजनम्

निम्नलिखित मंत्रों को पढ़ते हुए शिवलिंग पर पुष्प अर्पित करें –

ॐ आशुः शिशानो वृषभो न भीमो घनाघनः क्षोभणश्चर्षणीनाम्। संक्रन्दनोऽ निमिषऽएकवीरः शत ँ सेनाऽअजयत्साकमिन्द्रः।
ॐ भूभुर्व स्वः। नन्दीश्वराय नमः। नन्दीश्वरं समपूजयामि।

बीरभद्रपूजनम्

निम्नलिखित मंत्रों को पढ़ते हुए शिवलिंग पर पुष्प अर्पित करें –

ॐ भद्रं कर्णेभिः शृणुयाम देवा भद्रं पश्येमाक्षभिर्यजत्राः। स्थिरैरंगैस्तुष्टुवा ँ सस्तनूभिर्व्यशेमहि देवहितं यदायुः।
ॐ भूर्भुव स्वः। बीरभद्राय नमः। बीरभद्रां समपूजयामि।

स्वामिकार्तिकपूजनम्

निम्नलिखित मंत्रों को पढ़ते हुए शिवलिंग पर पुष्प अर्पित करें –

ॐ यदक्रन्द्रः प्रथमं जायमान ऽउद्यन्त्समुद्रादुत वा पुरीषात्। श्येनस्य पक्षा हरिणस्य बाहूऽ उपस्तुत्यं महि जातं ते ऽअर्वन्।

ॐ भूर्भुव स्वः। स्कन्धाय नमः। स्कन्धं समपूजयामि।

कुबेरपूजनम्

निम्नलिखित मंत्रों को पढ़ते हुए शिवलिंग पर पुष्प अर्पित करें –

ॐ कुविदंग यवमन्तो यवं चिद्यथा दान्त्यनुपूर्वं वियूय। इहेहैषां कुणुहि भोजनानि ये बर्हिषो नमऽउक्तिं यजन्ति।

ॐ भूर्भुव स्वः। कुबेराय नमः। कुबेरं समपूजयामि।

कीर्तिमुखपूजनम्

निम्नलिखित मंत्रों को पढ़ते हुए शिवलिंग पर पुष्प अर्पित करें –

ॐ असवे स्वाहा वसवे स्वाहा विभुवे स्वाहा विवस्वते स्वाहा गणश्रिये स्वाहा गणपतये स्वाहाधिपतये स्वाहा शूषाय स्वाहा स ँ सर्पाय स्वाहा चन्द्राय स्वाहा ज्योतिषे स्वाहा मलिम्लुचाय स्वाहा दिवा पतये स्वाहा ।

ॐ भूर्भुव स्वः। कीर्तिमुखाय नमः। कीर्तिमुखं समपूजयामि।

वास्तुपूजनम्

निम्नलिखित मंत्रों को पढ़ते हुए शिवलिंग पर पुष्प अर्पित करें –

ॐ नमोऽस्तु सर्पेभ्योः ये के च पृथिवीमनु ये ऽअन्तरिक्षे ये दिवि तेभ्यः सर्पेभ्यो नमः।

ॐ भूर्भुव स्वः। नागराजाय नमः। नागराजं समपूजयामि।

प्रातःस्मरण

प्रात:स्मरण का पाठ करते हुए गंगा जल, चीनी, दूध, दही, घी, शहद, पंचामृत और विजया से शिवलिंग की पूजा करें।

प्रात: स्मरामि भवभीति हरं सुरेशं
गंगाधरं वृषभवाहनमम्बिकेशम्।
खट्वांगशूल-वरदाभयहस्तमीशं
संसार रोग हरमौषधमद्वितीयम् ॥

प्रातर्नमामिगिरिशं गिरिजार्द्धदेहं
सर्ग-स्थिति-प्रलय-कारणमादिदेवम्।
विश्वेश्वरं विजित विश्वमनोऽभिरामं
संसार रोग हरमौषधमद्वितीयम् ॥

प्रातर्भजामि शिवमेकमनन्तमाद्यं
वेदान्त-वेद्यमनघं पुरुषं महान्तम्।
नामादिभेदरहितं षड्भावशून्यं
संसार रोग हरमौषधमद्वितीयम् ॥

ॐ शान्ति: शान्ति: शान्ति: ॥ हरि: ॐ ॥

अथ ध्यानम्

निम्नलिखित मंत्रों का पाठ करते हुए जलाभिषेक के लिए शिवलिंग को तैयार कर लें।

वन्दे देवमुमापतिं सुरगुरुं वन्दे जगत्कारणं
वन्दे पन्नगभूषणं मृगधरं वन्दे पशूनां पतिम्।
वन्दे सूर्य-शशांक-वह्निनयनं वन्दे मुकुन्दप्रियं
वन्दे भक्तजनाश्रयंच वरदं वन्दे शिवं शंकरम् ॥ 1 ॥

वन्दे महेशं सुरसिद्धसेवितं भक्तै: सदा पूजितपादपद्मम्।
ब्रह्मेन्द्र-विष्णु-प्रमुखैश्च वन्दितं ध्यायेत्सदा कामदुघं प्रसन्नम् ॥ 2 ॥

शान्तं पद्मासनस्थं शशधरमुकुटं पंचवक्त्रं त्रिनेत्रं
शूलं वज्रं च खड्गं परशुमभयदं दक्षिणांगे वहन्तम्।
नागं पाशं च घण्टां डमरुसहितं सांकुशं वामभागे
नानालंकारयुक्तं स्फटिकमणिनिभं पार्वतीशं नमामि ॥ 3 ॥

श्मशानेष्वाक्रीडा स्मरहर पिशाचा: सहचरा:
चिताभस्मालेप: स्रगपि नृकरोटीपरिकर:।
अमंगल्यं शीलं तव भवतु नामैकमखिलं
तथापि स्मर्तृणां वरद परमं मंगलमसि ॥ 4 ॥

त्रिनेत्राय नमस्तुभ्यं उमादेहार्धधारिणे।
त्रिशूलधारिणे तुभ्यं भूतानां पतये नम: ॥ 5 ॥

गंगाधर नमस्तुभ्यं वृषध्वज नमोऽस्तु ते।
आशुतोष नमस्तुभ्यं भूयो भूयो नमो नम: ॥ 6 ॥

अथ शुक्लयजुर्वेदीय रुद्राष्टाध्यायी

अथ प्रथमोऽध्यायः

शृंगि से जल की धारा शिवलिंग पर डालें।

श्री गणेशाय नमः। हरिः ॐ।

गणानां त्वा गणपति ँ हवामहे प्रियाणां त्वा प्रियपति ँ हवामहे
निधीनां त्वा निधिपति ँ हवामहे वसो मम।
आहमजानि गर्भधमा त्वमजासि गर्भधम् ॥ 1 ॥

गायत्री त्रिष्टुप् जगति अनुष्टुप् पंक्त्या सह।
बृहति उष्णिहा ककुप् सूचीभिः शम्यन्तु त्वा ॥ 2 ॥

द्विपदा याः चतुष्पदाः त्रिपदा याश्च षट्पदाः।
विच्छन्दा याश्च सच्छन्दाः सूचीभिः शम्यन्तु त्वा ॥ 3 ॥

सहस्तोमाः सहछन्दस आवृतः सहप्रमा ऋषयः सप्त दैव्याः।
पूर्वेषां पन्थां अनुदृश्य धीरा अन्वालेभिरे रथ्यो न रश्मीन् ॥ 4 ॥

ॐ यज्जाग्रतो दूरमुदैति दैवं तदु सुप्तस्य तथैवैति।
दूरंगमं ज्योतिषां ज्योतिरेकं तन्मे मनः शिवसंकल्पमस्तु ॥ 5 ॥

येन कर्माण्यपसो मनीषिणो यज्ञे कृण्वन्ति विदथेषु धीराः।
यदपूर्वं यक्षमन्तः प्रजानां तन्मे मनः शिवसंकल्पमस्तु ॥ 6 ॥

यत्प्रज्ञानमुत चेतो धृतिश्च यज्ज्योतिरन्तरमृतं प्रजासु।
यस्मानऽ ऋते किञ्च न कर्म क्रियते तन्मे मनः शिवसंकल्पमस्तु ॥ 7 ॥

येनेदं भूतं भुवनं भविष्यत् परिगृहीतम् अमृतेन सर्वम्।
येन यज्ञस्तायते सप्तहोता तन्मे मनः शिवसंकल्पमस्तु ॥ 8 ॥

यस्मिन् ऋचः साम यजू ँ षि यस्मिन् प्रतिष्ठिता रथनाभाविवाराः।
यस्मिन् चित्तं सर्वं ओतं प्रजानां तन्मे मनः शिवसंकल्पमस्तु ॥ 9 ॥

सुषारथिः अश्वानिव यन्मनुष्यान् नेनीयते अभीशुभिः वाजिन इव।
हृत्प्रतिष्ठं यदजिरं जविष्ठं तन्मे मनः शिवसंकल्पमस्तु ॥ 10 ॥

इति प्रथमोऽध्यायः॥

अथ द्वितीयोऽध्यायः

पुरुष सूक्त

हरिः ॐ सहस्त्रशीर्षा पुरुषः। सहस्त्राक्षः सहस्त्रपात्। स भूमिं विश्वतो वृत्वा। अत्यातिष्ठत् दशांगुलम्। पुरुष एवेद ँ सर्वम्। यद्भूतं यच्च भाव्यम्। उतामृतत्वस्येशानः। यदन्नेनातिरोहति। एतावानस्य महिमा। अतो ज्याया ँ श्च पूरुषः ॥ 1 ॥

पादोऽस्य विश्वा भूतानि। त्रिपादस्यामृतं दिवि। त्रिपादूर्ध्व उदैत्पुरुषः। पादोऽस्येहा भवत्पुनः। ततो विष्वं व्यक्रामत्। साशनानशने अभि। तस्मात् विराडजायत। विराजो अधि पूरुषः। स जातो अत्यरिच्यत। पश्चाद् भूमिमथो पुरः ॥ 2 ॥

यत्पुरुषेण हविषा। देवा यज्ञमतन्वत। वसन्तो अस्यासीदाज्यम्। ग्रीष्म इध्मः शरद्धविः सप्तास्यासन्परिधयः। त्रिः सप्त समिधः कृताः। देवा यद्यज्ञं तन्वानाः। अबध्नन्पुरुषं पशुम्। तं यज्ञं बर्हिषि प्रौक्षन्। पुरुषं जातमग्रतः ॥ 3 ॥

तेन देवा अयजन्त। साध्या ऋषयश्च ये। तस्मात् यज्ञात्सर्वहुतः। संभृतं पृषदाज्यम्। पशू ँ स्ता ँ श्चक्रे वायव्यान्। आरण्यान् ग्राम्याश्च ये। तस्मात् यज्ञात्सर्वहुतः। ऋचः सामानि जज्ञिरे। छन्दा ँ सि जज्ञिरे तस्मात्। यजुस्तस्मत् अजायत ॥ 4 ॥

तस्मादश्वा अजायन्त। ये के चोभयादतः। गावो ह जज्ञिरे तस्मात्। तस्माज्जाता अजावयः। यत्पुरुषं व्यदधुः। कतिधा व्यकल्पयन्। मुखं किमस्य कौ बाहू। कावूरू पादावुच्येते। ब्राह्मणोऽस्य मुखमासीत्। बाहू राजन्यः कृतः ॥ 5 ॥

ऊरू तदस्य यद्वैश्यः। पद्भ्या ँ शूद्रो अजायत। चन्द्रमा मनसो जातः। चक्षोः सूर्यो अजायत। मुखाद्-इन्द्रश्चाग्निश्च। प्राणाद् वायुरजायत। नाभ्या आसीत् अन्तरिक्षम्। शीर्ष्णो द्यौः समवर्तत। पद्भ्यां भूमिर्दिशः श्रोत्रात्। तथा लोका ँ अकल्पयन् ॥ 6 ॥

वेदाहमेतं पुरुषं महान्तम्। आदित्यवर्णं तमसस्तुपारे। सर्वाणि रूपाणि विचित्य धीरः। नामानि कृत्वाऽभिवदन् यदास्ते। धाता पुरस्तात्-यमुदाजहार। शक्रः प्रविद्वान्-प्रदिशश्चतस्त्रः। तमेवं विद्वानमृत इह भवति। नान्यः पन्था अयनाय विद्यते। यज्ञेन यज्ञमयजन्त देवाः। तानि धर्माणि प्रथमान्यासन्। ते ह नाकं महिमानः सचन्ते। यत्र पूर्वे साध्याः सन्ति देवाः ॥ 7 ॥

अद्भ्यः संभूतः पृथिव्यै रसाच्च। विश्वकर्मणः समवर्तताधि। तस्य त्वष्टा विदधद्रूपमेति। तत्पुरुषस्य विश्वमाजानमग्रे। वेदाहमेतं पुरुषं महान्तम्। आदित्यवर्णं तमसः परस्तात्। तमेवं विद्वानमृत इह भवति। नान्यः पन्था विद्यतेऽयनाय। प्रजापतिः चरति गर्भे अन्तः। अजायमानो बहुधा विजायते ॥ 8 ॥

तस्य धीराः परिजानन्ति योनिम्। मरीचीनां पदमिच्छन्ति वेधसः। यो देवेभ्य आतपति।
यो देवानां पुरोहितः। पूर्वो यो देवेभ्यो जातः। नमो रुचाय ब्राह्मये। रुचं ब्राह्मं जनयन्तः।
देवा अग्रे तदब्रुवन्। यस्त्वैवं ब्राह्मणो विद्यात्। तस्य देवा असन् वशे ॥ 9 ॥

ह्रीश्च ते लक्ष्मीश्च पत्न्यौ। अहोरात्रे पार्श्वे। नक्षत्राणि रूपम्। अश्विनौ व्यात्तम्।
इष्टं मनिषाण। अमुं मनिषाण। सर्वं मनिषाण ॥ 10 ॥

इति द्वितीयोऽध्यायः ॥

अथ तृतीयोऽध्यायः

हरिः ॐ आशुः शिशानो वृषभो न भीमो घनाघनः क्षोभणश्चर्षणीनाम्।
संक्रन्दनोऽनिमिष एकवीरः शत ँ सेना अजयत्साकमिन्द्रः ॥ 1 ॥

संक्रन्दनेनाऽनिमिषेण जिष्णुना युत्कारेण दुश्च्यवनेन धृष्णुना।
तदिन्द्रेण जयत तत्सहध्वं युधो नर इषुहस्तेन वृष्णा ॥ 2 ॥

स इषुहस्तैः स निषंगिभिर्वशी स ँ स्रष्टा स युध इन्द्रो गणेन।
स ँ सृष्टजित्सोमपा बाहुशर्ध्युग्रधन्वा प्रतिहिताभिरस्ता ॥ 3 ॥

बृहस्पते परिदीया रथेन रक्षोहामित्राँ अपबाधमानः।
प्रभंजन्सेनाः प्रमृणो युधा जयन्नस्माकमेध्यविता रथानाम् ॥ 4 ॥

बलविज्ञायः स्थविरः प्रवीरः सहस्वान्वाजी सहमान उग्रः।
अभिवीरो अभिसत्त्वा सहोजा जैत्रमिन्द्र रथमातिष्ठ गोवित् ॥ 5 ॥

गोत्रभिदं गोविदं वज्रबाहुं जयन्तमज्म प्रमृणन्तमोजसा।
इम ँ सजाता अनु वीरयध्वमिन्द्र ँ सखायो अनु स ँ रभध्वम् ॥ 6 ॥

अभि गोत्राणि सहसा गाहमानोऽदयो वीरः शतमन्युरिन्द्रः।
दुश्च्यवनः पृतनाषाडयुध्योऽअस्माक ँ सेना अवतु प्र युत्सु ॥ 7 ॥

इन्द्र आसां नेता बृहस्पतिर्दक्षिणा यज्ञः पुर एतु सोमः।
देवसेनानामभिभंजतीनां जयन्तीनां मरुतो यन्त्वग्रम् ॥ 8 ॥

इन्द्रस्य वृष्णो वरुणस्य राज्ञ आदित्यानां मरुता ँ शर्ध उग्रम्।
महामनसां भुवनच्यवानां घोषो देवानां जयतामुदस्थात् ॥ 9 ॥

उद्धर्षय मघवन्नायुधान्युत्सत्वनां मामकानां मना ँ सि।
उद्वृत्रहन्वाजिनां वाजिनान्युद्रथानां जयतां यन्तु घोषाः ॥ 10 ॥

अस्माकमिन्द्रः समृतेषु ध्वजेष्वस्माकं या इषवस्ता जयन्तु।
अस्माकं वीरा उत्तरे भवन्त्वस्माँ उ देवा अवता हवेषु ॥ 11 ॥

अमीषां चित्तं प्रतिलोभयन्ती गृहाणांगान्यप्वे परेहि।
अभि प्रेहि निर्दह हृत्सु शोकैरन्धेनामित्रास्तमसा सचन्ताम् ॥ 12 ॥

अवसृष्टा परापत शरव्ये ब्रह्मस ँ शिते।
गच्छामित्रान्प्रपद्यस्व मामीषां कंचनोच्छिषः ॥ 13 ॥

प्रेता जयता नर इन्द्रो वः शर्म यच्छतु।
उग्रा वः सन्तु बाहवोऽनाधृष्या यथासथ ॥ 14 ॥

असौ या सेना मरुतः परेषामभ्यैति न ओजसा स्पर्धमाना।
तां गूहत तमसाऽपव्रतेन यथामी अन्यो अन्यं न जानन् ॥ 15 ॥

यत्र बाणाः संपतन्ति कुमारा विशिखा इव।
तन्न इन्द्रो बृहस्पतिरदितिः शर्म यच्छतु विश्वाहा शर्म यच्छतु ॥ 16 ॥

मर्माणि ते वर्मणा छादयामि सोमस्त्वा राजाऽमृतेनानुवस्ताम्।
उरोर्वरीयो वरुणस्ते कृणोतु जयन्तं त्वानु देवा मदन्तु ॥ 17 ॥

इति तृतीयोऽध्यायः ॥

अथ चतुर्थोऽध्यायः

हरिः ॐ विभ्राड्बृहत्पिबतु सोम्यं मध्वायुर्दधद्यज्ञपतावविह्रुतम्।
वातजूतो योऽ अभिरक्षति त्मना प्रजाः पुपोष पुरुधा वि राजति ॥ 1 ॥

उदु त्यं जातवेदसं देवं वहन्ति केतवः। दृशे विश्वाय सूर्यँम् ॥ 2 ॥

येना पावक चक्षसा भुरण्यन्तं जनाँऽ। अनु । त्वं वरुण पश्यसि ॥ 3 ॥

दैव्यावध्वर्यूऽ आगत ँ रथेन सूर्यत्वचा। मध्वा यज्ञ ँ समञ्जाथे।
तं प्रत्क्नथाऽ-यं वेनश्चित्रं देवानाम् ॥ 4 ॥

तं प्रत्क्नथा पूर्वथा विश्वथेमथा ज्येष्ठतातिं बर्हिषद ँ स्वर्विदम् ।
प्रतीचीनं वृजनं दोहसे धुनिमाशुं जयन्तमनु यासु वर्द्धसे ॥ 5 ॥

अयं वेनश्चोदयत्पृश्निगर्भा ज्योतिर्जरायू रजसो विमाने।
इममपा ँ संगमे सूर्यस्य-शिशुन्न विप्रा मतिभी रिहन्ति ॥ 6 ॥

चित्रं देवानामुदगादनीकं चक्षुर्मित्रस्य वरुणस्याग्नेः।
आप्रा द्यावापृथिवीऽ अन्तरिक्ष ँ सूर्यऽ आत्मा जगतस्तस्थुषश्च ॥ 7 ॥

आ नऽ इडाभिर्विदथे सुशस्ति विश्वानरः सविता देव एतु ।
अपि यथा युवानो मत्सथा नो विश्वं जगदभिपित्त्वे मनीषा ॥ 8 ॥

यदद्य कच्च वृत्रहन्नुदगा अभि सूर्य। सर्वं तदिन्द्र ते वशे ॥ 9 ॥
तरणिर्विश्वदर्शतो ज्योतिष्कृदसि सूर्य। विश्वमाभासि रोचनम् ॥ 10 ॥

तत्सूर्यस्य देवत्वं तन्महित्वं मध्या कर्त्तोर्विततँ् संजभार।
यदेदयुक्त हरितः सधस्थादाद्रात्री वासस्तनुते सिमस्मै ॥ 11 ॥

तन्मित्रस्य वरुणस्याभिचक्षे सूर्यो रूपं कृणुते द्योरुपस्थे ।
अनन्तमन्यद्रुशदस्य पाजः कृष्णमन्यद्धरितः सम्भरन्ति ॥ 12 ॥

बण्महाँऽ। असि सूर्य बडादित्य महाँऽ। असि।
महस्ते सतो महिमा पनस्यतेऽद्धा देव महाँऽ। असि ॥ 13 ॥

बट् सूर्य श्रवसा महाँऽ। असि सत्रा देव महाँऽ। असि।
मन्हा देवानामसुर्यः पुरोहितो विभु ज्योतिरदाभ्यम् ॥ 14 ॥

श्रायन्तऽ इव सूर्यं विश्वेदिन्द्रस्य भक्षत।
वसूनि जाते जनमानऽ ओजसा प्रति भागं न दीधिम ॥ 15 ॥

अद्या देवाऽ उदिता सूर्यस्य निरँ्हसः पिपृता निरवद्यात् ।
तन्नोमित्रो वरुणो मामहन्तामदितिः सिन्धुः पृथिवीऽ उत द्यौः ॥ 16 ॥

आ कृष्णेन रजसा वर्त्तमानो निवेशयन्नमृतं मर्त्यं च।
हिरण्ययेन सविता रथेना देवो याति भुवनानि पश्यन् ॥ 17 ॥

इति चतुर्थोऽध्यायः ॥

अथ पंचमोऽध्यायः

रुद्र प्रश्नः

हरिः ॐ नमो भगवते रुद्राय ॥

ॐ नमस्ते रुद्र मन्यव उतोत इषवे नमः।
नमस्ते अस्तु धन्वने बाहुभ्यामुत ते नमः ॥

या त इषुः शिवतमा शिवम् बभूव ते धनुः।
शिवा शरव्या या तव तया नो रुद्र मृडय ॥

या ते रुद्र शिवा तनूरघोराऽपापकाशिनी।
तया नस्तनुवा शन्तमया गिरिशन्ताभिचाकशीहि ॥

यामिषुं गिरिशंत हस्ते बिभर्ष्यस्तवे।
शिवां गिरित्र तां कुरु मा हिँ्सीः पुरुषं जगत् ॥

शिवेन वचसा त्वा गिरिशाच्छावदामसि।
यथा नः सर्वमिज्जगदयक्ष्म ँ् सुमना असत्॥

अध्यवोचदधिवक्ता प्रथमो दैव्यो भिषक्।
अही ँ् श्च सर्वान् जम्भयन्त्सर्वाश्च यातुधान्यः॥

असौ यस्ताम्रो अरुण उत बभ्रुः सुमंगलः।
ये चेमा ँ् रुद्रा अभितो दिक्षु श्रिताः सहस्रशोऽवैषा ँ् हेड ईमहे ॥

असौ योऽवसर्पति नीलग्रीवो विलोहितः।
उतैनं गोपा अदृशन्नदृशन्नुदहार्यः॥

उतैनं विश्वा भूतानि स दृष्टो मृडयाति नः।
नमो अस्तु नीलग्रीवाय सहस्राक्षाय मीढुषे ॥

अथो ये अस्य सत्त्वानोऽहं तेभ्योऽकरन् नमः।
प्रमुञ्च धन्वनस्त्वमुभयोरार्त्नि योर्ज्याम् ॥

याश्च ते हस्त इषवः परा ता भगवो वप।
अवतत्य धनुस्त्व ँ् सहस्राक्ष शतेषुधे ॥

निशीर्य शल्यानां मुखा शिवो नः सुमना भव।
विज्यं धनुः कपर्दिनो विशल्यो बाणवा ँ् उत ॥

अनेशन्नस्येषव आभुरस्य निषंगथिः।
या ते हेतिर्मीढुष्टम हस्ते बभूव ते धनुः॥

तयाऽस्मान् विश्वतस्त्वमयक्ष्मया परिभुज।
नमस्ते अस्त्वायुधायानातताय धृष्णवे ॥

उभाभ्यामुत ते नमो बाहुभ्यां तव धन्वने।
परि ते धन्वनो हेतिरस्मान्वृणक्तु विश्वतः॥

अथो य इषुधिस्तवारे अस्मन्निधेहि तम् । नमस्ते अस्तु भगवन्विश्वेश्वराय महादेवाय त्र्यम्बकाय त्रिपुरान्तकाय त्रिकाग्निकालाय कालाग्निरुद्राय नीलकण्ठाय मृत्युंजयाय सर्वेश्वराय सदाशिवाय श्रीमन्महादेवाय नमः॥ 1 ॥

नमो हिरण्यबाहवे सेनान्ये दिशां च पतये नमो नमो वृक्षेभ्यो हरिकेशेभ्यः पशूनां पतये नमो नमः सस्पिञ्जराय त्विषीमते पथीनां पतये नमो नमो बभ्लुशाय विव्याधिनेऽन्नानां पतये नमो नमो हरिकेशायोपवीतिने पुष्टानां पतये नमो नमो भवस्य हेत्यै जगतां पतये नमो नमो रुद्रायाततायिने क्षेत्राणां पतये नमो नमः सूतायाहन्त्याय वनानां पतये नमो नमो रोहिताय स्थपतये वृक्षाणां पतये नमो नमो मन्त्रिणे वाणिजाय कक्षाणां

पतये नमो नमो भुवन्तये वारिवस्कृतायौषधीनां पतये नमो नम उच्चैर्घोषायाक्रन्दयते पत्तीनां पतये नमो नमः कृत्स्नवीताय धावते सत्त्वनां पतये नमः ॥ 2 ॥

नमः सहमानाय निव्याधिन आव्याधिनीनां पतये नमो नमः ककुभाय निषंगिणे स्तेनानां पतये नमो नमो निषंगिण इषुधिमते तस्कराणां पतये नमो नमो वञ्चते परिवञ्चते स्तायूनां पतये नमो नमो निचेरवे परिचरायारण्यानां पतये नमो नमः सृकाविभ्यो जिघाँ्सद्भ्यो मुष्णतां पतये नमो नमोऽसिमद्भ्यो नक्तंचरद्भ्यः प्रकृन्तानां पतये नमो नम उष्णीषिणे गिरिचराय कुलुञ्चानां पतये नमो नम इषुमद्भ्यो धन्वाविभ्यश्च वो नमो नम आतन्वानेभ्यः प्रतिदधानेभ्यश्च वो नमो नम आयच्छद्भ्यो विसृजद्भ्यश्च वो नमो नमोऽस्यद्भ्यो विध्यद्भ्यश्च वो नमो नम आसीनेभ्यः शयानेभ्यश्च वो नमो नमः स्वपद्भ्यो जाग्रद्भ्यश्च वो नमो नमस्तिष्ठद्भ्यो धावद्भ्यश्च वो नमो नमः सभाभ्यः सभापतिभ्यश्च वो नमो नमो अश्वेभ्योऽश्वपतिभ्यश्च वो नमः ॥ 3 ॥

नम आव्याधिनीभ्यो विविध्यन्तीभ्यश्च वो नमो नम उगणाभ्यस्तृ ँ्हतीभ्यश्च वो नमो नमो गृत्सेभ्यो गृत्सपतिभ्यश्च वो नमो नमो व्रातेभ्यो व्रातपतिभ्यश्च वो नमो नमो गणेभ्यो गणपतिभ्यश्च वो नमो नमो विरूपेभ्यो विश्वरूपेभ्यश्च वो नमो नमो महद्भ्यः, क्षुल्लकेभ्यश्च वो नमो नमो रथिभ्योऽरथेभ्यश्च वो नमो नमो रथेभ्यो रथपतिभ्यश्च वो नमो नमः सेनाभ्यः सेनानिभ्यश्च वो नमो नमः, क्षत्तृभ्यः संग्रहीतृभ्यश्च वो नमो नमस्तक्षभ्यो रथकारेभ्यश्च वो नमो नमः कुलालेभ्यः कर्मारेभ्यश्च वो नमो नमः पुञ्जिष्टेभ्यो निषादेभ्यश्च वो नमो नम इषुकृद्भ्यो धन्वकृद्भ्यश्च वो नमो नमो मृगयुभ्यः श्वनिभ्यश्च वो नमो नमः श्वभ्यः श्वपतिभ्यश्च वो नमः ॥ 4 ॥

नमो भवाय च रुद्राय च नमः शर्वाय च पशुपतये च नमो नीलग्रीवाय च शितिकण्ठाय च नमः कपर्दिने च व्युप्तकेशाय च नमः सहस्राक्षाय च शतधन्वने च नमो गिरिशाय च शिपिविष्टाय च नमो मीढुष्टमाय चेषुमते च नमो ह्रस्वाय च वामनाय च नमो बृहते च वर्षीयसे च नमो वृद्धाय च संवृधे च नमो अग्रियाय च प्रथमाय च नम आशवे चाजिराय च नमः शीघ्रियाय च शीभ्याय च नम ऊर्म्याय चावस्वन्याय च नमः स्रोतस्याय च द्वीप्याय च ॥ 5 ॥

नमो ज्येष्ठाय च कनिष्ठाय च नमः पूर्वजाय चापरजाय च नमो मध्यमाय चापगल्भाय च नमो जघन्याय च बुध्नियाय च नमः सोभ्याय च प्रतिसर्याय च नमो याम्याय च क्षेम्याय च नम उर्वर्याय च खल्याय च नमः श्लोक्याय चाऽवसान्याय च नमो वन्याय च कक्ष्याय च नमः श्रवाय च प्रतिश्रवाय च नम आशुषेणाय चाशुरथाय च नमः शूराय चावभिन्दते च नमो वर्मिणे च वरूथिने च नमो बिल्मिने च कवचिने च नमः श्रुताय च श्रुतसेनाय च ॥ 6 ॥

नमो दुन्दुभ्याय चाहनन्याय च नमो धृष्णवे च प्रमृशाय च नमो दूताय च प्रहिताय च नमो निषंगिणे चेषुधिमते च नमस्तीक्ष्णेषवे चायुधिने च नमः स्वायुधाय च सुधन्वने च नमः स्रुत्याय च पथ्याय च नमः काट्याय च नीप्याय च नमः सूद्याय च सरस्याय च नमो नाद्याय च वैशन्ताय च नमः कूप्याय चावट्याय च नमो वर्ष्याय चावर्ष्याय च नमो मेघ्याय च विद्युत्याय च नम ईध्रियाय चातप्याय च नमो वात्याय च रेष्मियाय च नमो वास्तव्याय च वास्तु पाय च ॥ 7 ॥

नमः सोमाय च रुद्राय च नमस्ताम्राय चारुणाय च नमः शंगाय च पशुपतये च नम उग्राय च भीमाय च नमो अग्रेवधाय च दूरेवधाय च नमो हन्त्रे च हनीयसे च नमो वृक्षेभ्यो हरिकेशेभ्यो नमस्ताराय नमश्शंभवे च मयोभवे च नमः शंकराय च मयस्कराय च नमः शिवाय च शिवतराय च नमस्तीर्थ्याय च कूल्याय च नमः पार्याय चावार्याय च नमः प्रतरणाय चोत्तरणाय च नम आतार्याय चालाद्याय च नमः शष्प्याय च फेन्याय च नमः सिकत्याय च प्रवाह्याय च ॥ 8 ॥

नम इरिण्याय च प्रपथ्याय च नमः कि ँ्शिलाय च क्षयणाय च नमः कपर्दिने च पुलस्तये च नमो गोष्ठ्याय च गृह्याय च नमस्तल्प्याय च गेह्याय च नमः काट्याय च गह्वरेष्ठाय च नमो ह्रदय्याय च निवेष्प्याय च नमः पा ँ्सव्याय च रजस्याय च नमः शुष्क्याय च हरित्याय च नमो लोप्याय चोलप्याय च नम ऊर्व्याय च सूर्म्याय च नमः पर्ण्याय च पर्णशद्याय च नमोऽपगुरमाणाय चाभिघ्नते च नम आखिदते च प्रखिदते च नमो वः किरिकेभ्यो देवाना ँ्हृदयेभ्यो नमो विक्षीणकेभ्यो नमो विचिन्वत्केभ्यो नम आनिर्हतेभ्यो नम आमीवत्केभ्यः ॥ 9 ॥

द्रापे अन्धसस्पते दरिद्रन्नीललोहित। एषां पुरुषाणामेषां पशूनां मा भेर्माऽरो
मो एषां किंचनाममत् ॥ 10.1 ॥
या ते रुद्र शिवा तनूः शिवा विश्वाह भेषजी। शिवा रुद्रस्य भेषजी तया
नो मृड जीवसे ॥ 10.2 ॥
इमा ँ्रुद्राय तवसे कपर्दिने क्षयद्वीराय प्रभरामहे मतिम्। यथा नः
शमसद्द्विपदे चतुष्पदे विश्वं पुष्टं ग्रामे अस्मिन्ननातुरम् ॥ 10.3 ॥
मृडा नो रुद्रोत नो मयस्कृधि क्षयद्वीराय नमसा विधेम ते। यच्छं च
योश्च मनुरायजे पिता तदश्याम तव रुद्र प्रणीतौ ॥ 10.4 ॥
मा नो महान्तमुत मा नो अर्भकं मा न उक्षन्तमुत मा न उक्षितम्। मा नोऽवधीः
पितरं मोत मातरं प्रिया मा नस्तनुवो रुद्र रीरिषः ॥ 10.5 ॥
मा नस्तोके तनये मा न आयुषि मा नो गोषु मा नो अश्वेषु रीरिषः। वीरान्मा
नो रुद्र भामितोऽवधीर्हविष्मन्तो नमसा विधेम ते ॥ 10.6 ॥

आरात्ते गोघ्न उत पूरुषघ्ने क्षयद्वीराय सुम्नमस्मे ते अस्तु। रक्षा च नो अधि च देव ब्रूह्यधा च नः शर्म यच्छ द्विबर्हाः ॥ 10.7 ॥
स्तुहि श्रुतं गर्तसदं युवानं मृगन्न भीममुपहत्नुमुग्रम्। मृडा जरित्रे रुद्र स्तवानो अन्यन्ते अस्मन्निवपन्तु सेनाः ॥ 10.8 ॥
परिणो रुद्रस्य हेतिर्वृणक्तु परि त्वेषस्य दुर्मति रघायोः। अव स्थिरा मघवद्भ्यस्तनुष्व मीढ्वस्तोकाय तनयाय मृडय ॥ 10.9 ॥
मीढुष्टम शिवतम शिवो नः सुमना भव। परमे वृक्ष आयुधन्निधाय कृत्तिं वसान आचर पिनाकं बिभ्रदागहि ॥ 10.10 ॥
विकिरिद विलोहित नमस्ते अस्तु भगवः। यास्ते सहस्र ँ हेतयोन्यमस्मन्निवपन्तु ताः ॥ 10.11 ॥
सहस्राणि सहस्रधा बाहुवोस्तव हेतयः। तासामीशानो भगवः पराचीना मुखा कृधि ॥ 10.12 ॥

सहस्राणि सहस्रशो ये रुद्रा अधि भूम्याम्। तेषा ँ सहस्रयोजनेऽवधन्वानि तन्मसि ॥ 11.1 ॥
अस्मिन् महत्यर्णवेऽन्तरिक्षे भवा अधि ॥ 11.2 ॥
नीलग्रीवाः शितिकण्ठाः शर्वा अधः क्षमाचराः ॥ 11.3 ॥
नीलग्रीवाः शितिकण्ठा दिव ँ रुद्रा उपश्रिताः ॥ 11.4 ॥
ये वृक्षेषु सस्पिञ्जरा नीलग्रीवा विलोहिताः ॥ 11.5 ॥
ये भूतानामधिपतयो विशिखासः कपर्दिनः ॥ 11.6 ॥
ये अन्नेषु विविध्यन्ति पात्रेषु पिबतो जनान् ॥ 11.7 ॥
ये पथां पथिरक्षय ऐलबृदा यव्युधः ॥ 11.8 ॥
ये तीर्थानि प्रचरन्ति सृकावन्तो निषंगिणः ॥ 11.9 ॥
य एतावन्तश्च भूया ँ सश्च दिशो रुद्रा वितस्थिरे।
तेषा ँ सहस्रयोजनेऽवधन्वानि तन्मसि।
नमो रुद्रेभ्यो ये पृथिव्यां येऽन्तरिक्षे ये दिवि येषामन्नं वातो वर्षमिषवस्तेभ्यो दश प्राचीर्दश दक्षिणा दश प्रतीचीर्दशोदीचीर्दशोर्ध्वास्तेभ्यो नमस्ते नो मृडयन्तु ते यं द्विष्मो यश्च नो द्वेष्टि तं वो जम्भे दधामि ॥ 11.10 ॥

त्र्यम्बकं यजामहे सुगन्धिं पुष्टिवर्धनम्।
उर्वारुकमिव बंधनान्मृत्योर्मुक्षीय माऽमृतात् ॥ 1 ॥

यो रुद्रो अग्नौ यो अप्सु य ओषधीषु यो रुद्रो विश्वा
भुवनाऽऽविवेश तस्मै रुद्राय नमो अस्तु ॥ 2 ॥

तमुष्टुहि यः स्विषुः सुधन्वा यो विश्वस्य क्षयति भेषजस्य।
यक्ष्वामहे सौमनसाय रुद्रं नमोभिर्देवमसुरं दुवस्य॥ 3॥

अयं मे हस्तो भगवानयं मे भगवत्तरः।
अयं मे विश्वभेषजोऽय ँ्शिवाभिमर्शनः॥ 4॥

ये ते सहस्रमयुतं पाशा मृत्यो मर्त्याय हन्तवे।
तान् यज्ञस्य मायया सर्वानव यजामहे। मृत्यवे स्वाहा मृत्यवे स्वाहा ॥ 5॥

ॐ नमो भगवते रुद्राय विष्णवे मृत्युर्मे पाहि।
प्राणानां ग्रन्थिरसि रुद्रो मा विशान्तकः। तेनान्नेनाप्यायस्व ॥ 6॥

सदाशिवोम्। इति पंचमोऽध्यायः ॥

अथ षष्ठोऽध्यायः

हरिः ॐ वय ँ्सोम व्रते तव मनस्तनूषु बिभ्रतः। प्रजावन्तः सचेमहि ॥ 1॥

एष ते रुद्र भागः सह स्वस्राऽम्बिकया तं जुषस्व स्वाहैष
ते रुद्र भागऽ आखुस्ते पशुः॥ 2॥

अव रुद्रमदीमह्यव देवं त्र्यम्बकम्।
यथा नो वस्य सस्करद्यथा नः श्रेयस्करद्यथा नो व्यवसाययात्॥ 3॥

भेषजमसि भेषजं गवेऽश्वाय पुरुषाय भेषजम्।
सुखं मेषाय मेष्यै ॥ 4॥

त्र्यम्बकं यजामहे सुगन्धिं पुष्टिवर्द्धनम्।
उर्वारुकमिव बन्धनान्मृत्योर्मुक्षीय माऽमृतात्।
त्र्यम्बकं यजामहे सुगन्धिं पतिवेदनम्।
उर्वारुकमिव बन्धनादितो मुक्षीय मामुतः ॥ 5॥

एतत्ते रुद्राऽवसं तेन परो मूजवतोऽतीहि।
अवततधन्वा पिनाकावसः कृत्तिवासाऽ अहि ँ्सन्नः शिवोऽतीहि ॥ 6॥

त्र्यायुषं जमदग्नेः कश्यपस्य त्र्यायुषम्।
येवेषु त्र्यायुषं तन्नोऽ अस्तु त्र्यायुषम्॥ 7॥

शिवो नामासि स्वधितिस्ते पिता नमस्तेऽ अस्तु मा मा हि ँ्सीः।
निवर्त्तयाम्यायुषेऽन्नाद्याय-प्रजननाय रायस्पोषाय सुप्रजास्त्वाय सुवीर्याय ॥ 8॥

इति षष्ठोऽध्यायः॥

अथ सप्तमोऽध्यायः

हरिः ॐ उग्रश्च भीमश्च ध्वान्तश्च धुनिश्च।
सासह्वाँश्चाभियुग्वा च विक्षिपः स्वाहा ॥ 1 ॥

अग्नि ँ् हृदयेनाशनि ँ् हृदयाग्रेण पशुपतिं कृत्स्नहृदयेन भवं यक्ना।
शर्वं मतस्नाभ्यामीशानं मन्युना महादेवमन्तः पर्शव्येनोग्रं देवं वनिष्ठुना वसिष्ठहनुः शिंगीनि कोश्याभ्याम्॥ 2 ॥

उग्रँ लोहितेन मित्र ँ् सौव्रत्त्येन रुद्रं दौर्व्रत्त्येनेन्द्रं प्रक्रीडेन मरुतो बलेन साध्यान्प्रमुदा।
भवस्य कण्ठ्य ँ् रुद्रस्यान्तः पार्श्व्यं महादेवस्य यकृच्छर्वस्य वनिष्ठुः पशुपतेः पुरीतत् ॥ 3 ॥

लोमभ्यः स्वाहा लोमभ्यः स्वाहा त्वचे स्वाहा त्वचे स्वाहा लोहिताय स्वाहा लोहिताय स्वाहा मेदोभ्यः स्वाहा मेदोभ्यः स्वाहा।
मा ँ् सेभ्यः स्वाहा मा ँ् सेभ्यः स्वाहा स्नावभ्यः स्वाहा स्नावभ्यः स्वाहाऽ स्थभ्यः स्वाहाऽ स्थभ्यः स्वाहा मज्जभ्यः स्वाहा मज्जभ्यः स्वाहा।
रेतसे स्वाहा पायवे स्वाहा ॥ 4 ॥

आयासाय स्वाहा प्रायासाय स्वाहा संयासाय स्वाहा वियासाय स्वाहोद्यासाय स्वाहा । शुचे स्वाहा शोचते स्वाहा शोचमानाय स्वाहा शोकाय स्वाहा॥ 5 ॥

तपसे स्वाहा तप्यते स्वाहा तप्यमानाय स्वाहा तप्ताय स्वाहा घर्माय स्वाहा।
निष्कृत्यै स्वाहा प्रायश्चित्यै स्वाहा भेषजाय स्वाहा॥ 6 ॥

यमाय स्वाहाऽन्तकाय स्वाहा मृत्यवे स्वाहा।
ब्रह्मणे स्वाहा ब्रह्महत्यायै स्वाहा विश्वेभ्यो देवेभ्यः स्वाहा द्यावा-पृथिवीभ्या ँ् स्वाहा ॥ 7 ॥ इति सप्तमोऽध्यायः ॥

अथ अष्टमोऽध्यायः

चमक प्रश्नः

हरिः ॐ अग्नाविष्णू सजोषसेमावर्धन्तु वां गिरः। द्युम्नैर्वाजेभिरागतम्॥

वाजश्च मे प्रसवश्च मे प्रयतिश्च मे प्रसितिश्च मे धीतिश्च मे क्रतुश्च मे स्वरश्च मे श्लोकश्च मे श्रावश्च मे श्रुतिश्च मे ज्योतिश्च मे सुवश्च मे प्राणश्च मेऽपानश्च मे व्यानश्च मेऽसुश्च मे चित्तं च म आधीतं च मे वाक् च मे मनश्च मे चक्षुश्च मे श्रोत्रं च मे दक्षश्च मे बलं च म ओजश्च मे सहश्च म आयुश्च मे जरा च म आत्मा च मे तनूश्च मे शर्म च मे वर्म च मेऽङ्गानि च मेऽस्थानि च मे परू ँ् षि च मे शरीराणि च मे ॥ 1 ॥

ज्यैष्ठ्यं च म आधिपत्यं च मे मन्युश्च मे भामश्च मेऽमश्च मेऽम्भश्च मे जेमा च मे महिमा च मे वरिमा च मे प्रथिमा च मे वर्ष्मा च मे द्राघुया च मे वृद्धं च मे वृद्धिश्च मे सत्यं च मे श्रद्धा च मे जगच्च मे धनं च मे वशश्च मे त्विषिश्च मे क्रीडा च मे मोदश्च मे जातं च मे जनिष्यमाणं च मे सूक्तं च मे सुकृतं च मे वित्तं च मे वेद्यं च मे भूतं च मे भविष्यच्च मे सुगं च मे सुपथं च म ऋद्धं च म ऋद्धिश्च मे क्लृप्तं च मे क्लृप्तिश्च मे मतिश्च मे सुमतिश्च मे ॥ 2 ॥

शं च मे मयश्च मे प्रियं च मेऽनुकामश्च मे कामश्च मे सौमनसश्च मे भद्रं च मे श्रेयश्च मे वस्यश्च मे यशश्च मे भगश्च मे द्रविणं च मे यन्ता च मे धर्ता च मे क्षेमश्च मे धृतिश्च मे विश्वं च मे महश्च मे संविच्च मे ज्ञात्रं च मे सूश्च मे प्रसूश्च मे सीरं च मे लयश्च म ऋतं च मेऽमृतं च मेऽयक्ष्मं च मेऽनामयच्च मे जीवातुश्च मे दीर्घायुत्वं च मेऽनमित्रं च मेऽभयं च मे सुगं च मे शयनं च मे सूषा च मे सुदिनं च मे ॥ 3 ॥

ऊर्क् च मे सूनृता च मे पयश्च मे रसश्च मे घृतं च मे मधु च मे सग्धिश्च मे सपीतिश्च मे कृषिश्च मे वृष्टिश्च मे जैत्रं च म औद्भिद्यं च मे रयिश्च मे रायश्च मे पुष्टं च मे पुष्टिश्च मे विभु च मे प्रभु च मे बहु च मे भूयश्च मे पूर्णं च मे पूर्णतरं च मेऽक्षितिश्च मे कूयवाश्च मेऽन्नं च मेऽक्षुच्च मे व्रीहयश्च मे यवाश्च मे माषाश्च मे तिलाश्च मे मुद्गाश्च मे खल्वाश्च मे गोधूमाश्च मे मसुराश्च मे प्रियंगवश्च मेऽणवश्च मे श्यामाकाश्च मे नीवाराश्च मे ॥ 4 ॥

अश्मा च मे मृत्तिका च मे गिरयश्च मे पर्वताश्च मे सिकताश्च मे वनस्पतयश्च मे हिरण्यं च मेऽयश्च मे सीसं च मे त्रपुश्च मे श्यामं च मे लोहं च मेऽग्निश्च म आपश्च मे वीरुधश्च म ओषधयश्च मे कृष्टपच्यं च मेऽकृष्टपच्यं च मे ग्राम्याश्च मे पशव आरण्याश्च यज्ञेन कल्पन्तां वित्तं च मे वित्तिश्च मे भूतं च मे भूतिश्च मे वसु च मे वसतिश्च मे कर्म च मे शक्तिश्च मेऽर्थश्च म एमश्च म इतिश्च मे गतिश्च मे ॥ 5 ॥

अग्निश्च म इन्द्रश्च मे सोमश्च म इन्द्रश्च मे सविता च म इन्द्रश्च मे सरस्वती च म इन्द्रश्च मे पूषा च म इन्द्रश्च मे बृहस्पतिश्च म इन्द्रश्च मे मित्रश्च म इन्द्रश्च मे वरुणश्च म इन्द्रश्च मे त्वष्टा च म इन्द्रश्च मे धाता च म इन्द्रश्च मे विष्णुश्च म इन्द्रश्च मेऽश्विनौ च म इन्द्रश्च मे मरुतश्च म इन्द्रश्च मे विश्वे च मे देवा इन्द्रश्च मे पृथिवी च म इन्द्रश्च मेऽन्तरिक्षं च म इन्द्रश्च मे द्यौश्च म इन्द्रश्च मे दिशश्च म इन्द्रश्च मे मूर्धा च म इन्द्रश्च मे प्रजापतिश्च म इन्द्रश्च मे ॥ 6 ॥

अ ँ शुश्च मे रश्मिश्च मेऽदाभ्यश्च मेऽधिपतिश्च म उपा ँ शुश्च मेऽन्तर्यामश्च म ऐन्द्रवायवश्च मे मैत्रावरुणश्च म आश्विनश्च मे प्रतिप्रस्थानश्च मे शुक्रश्च मे मन्थी च म आग्रयणश्च मे वैश्वदेवश्च मे ध्रुवश्च मे वैश्वानरश्च म ऋतुग्रहाश्च मेऽतिग्राह्याश्च

म ऐन्द्राग्नश्च मे वैश्वदेवश्च मे मरुत्वतीयाश्च मे माहेन्द्रश्च म आदित्यश्च मे सावित्रश्च मे सारस्वतश्च मे पौष्णश्च मे पात्नीवतश्च मे हारियोजनश्च मे ॥ 7 ॥

इध्मश्च मे बर्हिश्च मे वेदिश्च मे धिष्णियाश्च मे स्रुचश्च मे चमसाश्च मे ग्रावाणश्च मे स्वरवश्च म उपरवाश्च मेऽधिषवणे च मे द्रोणकलशश्च मे वायव्यानि च मे पूतभृच्च म आधवनीयश्च म आग्नीध्रं च मे हविर्धानं च मे गृहाश्च मे सदश्च मे पुरोडाशाश्च मे पचताश्च मेऽवभृथश्च मे स्वगाकारश्च मे ॥ 8 ॥

अग्निश्च मे घर्मश्च मेऽर्कश्च मे सूर्यश्च मे प्राणश्च मेऽश्वमेधश्च मे पृथिवी च मेऽदितिश्च मे दितिश्च मे द्यौश्च मे शक्वरीरङ्गुलयो दिशश्च मे यज्ञेन कल्पन्तामृक् च मे साम च मे स्तोमश्च मे यजुश्च मे दीक्षा च मे तपश्च म ऋतुश्च मे व्रतं च मेऽहोरात्रयोर्वृष्ट्या बृहद्रथन्तरे च मे यज्ञेन कल्पेताम् ॥ 9 ॥

गर्भाश्च मे वत्साश्च मे त्र्यविश्च मे त्र्यवीच मे दित्यवाट् च मे दित्यौही च मे पञ्चाविश्च मे पञ्चावी च मे त्रिवत्सश्च मे त्रिवत्सा च मे तुर्यवाट् च मे तुर्यौही च मे पष्ठवाट् च मे पष्ठौही च म उक्षा च मे वशा च म ऋषभश्च मे वेहच्च मेऽनड्वाञ्च मे धेनुश्च म आयुर्यज्ञेन कल्पतां प्राणो यज्ञेन कल्पतामपानो यज्ञेन कल्पतां व्यानो यज्ञेन कल्पतां चक्षुर्यज्ञेन कल्पता ँ श्रोत्रं यज्ञेन कल्पतां मनो यज्ञेन कल्पतां वाग्यज्ञेन कल्पतामात्मा यज्ञेन कल्पतां यज्ञो यज्ञेन कल्पताम् ॥ 10 ॥

एका च मे तिस्रश्च मे पञ्च च मे सप्त च मे नव च म एकादश च मे त्रयोदश च मे पञ्चदश च मे सप्तदश च मे नवदश च म एकवि ँ शतिश्च मे त्रयोवि ँ शतिश्च मे पञ्चवि ँ शतिश्च मे सप्तवि ँ शतिश्च मे नववि ँ शतिश्च म एकत्रि ँ शच्च मे त्रयस्त्रि ँ शच्च मे चतस्रश्च मेऽष्टौ च मे द्वादश च मे षोडश च मे वि ँ शतिश्च मे चतुर्वि ँ शतिश्च मेऽष्टावि ँ शतिश्च मे द्वात्रि ँ शच्च मे षट्त्रि ँ शच्च मे चत्वारि ँ शच्च मे चतुश्चत्वारि ँ शच्च मेऽष्टाचत्वारि ँ शच्च मे वाजश्च प्रसवश्चापिजश्च क्रतुश्च सुवश्च मूर्धा च व्यश्नियश्चान्त्यायनश्चान्त्यश्च भौवनश्च भुवनश्चाधिपतिश्च ॥ 11 ॥

ॐ इडा देवहूर्मनुर्यज्ञनीर्बृहस्पतिरुक्थामदानि श ँ सिषद्विश्वे देवाः सूक्तवाचः पृथिविमातर्मा मा हि ँ सीर्मधु मनिष्ये मधु जनिष्ये मधु वक्ष्यामि मधु वदिष्यामि मधुमतीं देवेभ्यो वाचमुद्यास ँ शुश्रूषेण्यां मनुष्येभ्यस्तं मा देवा अवन्तु शोभायै पितरोऽनुमदन्तु।

॥ इति अष्टमोऽध्यायः ॥

अथ शान्त्यध्यायः

हरिः ॐ ऋचं वाचं प्रपद्ये मनो यजुः प्रपद्ये साम प्राणं प्रपद्ये चक्षुः श्रोत्रं प्रपद्ये। वागोजः सहौजो मयि प्राणापानौ॥ 1॥

यन्मे छिद्रं चक्षुषो हृदयस्य मनसो वातितृणं बृहस्पतिर्मे तधातु।
शं नो भवतु भुवनस्य यस्पतिः ॥ 2॥

भूर्भुवः स्वः। तत्सवितुर्वरेण्यं भर्गो देवस्य धीमहि। धियो यो नः प्रचोदयात् ॥ 3॥

कया नश्चित्रऽ आभुवदूती सदावृधः सखा। कया शचिष्ठया वृता ॥ 4॥

कस्त्वा सत्यो मदानां म ँ्हिष्ठो मत्सदन्धसः। दृढा चिदारुजे वसु ॥ 5॥

अभी षु णः सखीनामविता जरितॄणाम्। शतं भवास्यूतिभिः ॥ 6॥

कया त्वं नऽऊत्याभि प्रमन्दसे वृषन्। कया स्तोतृभ्यऽ आभर ॥ 7॥

इन्द्रो विश्वस्य राजति। शं नोऽ अस्तु द्विपदे शं चतुष्पदे ॥ 8॥

शं नो मित्रः शं वरुणः शं नो भवत्वर्यमा।
शं नऽ इन्द्रो बृहस्पतिः शं नो विष्णुरुरुक्रमः ॥ 9॥

शं नो वातः पवता ँ् शं नस्तपतु सूर्यः।
शं नः कनिक्रदेवः पर्जन्योऽ अभिवर्षतु ॥ 10॥

अहानि शं भवन्तु नः श ँ् रात्रीः प्रतिधीयताम्।
शं नऽ इन्द्राग्नी भवतामवोभिः शं नऽइन्द्रावरुणा रातहव्या।
शं नऽ इन्द्रापूषणा वाजसातौ शमिन्द्रासोमा सुविताय शं योः ॥ 11॥

शं नो देवीरभिष्टयऽ आपो भवन्तु पीतये। शं योरभिस्रवन्तु नः ॥ 12॥

स्योना पृथिवि नो भवानृक्षरा निवेशनी। यच्छा नः शर्म सप्रथाः ॥ 13॥

आपो हि ष्ठा मयोभुवस्ता नऽ ऊर्जे दधातन। महे रणाय चक्षसे ॥ 14॥

यो वः शिवतमो रसस्तस्य भाजयतेह नः। उशतीरिव मातरः ॥ 15॥

तस्माऽ अरं गमाम वो यस्य क्षयाय जिन्वथ। आपो जनयथा च नः ॥ 16॥

द्यौः शान्तिरन्तरिक्ष ँ्शान्तिः पृथिवी शान्तिरापः शान्तिरोषधयः शान्तिः। वनस्पतयः शान्तिर्विश्वे देवाः शान्तिर्ब्रह्म शान्तिः सर्व ँ्शान्तिः शान्तिरेव शान्तिः सा मा शान्तिरेधि ॥ 17॥

दृते दृ ँ्ह मा मित्रस्य मा चक्षुषा सर्वाणि भूतानि समीक्षन्ताम्। मित्रस्याहं चक्षुषा सर्वाणि भूतानि समीक्षे। मित्रस्य चक्षुषा समीक्षामहे ॥ 18॥

दृते दृ ँ्ह मा। ज्योक्ते संदृशि जीव्यासं ज्योक्ते संदृशि जीव्यासम् ॥ 19॥

नमस्ते हरसे शोचिषे नमस्तेऽ अस्त्वर्चिषे।
अन्याँस्तेऽ अस्मत्तपन्तु हेतयः पावकोऽ अस्मभ्य ँ शिवो भव ॥ 20॥

नमस्तेऽ अस्तु विद्युते नमस्ते स्तनयित्नवे ।
नमस्ते भगवन्नस्तु यतः स्व : समीहसे ॥ 21॥

यतो यतः समीहसे ततो नोऽ अभयं कुरु ।
शं नः कुरु प्रजाभ्योऽभयं नः पशुभ्यः ॥ 22॥

सुमित्रिया नऽ आपऽ ओषधयः सन्तु दुर्मित्रियास्तस्मै सन्तु
योऽस्मान्द्वेष्टि यं च वयं द्विष्मः॥ 23॥

तच्चक्षुर्देवहितं पुरस्ताच्छुक्रमुच्चरत्।
पश्येम शरदः शतं जीवेम शरदःशत ँ शृणुयाम शरदः शतं
प्रब्रवाम शरदः शतमदीनाः स्याम शरदः शतं भूयश्च शरदः शतात् ॥ 24॥

अथ स्वस्तिप्रार्थना

शृंगि से जलाभिषेक समाप्त कर दें और लोटे से जलाभिषेक करें।

हरिः ॐ स्वस्तिनऽइन्द्रोवृद्धश्रवाः स्वस्ति नः पूषाविश्ववेदाः स्वस्तिनस्तार्क्ष्योऽ अरिष्ट नेमिः स्वस्तिनोबृहस्पतिर्दधातु ॥ 1॥

ॐ पयः पृथिव्याम्पयऽओषधीषु पयोदिव्यन्तरिक्षेपयोधाः।
पयस्वतीः प्रदिशः सन्तुमह्यम् ॥ 2॥

ॐ विष्णोरराटमसिविष्णोः श्नप्त्रेस्थोविष्णोः स्यूरसिविष्णोर्ध्रुवोऽसि।
वैष्णवमसिविष्णवेत्त्वा ॥ 3॥

ॐ अग्निर्देवता वातोदेवता सूर्योदेवता चन्द्रमादेवता वसवोदेवता रुद्रादेवताऽ-ऽदित्यादेवता मरुतोदेवता विश्वेदेवादेवता बृहस्पतिर्देवतेन्द्रोदेवता वरुणोदेवता ॥ 4॥

ॐ सद्योजातं प्रपद्यामि सद्योजाताय वै नमो नमः।
भवे भवे नातिभवे भवस्व मां भवोद्भवाय नमः ॥ 5॥

वामदेवाय नमो ज्येष्ठाय नमः श्रेष्ठाय नमो रुद्राय नमः कालाय नमः कलविकरणाय नमो बलविकरणाय नमो बलाय नमो बलप्रमथनाय नमः सर्वभूतदमनाय नमो मनोन्मनाय नमः ॥ 6॥

अघोरेभ्योऽथघोरेभ्यो घोरघोरतरेभ्यः। सर्वेभ्यः सर्व शर्वेभ्यो नमस्ते ऽअस्तु रुद्ररूपेभ्यः॥ 7॥

तत्पुरुषाय विद्महे महादेवाय धीमहि। तन्नो रुद्रः प्रचोदयात् ॥ 8॥

ईशानः सर्वविद्यानामीश्वरः सर्वभूतानाम् ।
ब्रह्माधिपति-र्ब्रह्मणोऽधिपतिर्ब्रह्मा शिवो मे ऽअस्तु सदा शिवोऽम् ॥ 9 ॥

ॐ शिवो नामासि स्वधितिस्ते पिता नमस्ते ऽअस्तु मा मा हि ँ सीः।
निवर्त्तयाम्यायुषेऽन्नाद्याय प्रजननाय रायस्पोषाय सुप्रजास्त्वाय सुवीर्याय ॥ 10 ॥

ॐ विश्वानि देव सवितर्दुरितानिपरासुव। यद्भद्रं तन्नऽ आसुव ॥ 11 ॥

ॐ द्यौःशान्तिरन्तरिक्ष ँ शान्तिः पृथिवीशान्तिरापः शान्तिरोषधयः शान्तिः।
वनस्पतयः शान्तिर्विश्वेदेवाः शान्तिर्ब्रह्मशान्तिः सर्व ँ शान्तिः शान्तिरेवशान्तिः
सा मा शान्तिरेधि ॥ 12 ॥

ॐ सर्वेषां वा एष वेदाना ँ रसो यत्साम सर्वेषामेवैनमेतद्वेदाना ँ
रसेनाभिषिञ्चति ॥ 13 ॥

ॐ शान्तिः शान्तिः शान्तिः।

अनेन कृतेन श्रीरुद्राभिषेककर्मणा श्रीभवानीशंकर-महारुद्रः प्रीयतां न मम।

ॐ सदाशिवार्पणमस्तु।

इति रुद्राष्टाध्यायी ॥

अथ षडंगन्यास

भस्म, फूल, दूध, दही, घी, शहद और चीनी के साथ अभिषेक करें।

ॐ मनो जूतिर्जुषतामाज्यस्य वृहस्पतिर्यज्ञमिमं तनो त्वरिष्टं यज्ञ ँ समिमं दधातु।
विश्वेदेवास ऽइह मा दयन्तामोंऽ प्रतिष्ठ। ॐ हृदयाय नमः ॥ 1 ॥

ॐ अबोध्यग्निः समिधा जनानां प्रति धेनुमिवा यतीमुषासम् । यह्वा ऽइव प्रवया
मुज्जिहानाः प्रभानवः सिस्रते नाकमच्छ। ॐ शिरसे स्वाहा ॥ 2 ॥

ॐ मूर्द्धानं दिवोऽअरतिं पृथिव्या वैश्वानरमृत ऽआजातमग्निम्। कवि ँ सम्राजमतिथिं
जनानामासन्ना पात्रं जनयन्त देवाः । ॐ शिखायै वषट् ॥ 3 ॥

ॐ मर्माणि ते वर्मणाच्छादयामि सोमस्त्वा राजामृतेनानु वस्ताम् । उरोर्वरीयो वरुणस्ते
कृणोतु जयन्तंत्वानु देवा मदन्तु। ॐ कवचाय हुम् ॥ 4 ॥

ॐ विश्वतश्चक्षुरुत विश्वतोमुखो विश्वतोबाहुरुत विश्वतस्पात् । सं बाहुभ्यां धमति
सम्पतत्रैर्द्यावाभूमी जनयन्देवऽएकः। ॐ नेत्रत्रयाय वौषट् ॥ 5 ॥

ॐ मा न स्तोके तनये मा न ऽआयुषि मा नो गोषु मा नो ऽअश्वेषु रीरिषः । मा नो
वीरान् रुद्र भामिनो वधीर्हविष्मन्तः सदमित्त्वा हवामहे । ॐ अस्त्राय फट् ॥ 6 ॥

पंचामृतस्नान

शिवलिंग को पंचामृत से स्नान करायें।

ॐ पंच नद्यः सरस्वतीमपि यन्ति सस्त्रोतसः। सरस्वती तु पंचधा सो देशेऽभवत्सरित्। पंचामृतं मयाऽनीतं पयो दधि घृतं मधु। शर्करा च समायुक्तं स्नानार्थं प्रगृह्यताम्। श्रीमतेभगवते विश्वेश्वराय नमः, पंचामृतस्नानं समर्पयामि।

गन्धोदकस्नान

शिवलिंग को चन्दन से स्नान करायें।

ॐ त्वां गन्धर्वा ऽअखनँस्त्वामिन्द्रस्त्वां बृहस्पतिः। त्वामोषधे सोमो राजा विद्वान्यक्ष्मादमुच्यत। मलयाचलासम्भूतं चन्दनागुरुसम्भवम्। चन्दनं देव देवेश स्नानार्थं प्रगृह्यताम्। श्रीमतेभगवते विश्वेश्वराय नमः, गन्धोदकस्नानं समर्पयामि।

विजयास्नान

शिवलिंग को विजया से स्नान करायें।

ॐ विज्यं धनुः कपर्दिनो विशल्यो बाणवा ँ उत।
अनेशन्नस्येषव आभुरस्य निषंगथिः॥
शिवप्रीतिकरं रम्यं दिव्यभावसमन्वितम्।
विजयाख्यं च स्नानार्थं भक्त्या दत्तं प्रगृह्यताम् ॥
श्रीमतेभगवते विश्वेश्वराय नमः, विजयां समर्पयामि।

उद्वर्तनस्नान

शिवलिंग को गंध से स्नान करायें।

ॐ अ ँशुना ते अ ँशुः पृच्यतां परुषा परुः। गन्धस्ते सोममवतु मदाय रसोऽ अच्युतः। नानासुगन्धिद्रव्यं च चन्दनं रजनीयुतम्। उद्वर्तनं मया दत्तं स्नानार्थं प्रगृह्यताम्। श्रीमतेभगवते विश्वेश्वराय नमः, उद्वर्तनस्नानं समर्पयामि।

शुद्धोदकस्नान

शिवलिंग को शुद्ध जल से स्नान करायें।

ॐ शुद्धवालः सर्वशुद्धवालो मणिवालस्त ऽआश्विनाः। श्येतः श्येताक्षोऽरुणस्ते रुद्राय पशुपतये कर्णायामा ऽअवलिप्ता रौद्रा नभोरूपाः पार्जन्याः। गंगा गोदावरी रेवा पयोष्णी यमुना तथा। सरस्वती तीर्थजातं स्नानार्थं प्रगृह्यताम्। श्रीमतेभगवते विश्वेश्वराय नमः शुद्धोदकस्नानं समर्पयामि।

रुद्राष्टकम्

नमामीशमीशान निर्वाणरूपं, विभुं व्यापकं ब्रह्म वेदस्वरूपम् ।
निजं निर्गुणं निर्विकल्पं निरीहं चिदाकाशमाकाशवासं भजेऽहम् ॥ 1 ॥

निराकारमोंकारमूलं तुरीयं गिराज्ञान गोतीतमीशं गिरीशम् ।
करालं महाकालकालं कृपालं गुणागार संसारपारं नतोऽहम् ॥ 2 ॥

तुषाराद्रिसंकाशगौरं गभीरं मनोभूत कोटि प्रभा श्रीशरीरम् ।
स्फुरन्मौलि कल्लोलिनी चारु गंगा लसद्भालबालेन्दु कण्ठे भुजंगा ॥ 3 ॥

चलत्कुण्डलं भ्रू सुनेत्रं विशालं प्रसन्नाननं नीलकण्ठं दयालम् ।
मृगाधीशचर्माम्बरं मुण्डमालं प्रियं शंकरं सर्वनाथं भजामि ॥ 4 ॥

प्रचण्डं प्रकृष्टं प्रगल्भं परेशं अखण्डं अजं भानुकोटिप्रकाशम् ।
त्रयः शूल निर्मूलनं शूलपाणिं भजेऽहं भवानीपतिं भावगम्यम् ॥ 5 ॥

कलातीत कल्याण कल्पान्तकारी सदासज्जनानन्ददाता पुरारि ।
चिदानन्दसन्दोह मोहापहारी प्रसीद प्रसीद प्रभो मन्मथारि ॥ 6 ॥

न यावत् उमानाथ पादारविन्दं भजन्तीह लोके परे वा नराणाम् ।
न तावत्सुखं शान्ति सन्तापनाशं प्रसीद प्रभो सर्वभूताधिवासम् ॥ 7 ॥

न जानामि योगं जपं नैव पूजां नतोऽहं सदा सर्वदा शंभु तुभ्यम् ।
जरा जन्म दुःखौघ तातप्यमानं प्रभो पाहि आपन्नमामीश शम्भो ॥ 8 ॥

ॐ शान्तिः शान्तिः शान्तिः ॥ हरिः ॐ ॥

शिवलिंग की सफाई रुद्राष्टकम् गाते हुए कीजिए और शिवलिंग को वस्त्र एवं यज्ञोपवीत अर्पित कीजिए।

गन्ध (चन्दन)

शिवलिंग पर चन्दन का लेप डालें।

ॐ प्रमुंच धन्वनस्त्वमुभयोरार्त्नि र्योर्ज्याम्। याश्च ते हस्त ऽइषव: परा ता भगवो वप। श्रीखण्डं चन्दनं दिव्यं गन्धाढयं सुमनोहरम्। विलेपनं सुरश्रेष्ठ चन्दनं प्रगृह्यताम्। श्रीमतेभगवते विश्वेश्वराय नम:, गन्धं समर्पयामि।

भस्म

शिवलिंग पर भस्म डालें।

ॐ प्रसद्य भस्मना योनिमपश्च पृथिवीमग्ने। सँ्सृज्यमातृभिष्ट्वं ज्योतिष्मान् पुनरासद:। सर्वपापहरं भस्म दिव्यज्योतिसमप्रभम्। सर्वक्षेमकरं पुण्यं गृहाण परमेश्वर। श्रीमतेभगवते विश्वेश्वराय नम:, भस्मं समर्पयामि।

अक्षत

शिवलिंग पर चावल डालें।

ॐ अक्षन्नमीमदन्त ह्यव प्रिया ऽअधूषत। अस्तोषत स्वभानवो विप्रानविष्ठया मती योजान्विन्द्रते हरी। अक्षताश्च सुरश्रेष्ठ कुंकुमाक्ता: सुशोभिता:। मया निवेदिता भक्त्या गृहाण परमेश्वर। श्रीमतेभगवते विश्वेश्वराय नम:, अक्षत समर्पयामि।

नानापरिमलद्रव्य

शिवलिंग पर रंग डालें।

ॐ अहिरिव भोगै: पर्येति बाहुँ ज्याया हेतिं परिबाधमान:। हस्तघ्नो विश्वा वयुनानि विद्वान् पुमान् पुमा ँ्सं परिपातु विश्वत:। अबीरं च गुलालं च हरिद्रादिसमन्वितम्। नानापरिमलं द्रव्यं गृहाण परमेश्वर। श्रीमतेभगवते विश्वेश्वराय नम:, नाना-परिमलद्रव्यं समर्पयामि।

सिन्दूर

शिवलिंग पर सिन्दूर डालें।

ॐ सिन्धोरिव प्राध्वने शूघनासो वातप्रमिय: पतयन्ति यह्वा:। घृतस्य धारा ऽअरुषो न वाजी काष्ठा भिन्दन्नूमिभि: पिन्वमान:। सिन्दूरं शोभनं रक्तं सौभाग्यसुखवर्द्धनम्। शुभदं चैव मांगल्यं सिन्दूरं प्रगृह्यताम्। श्रीमतेभगवते विश्वेश्वराय नम:, सिन्दूरं समर्पयामि।

सुगन्धिद्रव्यं

शिवलिंग पर इत्र डालें।

ॐ त्र्यम्बकं यजामहे सुगन्धिं पुष्टिवर्द्धनम्। उर्वारुकमिव बन्धनान्मृत्योर्मृक्षीय माऽमृतात्। दिव्यगन्धसमायुक्तं महापरिमलाद्भुतम् । गन्धद्रव्यमिदं भक्त्या दत्तं स्वीकुरु शंकर।

श्रीमतेभगवते विश्वेश्वराय नमः, सुगन्धिद्रव्यं समर्पयामि।

पुष्पमाला

शिवलिंग को फूलमाला पहनायें।

ॐ ओषधीः प्रतिमोदध्वं पुष्पवतीः प्रसूवरीः। अश्वा ऽइव सजित्त्वरीर्वीरुधः पारयिष्ण्वः। माल्यादीनि सुगन्धीनि मालत्यादीनि वै प्रभो। मयाऽऽनीतानि पुष्पाणि गृहाण परमेश्वर।

श्रीमतेभगवते विश्वेश्वराय नमः, पुष्पमालां समर्पयामि।

बिल्वपत्र

हर श्लोक में एक बेल पत्र शिवलिंग पर रखें।

बिल्वाष्टक स्तोत्र

त्रिदलं त्रिगुणाकारं त्रिनेत्रं च त्रियायुधम् ।
त्रिजन्म पाप संहारं एक बिल्वं शिवार्पणम् ॥ 1 ॥

त्रिशाखेरबिल्वपत्रैश्च अच्छिद्रे: कोमलैस्तथा ।
शिवपूजां करिष्यामि एक बिल्वं शिवार्पणम् ॥ 2 ॥

अखण्ड बिल्वपत्रेण पूजितं नन्दिकेश्वरम् ।
शुद्ध्यते सर्वपापेभ्यो एक बिल्वं शिवार्पणम् ॥ 3 ॥

शालिग्राम शिलामेकां विप्राणां जातु अर्पयेत् ।
सोमयज्ञ महादानं एक बिल्वं शिवार्पणम् ॥ 4 ॥

दन्ति कोटि सहस्राणि अश्वमेध शतानिच ।
कोटि कन्या महादानं एक बिल्वं शिवार्पणम् ॥ 5 ॥

लक्ष्म्याश्चस्तनउत्पन्नं महादेव सदाप्रियम् ।
बिल्ववृक्षं प्रयच्छामि एक बिल्वं शिवार्पणम् ॥ 6 ॥

दर्शनं बिल्ववृक्षस्य स्पर्शनं पाप नाशनम् ।
अघोर पाप संहारं एक बिल्वं शिवार्पणम् ॥ 7 ॥

मूलतो ब्रह्मरूपाय मध्यतो विष्णु रूपिणे ।
अग्रत: शिवरूपाय एक बिल्वं शिवार्पणम् ॥ 8 ॥

ॐ नमो बिल्मिने च कवचिने च नमो वर्मिणे
च वरूथिने च नम: श्रुताय च श्रुतसेनाय
च नमो दुन्दुभ्याय चाहनन्याय च ॥ 9 ॥

श्री भगवते साम्ब सदाशिवाय नम: बिल्वपत्राणि समर्पयामि

ॐ शान्ति: शान्ति: शान्ति: ॥ हरि: ॐ ॥

शिव-अष्टोत्तर-शत-नामावलि:

हर नम: के साथ एक बेल पत्र शिवलिंग पर डालें।

1. ॐ शिवाय नम:
2. ॐ महेश्वराय नम:
3. ॐ शम्भवे नम:
4. ॐ पिनाकिने नम:
5. ॐ शशिशेखराय नम:
6. ॐ वामदेवाय नम:
7. ॐ विरूपाक्षाय नम:
8. ॐ कपर्दिने नम:
9. ॐ नीललोहिताय नम:
10. ॐ शंकराय नम:
11. ॐ शूलपाणये नम:
12. ॐ खट्वांगिने नम:
13. ॐ विष्णुवल्लभाय नम:
14. ॐ शिपिविष्टाय नम:
15. ॐ अम्बिकानाथाय नम:
16. ॐ श्रीकण्ठाय नम:
17. ॐ भक्तवत्सलाय नम:
18. ॐ भवाय नम:
19. ॐ शर्वाय नम:
20. ॐ उग्राय नम:
21. ॐ कपालिने नम:
22. ॐ कामारये नम:
23. ॐ अन्धकासुरसूदनाय नम:
24. ॐ गंगाधराय नम:
25. ॐ ललाटाक्षाय नम:
26. ॐ कालकालाय नम:
27. ॐ कृपानिधये नम:
28. ॐ भीमाय नम:
29. ॐ परशुहस्ताय नम:
30. ॐ मृगपाणये नम:
31. ॐ जटाधराय नम:
32. ॐ कैलासवासिने नम:
33. ॐ कवचिने नम:
34. ॐ कठोराय नम:
35. ॐ त्रिपुरान्तकाय नम:
36. ॐ वृषांकाय नम:
37. ॐ वृषभारूढाय नम:
38. ॐ भस्मोद् धूलितविग्रहाय नम:
39. ॐ त्रिलोकेशाय नम:
40. ॐ शितिकण्ठाय नम:
41. ॐ त्रयीमूर्तये नम:
42. ॐ सर्वज्ञाय नम:
43. ॐ परमात्मने नम:
44. ॐ सोमसूर्याग्निलोचनाय नम:
45. ॐ हविषे नम:
46. ॐ यज्ञमयाय नम:
47. ॐ सोमाय नम:
48. ॐ पञ्चवक्त्राय नम:
49. ॐ सदाशिवाय नम:
50. ॐ विश्वेश्वराय नम:
51. ॐ वीरभद्राय नम:
52. ॐ गणनाथाय नम:
53. ॐ प्रजापतये नम:
54. ॐ हिरण्यरेतसे नम:
55. ॐ दुर्धर्षाय नम:
56. ॐ गिरीशाय नम:

57. ॐ गिरिशाय नमः
58. ॐ अनघाय नमः
59. ॐ भुजंगभूषणाय नमः
60. ॐ भर्गाय नमः
61. ॐ गिरिधन्विने नमः
62. ॐ कृत्तिवाससे नमः
63. ॐ पुरारातये नमः
64. ॐ भगवते नमः
65. ॐ हरये नमः
66. ॐ सामप्रियाय नमः
67. ॐ स्वरमयाय नमः
68. ॐ प्रमथाधिपाय नमः
69. ॐ मृत्युञ्जयाय नमः
70. ॐ सूक्ष्मतनवे नमः
71. ॐ जगद्व्यापिने नमः
72. ॐ जगद्गुरवे नमः
73. ॐ व्योमकेशाय नमः
74. ॐ महासेनजनकाय नमः
75. ॐ चारुविक्रमाय नमः
76. ॐ रुद्राय नमः
77. ॐ भूतपतये नमः
78. ॐ स्थाणवे नमः
79. ॐ अहिर्बुध्न्याय नमः
80. ॐ दिगम्बराय नमः
81. ॐ अष्टमूर्तये नमः
82. ॐ अनेकात्मने नमः

83. ॐ शुद्धविग्रहाय नमः
84. ॐ शाश्वताय नमः
85. ॐ खण्डपरशवे नमः
86. ॐ अजाय नमः
87. ॐ पाशविमोचकाय नमः
88. ॐ मृडाय नमः
89. ॐ पशुपतये नमः
90. ॐ देवाय नमः
91. ॐ अव्ययाय नमः
92. ॐ सहस्राक्षाय नमः
93. ॐ पूषदन्तभिदे नमः
94. ॐ अव्यग्राय नमः
95. ॐ दक्षाध्वरहराय नमः
96. ॐ हराय नमः
97. ॐ भगनेत्रभिदे नमः
98. ॐ अव्यक्ताय नमः
99. ॐ शिवाप्रियाय नमः
100. ॐ अनीश्वराय नमः
101. ॐ सहस्रपदे नमः
102. ॐ सात्त्विकाय नमः
103. ॐ अपवर्गप्रदाय नमः
104. ॐ अनन्ताय नमः
105. ॐ तारकाय नमः
106. ॐ परमेश्वराय नमः
107. ॐ गिरिप्रियाय नमः
108. ॐ महादेवाय नमः

ॐ शान्तिः शान्तिः शान्तिः ॥ हरिः ॐ ॥

ॐ नमोभगवते विश्वेश्वराय नमः अष्टोत्तरशत बिल्वपत्राणि समर्पयामि।

दूर्वांकुर

शिवलिंग को दूब अर्पित करें।

ॐ काण्डात् काण्डात्प्ररोहन्ति परूष: परूषस्परि। एवा नो दूर्वे प्रतनु सहस्रेण शतेन च।

दूर्वांकुरान् सुहरितानमृतान् मंगलप्रदान् । आनीतांस्तव पूजार्थ गृहाण परमेश्वर । श्रीमतेभगवते विश्वेश्वराय नम:, दूर्वांकुर समर्पयामि।

शमीपत्र

शिवलिंग को शमी अर्पित करें।

ॐ अग्नेस्तनूरसि वाचो विसर्जनं देववीतये त्त्वा गृह्णामि बृहद्ग्रावासि वानस्पत्य: स ऽइदं देवेभ्यो हवि: शमीष्व सुशमि समीष्व। हविष्कृदेहि हविष्कृदेहि। अमंगलानां च शमनीं शमनीं दुष्कृतस्य च। दु:स्वप्ननाशिनीं धन्यां प्रपद्येऽहं शमीं शुभाम्। श्रीमतेभगवते विश्वेश्वराय नम:, शमीपत्रं समर्पयामि।

तुलसी-मंजरी

शिवलिंग को तुलसी मंजरी अर्पित करें।

ॐ शिवो भव प्रजाभ्यो मानुषीभ्यस्त्वमंगिर: । मा द्यावापृथिवी ऽअभिशोचीर्मान्तरिक्षं मा वनस्पतीन्। मिलत्परिमलामोदभृंग संगीतसंस्तुताम्। तुलसीमंजरीं मंजु अंजसा स्वीकुरु प्रभो। श्रीमतेभगवते विश्वेश्वराय नम:, तुलसीमंजरी समर्पयामि।

अंगपूजा

शिवलिंग पर प्रत्येक मंत्र के साथ फूलों को अर्पित करते हुए अंग पूजा करें –

ॐ ईशानाय नम: पादौ पूजयामि।
ॐ शंकराय नम: जंघे पूजयामि।
ॐ शूलपाणये नम: गुल्फौ पूजयामि।
ॐ शम्भवे नम: कटी पूजयामि।
ॐ स्वयम्भुवे नम: गुह्यं पूजयामि।
ॐ महादेवाय नम: नाभि पूजयामि।
ॐ विश्वकर्त्रे नम: उदरं पूजयामि।
ॐ सर्वतोमुखाय नम: पार्श्वे पूजयामि।
ॐ स्थाणवे नम: स्तनौ पूजयामि।
ॐ नीलकण्ठाय नम: कण्ठं पूजयामि।

ॐ शिवात्मने नम: मुखं पूजयामि।

ॐ त्रिनेत्राय नम: नेत्रे पूजयामि।

ॐ नागभूषणाय नम: शिर: पूजयामि।

ॐ देवाधिदेवाय नम: सर्वांगं पूजयामि।

आवरणपूजा

हर नम: में शिवलिंग पर फूल चढ़ाते जायें।

ॐ अघोराय नम: ॥1॥ ॐ पशुपतये नम: ॥2॥ ॐ शिवाय नम: ॥3॥ ॐ विरूपाय नम: ॥4॥ ॐ विश्वरूपाय नम: ॥5॥ ॐ त्र्यम्बकाय नम:॥6॥ ॐ भैरवाय नम: ॥7॥ ॐ कपर्दिने नम: ॥8॥ ॐ शूलपाणये नम: ॥9॥ ॐ ईशानाय नम: ॥10॥ ॐ महेशाय नमो नम: ॥11॥

एकादश शक्तिपूजा

हर नम: में शिवलिंग पर फूल चढ़ाते जायें।

ॐ उमायै नम: ॥1॥ ॐ शंकरप्रियायै नम:॥2॥ ॐ पार्वत्यै नम: ॥3॥ ॐ गौर्यै नम: ॥4॥ ॐ काल्यै नम: ॥5॥ ॐ कालिन्द्यै नम:॥6॥ ॐ कोटर्यै नम: ॥7॥ ॐ विश्वधारिण्यै नम: ॥8॥ ॐ ह्रां नम: ॥9॥ ॐ ह्रीं नम: ॥10॥ ॐ गंगादेव्यै नमो नम:॥11॥

गणपूजा

हर नम: में शिवलिंग पर फूल चढ़ाते जायें।

ॐ गणपतये नम: ॥1॥ ॐ स्वामि कार्तिकाय नम: ॥2॥ ॐ पुष्पदन्ताय नम: ॥3॥ ॐ कपर्दिने नम: ॥4॥ ॐ भैरवाय नम: ॥5॥ ॐ शूलपाणये नम: ॥6॥ ॐ ईश्वराय नम: ॥7॥ ॐ दण्डपाणये नम: ॥8॥ ॐ नन्दिने नम: ॥9॥ ॐ महाकालाय नमो नम: ॥10॥

अष्टमूर्तिपूजा

हर नम: में शिवलिंग पर फूल चढ़ाते जायें।

ॐ भवाय क्षितिमूर्तये नम: ॥1॥ ॐ शर्वाय जलमूर्तये नम: ॥2॥ ॐ रुद्राय अग्निमूर्तये नम: ॥3॥ ॐ उग्राय वायुमूर्तये नम: ॥4॥ ॐ भीमाय आकाशमूर्तये नम: ॥5॥ ॐ पशुपतये यजमानमूर्तये नम: ॥6॥ ॐ महादेवाय सोममूर्तये नम: ॥7॥ ॐ ईशानाय सूर्यमूर्तये नमो नम: ॥8॥

पश्चिमवक्त्रपूजनम्

हर नमः में शिवलिंग पर फूल चढ़ाते जायें।

ॐ ऋद्ध्यै नमः। ॐ सिद्ध्यै नमः। ॐ धृत्यै नमः। ॐ लक्ष्म्यै नमः। ॐ मेधायै नमः। ॐ कान्त्यै नमः। ॐ स्वधायै नमः। ॐ प्रभायै नमः।

कमल पुष्प को अर्पित करें।

ॐ प्रालेयामलमिन्दुकुन्दधवलं गोक्षीरफेनप्रभं
भस्माभ्यंग-मनंगदेहदहन-ज्वालावली-लोचनम् ।
ब्रह्मेन्द्राग्निमरुद्गणैः स्तुतिपरैरभ्यर्चितं योगिभिः
वन्देऽहं सकलं कलंकरहितं स्थाणोर्मुखं पश्चिमम्।
ॐ पश्चिमवक्त्राय नमः ॥1॥

उत्तरवक्त्रपूजनम्

हर नमः में शिवलिंग पर फूल चढ़ाते जायें।

ॐ रजसे नमः। ॐ रक्षायै नमः। ॐ रत्यै नमः। ॐ पाल्यायै नमः। ॐ कामायै नमः। ॐ संजीविन्यै नमः। ॐ सियायै नमः। ॐ बुध्यै नमः। ॐ क्रियायै नमः। ॐ धात्र्यै नमः। ॐ भ्रामर्यै नमः। ॐ ज्वरायै नमः।

कमल पुष्प को अर्पित करें।

ॐ गौरं कुंकुमपिंगलं सुतिलकं व्यापाण्डु-गण्डस्थलं
भ्रूविक्षेपकटाक्षवीक्षण-लसत्संसक्त-कर्णोत्पलम्।
स्निग्धं बिम्बफलाधरं प्रहसितं नीलालकालंकृतं
वन्दे पूर्णशशांकमण्डलनिभं वक्त्रं हरस्योत्तरम्।
ॐ उत्तरवक्त्राय नमः ॥2॥

दक्षिणवक्त्रपूजनम्

हर नमः में शिवलिंग पर फूल चढ़ाते जायें।

ॐ तमसे नमः। ॐ मोहायै नमः। ॐ क्षयायै नमः। ॐ निद्रायै नमः। ॐ व्याधये नमः। ॐ मृत्यवे नमः। ॐ सुधायै नमः। ॐ तृषायै नमः।

कमल पुष्प को अर्पित करें।

ॐ कालाभ्रभ्रमरांजनाचलनिभं व्यादीप्तपिंगेक्षणं
खण्डेन्दु-द्युतिमिश्रितोग्रदशन-प्रोद्भिन्नदंष्ट्रांकुरम् ।
सर्वप्रोतकपालशुक्तिसकलं व्याकीर्णसच्छेखरं
वन्दे दक्षिणमीश्वरस्य जटिलं भ्रूभंगरौद्रं मुखम् ।
ॐ दक्षिणवक्त्राय नमः ॥3॥

पूर्ववक्त्रपूजनम्

हर नमः में शिवलिंग पर फूल चढ़ाते जायें।

ॐ निवृत्यै नमः। ॐ प्रतिष्ठायै नमः। ॐ विद्यायै नमः। ॐ शान्त्यै नमः।

कमल पुष्प को अर्पित करें।

ॐ संवर्त्ताग्नि-तडित्प्रतप्तकनक-प्रस्पधितेजोमयं
गम्भीरस्मितनिःसृतोग्रदशनं प्रोद्भासिताम्राधरम् ।
बालेन्दु-द्युतिलोलपिंगल-जटाभारप्रबद्धोरगं
वन्दे सिद्धसुरासुरेन्द्रनमितं पूर्वं मुखं शूलिनः।
ॐ पूर्ववक्त्राय नमः ॥4॥

ऊर्ध्ववक्त्रपूजनम्

हर नमः में शिवलिंग पर फूल चढ़ाते जायें।

ॐ शशिन्यै नमः। ॐ अंगदायै नमः। ॐ इष्टायै नमः। ॐ मरिच्यै नमः।
ॐ ज्वालिन्यै नमः।

कमल पुष्प को अर्पित करें।

ॐ व्यक्ताव्यक्तगुणोत्तरं सुवदनं षड्विंशतत्त्वाधिकं
तस्मादुत्तरतत्त्वमक्षयमिति ध्येयं सदा योगिभिः।
वन्दे तामसवर्जितेन मनसा सूक्ष्मातिसूक्ष्मं परं
शान्तं पंचममीश्वरस्य वदनं खव्यापितेजोमयम्।
ॐ ऊर्ध्ववक्त्राय नमः ॥5॥

धूपं

शिवलिंग को धूप अथवा अगरबत्ती बतायें।

ॐ या ते हेतिर्मीढुष्टम हस्ते बभूव ते धनुः। तयाऽस्मान् विश्वतस्त्वमयक्ष्मया परिभुज।
वनस्पतिरसोद्भूतो गन्धाढयो गन्ध उत्तमः। आघ्रेयः सर्वदेवानां धूपोऽयं प्रगृह्यताम्।
श्रीमतेभगवते विश्वेश्वराय नमः, धूपं समर्पयामि।

दीपदर्शनं

शिवलिंग को दीपक का दर्शन करायें।

ॐ परि ते धन्वनो हेतिरस्मान् वृणक्तु विश्वतः। अथो य ऽइषुधिस्तवारे ऽ
अस्मन्निधेहि तम्। श्रीमतेभगवते विश्वेश्वराय नमः, दीपं संदर्शयामि।

नैवेद्यं

शिवलिंग को मिठाई प्रसाद चढ़ायें।

ॐ अवतत्य धनुस्त्व ँ सहस्राक्ष शतेषुधे।
निशीर्य शल्यानां मुखा शिवो नः सुमना भव ॥
नैवेद्यं गृह्यतां देव भक्तिं मे ह्यचलां कुरु। ईप्सित मे वरं देहि परत्र च परां गतिम्।
शर्कराखण्डखाद्यानि दधिक्षीरघृतानि च। आहारो भक्ष्यभोज्यं च नैवेद्यं प्रगृह्यताम्।
श्रीमतेभगवते विश्वेश्वराय नमः, नैवेद्यं निवेदयामि।

जलं समर्पयामि

जल देते हुए निम्न मंत्रों को पढ़ें।

ॐ प्राणाय स्वाहा। ॐ अपानाय स्वाहा। ॐ व्यानाय स्वाहा। ॐ समानाय स्वाहा। ॐ उदानाय स्वाहा।

करोद्वर्तनार्थ चन्दनं

शिवलिंग को चन्दन का लेप लगायें।

ॐ अ ँशुना ते अ ँशुः पृच्यतां परुषा परुः। गन्धस्ते सोममवतु मदाय रसो ऽअच्युतः॥ श्रीमतेभगवते विश्वेश्वराय नमः, करोद्वर्तनार्थे गन्धंचन्दनानुलेपनं समर्पयामि।

ऋतुफलं

शिवलिंग को फल अर्पित करें।

ॐ याः फलिनीर्याऽअफला ऽअपुष्पा याश्च पुष्पिणीः। बृहस्पतिप्रसूतास्ता नो मुंचन्त्व ँ हसः। नानाविधानि दिव्यानि मधुराणि फलानि वै। भक्त्यार्पितानि सर्वाणि गृहाण परमेश्वर । श्रीमतेभगवते विश्वेश्वराय नमः, ऋतुफलानि समर्पयामि।

धत्तूरफलं

शिवलिंग को धतूरा अर्पित करें।

ॐ कार्षिरसि समुद्रस्य त्वा क्षित्या ऽउन्नयामि। समापो ऽअद्भिरग्मत समोषधी-भिरोषधीः। धीरधैर्यपरीक्षार्थ धारितं परमेष्ठिना। धत्तूरं कण्टकाकीर्ण गृहाण परमेश्वर। श्रीमतेभगवते विश्वेश्वराय नमः, धत्तूरफलं समर्पयामि।

मन्दारपुष्पं

शिवलिंग को मंदार फूलों की माला पहनायें।

ॐ मन्दारमालाकलितालकायै कपालमालांकितकन्धराय। दिव्याम्बरायै च दिगम्बराय नम: शिवायै च नम: शिवाय। श्रीमतेभगवते विश्वेश्वराय नम:, मन्दारपुष्पं समर्पयामि।

द्रोणपुष्पं

शिवलिंग को द्रोण फूल अर्पित करें।

ॐ नमस्तऽआयुधायानातताय धृष्णवे। उभाभ्यामुतते नमो बाहुभ्यान्तवधन्वने। श्रीमतेभगवते विश्वेश्वराय नम:, द्रोणपुष्पं समर्पयामि।

ताम्बूलं

शिवलिंग को पान अर्पित करें।

ॐ नमस्त ऽआयुधायानातताय धृष्णवे। उभाभ्यामुत ते नमो बाहुभ्यां तव धन्वने। पूंगीफलं महदिव्यं नागवल्लीदलैर्युतम्। एलादिचूर्णसंयुक्तं ताम्बूलं प्रगृह्यताम्। श्रीमतेभगवते विश्वेश्वराय नम:, ताम्बूलं समर्पयामि।

दक्षिणाद्रव्यं

शिवलिंग को दक्षिणा अर्पित करें।

ॐ मा नो महान्तमुत मा नो ऽअर्भकं मा न ऽउक्षन्तमुत मा न ऽउक्षितम्। मा नो वधी: पितरं मोत मातरं मा न: प्रियास्तन्वो रुद्ररीरिष:। दक्षिणा स्वर्णसहिता यथाशक्ति समर्पिता। अनन्तफलदामेनां गृहाण परमेश्वर। श्रीमतेभगवते विश्वेश्वराय नम:, दक्षिणाद्रव्यं समर्पयामि।

आरती

घण्टा, शंख आदि वाद्य बजाकर मंत्र कहें।

ॐ ये देवासो दिव्येकादश स्थ पृथिव्यामध्येकादश स्थ। अप्सुक्षितो महिनैकादश स्थ ते देवासो यज्ञमिमं जुषध्वम् ॥ कर्पूरगौरं करुणावतारं संसारसारं भुजगेन्द्रहारम्। सदावसन्तं हृदयारविन्दे भवं भवानीसहितं नमामि ॥

तत्पश्चात् सब मिलकर आरती गायें।

पुष्पाञ्जलि:

दोनों हाथों में फूल लेकर शिवलिंग को पुष्पांजलि प्रदान करें ।

ॐ यज्ञेन यज्ञमयजन्त देवास्तानि धर्माणि प्रथमान्यासन् ।
ते ह नाकं महिमान: सचन्त यत्र पूर्वे साध्या: सन्ति देवा: ॥

ॐ राजाधिराजाय प्रसह्य साहिने नमो वयं वै श्रवणाय कुर्महे ।
स मे कामान् कामकामाय मह्यं कामेश्वरो वै श्रवणो ददातु ॥

कुबेराय वैश्रवणाय महाराजाय नम: ।

ॐ विश्वतश्चक्षुरुत विश्वतोमुखो विश्वतोबाहुरुत विश्वतस्पात् ।
संबाहुभ्यां धमति सं पतत्रैर्द्यावाभूमी जनयन् देव एक: ।

ॐ तत्पुरुषाय विद्महे महादेवाय धीमहि तन्नो रुद्र: प्रचोदयात् ॥

नाना सुगन्धि पुष्पाणि यथा कालोद् भवानि च ।

पुष्पाञ्जलि: मया दत्त: गृहाण परमेश्वर ॥

ॐ सांगाभ्यां सपरिवाराभ्यां सायुधाभ्यां सशक्तिकाभ्यां सवाहनाभ्यां
श्री उमामहेश्वराभ्यां नम: ।

मन्त्रपुष्पाञ्जलिं समर्पयामि ।

ॐ शान्ति: शान्ति: शान्ति: ॥ हरि: ॐ ॥

277

क्षमा प्रार्थना

मन्त्रहीनं क्रियाहीनं भक्तिहीनं सुरेश्वर।
यत्पूजितं मया देव परिपूर्णं तदस्तु मे ॥ 1 ॥
आवाहनं न जानामि न जानामि तवार्चनम्।
पूजां चैव न जानामि क्षमस्व परमेश्वर ॥ 2 ॥
पापोऽहं पापकर्माऽहं पापात्मा पापसम्भवः।
त्राहि मां पार्वतीनाथ सर्वपापहरो भव ॥ 3 ॥
अपराधसहस्राणि क्रियन्तेऽहर्निशं मया।
दासोऽयमिति मां मत्वा क्षमस्व परमेश्वर ॥ 4 ॥

शान्ति पाठ

असतो मा सद्गमय।
तमसो मा ज्योतिर्गमय।
मृत्योर्माऽमृतं गमय।
सर्वेषां स्वस्तिर्भवतु।
सर्वेषां शान्तिर्भवतु।
सर्वेषां पूर्णं भवतु।
सर्वेषां मंगलं भवतु।

लोकाः समस्ताः सुखिनो भवन्तु।

ॐ त्र्यम्बकं यजामहे सुगन्धिं पुष्टिवर्धनम्।
उर्वारुकमिव बन्धनात् मृत्योर्मुक्षीय मामृतात् ॥

ॐ शान्तिः शान्तिः शान्तिः।

त्वमेव माता च पिता त्वमेव, त्वमेव बन्धुश्च सखा त्वमेव।
त्वमेव विद्या द्रविणं त्वमेव, त्वमेव सर्वं मम देव देव ॥

हरि ॐ तत्सत्

278

Śivaliṅga Abhiṣeka Krama

Sequence of ceremonial bath of Shivalingam

Be seated on your pooja mat facing east or north and sprinkle water on yourself while chanting the following mantras.

Om apavitraḥ pavitro vā sarvāvasthāṃ gato'pi vā, yaḥ smaret puṇḍarīkākṣaṃ sa bāhyābhyantaraḥ śuchiḥ. Om puṇḍarīkākṣaḥ punātu, om puṇḍarīkākṣaḥ punātu, om puṇḍarīkākṣaḥ punātu.

Thereafter perform achaman, *cup water in your hands and sip it, while chanting the following mantras.*

Om keśavāya namaḥ, om nārāyaṇāya namaḥ, om mādhavāya namaḥ, om hṛṣīkeśāya namaḥ.

Next, read the following mantras while wearing pavitri, *a ring made of kusha grass, on the middle fingers of both hands.*

Om pavitresthavyo vaiṣṇavyau saviturvaḥ prasava utpunāmyachchhidreṇa pavitreṇa sūryasya raśmibhiḥ. Tasya te pavitrapate pavitrapūtasyayatkāmaḥ pune tachchhakeyam.

Prāṇāyāma

Practise 3 rounds of nadi shodhana pranayama.

Atha dīpa pūjanam (worship of flame)

Worship the flame with rice and flowers.

Bho dīpa! brahmasvarūpastvaṃ andhakāravināśakaḥ, yāvatkarma samāptirsyāt tāvattvaṃ susthiro bhava. Karmasākṣiṇe dīpādhisṭhāya devāya namaḥ.

Atha ghaṇṭā pūjanam (worship of bell)

Worship the bell with rice and flowers.

Āgamārthaṃ devānāṃ gamanārthaṃ tu rākṣasām, ghaṇṭānādaṃ prakrurvīta paśchāt ghaṇṭāṃ prapūjayet. Ghaṇṭādhiṣṭhita devāya garuṇāya namaḥ.

Atha śaṅkha pūjanam (worship of conch)

Worship the conch with rice and flowers.

Tvaṃ purā sāgarotpannaḥ viṣṇunā vidhṛtaḥ svayaṃ, nirmitaḥ sarvadevaiścha pāñchajanya namo'stute. Śaṅkhādhiṣṭhita devāya namaḥ.

Svastivāchanaṃ (chanting of benedictory mantras)

Prepare for abhisheka during swastivachana. Put tika, *mark with red vermilion, and garland on the yantra, the image or photo placed on the pooja place. Thereafter meditate on Ganesha holding fragrance,* akshata, *rice offering, and flowers in your right hand.*

Om ā no bhadrāḥ kratavo yantu viśvato'dabdhāso aparītāsa udbhidaḥ. Devā no yathā sadamid vṛdhe asannaprāyuvo rakṣitāro dive dive. Devānāṃ bhadrā sumatirṛjūyatāṃ devānāgvaṃ rātirabhi no nivartatām. Devānāgvaṃ sakhyamupasedimā vayaṃ devā na āyuḥ pratirantu jīvase. Tānpūrvayā nividā hūmahe vayaṃ bhagaṃ mitramaditiṃ dakṣamastridham. Aryamaṇaṃ varuṇagvaṃ somamaśvinā sarasvatī naḥ subhagā mayaskarat. Tanno vāto mayobhu vātu bheṣajaṃ tanmātā pṛthivī tatpitā dyauḥ. Tad grāvāṇaḥ somasuto mayobhuvastadaśvinā śṛṇutaṃ dhiṣṇyā yuvam. Tamīśānaṃ jagatastasthuṣaspatiṃ dhiyajinnvamavase hūmahe vayam. Pūṣā no yathā vedasāmasad vṛdhe rakṣitā pāyuradabdhaḥ svastaye. Svasti na indro vṛddhaśravāḥ svasti naḥ pūṣā viśvavedāḥ. Svasti nastārkṣyo ariṣṭanemiḥ svasti no bṛhaspatirdadhātu. Pṛṣadaśvā marutaḥ pṛśnimātaraḥ śubhaṃ yāvāno vidatheṣu jagmayaḥ. Agnijihvā manavaḥ sūrachakṣuso viśve no devā avasāgamanniha. Bhadraṃ karṇebhiḥ śṛṇuyāma devā bhadraṃ paśyemākṣabhiryajatrāḥ. Sthirairaṅgaiḥ-tuṣṭuvāgvaṃ sastanūbhirvyaśemahi devahitaṃ yadāyuḥ. Śataminnu śarado anti devā yatrā naśchakrā jarasaṃ tanūnām. Putrāso yatra pitaro bhavanti mā no madhyā rīriṣatāyurgantoḥ. Aditirdyauraditirantarikṣamad itirmātā sa pitā sa putraḥ. Viśve devā aditiḥ pañchajanā aditirjātamaditirjani tvam. Om dyauḥ śāntirantarikṣagvaṃ śāntiḥ pṛthivī śāntirāpaḥ śāntiroṣadhayaḥ śāntiḥ. Vanaspatayaḥ śāntirviśve devāḥ śāntirbrahma śāntiḥ sarvagvaṃ śāntiḥ śāntireva śāntiḥ sā mā śāntiredhi. Yato yataḥ samīhase tato no abhayaṃ kuru. Śam naḥ kuru prajābhyo'bhayaṃ naḥ paśubhyaḥ. Suśāntirbhavatu. Tadeva lagnaṃ sudinaṃ tadeva tārābalaṃ chandrabalaṃ tadeva. Vidyā balaṃ daivabalaṃ tadeva lakṣmīpate te'ṅghriyugaṃ smarāmi. Lābhasteṣāṃ jayasteṣāṃ kutasteṣāṃ parājayaḥ. Yeṣāmindīvaraśyāmo hṛdayastho janārdanaḥ. Yatra yogeśvaraḥ kṛṣṇo yatra pārtho dhanurdharaḥ. Tatra śrīrvijayo bhūtirdhruvā nītirmatirmama. Ananyāśchintayanto māṃ ye janāḥ paryupāsate. Teṣāṃ nityābhiyuktānāṃ yogakṣemaṃ vahāmyaham. Smṛte sakalakalyāṇaṃ bhāja yatra jāyate. Puruṣaṃ tamajaṃ nityaṃ brajāmi śaraṇa harim. Sarveṣvārambhakāryeṣu trayastribhuvaneśvarāḥ. Devādiśantu naḥ siddhi brahmeśānajanārdanāḥ. Viśveśaṃ mādhavaṃ ḍhuṇḍhiṃ daṇḍapāṇiṃ cha bhairavam. Vande kāśīṃ guhāṃ gaṅgāṃ bhavānī maṇikarṇikām. Vakratuṇḍa mahākāya koṭisūryasamaprabha. Nirvighnaṃ kuru me deva sarvakāryeṣu sarvadā. Vināyakaṃ guruṃ bhānuṃ brahmāviṣṇumaheśvarān. Sarasvatī praṇamyādau sarvakāryārtha siddhaye. Siddhibuddhisahitāya śrīmanmahāgaṇādhipataye namaḥ.

Atha saṅkalpa (sankalpa or resolve)

Now make the resolve holding water, flowers, rice and coins in your hand. After making the resolve, put these items on the Shivalingam.

Om śrīviṣṇuḥ śrīviṣṇuḥ śrīviṣṇuḥ śrīmadbhagavato mahāpuruṣasya viṣṇorājñayā pravartamānasya adya śrībrahmaṇo'hniḥ dvitīyaparārdhe śrīśvetavārāhakalpe vaivasvatamanvantare kṛtatretādvāparānte aṣṭāviṃśatitame kaliyuge kaliprathamacharaṇe kumārikākhaṇḍe jambūdvīpe bhāratavarṣe āryāvartaikadeśāntargate . . . kṣetre vikramaśake bauddhāvatāre ṣaṣṭisaṃvatsarāṇāṃ madhye . . . saṃvatsare . . . ayane . . . ṛtau mahāmāṅgalyaprada-māsottamemāse . . . māse . . . pakṣe . . . tithau . . . vāsare . . . nakṣatre . . . yoge . . . karaṇe . . . rāśi sthite chandre . . . rāśi sthite śrīsūrye . . . rāśisthite devagurau śeṣeṣu graheṣu yathā yathā rāśisthānasthiteṣu satsu evaṃ grahaguṇagaṇaviśeṣaṇa viśiṣṭāyāṃ śubhapuṇyatithau . . . gotraḥ mamā"tmanaḥ śrutismṛti purāṇoktapuṇya phalaprāptyarthaṃ mama sakuṭumbasya sapaśoḥaiśvaryābhivṛddhayarthaṃ aprāptalakṣmī prāptyarthaṃ prāpta lakṣmyāśchirakāla saṃrakṣaṇārthaṃ sakalepsitakāmanā saṃsiddhayarthaṃ loke sabhāyāṃ vā rājadvāre vā sarvatra yaśovijayalābhādi prāptyartham iha janmani janmāntare vā sakaladuritopaśamanārtham tathā janmarāśeḥ sakāśādye yekechidviruddha chaturthāṣṭamadvādaśa-sthānasthitāḥ krūragrahāstaiḥsūchitam sūchayiṣyamāṇam cha yatsarvāriṣṭam tadvināśadvārā ekādaśasthānasthit avachchhubhaphala prāptyartham putrapautrādisantate ravichchhinnābhivṛddhayartham āditya dinavagrahānukūlatā siddhayartham tathā indrādi-daśadikpālaprasannārtham ādhidaivikādhi-bhautikādhyātmika-trividhatāpopaśamanārtham dharmārthakāma-mokṣachaturvidha-puruṣārtha siddhayartham bhūrbhuvaḥ svaḥ śrībhavānīśaṅkaramahārudra-devatāprītyartham . . . śivaliṅgopari yathājñānena yathāmilitopachāraiḥ ṣaḍaṅganyāsapūrvakam dhyānāvāhanādi ṣodaśopachāraiḥ pūjanam dugdhadhārayā jaladhārayā vā sakṛdrudrāvartanena namakachamakavidhinā mahārudreṇa vā atirudreṇā'bhiṣeka pūjanamaham kariṣye. Saṇkalpitekarmaṇi nirvighnatāsiddhayartham gaṇeśāmbikayoḥ pūjanam cha kariṣye.

Atha ṣaḍaṅganyāsa

1. Om mano jūtirjuṣatāmājyasya vṛhaspatiryajñamimam tano tvariṣṭam yajñagvam samimam dadhātu. Viśve devāsa'iha mā dayantāmom' pratiṣṭha. Om hṛdayāya namaḥ.
2. Om aboddhyagniḥ samidhā janānām prati dhenumivā yatīmuṣāsam. Yahvā 'iva pravayā mujjihānāḥ prabhānavaḥ sisrate nākamachchha. Om śirase svāhā.
3. Om mūrddhānam divo'aratim pṛthivyā vaiśvānaramṛta 'ājātamagnim. Kavigvam samrājamatithim janānāmāsannā pātram janayanta devāḥ. Om śikhāyai vaṣaṭ.
4. Om marmāṇi te varmaṇāchchhādayāmi somastvā rājāmṛtenānu vastām. Urorvarīyo varuṇaste kṛṇotu jayantantvānu devā madantu. Om kavachāya hum.
5. Om viśvataśchakṣuruta viśvatomukho viśvatobāhuruta viśvataspāt. Sam bāhubhyām dhamati sampatatrairdyāvābhūmī janayandeva'ekaḥ. Om netratrayāya vauṣaṭ.
6. Om mā na stoke tanaye mā na 'āyuṣi mā no goṣu mā no 'aśveṣu rīriṣaḥ. Mā no vīrān rudra bhāmino vadhīrhaviṣmantaḥ sadamittvā havāmahe. Om astrāya phaṭ.

Gaṇapatipūjanam

While chanting the following mantras offer flowers to the Shivalingam.

Om gaṇānāṃ tvā gaṇapatigvaṃ havāmahe priyāṇāṃ tvā priyapatigvaṃ havāmahe nidhīnāṃ tvā nidhipatigvaṃ havāmahe vaso mama. Āhamajāni garbhadhamā tvamajāsi garbhadham. Om bhūrbhuva svaḥ. Gaṇapataye namaḥ. Gaṇapati samapūjayāmi.

Ambikāpūjanam

While chanting the following mantras offer flowers to the Shivalingam.

Om ambe'ambike'mbālike na mā nayati kaśchana. Sasastyaśvakaḥ subhadrikāṃ kāmpīlavāsinīm. Om bhūrbhuva svaḥ. Ambikāyai namaḥ. Ambikāṃ samapūjayāmi.

Nandīśvarapūjanam

While chanting the following mantras offer flowers to the Shivalingam.

Om āśuḥ śiśāno vṛṣabho na bhīmo ghanāghanaḥ kṣobhaṇaścharṣaṇīnām. Saṅkrandano'nimiṣa'ekavīraḥ śatagvaṃ senā'ajayatsākamindraḥ. Om bhūrbhuva svaḥ. Nandīśvarāya namaḥ. Nandīśvaraṃ samapūjayāmi.

Bīrabhadrapūjanam

While chanting the following mantras offer flowers to the Shivalingam.

Om bhadraṃ karṇebhiḥ śṛṇuyāma devā bhadraṃ paśyemākṣabhiryajatrāḥ. Sthirairaṅgaistuṣṭuvāgvaṃ sastanūbhirvyaśemahi devahitaṃ yadāyuḥ. Om bhūrbhuva svaḥ. Bīrabhadrāya namaḥ. Bīrabhadrāṃ samapūjayāmi.

Svāmikārtikapūjanam

While chanting the following mantras offer flowers to the Shivalingam.

Om yadakrandraḥ prathamaṃ jāyamāna 'udyantsamudrāduta vā purīṣāt. Śyenasya pakṣā hariṇasya bāhū' upastutyaṃ mahi jātaṃ te 'arvan. Om bhūrbhuva svaḥ. Skandhāya namaḥ. Skandhaṃ samapūjayāmi.

Kuberapūjanam

While chanting the following mantras offer flowers to the Shivalingam.

Om kuvidaṅga yavamanto yavaṃ chidyathā dāntyanupūrvaṃ viyūya. Ihehaiṣāṃ kuṇuhi bhojanāni ye barhiṣo nama'uktiṃ yajanti. Om bhūrbhuva svaḥ. Kuberāya namaḥ. Kuberaṃ samapūjayāmi.

Kīrtimukhapūjanam

While chanting the following mantras offer flowers to the Shivalingam.

Om asave svāhā vasave svāhā vibhuve svāhā vivasvate svāhā gaṇaśriye svāhā gaṇapataye svāhādhipataye svāhā śūṣāya svāhā sagvaṃ sarpāya svāhā chandrāya svāhā jyotiṣe svāhā malimluchāya svāhā divā pataye svāhā. Om bhūrbhuva svaḥ. Kīrtimukhāya namaḥ. Kīrtimukhaṃ samapūjayāmi.

Vāstupūjanam

While chanting the following mantras offer flowers to the Shivalingam.

Om namo'stu sarpebhyoḥ ye ke cha pṛthivīmanu ye 'antarikṣe ye divi tebhyaḥ sarpebhyo namaḥ. Om bhūrbhuva svaḥ. Nāgarājāya namaḥ. Nāgarājaṃ samapūjayāmi.

Om śāntiḥ śāntiḥ śāntiḥ. Hariḥ om

Prātaḥsmaraṇa

While chanting this morning prayer, offer Ganga water, sugar, milk, curd, ghee, honey, panchamrit, *mixture of milk, curd, ghee, sugar and honey, and hemp to the Shivalingam.*

Prātaḥ smarāmi bhavabhīti haraṃ sureśaṃ
Gaṅgādharaṃ vṛṣabhavāhanamambikeśam.
Khaṭvāṇgaśūla-varadābhayahastamīśaṃ
Saṃsāra roga haramauṣadhamadvitīyam.

Prātarnamāmigiriśaṃ girijārddhadehaṃ
Sarga-sthiti-pralaya-kāraṇamādidevam.
Viśveśvaraṃ vijita viśvamano'bhirāmaṃ
Saṃsāra roga haramauṣadhamadvitīyam.

Prātarbhajāmi śivamekamanantamādyaṃ
Vedānta-vedyamanaghaṃ puruṣaṃ mahāntam.
Nāmādibhedarahitaṃ ṣaḍbhāvaśūnyaṃ
Samsāra roga haramauṣadhamadvitīyam.

Om śāntiḥ śāntiḥ śāntiḥ. Hariḥ om

Atha Dhyānam

While chanting the following mantras prepare the Shivalingam for the water abhisheka, ceremonial bath.

1. Vande devamumāpatiṃ suraguruṃ vande jagatkāraṇaṃ
   Vande pannagabhūṣaṇaṃ mṛgadharaṃ vande paśūnāṃ patim.
   Vande sūrya-śaśāṅka-vahninayanaṃ vande mukundapriyaṃ
   Vande bhaktajanāśrayañcha varadaṃ vande śivaṃ śaṅkaram.
2. Vande maheśaṃ surasiddhasevitaṃ bhaktaiḥ sadā pūjitapādapadmam.
   Brahmendra-viṣṇu-pramukhaiścha vanditaṃ dhyāyetsadā kāmadughaṃ prasannam.
3. Śāntaṃ padmāsanasthaṃ śaśadharamukuṭaṃ pañchavaktraṃ trinetraṃ
   Śūlaṃ vajraṃ cha khaḍgaṃ paraśumabhayadaṃ dakṣiṇāṅge vahantam.
   Nāgaṃ pāśaṃ cha ghaṇṭāṃ ḍamarusahitaṃ sāṅkuśaṃ vāmabhāge
   Nānālaṅkārayuktaṃ sphaṭikamaṇinibhaṃ pārvatīśaṃ namāmi.
4. Śmaśāneṣvākrīḍā smarahara piśāchāḥ sahacharāḥ
   Chitābhasmālepaḥ sragapi nṛkaroṭīparikaraḥ.
   Amaṅgalyaṃ śīlaṃ tava bhavatu nāmaikamakhilaṃ
   Tathāpi smartṛṇāṃ varada paramaṃ maṅgalamasi.
5. Trinetrāya namastubhyaṃ umādehārdhadhāriṇe.
   Triśūladhāriṇe tubhyaṃ bhūtānāṃ pataye namaḥ.
6. Gaṅgādhara namastubhyaṃ vṛṣadhvaja namo'stu te.
   Āśutoṣa namastubhyaṃ bhūyo bhūyo namo namaḥ.

Om śāntiḥ śāntiḥ śāntiḥ. Hariḥ om

Atha prathamo'dhyāyaḥ

Pour a continuous stream of water on the Shivalingam with a shringi, *horn.*

Śrī gaṇeśāya namaḥ. Hariḥ om.

1. Gaṇānāṃ tvā gaṇapatigvaṃ havāmahe priyāṇāṃ tvā priyapatigvaṃ havāmahe
   Nidhīnāṃ tvā nidhipatigvaṃ havāmahe vaso mama.
   Āhamajāni garbhadhamā tvamajāsi garbhadham.

2. Gāyatrī triṣṭup jagati anuṣṭup paṅktyā saha.
   Bṛhati uṣṇihā kakup sūchībhiḥ śamyantu tvā.

3. Dvipadā yāḥ chatuṣpadāḥ tripadā yāścha ṣaṭpadāḥ.
   Vichchhandā yāścha sachchhandāḥ sūchībhiḥ śamyantu tvā.

4. Sahastomāḥ sahachhandasa āvṛtaḥ sahapramā ṛṣayaḥ sapta daivyāḥ.
   Pūrveṣāṃ panthāṃ anudṛśya dhīrā anvālebhire rathyo na raśmīn.

287

5. Om yajjāgrato dūramudaiti daivaṃ tadu suptasya tathaivaiti. Dūraṅgamamaṃ jyotiṣāṃ jyotirekaṃ tanme manaḥ śivasaṅkalpamastu.

6. Yena karmāṇyapaso manīṣiṇo yajñe kṛṇvanti vidatheṣu dhīrāḥ.
Yadapūrvaṃ yakṣamantaḥ prajānāṃ tanme manaḥ śivasaṇkalpamastu.

7. Yatprajñānamuta cheto dhṛtiścha yajjyotirantaramṛtaṃ prajāsu.
Yasmāna'ṛte kiñcha na karma kriyate tanme manaḥ śivasaṅkalpamastu.

8. Yenedaṃ bhūtaṃ bhuvanaṃ bhaviṣyat parigṛhītam amṛtena sarvam.
Yena yajñastāyate saptahotā tanme manaḥ śivasaṅkalpamastu.

9. Yasmin ṛchaḥ sāma yajūgvaṃṣi yasmin pratiṣṭhitā rathanābhāvivārāḥ.
Yasmin chittaṃ sarvaṃ otaṃ prajānāṃ tanme manaḥ śivasaṅkalpamastu.

10. Suṣārathiḥ aśvāniva yanmanuṣyān neniyate abhīśubhiḥ vājina iva.
Hṛtpratiṣṭhaṃ yadajiraṃ javiṣṭhaṃ tanme manaḥ śivasaṅkalpamastu.

Iti prathamo'dhyāyaḥ.

Atha dvitīyo'dhyāyaḥ

Puruṣa Sūkta

1. Hariḥ om sahasraśīrṣā puruṣaḥ. Sahasrākṣaḥ sahasrapāt. Sa bhūmiṃ viśvato vṛtvā. Atyatiṣṭhat daśāṅgulam. Puruṣa evedagvaṃ sarvam. Yadbhūtaṃ yachcha bhāvyam. Utāmṛtatvasyeśānaḥ. Yadannenātirohati. Etāvānasya mahimā. Ato jyāyāgvaṃścha pūruṣaḥ.

2. Pādo'sya viśvā bhūtāni. Tripādasyāmṛtaṃ divi. Tripādūrdhva udaitpuruṣaḥ. Pādo'syehā bhavatpunaḥ. Tato viṣvaṃ vyakrāmat. Sāśanānaśane abhi. Tasmāt virāḍajāyata. Virājo adhi pūruṣaḥ. Sa jāto atyarichyata. Paśchād bhūmimatho puraḥ.

3. Yatpuruṣeṇa haviṣā. Devā yajñamatanvata. Vasanto asyāsīdājyam. Grīṣma idhmaḥ śaraddhaviḥ saptāsyāsanparidhayaḥ. Triḥ sapta samidhaḥ kṛtāḥ. Devā yadyajñaṃ tanvānāḥ. Abadhnanpuruṣaṃ paśum. Taṃ yajñaṃ barhiṣi praukṣan. Puruṣaṃ jātamagrataḥ.
4. Tena devā ayajanta. Sādhyā ṛṣayaścha ye. Tasmāt yajñātsarvahutaḥ. Saṃbhṛtaṃ pṛṣadājyam. Paśūgvaṃstāgvaṃśchakre vāyavyān. Āraṇyān grāmyāścha ye. Tasmāt yajñātsarvahutaḥ. Ṛchaḥ sāmāni jajñire. Chhandāgvaṃsi jajñire tasmāt. Yajustasmat ajāyata.
5. Tasmādaśvā ajāyanta. Ye ke chobhayādataḥ. Gāvo ha jajñire tasmāt. Tasmājjātā ajāvayaḥ. Yatpuruṣaṃ vyadadhuḥ. Katidhā vyakalpayan. Mukhaṃ kimasya kau bāhū. Kāvūrū pādāvuchyete. Brāhmaṇo'sya mukhamāsīt. Bāhū rājanyaḥ kṛtaḥ.
6. Ūrū tadasya yadvaiśyaḥ. Padbhyāgvaṃ śūdro ajāyata. Chandramā manaso jātaḥ. Chakṣoḥ sūryo ajāyata. Mukhād-indraśchāgniścha. Prāṇād vāyurajāyata. Nābhyā āsīt antarikṣam. Śīrṣṇo dyauḥ samavartata. Padbhyāṃ bhūmirdiśaḥ śrotrāt. Tathā lokāgvaṃ akalpayan.
7. Vedāhametaṃ puruṣaṃ mahāntam. Ādityavarṇaṃ tamasastupāre. Sarvāṇi rūpāṇi vichitya dhīraḥ. Nāmāni kṛtvā'bhivadan yadāste. Dhātā purastāt-yamudājahāra. Śakraḥ pravidvānpradiśaśchatasraḥ. Tamevaṃ vidvānamṛta iha bhavati. Nānyaḥ panthā ayanāya vidyate. Yajñena yajñamayajanta devāḥ. Tāni dharmāṇi prathamānyāsan. Te ha nākaṃ mahimānaḥ sachante. Yatra pūrve sādhyāḥ santi devāḥ.
8. Adbhyaḥ saṃbhūtaḥ pṛthivyai rasāchcha. Viśvakarmaṇaḥ samavartatādhi. Tasya tvaṣṭā vidadhadrūpameti. Tatpuruṣasya viśvamājānamagre. Vedāhametaṃ puruṣaṃ mahāntam. Ādityavarṇaṃ tamasaḥ parastāt. Tamevaṃ vidvānamṛta iha bhavati. Nānyaḥ panthā vidyate'yanāya. Prajāpatiḥ charati garbhe antaḥ. Ajāyamāno bahudhā vijāyate.
9. Tasya dhīrāḥ parijānanti yonim. Marīchīnāṃ padamichchhanti vedhasaḥ. Yo devebhya ātapati. Yo devānāṃ purohitaḥ. Pūrvo yo devebhyo jātaḥ. Namo ruchāya brāhmaye. Ruchaṃ brāhmaṃ janayantaḥ. Devā agre tadabruvan. Yastvaivaṃ brāhmaṇo vidyāt. Tasya devā asan vaśe.

10. Hrīścha te lakṣmīścha patnyau. Ahorātre pārśve. Nakṣatrāṇi rūpam. Aśvinau vyāttam. Iṣṭaṃ maniṣāṇa. Amuṃ maniṣāṇa. Sarvaṃ maniṣāṇa.

Iti dvitīyo'dhyāyaḥ.

Atha tṛtīyo'dhyāyaḥ

1. Hariḥ om āśuḥ śiśāno vṛṣabho na bhīmo ghanāghanaḥ kṣobhaṇaścharṣaṇīnām.
   Saṅkrandano'nimiṣa ekavīraḥ śatagvaṃ senā ajayatsākamindraḥ.
2. Saṅkrandanenā'nimiṣeṇa jiṣṇunā yutkāreṇa duśchyavanena dhṛṣṇunā.
   Tadindreṇa jayata tatsahadhvaṃ yudho nara iṣuhastena vṛṣṇā.
3. Sa iṣuhastaiḥ sa niṣaṅgibhirvaśī sagvaṃ sraṣṭā sa yudha indro gaṇena.
   Sagvaṃ sṛṣṭajitsomapā bāhuśardhyugradhanvā pratihitābhirastā.
4. Bṛhaspate paridīyā rathena rakṣohāmitrām̐ apabādhamānaḥ.
   Prabhañjansenāḥ pramṛṇo yudhā jayannasmākamedhyavitā rathānām.
5. Balavijñāyaḥ sthaviraḥ pravīraḥ sahasvānvājī sahamāna ugraḥ.
   Abhivīro abhisattvā sahojā jaitramindra rathamātiṣṭha govit.
6. Gotrabhidaṃ govidaṃ vajrabāhuṃ jayantamajma pramṛṇantamojasā.
   Imagvaṃ sajātā anu vīrayadhvamindragvaṃ sakhāyo anu sagvaṃ rabhadhvam.
7. Abhi gotrāṇi sahasā gāhamāno'dayo vīraḥ śatamanyurindraḥ.
   Duśchyavanaḥ pṛtanāṣāḍayudhyo'asmākagvaṃ senā avatu pra yutsu.
8. Indra āsāṃ netā bṛhaspatirdakṣiṇā yajñaḥ pura etu somaḥ.
   Devasenānāmabhibhañjatīnāṃ jayantīnāṃ maruto yantvagram.
9. Indrasya vṛṣṇo varuṇasya rājña ādityānāṃ marutāgvaṃ śardha ugram.
   Mahāmanasāṃ bhuvanachyavānāṃ ghoṣo devānāṃ jayatāmudasthāt.

10. Uddharṣaya maghavannāyudhānyutsatvanāṃ māmakānāṃ manāgvaṃsi.
Udvṛtrahanvājinām vājinānyudrathānāṃ jayatāṃ yantu ghoṣāḥ.

11. Asmākamindraḥ samṛteṣu dhvajeṣvasmākaṃ yā iṣavastā jayantu.
Asmākaṃ vīrā uttare bhavantvasmām̐ u devā avatā haveṣu.

12. Amīṣāṃ chittaṃ pratilobhayantī gṛhāṇāṅgānyapve parehi.
Abhi prehi nirdaha hṛtsu śokairandhenāmitrāstamasā sachantām.

13. Avasṛṣṭā parāpata śaravye brahmasagvaṃśite.
Gachchhāmitrānprapadyasva māmīṣāṃ kañchanochchhiṣaḥ.

14. Pretā jayatā nara indro vaḥ śarma yachchhatu.
Ugrā vaḥ santu bāhavo'nādhṛṣyā yathāsatha.

15. Asau yā senā marutaḥ pareṣāmabhyaiti na ojasā spardhamānā.
Tāṃ gūhata tamasā'pavratena yathāmī anyo anyaṃ na jānan.

16. Yatra bāṇāḥ sampatanti kumārā viśikhā iva.
Tanna indro bṛhaspatiraditiḥ śarma yachchhatu viśvāhā śarma yachchhatu.

17. Marmāṇī te varmaṇā chhādayāmi somastvā rājā'mṛtenānuvastām.
Urorvarīyo varuṇaste kṛṇotu jayantaṃ tvānu devā madantu.
Iti tṛtīyo'dhyāyaḥ.

Atha chaturtho'dhyāyaḥ

1. Hariḥ om vibhrāḍbṛhatpibatu somyaṃ madhvāyurdadhadyajñ apatāvavihrutam.
Vātajūto yo'abhirakṣati tmanā prajāḥ pupoṣa purudhā vi rājati.

2. Udu tyaṃ jātavedasaṃ devaṃ vahanti ketavaḥ. Dṛśe viśvāya sūryam.

3. Yenā pāvaka chakṣasā bhuraṇyantaṃ janām̐'. Anu. Tvam varuṇa paśyasi.

4. Daivyāvadhvaryū' āgatagvaṃ rathena sūryatvachā. Madhvā yajñagvaṃ samañjāthe. Taṃ pratknathā'-yaṃ venaśchitraṃ devānām.

5. Taṃ pratknathā pūrvathā viśvathemathā jyeṣṭhatātiṃ barhiṣadgvaṃ svarvidam.
Pratīchīnaṃ vṛjanaṃ dohase dhunimāśuṃ jayantamanu yāsu varddhase.
6. Ayaṃ venaśchodayatpṛśnigarbhā jyotirjarāyū rajaso vimāne. Imamapāgvaṃ saṅgame sūryasya-śiśunna viprā matibhī rihanti.
7. Chitraṃ devānāmudagādanīkaṃ chakṣurmitrasya varuṇasyāgneḥ.
Āprā dyāvāpṛthivī' antarikṣagvaṃ sūrya' ātmā jagatastasthuṣaścha.
8. Ā na' iḍābhirvidathe suśasti viśvānaraḥ savitā deva etu. Api yathā yuvāno matsathā no viśvaṃ jagadabhipittve manīṣā.
9. Yadadya kachcha vṛtrahannudagā abhi sūrya. Sarvaṃ tadindra te vaśe.
10. Taraṇirviśvadarśato jyotiṣkṛdasi sūrya. Viśvamābhāsi rochanam.
11. Tatsūryasya devatvaṃ tanmahitvaṃ madhyā karttorvitatagvaṃ sañjabhāra.
Yadedayukta haritaḥ sadhasthādādrātrī vāsastanute simasmai.
12. Tanmitrasya varuṇasyābhichakṣe sūryo rūpaṃ kṛṇute dyorupasthe.
Anantamanyadruśadasya pājaḥ kṛṣṇamanyaddharitaḥ sambharanti.
13. Baṇmahām̐'. Asi sūrya baḍāditya mahām̐'. Asi.
Mahaste sato mahimā panasyate'ddhā deva mahām̐'. Asi.
14. Baṭsūrya śravasā mahām̐'. Asi satrā deva mahām̐'. Asi.
Manhā devānāmasuryaḥ purohito vibhu jyotiradābhyam.
15. Śrāyanta' iva sūryaṃ viśvedindrasya bhakṣat.
Vasūni jāte janamāna' ojasā prati bhāgaṃ na dīdhima.
16. Adyā devā' uditā sūryasya niragvaṃhasaḥ pipṛtā niravadyāt. Tannomitro varuṇo māmahantāmaditiḥ sindhuḥ pṛthivī' uta dyauḥ.
17. Ā kṛṣṇena rajasā varttamāno niveśayannamṛtaṃ martyaṃ cha. Hiraṇyayena savitā rathenā devo yāti bhuvanāni paśyan.
Iti chaturtho'dhyāyaḥ.

Atha pañchamo'dhyāyaḥ

Rudra Praśnaḥ

Hariḥ om namo bhagavate rudrāya.

1. Om namaste rudra manyava utota iṣave namaḥ.
Namaste astu dhanvane bāhubhyāmuta te namaḥ.
Yā ta iṣuḥ śivatamā śivaṃ babhūva te dhanuḥ.
Śivā śaravyā yā tava tayā no rudra mṛḍaya.
Yā te rudra śivā tanūraghorā'pāpakāśinī.
Tayā nastanuvā śantamayā giriśantābhichākaśīhi.
Yāmiṣuṃ giriśanta haste bibharṣyastave.
Śivāṃ giritra tāṃ kuru mā higvaṃsīḥ puruṣaṃ jagat.
Śivena vachasā tvā giriśāchchhāvadāmasi.
Yathā naḥ sarvamijjagadayakṣmagvaṃ sumanā asat.
Adhyavochadadhivaktā prathamo daivyo bhiṣak.
Ahīgvaṃścha sarvān jambhayantsarvāścha yātudhānyaḥ.

Asau yastāmro aruṇa uta babhruḥ sumaṅgalaḥ.
Ye chemāgvaṃ rudrā abhito dikṣu śritāḥ
sahasraśo'vaiṣāgvaṃ heḍa īmahe.

Asau yo'vasarpati nīlagrīvo vilohitaḥ.
Utainaṃ gopā adṛśannadṛśannudahāryaḥ.
Utainaṃ viśvā bhūtāni sa dṛṣṭo mṛḍayāti naḥ.
Namo astu nīlagrīvāya sahasrākṣāya mīḍhuṣe.

Atho ye asya sattvāno'haṃ tebhyo'karan namaḥ.
Pramuñcha dhanvanastvamubhayorārtni yorjyām.
Yāścha te hasta iṣavaḥ parā tā bhagavo vapa.
Avatatya dhanustvagvaṃ sahasrākṣa śateṣudhe.
Niśīrya śalyānāṃ mukhā śivo naḥ sumanā bhava.
Vijyaṃ dhanuḥ kapardino viśalyo bāṇavāgvaṃ uta.
Aneśannasyeṣava ābhurasya niṣaṅgathiḥ.
Yā te hetirmīḍhuṣṭama haste babhūva te dhanuḥ.
Tayā'smān viśvatastvamayakṣmayā paribhuja.
Namaste astvāyudhāyānātatāya dhṛṣṇave.
Ubhābhyāmuta te namo bāhubhyāṃ tava dhanvane.
Pari te dhanvano hetirasmānvṛṇaktu viśvataḥ.
Atho ya iṣudhistavāre asmannidhehi tam. Namaste
astu bhagavanviśveśvarāya mahādevāya tryambakāya

tripurāntakāya trikāgnikālāya kālāgnirudrāya nīlakaṇṭhāya mṛtyuñjayāya sarveśvarāya sadāśivāya śrīmanmahādevāya namaḥ.

2. Namo hiraṇyabāhave senānye diśāṃ cha pataye namo namo vṛkṣebhyo harikeśebhyaḥ paśūnāṃ pataye namo namaḥ saspiñjarāya tviṣīmate pathīnāṃ pataye namo namo babhluśāya vivyādhine'nnānāṃ pataye namo namo harikeśāyopavītine puṣṭānāṃ pataye namo namo bhavasya hetyai jagatāṃ pataye namo namo rudrāyātatāvine kṣetrāṇāṃ pataye namo namaḥ sūtāyāhantyāya vanānāṃ pataye namo namo rohitāya sthapataye vṛkṣāṇāṃ pataye namo namo mantriṇe vāṇijāya kakṣāṇāṃ pataye namo namo bhuvantaye vārivaskṛtāyauṣadhīnāṃ pataye namo nama uchchairghoṣāyākrandayate pattīnāṃ pataye namo namaḥ kṛtsnavītāya dhāvate sattvanāṃ pataye namaḥ.

3. Namaḥ sahamānāya nivyādhina āvyādhinīnāṃ pataye namo namaḥ kakubhāya niṣaṅgiṇe stenānāṃ pataye namo namo niṣaṅgiṇa iṣudhimate taskarāṇāṃ pataye namo namo vañchate parivañchate stāyūnāṃ pataye namo namo nicherave paricharāyāraṇyānāṃ pataye namo namaḥ sṛkāvibhyo jighāgvaṃ sadbhyo muṣṇatāṃ pataye namo namo'simadbhyo naktañcharadbhyaḥ prakṛntānāṃ pataye namo nama uṣṇīṣiṇe giricharāya kuluñchānāṃ pataye namo nama iṣumadbhyo dhanvāvibhyaścha vo namo nama ātanvānebhyaḥ pratidadhānebhyaścha vo namo nama āyachchhadbhyo visṛjadbhyaścha vo namo namo'syadbhyo vidhyadbhyaścha vo namo nama āsīnebhyaḥ śayānebhyaścha vo namo namaḥ svapadbhyo jāgradbhyaścha vo namo namastiṣṭhadbhyo dhāvadbhyaścha vo namo namaḥ sabhābhyaḥ sabhāpatibhyaścha vo namo namo aśvebhyo'śvapatibhyaścha vo namaḥ.

4. Nama āvyādhinībhyo vividhyantībhyaścha vo namo nama ugaṇābhyastṛgvaṃ hatībhyaścha vo namo namo gṛtsebhyo gṛtsapatibhyaścha vo namo namo vrātebhyo vrātapatibhyaścha vo namo namo gaṇebhyo gaṇapatibhyaścha vo namo namo virūpebhyo viśvarūpebhyaścha vo namo namo mahadbhyaḥ, kṣullakebhyaścha vo namo namo rathibhyo'rathebhyaścha vo namo namo rathebhyo rathapatibhyaścha vo

namo namaḥ senābhyaḥ senānibhyaścha vo namo
namaḥ, kṣattṛbhyaḥ saṅgrahītṛbhyaścha vo namo
namastakṣabhyo rathakārebhyaścha vo namo namaḥ
kulālebhyaḥ karmārebhyaścha vo namo namaḥ
puñjiṣṭebhyo niṣādebhyaścha vo namo nama iṣukṛdbhyo
dhanvakṛdbhyaścha vo namo namo mṛgayubhyaḥ
śvanibhyaścha vo namo namaḥ śvabhyaḥ śvapatibhyaścha
vo namaḥ.

5. Namo bhavāya cha rudrāya cha namaḥ śarvāya cha
paśupataye cha namo nīlagrīvāya cha śitikaṇṭhāya
cha namaḥ kapardine cha vyuptakeśāya cha namaḥ
sahasrākṣāya cha śatadhanvane cha namo giriśāya cha
śipiviṣṭāya cha namo mīḍhuṣṭamāya cheṣumate cha namo
hrasvāya cha vāmanāya cha namo bṛhate cha varṣīyase
cha namo vṛddhāya cha saṃvṛdhe cha namo agriyāya cha
prathamāya cha nama āśave chājirāya cha namaḥ śīghriyāya
cha śībhyāya cha nama ūrmyāya chāvasvanyāya cha namaḥ
srotasyāya cha dvīpyāya cha.

6. Namo jyeṣṭhāya cha kaniṣṭhāya cha namaḥ pūrvajāya
chāparajāya cha namo madhyamāya chāpagalbhāya cha
namo jaghanyāya cha budhniyāya cha namaḥ sobhyāya cha
pratisaryāya cha namo yāmyāya cha kṣemyāya cha nama
urvaryāya cha khalyāya cha namaḥ ślokyāya chā'vasānyāya
cha namo vanyāya cha kakṣyāya cha namaḥ śravāya cha
pratiśravāya cha nama āśuṣeṇāya chāśurathāya cha namaḥ
śūrāya chāvabhindate cha namo varmiṇe cha varūthine
cha namo bilmine cha kavachine cha namaḥ śrutāya cha
śrutasenāya cha.

7. Namo dundubhyāya chāhananyāya cha namo dhṛṣṇave
cha pramṛśāya cha namo dūtāya cha prahitāya cha namo
niṣaṅgiṇe cheṣudhimate cha namastīkṣṇeṣave chāyudhine
cha namaḥ svāyudhāya cha sudhanvane cha namaḥ
srutyāya cha pathyāya cha namaḥ kāṭyāya cha nīpyāya
cha namaḥ sūdyāya cha sarasyāya cha namo nādyāya
cha vaiśantāya cha namaḥ kūpyāya chāvaṭyāya cha namo
varṣyāya chāvarṣyāya cha namo meghyāya cha vidyutyāya
cha nama īdhriyāya chātapyāya cha namo vātyāya cha
reṣmiyāya cha namo vāstavyāya cha vāstu pāya cha.

8. Namaḥ somāya cha rudrāya cha namastāmrāya chāruṇāya cha namaḥ śaṅgāya cha paśupataye cha nama ugrāya cha bhīmāya cha namo agrevadhāya cha dūrevadhāya cha namo hantre cha hanīyase cha namo vṛkṣebhyo harikeśebhyo namastārāya namaśśāmbhave cha mayobhave cha namaḥ śaṅkarāya cha mayaskarāya cha namaḥ śivāya cha śivatarāya cha namastīrthyāya cha kūlyāya cha namaḥ pāryāya chāvāryāya cha namaḥ prataraṇāya chottaraṇāya cha nama ātāryāya chālādyāya cha namaḥ śaṣpyāya cha phenyāya cha namaḥ sikatyāya cha pravāhyāya cha.

9. Nama iriṇyāya cha prapathyāya cha namaḥ kigvaṃśilāya cha kṣayaṇāya cha namaḥ kapardine cha pulastaye cha namo goṣṭhyāya cha gṛhyāya cha namastalpyāya cha gehyāya cha namaḥ kāṭyāya cha gahvareṣṭhāya cha namo hradayyāya cha niveṣpyāya cha namaḥ pāgvaṃsavyāya cha rajasyāya cha namaḥ śuṣkyāya cha harityāya cha namo lopyāya cholapyāya cha nama ūrvyāya cha sūrmyāya cha namaḥ parṇyāya cha parṇaśadyāya cha namo'paguramāṇāya chābhighnate cha nama ākhidate cha prakhidate cha namo vaḥ kirikebhyo devānāgvaṃ hṛdayebhyo namo vikṣīṇakebhyo namo vichinvatkebhyo nama ānirhatebhyo nama āmīvatkebhyaḥ.

10.1 Drāpe andhasaspate daridrannīlalohita. Eṣāṃ puruṣāṇāmeṣāṃ paśūnāṃ mā bhermā'ro mo eṣāṃ kiñchanāmamat.

10.2 Yā te rudra śivā tanūḥ śivā viśvāha bheṣajī. Śivā rudrasya bheṣajī tayā no mṛḍa jīvase.

10.3 Imāgvaṃ rudrāya tavase kapardine kṣayadvīrāya prabharāmahe matim. Yathā naḥ śamasaddvipade chatuṣpade viśvaṃ puṣṭaṃ grāme asminnanāturam.

10.4 Mṛḍā no rudrota no mayaskṛdhi kṣayadvīrāya namasā vidhema te. Yachchhaṃ cha yoścha manurāyaje pitā tadaśyāma tava rudra praṇītau.

10.5 Mā no mahāntamuta mā no arbhakaṃ mā na ukṣantamuta mā na ukṣitam. Mā no'vadhīḥ pitaraṃ mota mātaraṃ priyā mā nastanuvo rudra rīriṣaḥ.

10.6 Mā nastoke tanaye mā na āyuṣi mā no goṣu mā no aśveṣu rīriṣaḥ. Vīrānmā no rudra bhāmito'vadhīrhaviṣmanto namasā vidhema te.

10.7 Ārātte goghna uta pūruṣaghne kṣayadvīrāya sumnamasme te astu. Rakṣā cha no adhi cha deva brūhyadhā cha naḥ śarma yachchha dvibarhāḥ.

10.8 Stuhi śrutaṃ gartasadaṃ yuvānaṃ mṛganna bhīmamupahatnumugram. Mṛḍā jaritre rudra stavāno anyante asmannivapantu senāḥ.

10.9 Pariṇo rudrasya hetirvṛṇaktu pari tveṣasya durmati raghāyoḥ. Ava sthirā maghavadbhyastanuṣva mīḍhvastokāya tanayāya mṛḍaya.

10.10 Mīḍhuṣṭama śivatama śivo naḥ sumanā bhava. Parame vṛkṣa āyudhannidhāya kṛttiṃ vasāna āchara pinākaṃ bibhradāgahi.

10.11 Vikirida vilohita namaste astu bhagavaḥ. Yāste sahasragvaṃ hetayonyamasmannivapantu tāḥ.

10.12 Sahasrāṇi sahasradhā bāhuvostava hetayaḥ. Tāsāmīśāno bhagavaḥ parāchīnā mukhā kṛdhi.

11.1 Sahasrāṇi sahasraśo ye rudrā adhi bhūmyām. Teṣāgvaṃ sahasrayojane'vadhanvāni tanmasi.

11.2 Asmin mahatyarṇave'ntarikṣe bhavā adhi.

11.3 Nīlagrīvāḥ śitikaṇṭhāḥ śarvā adhaḥ kṣamācharāḥ.

11.4 Nīlagrīvāḥ śitikaṇṭhā divagvaṃ rudrā upaśritāḥ.

11.5 Ye vṛkṣeṣu saspiñjarā nīlagrīvā vilohitāḥ.

11.6 Ye bhūtānāmadhipatayo viśikhāsaḥ kapardinaḥ.

11.7 Ye anneṣu vividhyanti pātreṣu pibato janān.

11.8 Ye pathāṃ pathirakṣaya ailabṛdā yavyudhaḥ.

11.9 Ye tīrthāni pracharanti sṛkāvanto niṣaṅgiṇaḥ.

11.10 Ya etāvantaścha bhūyāgvaṃsaścha diśo rudrā vitasthire. Teṣāgvaṃ sahasrayojane'vadhanvāni tanmasi.
Namo rudrebhyo ye pṛthivyāṃ ye'ntarikṣe ye divi yeṣāmannaṃ vāto varṣamiṣavastebhyo daśa prāchīrdaśa dakṣiṇā daśa pratīchīrdaśodīchīr-daśordhvāstebhyo namaste no mṛḍayantu te yaṃ dviṣmo yaścha no dveṣṭi taṃ vo jambhe dadhāmi.

1. Tryambakaṃ yajāmahe sugandhiṃ puṣṭivardhanam. Urvārukamiva bandhanānmṛtyormukṣīya mā'mṛtāt.
2. Yo rudro agnau yo apsu ya oṣadhīṣu yo rudro viśvā bhuvanā''viveśa tasmai rudrāya namo astu.
3. Tamuṣṭuhi yaḥ sviṣuḥ sudhanvā yo viśvasya kṣayati bheṣajasya.
   Yakṣvāmahe saumanasāya rudraṃ namobhirdevamasuraṃ duvasya.
4. Ayaṃ me hasto bhagavānayaṃ me bhagavattaraḥ.
   Ayaṃ me viśvabheṣajo'yagvaṃ śivābhimarśanaḥ.
5. Ye te sahasramayutaṃ pāśā mṛtyo martyāya hantave.
   Tān yajñasya māyayā sarvānava yajāmahe.
   Mṛtyave svāhā mṛtyave svāhā.
6. Om namo bhagavate rudrāya viṣṇave mṛtyurme pāhi.
   Prāṇānāṃ granthirasi rudro mā viśāntakaḥ.
   Tenānnenāpyāyasva.

   Sadāśivom.

   Iti pañchamo'dhyāyaḥ.

Atha ṣaṣṭho'dhyāyaḥ

1. Hariḥ om vayagvaṃ soma vrate tava manastanūṣu bibhrataḥ.
   Prajāvantaḥ sachemahi.
2. Eṣa te rudra bhāgaḥ saha svasrā'mbikayā taṃ juṣasva svāhaiṣa te rudra bhāga' ākhuste paśuḥ.
3. Ava rudramadīmahyava devaṃ tryambakam.
   Yathā no vasya saskaradyathā naḥ śreyaskaradyathā no vyavasāyayāt.
4. Bheṣajamasi bheṣajaṃ gave'śvāya puruṣāya bheṣajam.
   Sukhaṃ meṣāya meṣyai.
5. Tryambakaṃ yajāmahe sugandhiṃ puṣṭivarddhanam.
   Urvārukamiva bandhanānmṛtyormukṣīya mā'mṛtāt.
   Tryambakaṃ yajāmahe sugandhiṃ pativedanam.
   Urvārukamiva bandhanādito mukṣīya māmutaḥ.
6. Etatte rudrā'vasaṃ tena paro mūjavato'tīhi.
   Avatatadhanvā pinākāvasaḥ kṛttivāsā' ahigvaṃ sannaḥ śivo'tīhi.
7. Tryāyuṣaṃ jamadagneḥ kaśyapasya tryāyuṣam.
   Yeveṣu tryāyuṣaṃ tanno' astu tryāyuṣam.

8. Śivo nāmāsi svadhitiste pitā namaste' astu mā mā higvaṃsīḥ.
Nivarttayāmyāyuṣe'nnādyāya-prajananāya rāyaspoṣāya suprajāstvāya suvīryāya.

Iti ṣaṣṭho'dhyāyaḥ.

Atha saptamo'dhyāyaḥ

1. Hariḥ om ugraścha bhīmaścha dhvāntaścha dhuniścha. Sāsahvāṁśchābhiyugvā cha vikṣipaḥ svāhā.
2. Agnigvaṃ hṛdayenāśanigvaṃ hṛdayāgreṇa paśupatiṃ kṛtsnahṛdayena bhavaṃ yaknā.
Śarvaṃ matasnābhyāmīśānaṃ manyunā mahādevamantaḥ parśavyenograṃ devaṃ vaniṣṭhunā vasiṣṭhahanuḥ śiṅgīni kośyābhyām.
3. Ugraṁ lohitena mitragvaṃ sauvrattyena rudraṃ daurvrattyenendraṃ prakrīḍena maruto balena sādhyānpramudā.
Bhavasya kaṇṭhyagvaṃ rudrasyāntaḥ pārśvyaṃ mahādevasya yakṛchchharvasya vaniṣṭhuḥ paśupateḥ purītat.
4. Lomabhyaḥ svāhā lomabhyaḥ svāhā tvache svāhā tvache svāhā lohitāya svāhā lohitāya svāhā medobhyaḥ svāhā medobhyaḥ svāhā.
Māgvaṃsebhyaḥ svāhā māgvaṃsebhyaḥ svāhā snāvabhyaḥ svāhā snāvabhyaḥ svāhā' sthabhyaḥ svāhā' sthabhyaḥ svāhā majjabhyaḥ svāhā majjabhyaḥ svāhā.
Retase svāhā pāyave svāhā.
5. Āyāsāya svāhā prāyāsāya svāhā saṃyāsāya svāhā viyāsāya svāhodyāsāya svāhā.
Śuche svāhā śochate svāhā śochamānāya svāhā śokāya svāhā.
6. Tapase svāhā tapyate svāhā tapyamānāya svāhā taptāya svāhā gharmāya svāhā.
Niṣkṛtyai svāhā prāyaśchityai svāhā bheṣajāya svāhā.
7. Yamāya svāhā'ntakāya svāhā mṛtyave svāhā.
Brahmaṇe svāhā brahmahatyāyai svāhā viśvebhyo devebhyaḥ svāhā dyāvā-pṛthivībhyāgvaṃ svāhā.

Iti saptamo'dhyāyaḥ.

Atha aṣṭamo'dhyāyaḥ

Chamaka Praśnaḥ

Hariḥ om agnāviṣṇū sajoṣasemāvardhantu vāṃ giraḥ. Dyumnairvājebhirāgatam.

1. Vājaścha me prasavaścha me prayatiścha me prasitiścha me dhītiścha me kratuścha me svaraścha me ślokaścha me śrāvaścha me śrutiścha me jyotiścha me suvaścha me prāṇaścha me'pānaścha me vyānaścha me'suścha me chittaṃ cha ma ādhītaṃ cha me vāk cha me manaścha me chakṣuścha me śrotraṃ cha me dakṣaścha me balaṃ cha ma ojaścha me sahaścha ma āyuścha me jarā cha ma ātmā cha me tanūścha me śarma cha me varma cha me'ṅgāni cha me'sthāni cha me parūgvaṃṣi cha me śarīrāṇi cha me.
2. Jyaiṣṭhyaṃ cha ma ādhipatyaṃ cha me manyuścha me bhāmaścha me'maścha me'mbhaścha me jemā cha me mahimā cha me varimā cha me prathimā cha me varṣmā cha me drāghuyā cha me vṛddhaṃ cha me vṛddhiścha me satyaṃ cha me śraddhā cha me jagachcha me dhanaṃ cha me vaśaścha me tviṣiścha me krīḍā cha me modaścha me jātaṃ cha me janiṣyamāṇaṃ cha me sūktaṃ cha me sukṛtaṃ cha me vittaṃ cha me vedyaṃ cha me bhūtaṃ cha me bhaviṣyachcha me sugaṃ cha me supathaṃ cha ma ṛddhaṃ cha ma ṛddhiścha me klṛptaṃ cha me klṛptiścha me matiścha me sumatiścha me.
3. Śaṃ cha me mayaścha me priyaṃ cha me'nukāmaścha me kāmaścha me saumanasaścha me bhadraṃ cha me śreyaścha me vasyaścha me yaśaścha me bhagaścha me draviṇaṃ cha me yantā cha me dhartā cha me kṣemaścha me dhṛtiścha me viśvaṃ cha me mahaścha me saṃvichcha me jñātraṃ cha me sūścha me prasūścha me sīraṃ cha me layaścha ma ṛtaṃ cha me'mṛtaṃ cha me'yakṣmaṃ cha me'nāmayachcha me jīvātuścha me dīrghāyutvaṃ cha me'namitraṃ cha me'bhayaṃ cha me sugaṃ cha me śayanaṃ cha me sūṣā cha me sudinaṃ cha me.
4. Ūrk cha me sūnṛtā cha me payaścha me rasaścha me ghṛtaṃ cha me madhu cha me sagdhiścha me sapītiścha me kṛṣiścha me vṛṣṭiścha me jaitraṃ cha ma audbhidyaṃ cha me rayiścha me rāyaścha me puṣṭaṃ cha me puṣṭiścha me

vibhu cha me prabhu cha me bahu cha me bhūyaścha me pūrṇaṃ cha me pūrṇataraṃ cha me'kṣitiścha me kūyavāścha me'nnaṃ cha me'kṣuchcha me vrīhayaścha me yavāścha me māṣāścha me tilāścha me mudgāścha me khalvāścha me godhūmāścha me masurāścha me priyaṅgavaścha me'ṇavaścha me śyāmākāścha me nīvārāścha me.

5. Aśmā cha me mṛttikā cha me girayaścha me parvatāścha me sikatāścha me vanaspatayaścha me hiraṇyaṃ cha me'yaścha me sīsaṃ cha me trapuścha me śyāmaṃ cha me lohaṃ cha me'gniścha ma āpaścha me vīrudhaścha ma oṣadhayaścha me kṛṣṭapachyaṃ cha me'kṛṣṭapachyaṃ cha me grāmyāścha me paśava āraṇyāścha yajñena kalpantāṃ vittaṃ cha me vittiścha me bhūtaṃ cha me bhūtiścha me vasu cha me vasatiścha me karma cha me śaktiścha me'rthaścha ma emaścha ma itiścha me gatiścha me.

6. Agniścha ma indraścha me somaścha ma indraścha me savitā cha ma indraścha me sarasvatī cha ma indraścha me pūṣā cha ma indraścha me bṛhaspatiścha ma indraścha me mitraścha ma indraścha me varuṇaścha ma indraścha me tvaṣṭā cha ma indraścha me dhātā cha ma indraścha me viṣṇuścha ma indraścha me'śvinau cha ma indraścha me marutaścha ma indraścha me viśve cha me devā indraścha me pṛthivī cha ma indraścha me'ntarikṣaṃ cha ma indraścha me dyauścha ma indraścha me diśścha ma indraścha me mūrdhā cha ma indraścha me prajāpatiścha ma indraścha me.

7. Agvaṃśuścha me raśmiścha me'dābhyaścha me'dhipatiścha ma upāgvaṃśuścha me'ntaryāmaścha ma aindravāyavaścha me maitrāvaruṇaścha ma āśvinaścha me pratiprasthānaścha me śukraścha me manthī cha ma āgrayaṇaścha me vaiśvadevaścha me dhruvaścha me vaiśvānaraścha ma ṛtugrahāścha me'tigrāhyāścha ma aindrāgnaścha me vaiśvadevaścha me marutvatīyāścha me māhendraścha ma ādityaścha me sāvitraścha me sārasvataścha me pauṣṇaścha me pātnīvataścha me hāriyojanaścha me.

8. Idhmaścha me barhiścha me vediścha me dhiṣṇiyāścha me sruchaścha me chamasāścha me grāvāṇaścha me svaravaścha ma uparavāścha me'dhiṣavaṇe cha me droṇakalaśaścha me vāyavyāni cha me pūtabhṛchcha ma

ādhavanīyaścha ma āgnīdhraṃ cha me havirdhānaṃ cha me gṛhāścha me sadaścha me puroḍāśāścha me pachatāścha me'vabhṛthaścha me svagākāraścha me.

9. Agniścha me gharmaścha me'rkaścha me sūryaścha me prāṇaścha me'śvamedhaścha me pṛthivī cha me'ditiścha me ditiścha me dyauścha me śakvarīraṅgulayo diśaścha me yajñena kalpantāmṛk cha me sāma cha me stomaścha me yajuścha me dīkṣā cha me tapaścha ma ṛtuścha me vrataṃ cha me'horātrayorvṛṣṭyā bṛhadrathantare cha me yajñena kalpetām.

10. Garbhāścha me vatsāścha me tryaviścha me tryavīcha me dityavāṭ cha me dityauhī cha me pañchāviścha me pañchāvī cha me trivatsaścha me trivatsā cha me turyavāṭ cha me turyauhī cha me paṣṭhavāṭ cha me paṣṭhauhī cha ma ukṣā cha me vaśā cha ma ṛṣabhaścha me vehachcha me'naḍvāñcha me dhenuścha ma āyuryajñena kalpatāṃ prāṇo yajñena kalpatāmapāno yajñena kalpatāṃ vyāno yajñena kalpatāṃ chakṣuryajñena kalpatāgvaṃ śrotraṃ yajñena kalpatāṃ mano yajñena kalpatāṃ vāgyajñena kalpatāmātmā yajñena kalpatāṃ yajño yajñena kalpatām.

11. Ekā cha me tisraścha me pañcha cha me sapta cha me nava cha ma ekādaśa cha me trayodaśa cha me pañchadaśa cha me saptadaśa cha me navadaśa cha ma ekavigvaṃśatiścha me trayovigvaṃśatiścha me pañchavigvaṃśatiścha me saptavigvaṃśatiścha me navavigvaṃśatiścha ma ekatrigvaṃśachcha me trayastrigvaṃśachcha me chatasraścha me'ṣṭau cha me dvādaśa cha me ṣoḍaśa cha me vigvaṃśatiścha me chaturvigvaṃśatiścha me'ṣṭāvigvaṃśatiścha me dvātrigvaṃśachcha me ṣaṭtrigvaṃśachcha me chatvārigvaṃśachcha me chatuśchatvārigvaṃśachcha me'ṣṭāchatvārigvaṃśachcha me vājaścha prasavaśchāpijaścha kratuścha suvaścha mūrdhā cha vyaśniyaśchāntyāyanaśchāntyaścha bhauvanaścha bhuvanaśchādhipatiścha.

Om iḍā devahūrmanuryajñanīrbṛhaspatirukthāmadāni śagvaṃ siṣadviśve devāḥ sūktavāchaḥ pṛthivimātarmā mā higvaṃsīrmadhu maniṣye madhu janiṣye madhu vakṣyāmi madhu vadiṣyāmi madhumatīṃ devebhyo vāchamudyāsagvaṃ śuśrūṣeṇyāṃ manuṣyebhyastaṃ mā devā avantu śobhāyai pitaro'numadantu.

Iti aṣṭamo'dhyāyaḥ.

Atha śāntyadhyāyaḥ

1. Hariḥ om ṛchaṃ vāchaṃ prapadye mano yajuḥ prapadye sāma prāṇaṃ prapadye chakṣuḥ śrotraṃ prapadye. Vāgojaḥ sahaujo mayi prāṇāpānau.
2. Yanme chhidraṃ chakṣuṣo hṛdayasya manaso vātitṛṇaṃ bṛhaspatirme tadhātu. Śaṃ no bhavatu bhuvanasya yaspatiḥ.
3. Bhūrbhuvaḥ svaḥ. Tatsaviturvareṇyaṃ bhargo devasya dhīmahi. Dhiyo yo naḥ prachodayāt.
4. Kayā naśchitra' ābhuvadūtī sadāvṛdhaḥ sakhā. Kayā śachiṣṭhayā vṛtā.
5. Kastvā satyo madānāṃ magvaṃhiṣṭho matsadandhasaḥ. Dṛḍhā chidāruje vasu.
6. Abhī ṣu ṇaḥ sakhīnāmavitā jaritṛṇām. Śataṃ bhavāsyūtibhiḥ.
7. Kayā tvaṃ na'ūtyābhi pramandase vṛṣan. Kayā stotṛbhya' ābhara.
8. Indro viśvasya rājati. Śaṃ no' astu dvipade śaṃ chatuṣpade.
9. Śaṃ no mitraḥ śaṃ varuṇaḥ śaṃ no bhavatvaryamā. Śaṃ na' indro bṛhaspatiḥ śaṃ no viṣṇururukramaḥ.
10. Śaṃ no vātaḥ pavatāgvaṃ śaṃ nastapatu sūryaḥ. Śaṃ naḥ kanikradevaḥ parjanyo' abhivarṣatu.
11. Ahāni śaṃ bhavantu naḥ śagvaṃ rātrīḥ pratidhīyatām. Śaṃ na' indrāgnī bhavatāmavobhiḥ śaṃ na'indrāvaruṇā rātahavyā. Śaṃ na' indrāpūṣaṇā vājasātau śamindrāsomā suvitāya śaṃ yoḥ.
12. Śaṃ no devīrabhiṣṭaya' āpo bhavantu pītaye. Śaṃ yorabhisravantu naḥ.
13. Syonā pṛthivi no bhavānṛkṣarā niveśanī. Yachchhā naḥ śarma saprathāḥ.
14. Āpo hi ṣṭhā mayobhuvastā na' ūrje dadhātana. Mahe raṇāya chakṣase.

15. Yo vaḥ śivatamo rasastasya bhājayateha naḥ. Uśatīriva mātaraḥ.
16. Tasmā' araṃ gamāma vo yasya kṣayāya jinvatha. Āpo janayathā cha naḥ.
17. Dyauḥ śāntirantarikṣagvaṃ śāntiḥ pṛthivī śāntirāpaḥ śāntiroṣadhayaḥ śāntiḥ.
    Vanaspatayaḥ śāntirviśve devāḥ śāntirbrahma śāntiḥ sarvagvaṃ śāntiḥ śāntireva śāntiḥ sā mā śāntiredhi.
18. Dṛte dṛgvaṃ ha mā mitrasya mā chakṣuṣā sarvāṇi bhūtāni samīkṣantām. Mitrasyāhaṃ chakṣuṣā sarvāṇi bhūtāni samīkṣe. Mitrasya chakṣuṣā samīkṣāmahe.
19. Dṛte dṛgvaṃ ha mā. Jyokte sandṛśi jīvyāsaṃ jyokte sandṛśi jīvyāsam.
20. Namaste harase śochiṣe namaste' astvarchiṣe.
    Anyām̐ste' asmattapantu hetayaḥ pāvako' asmabhyagvaṃ śivo bhava.
21. Namaste' astu vidyute namaste stanayitnave.
    Namaste bhagavannastu yataḥ svaḥ samīhase.
22. Yato yataḥ samīhase tato no' abhayaṃ kuru.
    Śaṃ naḥ kuru prajābhyo'bhayaṃ naḥ paśubhyaḥ.
23. Sumitriyā na' āpa' oṣadhayaḥ santu durmitriyāstasmai santu yo'smāndveṣṭi yaṃ cha vayaṃ dviṣmaḥ.
24. Tachchakṣurdevahitaṃ purastāchchhukramuchcharat.
    Paśyema śaradaḥ śataṃ jīvema śaradaḥśatagvaṃ śṛṇuyāma śaradaḥ śataṃ prabravāma śaradaḥ śatamadīnāḥ syāma śaradaḥ śataṃ bhūyaścha śaradaḥ śatāt.

Atha svastiprārthanā

End the water offering with the shringi and now start using a lota *or waterpot.*

1. Hariḥ om svastina'indrovṛddhaśravāḥ svasti naḥ pūṣāviśvavedāḥ svastinastārkṣyo' ariṣṭa nemiḥ svastinobṛhaspatirdadhātu.
2. Om payaḥ pṛthivyāmpaya'oṣadhīṣu payodivyantarikṣepayodhāḥ.
   Payasvatīḥ pradiśaḥ santumahyam.

3. Om viṣṇorarāṭamasiviṣṇoḥ śnaptresthoviṣṇoḥ syūrasiviṣṇordhruvo'si.
Vaiṣṇavamasiviṣṇavettvā.
4. Om agnirdevatā vātodevatā sūryodevatā chandramādevatā vasavodevatā rudrādevatā"dittyādevatā marutodevatā viśvedevādevatā bṛhaspatirdevatendrodevatā varuṇodevatā.
5. Om sadyojātaṃ prapadyāmi sadyojātāya vai namo namaḥ. Bhave bhave nātibhave bhavasva māṃ bhavodbhavāya namaḥ.
6. Vāmadevāya namo jyeṣṭhāya namaḥ śreṣṭhāya namo rudrāya namaḥ kālāya namaḥ kalavikaraṇāya namo balavikaraṇāya namo balāya namo balapramathanāya namaḥ sarvabhūtadamanāya namo manonmanāya namaḥ.
7. Aghorebhyo'thaghorebhyo ghoraghoratarebhyaḥ. Sarvebhyaḥ sarva śarvebhyo namaste 'astu rudrarūpebhyaḥ.
8. Tatpuruṣāya vidmahe mahādevāya dhīmahi. Tanno rudraḥ prachodayāt.
9. Īśānaḥ sarvavidyānāmīśvaraḥ sarvabhūtānām. Brahmādhipatir-brahmaṇo'dhipatirbrahmā śivo me 'astu sadā śivo'm.
10. Om śivo nāmāsi svadhitiste pitā namaste 'astu mā mā higvaṃsīḥ.
Nivarttayāmyāyuṣe'nnādyāya prajananāya rāyaspoṣāya suprajāstvāya suvīryāya.
11. Om viśvāni deva savitarduritāniparāsuva. Yadbhadraṃ tanna' āsuva.
12. Om dyauḥśāntirantarikṣagvaṃ śāntiḥ pṛthivīśāntirāpaḥ śāntiroṣadhayaḥ śāntiḥ.
Vanaspatayaḥ śāntirviśvedevāḥ śāntirbrahmaśāntiḥ sarvagvaṃ śāntiḥ śāntirevaśāntiḥ sā mā śāntiredhi.
13. Om sarveṣāṃ vā eṣa vedānāgvaṃ raso yatsāma sarveṣāmevainametadvedānāgvaṃ rasenābhiṣiñchati.

Om śāntiḥ śāntiḥ śāntiḥ.

Anena kṛtena śrīrudrābhiṣekakarmaṇā śrībhavānīśaṅkara-mahārudraḥ prīyatāṃ na mama.

Om sadāśivārpaṇamastu.

Iti rudrāṣṭādhyāyī.

Atha ṣaḍaṅganyāsa

Perform abhisheka with bhasma, *sacred ash, flower, milk, curd, ghee, honey and sugar.*

1. Om mano jūtirjuṣatāmājyasya vṛhaspatiryajñamimaṃ tano tvariṣṭaṃ yajñagvaṃ samimaṃ dadhātu. Viśvedevāsa 'iha mā dayantāmoṃ' pratiṣṭha. Om hṛdayāya namaḥ.
2. Om abodhyagniḥ samidhā janānāṃ prati dhenumivā yatīmuṣāsam. Yahvā 'iva pravayā mujjihānāḥ prabhānavaḥ sisrate nākamachchha. Om śirase svāhā.
3. Om mūrddhānaṃ divo'aratiṃ pṛthivyā vaiśvānaramṛta 'ājātamagnim. Kavigvaṃ samrājamatithiṃ janānāmāsannā pātraṃ janayanta devāḥ. Om śikhāyai vaṣaṭ.
4. Om marmāṇī te varmaṇāchchhādayāmi somastvā rājāmṛtenānu vastām. Urorvarīyo varuṇaste kṛṇotu jayantantvānu devā madantu. Om kavachāya hum.
5. Om viśvataśchakṣuruta viśvatomukho viśvatobāhuruta viśvataspāt. Saṃ bāhubhyāṃ dhamati sampatatrairdyāvābhūmī janayandeva'ekaḥ. Om netratrayāya vauṣaṭ.
6. Om mā na stoke tanaye mā na 'āyuṣi mā no goṣu mā no 'aśveṣu rīriṣaḥ. Mā no vīrān rudra bhāmino vadhīrhaviṣmantaḥ sadamittvā havāmahe. Om astrāya phaṭ.

Pañchāmṛtasnāna

Bathe the Shivalingam with panchamrit, *a mixture of milk, curd, ghee, sugar, honey.*

Om pañcha nadyaḥ sarasvatīmapi yanti sasrotasaḥ. Sarasvatī tu pañchadhā so deśe'bhavatsarit. Pañchāmṛtaṃ mayā'nītaṃ payo dadhi ghṛtaṃ madhu. Śarkarā cha samāyuktaṃ snānārthaṃ pragṛhyatām.

Śrīmatebhagavate viśveśvarāya namaḥ, pañchāmṛtasnānaṃ samarpayāmi.

Gandhodakasnāna

Bathe the Shivalingam with sandalwood paste.

Om tvāṃ gandharvā 'akhanaṁstvāmindrastvāṃ bṛhaspatiḥ. Tvāmoṣadhe somo rājā vidvānyakṣmādamuchyata.

Malayāchalāsambhūtaṃ chandanāgurusambhavam.
Chandanaṃ deva deveśa snānārthaṃ pragṛhyatām.
Śrīmatebhagavate viśveśvarāya namaḥ, gandhodakasnānaṃ
samarpayāmi.

Vijayāsnāna

Bathe the Shivalingam with hemp.

Om vijyaṃ dhanuḥ kapardino viśalyo bāṇavāgvaṃ uta.
Aneśannasyeṣava ābhurasya niṣaṅgathiḥ.
Śivaprītikaraṃ ramyaṃ divyabhāvasamanvitam.
Vijayākhyaṃ cha snānārthaṃ bhaktyā dattaṃ pragṛhyatām.
Śrīmatebhagavate viśveśvarāya namaḥ, vijayāṃ
samarpayāmi.

Udvartanasnāna

Bathe the Shivalingam with fragrance.

Om agvaṃśunā te agvaṃśuḥ pṛchyatāṃ paruṣā paruḥ.
Gandhaste somamavatu madāya raso'achyutaḥ.
Nānāsugandhidravyaṃ cha chandanaṃ rajanīyutam.
Udvartanaṃ mayā dattaṃ snānārthaṃ pragṛhyatām.

Śrīmatebhagavate viśveśvarāya namaḥ, udvartanasnānaṃ
samarpayāmi.

Śuddhodakasnāna

Bathe the Shivalingam with sacred water.

Om śuddhavālaḥ sarvaśuddhavālo maṇivālasta 'āśvināḥ.
Śyetaḥ śyetākṣo'ruṇaste rudrāya paśupataye karṇāyāmā
'avaliptā raudrā nabhorūpāḥ pārjanyāḥ. Gaṅgā godāvarī revā
payoṣṇī yamunā tathā. Sarasvatī tīrthajātaṃ snānārthaṃ
pragṛhyatām.

Śrīmatebhagavate viśveśvarāya namaḥ śuddhodakasnānaṃ
samarpayāmi.

307

Rudrāṣṭakam

While chanting Rudrashtakam, clean the Shivalingam and offer cloth and sacred thread to the Shivalingam.

1. Namāmīśamīśāna nirvāṇarūpaṃ,
Vibhuṃ vyāpakaṃ brahma vedasvarūpam.
Nijaṃ nirguṇaṃ nirvikalpaṃ nirīhaṃ
Chidākāśamākāśavāsaṃ bhaje'ham.

2. Nirākāramoṅkāramūlaṃ turīyaṃ
Girājñāna gotītamīśaṃ girīśam.
Karālaṃ mahākālakālaṃ kṛpālaṃ
Guṇāgāra saṃsārapāraṃ nato'ham.

3. Tuṣārādrisaṅkāśagauraṃ gabhīraṃ
Manobhūta koṭi prabhā śrīśarīram.
Sphuranmauli kallolinī chāru gaṅgā
Lasadbhālabālendu kaṇṭhe bhujaṅgā.

4. Chalatkuṇḍalaṃ bhrū sunetraṃ viśālaṃ
Prasannānanaṃ nīlakaṇṭhaṃ dayālam.
Mṛgādhīśacharmāmbaraṃ muṇḍamālaṃ
Priyaṃ śaṅkaraṃ sarvanāthaṃ bhajāmi.

5. Prachaṇḍaṃ prakṛṣṭaṃ pragalbhaṃ pareśaṃ
Akhaṇḍaṃ ajaṃ bhānukoṭiprakāśam.
Trayaḥ śūla nirmūlanaṃ śūlapāṇiṃ
Bhaje'haṃ bhavānīpatiṃ bhāvagamyam.

6. Kalātīta kalyāṇa kalpāntakārī
Sadāsajjanānandadātā purāri.
Chidānandasandoha mohāpahārī
Prasīda prasīda prabho manmathāri.

7. Na yāvat umānātha pādāravindaṃ
Bhajantīha loke pare vā narāṇām.
Na tāvatsukhaṃ śānti santāpanāśaṃ
Prasīda prabho sarvabhūtādhivāsam.

8. Na jānāmi yogaṃ japaṃ naiva pūjāṃ
Nato'haṃ sadā sarvadā śaṃbhu tubhyam.
Jarā janma duḥkhaugha tātapyamānaṃ
Prabho pāhi āpannamāmīśa śambho.

Om śāntiḥ śāntiḥ śāntiḥ. Hariḥ om

Gandha (chandana)

Apply sandalwood paste on the Shivalingam.

Om pramuñcha dhanvanastvamubhayorārtnir yorjyām.
Yāścha te hasta 'iṣavaḥ parā tā bhagavo vapa.
Śrīkhaṇḍaṃ chandanaṃ divyaṃ gandhāḍhayaṃ sumanoharam. Vilepanaṃ suraśreṣṭha chandanaṃ pragṛhyatām.
Śrīmatebhagavate viśveśvarāya namaḥ, gandhaṃ samarpayāmi.

Bhasma

Apply sacred ash on the Shivalingam.

Om prasadya bhasmanā yonimapaścha pṛthivīmagne.
Sagvaṃsṛjyamātṛbhiṣṭvaṃ jyotiṣmān punarāsadaḥ.
Sarvapāpaharaṃ bhasma divyajyotisamaprabham.
Sarvakṣemakaraṃ puṇyaṃ gṛhāṇa parameśvara.
Śrīmatebhagavate viśveśvarāya namaḥ, bhasmaṃ samarpayāmi.

Akṣata

Place rice on the Shivalingam.

Om akṣannamīmadanta hyava priyā 'adhūṣata.
Astoṣata svabhānavo viprānaviṣṭhayā matī yojānvindrate harī.
Akṣatāścha suraśreṣṭha kuṅkumāktāḥ suśobhitāḥ.
Mayā niveditā bhaktyā gṛhāṇa parameśvara.
Śrīmatebhagavate viśveśvarāya namaḥ, akṣata samarpayāmi.

Nānāparimaladravya

Place coloured powder on the Shivalingam.

Om ahiriva bhogaiḥ paryeti bāhuṁ jyāyā hetiṃ paribādhamānaḥ. Hastaghno viśvā vayunāni vidvān pumān pumāgvaṃsaṃ paripātu viśvataḥ.
Abīraṃ cha gulālaṃ cha haridrādisamanvitam.
Nānāparimalaṃ dravyaṃ gṛhāṇa parameśvara.
Śrīmatebhagavate viśveśvarāya namaḥ, nānāparimaladravyaṃ samarpayāmi.

Sindūra

Place vermilion powder on the Shivalingam.

Om sindhoriva prādhvane śūghanāso vātapramiyaḥ patayanti yahvāḥ. Ghṛtasya dhārā 'aruṣo na vāji kāṣṭhā bhindannūmibhiḥ pinvamānaḥ. Sindūraṃ śobhanaṃ raktaṃ saubhāgyasukhavarddhanam.
Śubhadaṃ chaiva māṅgalyaṃ sindūraṃ pragṛhyatām.
Śrīmatebhagavate viśveśvarāya namaḥ, sindūraṃ samarpayāmi.

Sugandhidravyaṃ

Place perfume on the Shivalingam.

Om tryambakaṃ yajāmahe sugandhiṃ puṣṭivarddhanam.
Urvārukamiva bandhanānmṛtyormukṣīya mā'mṛtāt.
Divyagandhasamāyuktaṃ mahāparimalādbhutam.
Gandhadravyamidaṃ bhaktyā dattaṃ svīkuru śaṅkara.
Śrīmatebhagavate viśveśvarāya namaḥ, sugandhidravyaṃ samarpayāmi.

Puṣpamālā

Place a flower garland on the Shivalingam.

Om oṣadhīḥ pratimodadhvaṃ puṣpavatīḥ prasūvarīḥ.
Aśvā 'iva sajittvarīrvīrudhaḥ pārayiṣṇvaḥ.
Mālyādīni sugandhīni mālatyādīni vai prabho.
Mayā''nītāni puṣpāṇi gṛhāṇa parameśvara.
Śrīmatebhagavate viśveśvarāya namaḥ, puṣpamālāṃ samarpayāmi.

Bilvapatra

With every sloka, place one bael leaf on the Shivalingam.

Bilvāṣṭaka Stotra

1. Tridalaṃ triguṇākāraṃ trinetraṃ cha triyāyudham.
   Trijanma pāpa samhāraṃ eka bilvaṃ śivārpaṇam.
2. Triśākherabilvapatraiścha achchhidreḥ komalaistathā.
   Śivapūjāṃ kariṣyāmi eka bilvaṃ śivārpaṇam.
3. Akhaṇḍa bilvapatreṇa pūjitaṃ nandikeśvaram.
   Śuddhyate sarvapāpebhyo eka bilvaṃ śivārpaṇam.
4. Śāligrāma śilāmekāṃ viprāṇāṃ jātu arpayet.
   Somayajña mahādānaṃ eka bilvaṃ śivārpaṇam.
5. Danti koṭi sahasrāṇi aśvamedha śatānicha.
   Koṭi kanyā mahādānaṃ eka bilvaṃ śivārpaṇam.
6. Lakṣmyāśchastana-utpannaṃ mahādeva sadāpriyam.
   Bilvavṛkṣaṃ prayachchhāmi eka bilvaṃ śivārpaṇam.
7. Darśanaṃ bilvavṛkṣasya sparśanaṃ pāpa nāśanam.
   Aghora pāpa saṃhāraṃ eka bilvaṃ śivārpaṇam.
8. Mūlato brahmarūpāya madhyato viṣṇu rūpiṇe.
   Agrataḥ śivarūpāya eka bilvaṃ śivārpaṇam.
9. Om namo bilmine cha kavachine cha namo varmiṇe
   Cha varūthine cha namaḥ śrutāya cha śrutasenāya
   Cha namo dundubhyāya chāhananyāya cha.

   Śrī bhagavate sāmba sadāśivāya namaḥ bilvapatrāṇi samarpayāmi.

Om śāntiḥ śāntiḥ śāntiḥ. Hariḥ om

Śiva-aṣṭottara-śata-nāmāvaliḥ

With every 'namah' place one bael leaf on the Shivalingam.

1. Om śivāya namaḥ
2. Om maheśvarāya namaḥ
3. Om śambhave namaḥ
4. Om pinākine namaḥ
5. Om śaśiśekharāya namaḥ
6. Om vāmadevāya namaḥ
7. Om virūpākṣāya namaḥ
8. Om kapardine namaḥ
9. Om nīlalohitāya namaḥ
10. Om śaṅkarāya namaḥ
11. Om śūlapāṇaye namaḥ
12. Om khaṭvāṅgine namaḥ
13. Om viṣṇuvallabhāya namaḥ
14. Om śipiviṣṭāya namaḥ
15. Om ambikānāthāya namaḥ
16. Om śrīkaṇṭhāya namaḥ
17. Om bhaktavatsalāya namaḥ
18. Om bhavāya namaḥ
19. Om śarvāya namaḥ
20. Om ugrāya namaḥ
21. Om kapāline namaḥ
22. Om kāmāraye namaḥ
23. Om andhakāsurasūdanāya namaḥ
24. Om gaṅgādharāya namaḥ
25. Om lalāṭākṣāya namaḥ
26. Om kālakālāya namaḥ
27. Om kṛpānidhaye namaḥ
28. Om bhīmāya namaḥ
29. Om paraśuhastāya namaḥ
30. Om mṛgapāṇaye namaḥ
31. Om jaṭādharāya namaḥ
32. Om kailāsavāsine namaḥ
33. Om kavachine namaḥ
34. Om kaṭhorāya namaḥ
35. Om tripurāntakāya namaḥ
36. Om vṛṣāṅkāya namaḥ
37. Om vṛṣabhārūḍhāya namaḥ
38. Om bhasmod dhūlitavigrahāya namaḥ
39. Om trilokeśāya namaḥ
40. Om śitikaṇṭhāya namaḥ
41. Om trayīmūrtaye namaḥ
42. Om sarvajñāya namaḥ
43. Om paramātmane namaḥ
44. Om somasūryāgnilochanāya namaḥ
45. Om haviṣe namaḥ
46. Om yajñamayāya namaḥ
47. Om somāya namaḥ
48. Om pañchavaktrāya namaḥ
49. Om sadāśivāya namaḥ
50. Om viśveśvarāya namaḥ
51. Om vīrabhadrāya namaḥ
52. Om gaṇanāthāya namaḥ
53. Om prajāpataye namaḥ
54. Om hiraṇyaretase namaḥ
55. Om durdharṣāya namaḥ
56. Om girīśāya namaḥ
57. Om giriśāya namaḥ
58. Om anaghāya namaḥ
59. Om bhujaṅgabhūṣaṇāya namaḥ
60. Om bhargāya namaḥ
61. Om giridhanvine namaḥ
62. Om kṛttivāsase namaḥ
63. Om purārātaye namaḥ
64. Om bhagavate namaḥ
65. Om haraye namaḥ
66. Om sāmapriyāya namaḥ

67. Om svaramayāya namaḥ
68. Om pramathādhipāya namaḥ
69. Om mṛtyuñjayāya namaḥ
70. Om sūkṣmatanave namaḥ
71. Om jagadvyāpine namaḥ
72. Om jagadgurave namaḥ
73. Om vyomakeśāya namaḥ
74. Om mahāsenajanakāya namaḥ
75. Om chāruvikramāya namaḥ
76. Om rudrāya namaḥ
77. Om bhūtapataye namaḥ
78. Om sthāṇave namaḥ
79. Om ahirbudhnyāya namaḥ
80. Om digambarāya namaḥ
81. Om aṣṭamūrtaye namaḥ
82. Om anekātmane namaḥ
83. Om śuddhavigrahāya namaḥ
84. Om śāśvatāya namaḥ
85. Om khaṇḍaparaśave namaḥ
86. Om ajāya namaḥ
87. Om pāśavimochakāya namaḥ
88. Om mṛḍāya namaḥ
89. Om paśupataye namaḥ
90. Om devāya namaḥ
91. Om avyayāya namaḥ
92. Om sahasrākṣāya namaḥ
93. Om pūṣadantabhide namaḥ
94. Om avyagrāya namaḥ
95. Om dakṣādhvaraharāya namaḥ
96. Om harāya namaḥ
97. Om bhaganetrabhide namaḥ
98. Om avyaktāya namaḥ
99 Om śivāpriyāya namaḥ
100. Om anīśvarāya namaḥ
101. Om sahasrapade namaḥ
102. Om sāttvikāya namaḥ
103. Om apavargapradāya namaḥ
104. Om anantāya namaḥ
105. Om tārakāya namaḥ
106. Om parameśvarāya namaḥ
107. Om giripriyāya namaḥ
108. Om mahādevāya namaḥ

Om śāntiḥ śāntiḥ śāntiḥ. Hariḥ om

Om namobhagavate viśveśvarāya namaḥ aṣṭottaraśata bilvapatrāṇi samarpayāmi.

Dūrvāṅkura

Offer durva grass to the Shivalingam.

Om kāṇḍāt kāṇḍātprarohanti parūṣaḥ parūṣaspari. Evā no dūrve pratanu sahasreṇa śatena cha. Dūrvāṅkurān suharitānamṛtān maṅgalapradān. Ānītāṃstava pūjārtha gṛhāṇa parameśvara. Śrīmatebhagavate viśveśvarāya namaḥ, dūrvāṅkura samarpayāmi.

Śamīpatra

Offer shami leaf to the Shivalingam.

Om agnestanūrasi vācho visarjanaṃ devavītaye ttvā gṛhṇāmi bṛhadgrāvāsi vānaspatyaḥ sa'idaṃ devebhyo haviḥ śamīṣva suśami samīṣva. Haviṣkṛdehi haviṣkṛdehi. Amaṅgalānāṃ cha śamanīṃ śamanīṃ duṣkṛtasya cha. Duḥsvapnanāśinīṃ dhanyāṃ prapadye'haṃ śamīṃ śubhām. Śrīmatebhagavate viśveśvarāya namaḥ, śamīpatraṃ samarpayāmi.

Tulasī-mañjarī

Offer tulasi buds to the Shivalingam.

Om śivo bhava prajābhyo mānuṣībhyastvamaṅgiraḥ. Mā dyāvāpṛthivī 'abhiśochīrmāntarikṣaṃ mā vanaspatīn. Milatparimalāmodabhṛṅga saṅgītasaṃstutām. Tulasīmañjarīṃ mañju añjasā svīkuru prabho. Śrīmatebhagavate viśveśvarāya namaḥ, tulasīmañjarī samarpayāmi.

Aṅgapūjā

Worship the mentioned body part while offering flowers to the Shivalingam with each mantra.

Om īśānāya namaḥ pādau pūjayāmi. (feet)
Om śaṅkarāya namaḥ jaṅghe pūjayāmi. (thighs)
Om śūlapāṇaye namaḥ gulphau pūjayāmi. (ankles)
Om śambhave namaḥ kaṭī pūjayāmi. (waist)
Om svayambhuve namaḥ guhyaṃ pūjayāmi. (generative organ)
Om mahādevāya namaḥ nābhi pūjayāmi. (navel)
Om viśvakartre namaḥ udaraṃ pūjayāmi. (stomach)
Om sarvatomukhāya namaḥ pārśve pūjayāmi. (sides)
Om sthāṇave namaḥ stanau pūjayāmi. (breasts)

Om nīlakaṇṭhāya namaḥ kaṇṭhaṃ pūjayāmi. (throat)
Om śivātmane namaḥ mukhaṃ pūjayāmi. (mouth)
Om trinetrāya namaḥ netre pūjayāmi. (eyes)
Om nāgabhūṣaṇāya namaḥ śiraḥ pūjayāmi. (head)
Om devādhidevāya namaḥ sarvāṅgaṃ pūjayāmi. (all parts)

Āvaraṇapūjā

With each 'namah', offer flowers to the Shivalingam.

1. Om aghorāya namaḥ
2. Om paśupataye namaḥ
3. Om śivāya namaḥ
4. Om virūpāya namaḥ
5. Om viśvarūpāya namaḥ
6. Om tryambakāya namaḥ
7. Om bhairavāya namaḥ
8. Om kapardine namaḥ
9. Om śūlapāṇaye namaḥ
10. Om īśānāya namaḥ
11. Om maheśāya namo namaḥ

Ekādaśa śaktipūjā

With each 'namah', offer flowers to the Shivalingam.

1. Om umāyai namaḥ
2. Om śaṅkarapriyāyai namaḥ
3. Om pārvatyai namaḥ
4. Om gauryai namaḥ
5. Om kālyai namaḥ
6. Om kālindyai namaḥ
7. Om koṭaryai namaḥ
8. Om viśvadhāriṇyai namaḥ
9. Om hrāṃ namaḥ
10. Om hrīṃ namaḥ
11. Om gaṅgādevyai namo namaḥ

Gaṇapūjā

With each 'namah', offer flowers to the Shivalingam.

1. Om gaṇapataye namaḥ
2. Om svāmi kārtikāya namaḥ
3. Om puṣpadantāya namaḥ

4. Om kapardine namaḥ
5. Om bhairavāya namaḥ
6. Om śūlapāṇaye namaḥ
7. Om īśvarāya namaḥ
8. Om daṇḍapāṇaye namaḥ
9. Om nandine namaḥ
10. Om mahākālāya namo namaḥ

Aṣṭamūrtipūjā

With each 'namah', offer flowers to the Shivalingam.

1. Om bhavāya kṣitimūrtaye namaḥ
2. Om śarvāya jalamūrtaye namaḥ
3. Om rudrāya agnimūrtaye namaḥ
4. Om ugrāya vāyumūrtaye namaḥ
5. Om bhīmāya ākāśamūrtaye namaḥ
6. Om paśupataye yajamānamūrtaye namaḥ
7. Om mahādevāya somamūrtaye namaḥ
8. Om īśānāya sūryamūrtaye namo namaḥ

Paśchimavaktrapūjanam

With each 'namah', offer flowers to the Shivalingam.

Om ṛddhyai namaḥ. Om siddhyai namaḥ. Om dhṛtyai namaḥ. Om lakṣmyai namaḥ. Om medhāyai namaḥ. Om kāntyai namaḥ. Om svadhāyai namaḥ. Om prabhāyai namaḥ.

Offer a lotus flower to the Shivalingam with 'namah'.

1. Om prāleyāmalamindukundadhavalaṃ gokṣīraphenaprabhaṃ Bhasmābhyaṅga-manaṅgadehadahana-jvālāvalī-lochanam. Brahmendrāgnimarudgaṇaiḥ stutiparairabhyarchitaṃ yogibhiḥ Vande'haṃ sakalaṃ kalaṅkarahitaṃ sthāṇormukhaṃ paśchimam. Om paśchimavaktrāya namaḥ.

Uttaravaktrapūjanam

With each 'namah', offer flowers to the Shivalingam.

Om rajase namaḥ. Om rakṣāyai namaḥ. Om ratnyai namaḥ. Om pālyāyai namaḥ. Om kāmāyai namaḥ. Om sañjīvinyai namaḥ. Om siyāyai namaḥ. Om budhyai namaḥ. Om kriyāyai namaḥ. Om dhātryai namaḥ. Om bhrāmaryai namaḥ. Om jvarāyai namaḥ.

Offer a lotus flower to the Shivalingam with 'namah'.

2. Om gauraṃ kuṅkumapiṅgalaṃ sutilakaṃ vyāpāṇḍu-gaṇḍasthalaṃ. Bhrūvikṣepakaṭākṣavīkṣaṇa-lasatsaṃsakta-karṇotpalam. Snigdhaṃ bimbaphalādharaṃ prahasitaṃ nīlālakālaṅkṛtaṃ. Vande pūrṇaśaśāṅkamaṇḍalanibhaṃ vaktraṃ harasyottaram. Om uttaravaktrāya namaḥ.

Dakṣiṇavaktrapūjanam

With each 'namah', offer flowers to the Shivalingam.

Om tamase namaḥ. Om mohāyai namaḥ. Om kṣayāyai namaḥ. Om nidrāyai namaḥ. Om vyādhaye namaḥ. Om mṛtyave namaḥ. Om sudhāyai namaḥ. Om tṛṣāyai namaḥ.

Offer a lotus flower to the Shivalingam with 'namah'.

3. Om kālābhrabhramarāñjanāchalanibhaṃ vyādīptapiṅgekṣaṇaṃ. Khaṇḍendu-dyutimiśritogradaśana-prodbhinnadaṃṣṭrāṅkuram. Sarvaprotakapālaśuktisakalaṃ vyākīrṇasachchhekharaṃ. Vande dakṣiṇamīśvarasya jaṭilaṃ bhrūbhaṅgaraudraṃ mukham. Om dakṣiṇavaktrāya namaḥ.

Pūrvavaktrapūjanam

With each 'namah', offer flowers to the Shivalingam.

Om nivṛtyai namaḥ. Om pratiṣṭhāyai namaḥ. Om vidyāyai namaḥ. Om śāntyai namaḥ.

Offer a lotus flower to the Shivalingam with 'namah'.

4. Om saṃvarttāgni-taḍitprataptakanaka-praspadhitejomayaṃ. Gambhīrasmitaniḥsṛtogradaśanaṃ prodbhāsitāmrādharam. Bālendu-dyutilolapiṅgala-jaṭābhāraprabaddhoragaṃ. Vande siddhasurāsurendranamitaṃ pūrvaṃ mukhaṃ śūlinaḥ. Om pūrvavaktrāya namaḥ.

Ūrdhvavaktrapūjanam

With each 'namah', offer flowers to the Shivalingam.

Om śaśinyai namaḥ. Om aṅgadāyai namaḥ. Om iṣṭāyai namaḥ. Om marichyai namaḥ. Om jvālinyai namaḥ.

Offer a lotus flower to the Shivalingam with 'namah'.

5. Om vyaktāvyaktaguṇottaraṃ suvadanaṃ ṣaḍviṃśatattvādhikaṃ. Tasmāduttaratattvamakṣayamiti dhyeyaṃ sadā yogibhiḥ. Vande tāmasavarjitena manasā sūkṣmātisūkṣmaṃ paraṃ. Śāntaṃ pañchamamīśvarasya vadanaṃ khavyāpitejomayam. Om ūrdhvavaktrāya namaḥ.

Dhūpaṃ

Offer dhoop and incense to the Shivalingam.

Om yā te hetirmīḍhuṣṭama haste babhūva te dhanuḥ. Tayā'smān viśvatastvamayakṣmayā paribhuja. Vanaspatirasodbhūto gandhāḍhayo gandha uttamaḥ. Āghreyaḥ sarvadevānāṃ dhūpo'yaṃ pragṛhyatām. Śrīmatebhagavate viśveśvarāya namaḥ, dhūpaṃ samarpayāmi.

Dīpadarśanaṃ

Wave a flame in front of the Shivalingam.

Om pari te dhanvano hetirasmān vṛṇaktu viśvataḥ. Atho ya'iṣudhistavāre'asmannidhehi tam. Śrīmatebhagavate viśveśvarāya namaḥ, dīpaṃ sandarśayāmi.

Naivedyaṃ

Offer sweets to the Shivalingam.

Om avatatya dhanustvagvaṃ sahasrākṣa śateṣudhe. Niśīrya śalyānāṃ mukhā śivo naḥ sumanā bhava. Naivedyaṃ gṛhyatāṃ deva bhaktiṃ me hyachalāṃ kuru. Īpsita me varaṃ dehi paratra cha parāṃ gatim. Śarkarākhaṇḍakhādyāni dadhikṣīraghṛtāni cha. Āhāro bhakṣyabhojyaṃ cha naivedyaṃ pragṛhyatām. Śrīmatebhagavate viśveśvarāya namaḥ, naivedyaṃ nivedayāmi.

Jalaṃ samarpayāmi

While chanting the following mantras, offer water to the Shivalingam.

Om prāṇāya svāhā. Om apānāya svāhā. Om vyānāya svāhā. Om samānāya svāhā. Om udānāya svāhā.

Karodvartanārtha chandanaṃ

Offer sandalwood paste to the Shivalingam.

Om agvaṃśunā te agvaṃśuḥ pṛchyatāṃ paruṣā paruḥ. Gandhaste somamavatu madāya raso'achyutaḥ. Śrīmatebhagavate viśveśvarāya namaḥ, karodvartanārthe gandhañchandanānulepanaṃ samarpayāmi.

Ṛtuphalaṃ

Offer fruit to the Shivalingam.

Om yāḥ phalinīryā'aphalā'apuṣpā yāścha puṣpiṇīḥ. Bṛhaspatiprasūtāstā no muñchantvagvaṃ hasaḥ. Nānāvidhāni divyāni madhurāṇi phalāni vai. Bhaktyārpitāni sarvāṇi gṛhāṇa parameśvara. Śrīmatebhagavate viśveśvarāya namaḥ, ṛtuphalāni samarpayāmi.

Dhattūraphalaṃ

Offer dhatura, *thorn-apple, to the Shivalingam.*

Om kārṣirasi samudrasya tvā kṣityā 'unnayāmi. Samāpo 'adbhiragmata samoṣadhī-bhiroṣadhīḥ. Dhīradhairyaparīkṣārtha dhāritaṃ parameṣṭhinā. Dhattūraṃ kaṇṭakākīrṇa gṛhāṇa parameśvara. Śrīmatebhagavate viśveśvarāya namaḥ, dhattūraphalaṃ samarpayāmi.

Mandārapuṣpaṃ

Decorate the Shivalingam with a garland of mandara flowers.

Om mandāramālākalitālakāyai kapālamālāṅkitakandharāya. Divyāmbarāyai cha digambarāya namaḥ śivāyai cha namaḥ śivāya. Śrīmatebhagavate viśveśvarāya namaḥ, mandārapuṣpaṃ samarpayāmi.

Droṇapuṣpaṃ

Offer drona flowers to the Shivalingam.

Om namasta'āyudhāyānātatāya dhṛṣṇave. Ubhābhyāmutate namo bāhubhyāntavadhanvane. Śrīmatebhagavate viśveśvarāya namaḥ, droṇapuṣpaṃ samarpayāmi.

Tāmbūlaṃ

Offer betel leaves to the Shivalingam.

Om namasta 'āyudhāyānālatāya dhṛṣṇave. Ubhābhyāmuta te namo bāhubhyāṃ tava dhanvane. Pūṅgīphalaṃ mahadivyaṃ nāgavallīdalairyutam. Elādichūrṇasaṃyuktaṃ tāmbūlaṃ pragṛhyatāṃ. Śrīmatebhagavate viśveśvarāya namaḥ, tāmbūlaṃ samarpayāmi.

Dakṣiṇādravyaṃ

Offer dakshina, *honorarium, to the Shivalingam.*

Om mā no mahāntamuta mā no 'arbhakaṃ mā na 'ukṣantamuta mā na 'ukṣitam. Mā no vadhīḥ pitaraṃ mota mātaraṃ mā naḥ priyāstanvo rudrarīriṣaḥ. Dakṣiṇā svarṇasahitā yathāśakti samarpitā. Anantaphaladāmenāṃ gṛhāṇa parameśvara. Śrīmatebhagavate viśveśvarāya namaḥ, dakṣiṇādravyaṃ samarpayāmi.

Āratī

Ring the bell, blow the conch and play other instruments while chanting the following.

Om ye devāso divyekādaśa stha pṛthivyāmadhyekādaśa stha. Apsukṣito mahinaikādaśa stha te devāso yajñamimaṃ juṣadhvam. Karpūragauraṃ karuṇāvatāraṃ saṃsārasāraṃ bhujagendrahāram. Sadāvasantaṃ hṛdayāravinde bhavaṃ bhavānīsahitaṃ namāmi.

Thereafter sing the arati all together.

Puṣpāñjaliḥ

Offer flowers cupped in both hands to the Shivalingam.

Om yajñena yajñamayajanta devāstāni dharmāṇi
prathamānyāsan.
Te ha nākaṃ mahimānaḥ sachanta yatra pūrve sādhyāḥ santi
devāḥ.

Om rājādhirājāya prasahya sāhine namo vayaṃ vai śravaṇāya
kurmahe.
Sa me kāmān kāmakāmāya mahyaṃ kāmesvaro vai śravaṇo
dadātu.
Kuberāya vaiśravaṇāya mahārājāya namaḥ.

Om viśvataśchakṣuruta viśvatomukho viśvatobāhuruta
viśvataspāt
Sambāhubhyāṃ dhamati saṃ patatrairdyāvābhūmī janayan
deva ekaḥ.

Om tatpuruṣāya vidmahe mahādevāya dhīmahi tanno rudraḥ
prachodayāt.
Nānā sugandhi puṣpāṇi yathā kālod bhavāni cha.
Puṣpāñjaliḥ mayā dattaḥ gṛhāṇa parameśvara.

Om sāṅgābhyāṃ saparivārābhyāṃ sāyudhābhyāṃ
saśaktikābhyāṃ savāhanābhyāṃ śrī umāmaheśvarābhyāṃ
namaḥ.
Mantrapuṣpāñjaliṃ samarpayāmi.

Om śāntiḥ śāntiḥ śāntiḥ. Hariḥ om

321

Kṣamā Prārthanā

1. Mantrahīnaṃ kriyāhīnaṃ bhaktihīnaṃ sureśvara.
   Yatpūjitaṃ mayā deva paripūrṇaṃ tadastu me.

2. Āvāhanaṃ na jānāmi na jānāmi tavārchanam.
   Pūjāṃ chaiva na jānāmi kṣamasva parameśvara.

3. Pāpo'haṃ pāpakarmā'haṃ pāpātmā pāpasambhavaḥ.
   Trāhi māṃ pārvatīnātha sarvapāpaharo bhava.

4. Aparādhasahasrāṇi kriyante'harniśaṃ mayā.
   Dāso'yamiti māṃ matvā kṣamasva parameśvara.

Śānti Pāṭh

Asato mā sadgamaya.
Tamaso mā jyotirgamaya.
Mṛtyormā'mṛtaṃ gamaya.
Sarveṣāṃ svastirbhavatu.
Sarveṣāṃ śāntirbhavatu.
Sarveṣāṃ pūrṇaṃ bhavatu.
Sarveṣāṃ maṅgalaṃ bhavatu.
Lokāḥ samastāḥ sukhino bhavantu.

Om tryambakaṃ yajāmahe sugandhiṃ puṣṭivardhanam.
Urvārukamiva bandhanāt mṛtyormukṣīya māmṛtāt.

Om śāntiḥ śāntiḥ śāntiḥ.

Tvameva mātā cha pitā tvameva,
Tvameva bandhuścha sakhā tvameva.
Tvameva vidyā draviṇaṃ tvameva,
Tvameva sarvaṃ mama deva deva.

Hari Om Tatsat

विविध स्तोत्र

Miscellaneous Stotra

वैदिक शान्ति मंत्र

ॐ गणानां त्वा गणपतिं हवामहे कविं कवीनामुपमश्रवस्तमम्। ज्येष्ठराजं ब्रह्मणां ब्रह्मणस्पत आ नः शृण्वन्नूतिभिस्सीद सादनम्। ॐ हंस हंसाय विद्महे परमहंसाय धीमहि। तन्नो हंसः प्रचोदयात्। ॐ नमो हिरण्यबाहवे हिरण्यवर्णाय हिरण्यरूपाय हिरण्यपतये अम्बिकापतये उमापतये पशुपतये नमो नमः॥ ऋतं सत्यं परं ब्रह्म पुरुषं कृष्णपिंगलम्। ऊर्ध्व रेतं विरूपाक्षं विश्वरूपाय वै नमो नमः॥ ॐ शान्तिः शान्तिः शान्तिः॥

ॐ नमो ब्रह्मादिभ्यो ब्रह्मविद्यासम्प्रदायकर्तृभ्यो वंशऋषिभ्यो नमो गुरुभ्यः। नारायणं पद्मभवं वसिष्ठं शक्तिं च तत्पुत्रपराशरं च। व्यासं शुकं गौडपदं महान्तं गोविन्दयोगीन्द्रमथास्यशिष्यम्। श्री शंकराचार्यमथास्य पद्मपादं च हस्तामलकं च शिष्यम्। तं त्रोटकं वार्तिककारमन्यान् अस्मत्गुरून्सन्ततमानतोऽस्मि। श्रुतिस्मृतिपुराणानामालयं करुणालयम्। नमामि भगवत्पादं शंकरं लोकशंकरम्। शंकरं शंकराचार्यं केशवं बादरायणम्। सूत्रभाष्यकृतौ वन्दे भगवन्तौ पुनः पुनः। ईश्वरो गुरुरात्मेति मूर्त्तिभेदविभागिने। व्योमवद्व्याप्तदेहाय श्री दक्षिणामूर्त्तये नमः। यस्य देवे पराभक्तिः यथा देवे तथा गुरौ। तस्यैते कथिता ह्यर्था प्रकाशन्ते महात्मनः। ॐ शान्तिः शान्तिः शान्तिः॥

ॐ अग्ने नय सुपथा राये अस्मान् विश्वानि देव वयुनानि विद्वान्। युयोध्यस्मज्जुहुराणमेनो भूयिष्ठां ते नम उक्तिं विधेम। ॐ शान्तिः शान्तिः शान्तिः॥

गुरु-स्तोत्रम्

अखण्ड-मण्डलाकारं व्याप्तं येन चराचरम्।
तत्पदं दर्शितं येन तस्मै श्री गुरवे नमः ॥ 1 ॥

अज्ञान-तिमिरान्धस्य ज्ञानाञ्जन-शलाकया।
चक्षुरुन्मीलितं येन तस्मै श्री गुरवे नमः ॥ 2 ॥

गुरुर्ब्रह्मा गुरुर्विष्णुः गुरुर्देवो महेश्वरः।
गुरुः साक्षात् परंब्रह्म तस्मै श्री गुरवे नमः ॥ 3 ॥

स्थावरं जंगमं व्याप्तं यत्किञ्चित् सचराचरम्।
तत्पदं दर्शितं येन तस्मै श्री गुरवे नमः ॥ 4 ॥

चिन्मयं व्यापितं सर्वं त्रैलोक्यं सचराचरम्।
तत्पदं दर्शितं येन तस्मै श्री गुरवे नमः ॥ 5 ॥

सर्वश्रुति-शिरोरत्न विराजित-पदाम्बुजः।
वेदान्ताम्बुजसूर्याय तस्मै श्री गुरवे नमः ॥ 6 ॥

चैतन्यं शाश्वतं शान्तं व्योमातीतं निरंजनः।
बिन्दुनाद-कलातीतः तस्मै श्री गुरवे नमः ॥ 7 ॥

ज्ञानशक्ति-समारूढः तत्त्व-माला विभूषितः।
भुक्ति-मुक्ति-प्रदाता च तस्मै श्री गुरवे नमः ॥ 8 ॥

अनेक जन्मसम्प्राप्त कर्मबन्ध-विदाहिने।
आत्मज्ञान प्रदानेन तस्मै श्री गुरवे नमः ॥ 9 ॥

शोषणं भव-सिन्धोश्च ज्ञापनं सार-संपदः।
गुरोर्पादोदकं सम्यक् तस्मै श्री गुरवे नमः ॥ 10 ॥

न गुरोरधिकं तत्त्वं न गुरोरधिकं तपः।
तत्त्व-ज्ञानात् परं नास्ति तस्मै श्री गुरवे नमः ॥ 11 ॥

मन्नाथः श्री जगन्नाथः मद्गुरुः श्री जगद्गुरुः।
मदात्मा सर्वभूतात्मा तस्मै श्री गुरवे नमः ॥ 12 ॥

गुरुरादिरनादिश्च गुरुः परम-दैवतम्।
गुरोः परतरं नास्ति तस्मै श्री गुरवे नमः ॥ 13 ॥

ध्यानमूलं गुरोर्मूर्त्तिः पूजामूलं गुरोर्पदम्।
मन्त्रमूलं गुरोर्वाक्यं मोक्षमूलं गुरोर्कृपा ॥ 14 ॥

ॐ शान्तिः शान्तिः शान्तिः ॥ हरिः ॐ ॥

सद्गुरु वन्दना

भवसागर तारण कारण हे,
        रविनन्दन बन्धन खण्डन हे ।
शरणागत किंकर भीत मने,
        गुरुदेव, दया कर दीन जने ॥

हृदि कन्दर तामस भास्कर हे,
        तुम विष्णु प्रजापति शंकर हे ।
परब्रह्म परात्पर वेद भणे,
        गुरुदेव, दया कर दीन जने ॥

मन-वारण कारण अंकुश हे,
        नर त्राण करे हरि चाक्षुष हे ।
गुणगान परायण देवगणे,
        गुरुदेव, दया कर दीन जने ॥

कुल-कुण्डलिनी तुम भञ्जक हे,
        हृदि-ग्रन्थि विदारण कारण हे ।
महिमा तव गोचर शुद्ध मने,
        गुरुदेव, दया कर दीन जने ॥

अभिमान प्रभाव विमर्दक हे,
        अति दीन जने तुम रक्षक हे ।
मन कम्पित वञ्चित भक्ति धने,
        गुरुदेव, दया कर दीन जने ॥

रिपुसूदन मंगल नायक हे,
        सुख शान्ति वराभय दायक हे ।
त्रय ताप हरे तव नाम गुणे,
        गुरुदेव, दया कर दीन जने ॥

तव नाम सदा सुख साधक हे,
        पतिताधम मानव पावक हे ।

मम मानस चंचल रात्रि-दिने,
　　गुरुदेव, दया कर दीन जने ॥

जय सद्‌गुरु! ईश्वर प्रापक हे !
　　भव-रोग-विकार विनाशक हे !
मन लीन रहे तव श्री चरणे,
　　गुरुदेव, दया कर दीन जने ॥

गणेशपञ्चरत्नम्

मुदा करात्तमोदकं सदा विमुक्ति-साधकं
      कलाधरा-वतंसकं विलासि-लोकरञ्जकम् ।
अनायकैक-नायकं विनाशितेभ-दैत्यकं
      नताशुभाशु-नाशकं नमामि तं विनायकम् ॥ 1 ॥

नतेतरातिभीकरं नवोदितार्कभास्वरं
      नमत्सुरारि-निर्जरं नताधिका-पदुद्धरम् ।
सुरेश्वरं निधीश्वरं गजेश्वरं गणेश्वरं
      महेश्वरं तमाश्रये परात्परं निरन्तरम् ॥ 2 ॥

समस्तलोक-शंकरं निरस्त-दैत्यकुञ्जरं
      दरेतरोदरं वरं वरेभवक्त्रमक्षरम् ।
कृपाकरं क्षमाकरं मुदाकरं यशस्करं
      नमस्करं नमस्कृतां नमस्करोमि भास्वरम् ॥ 3 ॥

अकिंचनार्तिमार्जनं चिरन्तनोक्ति-भाजनं
      पुरारि-पूर्वनन्दनं सुरारि-गर्वचर्वणम् ।
प्रपञ्चनाश-भीषणं धनञ्जयादि-भूषणं
      कपोलदानवारणं भजे पुराणवारणम् ॥ 4 ॥

नितान्त-कान्त-दन्तकान्ति-मन्तकान्त-कात्मजं
      अचिन्त्यरूप-मन्तहीन-मन्तरायकृन्तनम् ।
हृदन्तरे निरन्तरं वसन्तमेव योगिनां
      तमेकदन्तमेव तं विचिन्तयामि संततम् ॥ 5 ॥

      ॐ शान्ति: शान्ति: शान्ति: ॥ हरि: ॐ ॥

श्री गणेशाऽष्टकम्

विनायकैक-भावना-समर्चना-समर्पितं
प्रमोदकैः प्रमोदकैः प्रमोद-मोद-मोदकम् ।
यदर्पितं सदर्पितं नवान्य-धान्यनिर्मितं
न कण्डितं न खण्डितं न खण्डमण्डनं कृतम् ॥ 1 ॥

सजातिकृद्-विजातिकृत्-स्वनिष्ठभेदवर्जितं
निरञ्जनं च निर्गुणं निराकृति ह्यनिष्क्रियम् ।
सदात्मकं चिदात्मकं सुखात्मकं परं पदं
भजामि तं गजाननं स्वमाययात्त विग्रहम् ॥ 2 ॥

गणाधिप! त्वमष्ठमूर्ति-रीशसूनुरीश्वरः
त्वमम्बरं च शम्बरं धनञ्जयः प्रभञ्जनः ।
त्वमेव दीक्षितः क्षितिर्निशाकरः प्रभाकरः
चराऽचर-प्रचार-हेतुरन्तराय-शान्तिकृत् ॥ 3 ॥

अनेकदन्त-मालनील-मेकदन्त-सुन्दरं
गजाननं नमोऽगजानना-ऽमृताब्धि-मन्दिरम् ।
समस्त-वेदवादसत्-कला-कलाप-मन्दिरं
महान्तराय-कृत्तमोऽर्क-माश्रितोन्दुरुं परम् ॥ 4 ॥

सरत्नहेम-घण्टिका-निनाद-नूपुरस्वनैः
मृदंग-तालनाद-भेद-साधनानुरूपतः ।
धिमि-द्धिमि-त्तथोंग-थोंग-थेयि-थैयिशब्दतो
विनायकः शशांकशेखरः प्रहृष्य नृत्यति ॥ 5 ॥

सदा नमामि नायकैक-नायकं विनायकं
कलाकलाप-कल्पना-निदानमादिपुरुषम् ।
गणेश्वरं गुणेश्वरं महेश्वरात्मसम्भवं
स्वपादपद्म-सेविनाम-पार-वैभवप्रदम् ॥ 6 ॥

भजे प्रचण्ड-तुन्दिलं सदन्द-शूकभूषणं
सनन्दनादि-वन्दितं समस्त-सिद्धसेवितम् ।
सुराऽसुरौघयो: सदा जयप्रदं भयप्रदं
समस्तविघ्न-घातिनं स्वभक्त-पक्षपातिनम् ॥ 7 ॥

कराम्बुजात-कंकण: पदाब्ज-किंकिणीगणो
गणेश्वरो गुणार्णव:-फणीश्वरांगभूषण: ।
जगत्रयान्तराय-शान्ति-कारकोऽस्तु तारको
भवार्णवस्थ-घोरदुर्गहा चिदेकविग्रह: ॥ 8 ॥

ॐ शान्ति: शान्ति: शान्ति: ॥ हरि: ॐ ॥

विघ्नेश्वर-अष्टोत्तर-शत-नामावलिः

1. ॐ विनायकाय नमः
2. ॐ विघ्नराजाय नमः
3. ॐ गौरीपुत्राय नमः
4. ॐ गणेश्वराय नमः
5. ॐ स्कन्दाग्रजाय नमः
6. ॐ अव्ययाय नमः
7. ॐ पूताय नमः
8. ॐ दक्षाय नमः
9. ॐ अध्यक्षाय नमः
10. ॐ द्विजप्रियाय नमः
11. ॐ अग्नि-गर्वच्छिदे नमः
12. ॐ इन्द्रश्रीप्रदाय नमः
13. ॐ वाणीप्रदाय नमः
14. ॐ अव्ययाय नमः
15. ॐ सर्वसिद्धिप्रदाय नमः
16. ॐ सर्वतनयाय नमः
17. ॐ शर्वरीप्रियाय नमः
18. ॐ सर्वात्मकाय नमः
19. ॐ सृष्टिकर्त्रे नमः
20. ॐ देवाय नमः
21. ॐ अनेकार्चिताय नमः
22. ॐ शिवाय नमः
23. ॐ शुद्धाय नमः
24. ॐ बुद्धिप्रियाय नमः
25. ॐ शान्ताय नमः
26. ॐ ब्रह्मचारिणे नमः
27. ॐ गजाननाय नमः
28. ॐ द्वैमातुराय नमः
29. ॐ मुनिस्तुताय नमः
30. ॐ भक्तविघ्न-विनाशनाय नमः
31. ॐ एकदन्ताय नमः
32. ॐ चतुर्बाहवे नमः
33. ॐ चतुराय नमः
34. ॐ शक्तिसंयुताय नमः
35. ॐ लम्बोदराय नमः
36. ॐ शूर्पकर्णाय नमः
37. ॐ हरये नमः
38. ॐ ब्रह्मविदुत्तमाय नमः
39. ॐ कालाय नमः
40. ॐ ग्रहपतये नमः
41. ॐ कामिने नमः
42. ॐ सोमसूर्याग्नि-लोचनाय नमः
43. ॐ पाशांकुशधराय नमः
44. ॐ चण्डाय नमः
45. ॐ गुणातीताय नमः
46. ॐ निरञ्जनाय नमः
47. ॐ अकल्मषाय नमः
48. ॐ स्वयंसिद्धाय नमः
49. ॐ सिद्धार्चित-पदाम्बुजाय नमः
50. ॐ बीजपूर-फलासक्ताय नमः
51. ॐ वरदाय नमः
52. ॐ शाश्वताय नमः
53. ॐ कृतिने नमः
54. ॐ द्विजप्रियाय नमः
55. ॐ वीतभयाय नमः
56. ॐ गदिने नमः
57. ॐ चक्रिणे नमः
58. ॐ इक्षुचापधृते नमः
59. ॐ श्रीदाय नमः
60. ॐ अजाय नमः

61. ॐ उत्पलकराय नम:
62. ॐ श्रीपतये नम:
63. ॐ स्तुतिहर्षिताय नम:
64. ॐ कुलाद्रिभृते नम:
65. ॐ जटिलाय नम:
66. ॐ कलिकल्मष-नाशनाय नम:
67. ॐ चन्द्रचूडामणये नम:
68. ॐ कान्ताय नम:
69. ॐ पापहारिणे नम:
70. ॐ समाहिताय नम:
71. ॐ आश्रिताय नम:
72. ॐ श्रीकराय नम:
73. ॐ सौम्याय नम:
74. ॐ भक्तवाञ्छित-दायकाय नम:
75. ॐ शान्ताय नम:
76. ॐ कैवल्यसुखदाय नम:
77. ॐ सच्चिदानन्द-विग्रहाय नम:
78. ॐ ज्ञानिने नम:
79. ॐ दयायुताय नम:
80. ॐ दान्ताय नम:
81. ॐ ब्रह्मद्वेष-विवर्जिताय नम:
82. ॐ प्रमत्तदैत्य-भयदाय नम:
83. ॐ श्रीकण्ठाय नम:
84. ॐ विबुधेश्वराय नम:
85. ॐ रामार्चिताय नम:
86. ॐ विधये नम:
87. ॐ नागराज-यज्ञोपवीतवते नम:
88. ॐ स्थूलकण्ठाय नम:
89. ॐ स्वयं कर्त्रे नम:
90. ॐ सामघोषप्रियाय नम:
91. ॐ परस्मै नम:
92. ॐ स्थूलतुण्डाय नम:

93. ॐ अग्रण्ये नम:
94. ॐ धीराय नम:
95. ॐ वागीशाय नम:
96. ॐ सिद्धिदायकाय नम:
97. ॐ दूर्वाबिल्वप्रियाय नम:
98. ॐ अव्यक्तमूर्तये नम:
99. ॐ अद्भुतमूर्तिमते नम:
100. ॐ शैलेन्द्र-तनुजोत्संग-खेलनोत्सुक-मानसाय नम:
101. ॐ स्वलावण्यसुधा-सारजित-मन्मथविग्रहाय नम:
102. ॐ समस्तजगदाधाराय नम:
103. ॐ मायिने नम:
104. ॐ मूषिकवाहनाय नम:
105. ॐ हृष्टाय नम:
106. ॐ तुष्टाय नम:
107. ॐ प्रसन्नात्मने नम:
108. ॐ सर्वसिद्धिप्रदायकाय नम:

ॐ शान्ति: शान्ति: शान्ति: ॥ हरि: ॐ ॥

331

श्री-राम-स्तुति

श्री रामचन्द्र कृपालु भजु मन हरण-भव-भय दारुणम्,
नवकञ्ज-लोचन कञ्ज-मुख, कर-कञ्ज, पदकञ्जारुणम् ॥ 1 ॥

कन्दर्प अगणित अमित छबि नव नील नीरद सुन्दरम्,
पट पीत मानहुँ तड़ित रुचि शुचि नौमि जनकसुतावरम् ॥ 2 ॥

भजु दीनबन्धु दिनेश दानव-दैत्य-वंश-निकन्दनम्,
रघुनन्द आनन्दकन्द कोसलचन्द दशरथ-नन्दनम् ॥ 3 ॥

सिर मुकुट कुण्डल तिलक चारु उदारु-अंग-विभूषणम्,
आजानुभुज शर-चाप-धर संग्राम-जित-खरदूषणम् ॥ 4 ॥

इति वदति तुलसीदास शंकर-शेष-मुनि-मन-रञ्जनम्,
मम हृदय-कञ्ज निवास कुरु कामादि-खल-दल-गञ्जनम् ॥ 5 ॥

ॐ शान्ति: शान्ति: शान्ति: ॥ हरि: ॐ ॥

332

नाम-रामायणम्

बालकाण्डम्

शुद्ध ब्रह्म परात्पर राम। कालात्मक परमेश्वर राम ॥
शेषतल्प-सुखनिद्रित राम। ब्रह्माद्यमर-प्रार्थित राम ॥
चण्डकिरण-कुलमण्डन राम। श्रीमद्दशरथ-नन्दन राम ॥
कौशल्या-सुखवर्द्धन राम। विश्वामित्र-प्रियधन राम ॥
घोर-ताटका-घातक राम। मारीचादि निपातक राम ॥
कौशिक-मख-संरक्षक राम। श्रीमदहल्योद्धारक राम ॥
गौतम-मुनि-सम्पूजित राम। सुरमुनिवरगण-संस्तुत राम ॥
नाविक-धावित मृदु-पद राम। मिथिलापुर-जनमोहक राम ॥
विदेह-मानस-रञ्जक राम। त्र्यम्बक-कार्मुक-भञ्जक राम ॥
सीतार्पित-वर-मालिक राम। कृतवैवाहिक-कौतुक राम ॥
भार्गव-दर्प विनाशक राम। श्रीमदयोध्या-पालक राम ॥

अयोध्याकाण्डम्

अगणित-गुणगण-भूषित राम। अवनी-तनया-कामित राम ॥
राका-चन्द्र-समानन राम। पितृ-वाक्याश्रित-कानन राम ॥
प्रिय-गुह-विनिवेदित पद राम। तत्क्षालित-निज मृदुपद राम ॥
भरद्वाज-मुखानन्दक राम। चित्रकूटाद्रि-निकेतन राम ॥
दशरथ-संतत-चिन्तित राम। कैकेयी-तनयार्थित राम ॥
विरचित-निज-पितृकर्मक राम। भरतार्पित-निज-पादुक राम ॥

अरण्यकाण्डम्

दण्डक-वन-जन-पावन राम। दुष्ट-विराध-विनाशन राम ॥
शरभंग-सुतीक्ष्ण-अर्चित राम। अगस्त्यानुग्रह-वर्धित राम ॥
गृध्राधिप-संसेवित राम। पंचवटी-तट-सुस्थित राम ॥
शूर्पणखार्त्ति-विधायक राम। खर-दूषण-मुख-सूदक राम ॥
सीताप्रिय-हरिणानुग राम। मारीचार्ति-कृदाशुग राम ॥
अपहृत-सीतान्वेषक राम। गृध्राधिप-गतिदायक राम ॥
शबरी-दत्त-फलाशन राम। कबन्धबाहुच्छेदन राम ॥

किष्किन्धाकाण्डम्

हनुमत्-सेवित-निजपद राम। नतसुग्रीवाभीष्टद राम ॥
गर्वित-बालि संहारक राम। वानर-दूत-प्रेषक राम ॥
हितकर-लक्ष्मण-संयुत राम। कपिवर-संतत-संस्मृत राम ॥

सुन्दरकाण्डम्

तद्गति-विघ्न-ध्वंसक राम। सीताप्राणाधारक राम ॥
दुष्टदशानन-दूषित राम। शिष्ट-हनुमद्-भूषित राम ॥
सीतावेदितकाकावन राम। कृत-चूडामणि-दर्शन राम ॥
कपिवर-वचनाश्वासित राम। रावण-निधन-प्रस्थित राम ॥

युद्धकाण्डम्

वानर-सैन्य-समावृत राम। शोषित सरिदीशार्थित राम ॥
विभीषणाभयदायक राम। पर्वत-सेतु-निबन्धक राम ॥
कुम्भकर्ण-शिरश्छेदक राम। राक्षस-संघ-विमर्दक राम ॥
अहिमहिरावण-चारण राम। संहृत-दशमुख-रावण राम ॥
विधिभवमुख-सुरसंस्तुत राम। खस्थित-दशरथ-वीक्षित राम ॥
सीतादर्शन-मोदित राम। अभिषिक्त-विभीषणनत राम ॥
पुष्पकयानारोहण राम। भरद्वाजाभि-निषेवन राम ॥
भरत-प्राणप्रियकर राम। साकेतपुरी विभूषण राम ॥
सकल-स्वीयसमानत राम। रत्नलसत्-पीठास्थित राम ॥
पट्टाभिषेकालंकृत राम। पार्थिवकुल सम्मानित राम ॥
विभीषणार्पित रञ्जक राम। कीशकुलानुग्रहकर राम ॥
सकलजीव-संरक्षक राम। समस्त लोकोद्धारक राम ॥

उत्तरकाण्डम्

आगत-मुनिगण-संस्तुत राम। विश्रुत-दशकण्ठोद्भव राम ॥
सीतालिंगन-निर्वृत राम। नीति-सुरक्षित-जनपद राम ॥
विपिन-त्याजित-जनकजा राम। कारित-लवणासुर-वध राम ॥
स्वर्गत-शम्बुक-संस्तुत राम। स्वतनय-कुशलव-नन्दित राम ॥
अश्वमेध-क्रतु-दीक्षित राम। कालावेदित-सुरपद राम ॥

आयोध्यकजन-मुक्तिद राम । विधिमुख-विबुधानन्दक राम ॥
तेजोमय-निज-रूपक राम । संसृतिबन्ध-विमोचक राम ॥
धर्मस्थापन-तत्पर राम । भक्तिपरायण-मुक्तिद राम ॥
सर्वचराचर-पालक राम । सर्व-भवामयवारक राम ॥
वैकुण्ठालय-संस्थित राम । नित्यानन्द-पदस्थित राम ॥
राम राम जय राजा राम । राम राम जय सीता राम ॥

ॐ शान्ति: शान्ति: शान्ति: ॥ हरि: ॐ ॥

श्री-हनुमान-चालीसा

श्रीगुरु चरन सरोज रज, निज मनु मुकुरु सुधारि।
बरनउँ रघुबर बिमल जसु जो दायकु फल चारि ॥

बुद्धिहीन तनु जानिके, सुमिरौं पवन-कुमार।
बल बुधि बिद्या देहु मोहिं, हरहु कलेस बिकार ॥

चौपाई

जय हनुमान ज्ञान गुन सागर। जय कपीस तिहुँ लोक उजागर ॥
राम दूत अतुलित बल धामा। अंजनि-पुत्र पवनसुत नामा ॥

महाबीर बिक्रम बजरंगी। कुमति निवार सुमति के संगी ॥
कंचन बरन बिराज सुबेसा। कानन कुंडल कुंचित केसा ॥

हाथ बज्र औ ध्वजा बिराजै। काँधे मूँज जनेऊ साजै ॥
संकर सुवन केसरीनंदन। तेज प्रताप महा जग बंदन ॥

बिद्यावान गुनी अति चातुर। राम काज करिबे को आतुर ॥
प्रभु चरित्र सुनिबे को रसिया। राम लषन सीता मन बसिया ॥

सूक्ष्म रूप धरि सियहिं दिखावा। बिकट रूप धरि लंक जरावा ॥
भीम रूप धरि असुर सँहारे। रामचन्द्र के काज सँवारे ॥

लाय सजीवन लखन जियाये। श्रीरघुबीर हरषि उर लाये ॥
रघुपति कीन्ही बहुत बड़ाई। तुम मम प्रिय भरतहि सम भाई ॥

सहस बदन तुम्हरो जस गावैं। अस कहि श्रीपति कंठ लगावैं ॥
सनकादिक ब्रह्मादि मुनीसा। नारद सारद सहित अहीसा ॥

जम कुबेर दिगपाल जहाँ ते। कबि कोबिद कहि सके कहाँ ते ॥
तुम उपकार सुग्रीवहिं कीन्हा। राम मिलाय राज पद दीन्हा ॥

तुम्हरो मंत्र बिभीषन माना। लंकेस्वर भए सब जग जाना ॥
जुग सहस्र जोजन पर भानू। लील्यो ताहि मधुर फल जानू ॥

प्रभु मुद्रिका मेलि मुख माहीं। जलधि लाँघि गये अचरज नाहीं ॥
दुर्गम काज जगत के जेते। सुगम अनुग्रह तुम्हरे तेते ॥

राम दुआरे तुम रखवारे। होत न आज्ञा बिनु पैसारे ॥
सब सुख लहै तुम्हारी सरना। तुम रच्छक काहू को डर ना ॥

आपन तेज सम्हारो आपै। तीनों लोक हाँक तें काँपै ॥
भूत पिसाच निकट नहिं आवै। महाबीर जब नाम सुनावै ॥

नासै रोग हरै सब पीरा। जपत निरंतर हनुमत बीरा ॥
संकट ते हनुमान छुड़ावै। मन क्रम बचन ध्यान जो लावै ॥

सब पर राम तपस्वी राजा। तिन के काज सकल तुम साजा ॥
और मनोरथ जो कोई लावै। सोइ अमित जीवन फल पावै ॥

चारों जुग परताप तुम्हारा। है परसिद्ध जगत उजियारा ॥
साधु संत के तुम रखवारे। असुर निकंदन राम दुलारे ॥

अष्ट सिद्धि नौ निधि के दाता। अस बर दीन जानकी माता ॥
राम रसायन तुम्हरे पासा। सदा रहो रघुपति के दासा ॥

तुम्हरे भजन राम को पावै। जनम जनम के दुख बिसरावै ॥
अंत काल रघुबर पुर जाई। जहाँ जन्म हरि-भक्त कहाई ॥

और देवता चित्त न धरई। हनुमत सेइ सर्ब सुख करई ॥
संकट कटै मिटै सब पीरा। जो सुमिरै हनुमत बलबीरा ॥

जै जै जै हनुमान गोसाईं। कृपा करहु गुरु देव की नाईं ॥
जो सत बार पाठ कर कोई। छूटहि बंदि महा सुख होई ॥

जो यह पढ़ै हनुमान चालीसा। होय सिद्धि साखी गौरीसा ॥
तुलसीदास सदा हरि चेरा। कीजै नाथ हृदय मँह डेरा ॥

दोहा

पवनतनय संकट हरन, मंगल मूरति रूप ।
राम लखन सीता सहित, हृदय बसहु सुर भूप ॥

ॐ शान्तिः शान्तिः शान्तिः ॥ हरिः ॐ ॥

गंगा-स्तोत्रम्

जय जय गंगे जय हर गंगे जय जय गंगे जय हर गंगे ।
देवि सुरेश्वरि भगवति गंगे त्रिभुवनतारिणि तरलतरंगे ।
शंकरमौलि-विहारिणि विमले मम मतिरास्तां तव पदकमले ॥ 1 ॥

भागीरथि सुखदायिनि मातस्तव जल महिमा निगमे ख्यातः ।
नाहं जाने तव महिमानं पाहि कृपामयि मामज्ञानम् ॥ 2 ॥

हरिपद पाद्य तरंगिणि गंगे हिमविधु मुक्ता धवल तरंगे ।
दूरी कुरु मम दुष्कृति भारं कुरु कृपया भवसागर पारम् ॥ 3 ॥

तव जलममलं येन निपीतं परमपदं खलु तेन गृहीतम् ।
मातर्गंगे त्वयि यो भक्तः किल तं द्रष्टुं न यमः शक्तः ॥ 4 ॥

पतितोद्धारिणि जाह्नवि गंगे खण्डितगिरिवरमण्डित भंगे ।
भीष्म जननि हे मुनिवर कन्ये पतित-निवारिणि त्रिभुवन धन्ये ॥ 5 ॥

कल्पलतामिव फलदां लोके प्रणमति यस्त्वां न पतति शोके ।
पारावार विहारिणि गंगे विमुख युवति कृत तरलापांगे ॥ 6 ॥

तव चेन्मातः स्त्रोतः स्नातः पुनरपि जठरे सोऽपि न जातः ।
नरक-निवारिणि जाह्नवि गंगे कलुष-विनाशिनि महिमोत्तुंगे ॥ 7 ॥

पुनरसदंगे पुण्यतरंगे जय जय जाह्नवि करुणापांगे ।
इन्द्रमुकुटमणि-राजित चरणे सुखदे शुभदे भृत्य शरण्ये ॥ 8 ॥

रोगं शोकं तापं पापं हर मे भगवति कुमति कलापम् ।
त्रिभुवन सारे वसुधा हारे त्वमसि गतिर्मम खलु संसारे ॥ 9 ॥

अलकानन्दे परमानन्दे कुरु करुणामयि कातर वन्द्ये ।
तव तट निकटे यस्य निवासः खलु वैकुण्ठे तस्य निवासः ॥ 10 ॥

वरमिह नीरे कमठो मीनः किं वा तीरे शरटः क्षीणः ।
अथवा श्वपचो मलिनो दीनस्तव न हि दूरे नृपतिकुलीनः ॥ 11 ॥

भो भुवनेश्वरि पुण्ये धन्ये देवि द्रवमयि मुनिवर कन्ये ।
जय जय गंगे जय हर गंगे जय जय गंगे जय हर गंगे ॥ 12 ॥

ॐ शान्तिः शान्तिः शान्तिः ॥ हरिः ॐ ॥

श्री-सूक्तम्

हिरण्यवर्णां हरिणीं सुवर्णरजतस्रजाम्।
चन्द्रां हिरण्मयीं लक्ष्मीं जातवेदो ममावह ॥ 1 ॥
तां म आवह जातवेदो लक्ष्मी-मनपगामिनीम्।
यस्यां हिरण्यं विन्देयं गामश्वं पुरुषानहम् ॥ 2 ॥
अश्वपूर्वां रथमध्यां हस्तिनाद-प्रमोदिनीम्।
श्रियं देवीमुपह्वये श्रीर्मा देवीं जुषताम् ॥ 3 ॥
कांसोस्मितां हिरण्य-प्राकारामार्द्रां ज्वलन्तीं तृप्तां तर्पयन्तीम्।
पद्मे स्थितां पद्मवर्णां तामिहोपह्वये श्रियम् ॥ 4 ॥
चन्द्रां प्रभासां यशसा ज्वलन्तीं श्रियं लोके देवजुष्टामुदाराम्।
तां पद्मनेमिं शरणमहं प्रपद्येऽ लक्ष्मीर्मे नश्यतां त्वां वृणोमि ॥ 5 ॥
आदित्यवर्णे तपसोऽधि जातो वनस्पतिस्तव वृक्षोऽथ बिल्वः।
तस्य फलानि तपसा नुदन्तु मायान्तरायाश्च बाह्या अलक्ष्मीः ॥ 6 ॥
उपैतु मां देवसखः कीर्तिश्च मणिना सह।
प्रादुर्भूतोऽस्मि राष्ट्रेऽस्मिन् कीर्तिमृद्धिं ददातु मे ॥ 7 ॥
क्षुत्पिपासामलां ज्येष्ठामलक्ष्मीं नाशयाम्यहम्।
अभूतिमसमृद्धिं च सर्वां निर्णुद मे गृहात् ॥ 8 ॥
गन्धद्वारां दुराधर्षां नित्यपुष्टां करीषिणीम्।
ईश्वरीं सर्वभूतानां तामिहोपह्वये श्रियम् ॥ 9 ॥
मनसः काममाकूतिं वाचः सत्यमशीमहि।
पशूनां रूपमन्नस्य मयि श्रीः श्रयतां यशः ॥ 10 ॥
कर्दमेन प्रजाभूता मयि सम्भव कर्दम।
श्रियं वासय मे कुले मातरं पद्ममालिनीम् ॥ 11 ॥
आपः स्रवन्तु स्निग्धानि चिक्लीत वस मे गृहे।
नि च देवीं मातरं श्रियं वासय मे कुले ॥ 12 ॥
आर्द्रां पुष्करिणीं पुष्टिं पिङ्गलां पद्ममालिनीम्।
चन्द्रां हिरण्मयीं लक्ष्मीं जातवेदो ममावह ॥ 13 ॥
आर्द्रां यष्करिणीं यष्टिं सुवर्णां हेममालिनीम्।
सूर्यां हिरण्मयीं लक्ष्मीं जातवेदो ममावह ॥ 14 ॥
तां म आवह जातवेदो लक्ष्मी-मनपगामिनीम्।
यस्यां हिरण्यं प्रभूतं गावो दास्योऽश्वान् विन्देयं पुरुषानहम् ॥15 ॥

नारायण-सूक्तम्

ॐ॥ सहस्रशीर्षं देवं विश्वाक्षं विश्वशम्भुवम्। विश्वं नारायणं देवमक्षरं परमं पदम्। विश्वतः परमान्नित्यं विश्वं नारायण ँ हरिम्। विश्वमेवेदं पुरुष-स्तद्विश्व-मुपजीवति ॥1॥ पतिं विश्वस्यात्मेश्वर ँ शाश्वत ँ शिवमच्युतम्। नारायणं महाज्ञेयं विश्वात्मानं परायणम् ॥2॥ नारायणः परो ज्योतिरात्मा नारायणः परः। नारायणपरं ब्रह्म तत्त्वं-नारायणः परः। नारायणपरो ध्याता ध्यानं नारायणः परः ॥3॥ यच्च किञ्चिज्जगत्सर्वं दृश्यते श्रूयतेऽपि वा। अन्तर्बहिश्च तत्सर्वं व्याप्य नारायणः स्थितः ॥4॥

अनन्तमव्ययं कवि ँ समुद्रेऽन्तं विश्वशम्भुवम्। पद्मकोश-प्रतीकाश ँ हृदयं चाप्यधोमुखम् ॥5॥ अधो निष्ट्या वितस्त्यान्ते नाभ्यामुपरि तिष्ठति। ज्वालमालाकुलं भाती विश्वस्यायतनं महत् ॥6॥ सन्तत ँ शिलाभिस्तु लम्बत्याकोश-सन्निभम्। तस्यान्ते सुषिर ँ सूक्ष्मं तस्मिन् सर्वं प्रतिष्ठितम् ॥7॥ तस्य मध्ये महानग्नि-र्विश्वार्चिः विश्वतोमुखः। सोऽग्रभुग्विभजन्तिष्ठ-न्नाहारमजरः कविः ॥8॥

तिर्यगूर्ध्वम-धश्शायी रश्मयस्तस्य सन्तता। सन्तापयति स्वं देहमापाद-तलमस्तकः। तस्य मध्ये वह्निशिखा अणीयोर्ध्वा व्यवस्थितः ॥9॥ नीलतो-यदमध्य-स्थाद्विद्युल्लेखेव भास्वरा। नीवार-शूकवत्तन्वी पीता भास्वत्यणूपमा ॥10॥ तस्याः शिखाया मध्ये परमात्मा व्यवस्थितः। स ब्रह्म स शिवः स हरिः सेन्द्रः सोऽक्षरः परमः स्वराट् ॥11॥

ऋत ँ सत्यं परं ब्रह्म पुरुषं कृष्णपिंगलम्। ऊर्ध्वरेतं विरूपाक्षं विश्वरूपाय वै नमो नमः॥

ॐ नारायणाय विद्महे वासुदेवाय धीमहि। तन्नो विष्णुः प्रचोदयात्॥

ॐ शान्तिः शान्तिः शान्तिः॥ हरिः ॐ॥

नासदीय-सूक्तम्

नासदासीन्नो सदासीत् तदानीं नासीद्रजो नो व्योमा परो यत्।
किमावरीवः कुह कस्य शर्मन्नम्भः किमासीद्गहनं गभीरम्॥ 1॥

न मृत्युरासीदमृतं न तर्हि न रात्र्या अह्न आसीत् प्रकेतः।
आनीदवातं स्वधया तदेकं तस्माद्धान्यन्न परः किं चनास॥ 2॥

तम आसीत् तमसा गूलहनग्रेऽप्रकेतं सलिलं सर्वमा इदम्।
तुच्छ्येनाभ्वपिहितं यदासीत् तपसस्तन्महिनाजायतैकम्॥ 3॥

कामस्तदग्रे समवर्तताधि मनसो रेतः प्रथमं यदासीत्।
सतो बन्धुम्सति निरविन्दन् हृदि प्रतीष्या कवयो मनीषा॥ 4॥

तिरश्चीनो विततो रश्मिरेषा मधः स्विदासीऽऽऽदुपरि स्विदासीऽऽऽत्।
रेतोधा आसन् महिमान आसन्त्स्वधा अवस्तात् प्रयतिः परस्तात॥ 5॥

को अद्धा वेद क इह प्रवोचत् कुत आजाता कुत इयं विसृष्टिः।
अर्वाग्देवा अस्य विसर्जनेनाऽथा को वेद यत आबभूव॥ 6॥

इयं विसृष्टिर्यत आबभूव यदि वा दधे यदि वा न।
यो अस्याध्यक्षः परमे व्योमन्त्सो अंग वेद यदि वा न वेद॥ 7॥

ॐ शान्तिः शान्तिः शान्तिः ॥ हरिः ॐ॥

संकटनाशन-गणेश-स्तोत्रम्

प्रणम्य शिरसा देवं गौरीपुत्रं विनायकम्।
भक्तावासं स्मरेन्नित्यमायु:कामार्थसिद्धये ॥ 1 ॥

प्रथमं वक्रतुण्डं च एकदन्तं द्वितीयकम्।
तृतीयं कृष्णपिंगाक्षं गजवक्त्रं चतुर्थकम् ॥ 2 ॥

लम्बोदरं पञ्चमं च षष्ठं विकटमेव च।
सप्तमं विघ्नराजं च धूम्रवर्णं तथाष्टमम् ॥ 3 ॥

नवमं भालचन्द्रं च दशमं तु विनायकम्।
एकादशं गणपतिं द्वादशं तु गजाननम् ॥ 4 ॥

ॐ शान्ति: शान्ति: शान्ति: ॥ हरि: ॐ ॥

Vaidika Śānti Mantra

Om gaṇānāṃ tvā gaṇapatigvaṃ havāmahe kaviṃ kavīnāmupamaśravastamam. Jyeṣṭharājaṃ brahmaṇāṃ brahmaṇaspata ā naḥ śṛṇvannūtibhissīda sādanam. Om haṃsa haṃsāya vidmahe paramahaṃsāya dhīmahi. Tanno haṃsaḥ prachodayāt. Om namo hiraṇyabāhave hiraṇyavarṇāya hiraṇyarūpāya hiraṇyapataye ambikāpataye umāpataye paśupataye namo namaḥ. Ṛtagvaṃ satyaṃ paraṃ brahma puruṣaṃ kṛṣṇapiṅgalam. Ūrdhva retaṃ virūpākṣaṃ viśvarūpāya vai namo namaḥ. Om śāntiḥ śāntiḥ śāntiḥ.

Om namo brahmādibhyo brahmavidyāsampradāyakartṛbhyo vaṃśarṣibhyo namo gurubhyaḥ. Nārāyaṇaṃ padmabhavaṃ vasiṣṭhaṃ śaktiṃ cha tatputraparāśaraṃ cha. Vyāsaṃ śukaṃ gauḍapadaṃ mahāntaṃ govinda-yogīndramathāsyaśiṣyam. Śrī śaṅkarāchāryamathāsya padmapādaṃ cha hastāmalakaṃ cha śiṣyam. Taṃ troṭakaṃ vārtikakāramanyān asmatgurūnsantatamānato'smi. Śrutismṛtipurāṇānāmālayaṃ karuṇālayam. Namāmi bhagavatpādaṃ śaṅkaraṃ lokaśaṅkaram. Śaṅkaraṃ śaṅkarāchāryaṃ keśavaṃ bādarāyaṇam. Sūtrabhāṣyakṛtau vande bhagavantau punaḥ punaḥ. Īśvaro gururātmeti mūrttibhedavibhāgine. Vyomavadvyāptadehāya śrī dakṣiṇāmūrttaye namaḥ. Yasya deve parābhaktiḥ yathā deve tathā gurau. Tasyaite kathitā hyarthā prakāśante mahātmanaḥ. Om śāntiḥ śāntiḥ śāntiḥ.

Om agne naya supathā rāye asmān viśvāni deva vayunāni vidvān. Yuyodhyasmajjuhurāṇameno bhūyiṣṭhāṃ te nama uktiṃ vidhema.

Om śāntiḥ śāntiḥ śāntiḥ. Hariḥ om

343

Guru-stotram

1. Akhaṇḍa maṇḍalākāraṃ vyāptaṃ yena charācharam.
Tatpadaṃ darśitaṃ yena tasmai śrī gurave namaḥ.
2. Ajñāna-timirāndhasya jñānāñjana-śalākayā.
Chakṣurunmīlitaṃ yena tasmai śrī gurave namaḥ.
3. Gururbrahmā gururviṣṇuḥ gururdevo maheśvaraḥ.
Guruḥ sākṣāt parambrahma tasmai śrī gurave namaḥ.
4. Sthāvaraṃ jaṅgamaṃ vyāptaṃ yatkiñchit sacharācharam.
Tatpadaṃ darśitaṃ yena tasmai śrī gurave namaḥ.
5. Chinmayaṃ vyāpitaṃ sarvaṃ trailokyaṃ sacharācharaṃ.
Tatpadaṃ darśitaṃ yena tasmai śrī gurave namaḥ.
6. Sarvaśruti-śiroratna virājita-padāmbujaḥ.
Vedāntāmbujasūryāya tasmai śrī gurave namaḥ.
7. Chaitanyaṃ śāśvataṃ śāntaṃ vyomātītaṃ nirañjanaḥ.
Bindunāda-kalātītaḥ tasmai śrī gurave namaḥ.
8. Jñānaśakti-samārūḍhaḥ tattva-mālā vibhūṣitaḥ.
Bhukti-mukti-pradātā cha tasmai śrī gurave namaḥ.
9. Aneka janmasamprāpta karmabandha-vidāhine.
Ātmajñāna pradānena tasmai śrī gurave namaḥ.
10. Śoṣaṇaṃ bhava-sindhoścha jñāpanaṃ sāra-sampadaḥ.
Gurorpādodakaṃ samyak tasmai śrī gurave namaḥ.
11. Na guroradhikaṃ tattvaṃ na guroradhikaṃ tapaḥ.
Tattva-jñānāt paraṃ nāsti tasmai śrī gurave namaḥ.
12. Mannāthaḥ śrī jagannāthaḥ madguruḥ śrī jagadguruḥ.
Madātmā sarvabhūtātmā tasmai śrī gurave namaḥ.
13. Gururādiranādiścha guruḥ parama-daivatam.
Guroḥ parataraṃ nāsti tasmai śrī gurave namaḥ.
14. Dhyānamūlaṃ gurormūrttiḥ pūjāmūlaṃ gurorpadam.
Mantramūlaṃ gurorvākyaṃ mokṣamūlaṃ gurorkṛpā.

Om śāntiḥ śāntiḥ śāntiḥ. Hariḥ om

Sadguru Vandanā

Bhavasāgara tāraṇa kāraṇa he,
Ravinandana bandhana khaṇḍana he.
Śaraṇāgata kiṅkara bhīta mane,
Gurudeva, dayā kara dīna jane.

Hṛdi kandara tāmasa bhāskara he,
Tuma viṣṇu prajāpati śaṅkara he.
Parabrahma parātpara veda bhaṇe,
Gurudeva, dayā kara dīna jane.

Mana-vāraṇa kāraṇa aṅkuśa he,
Nara trāṇa kare hari chākṣuṣa he.
Guṇagāna parāyaṇa devagaṇe,
Gurudeva, dayā kara dīna jane.

Kula-kuṇḍalinī tuma bhañjaka he,
Hṛdi-granthi vidāraṇa kāraṇa he.
Mahimā tava gochara śuddha mane,
Gurudeva, dayā kara dīna jane.

Abhimāna prabhāva vimardaka he,
Ati dīna jane tuma rakṣaka he.
Mana kampita vañchita bhakti dhane,
Gurudeva, dayā kara dīna jane.

Ripusūdana maṅgala nāyaka he,
Sukha śānti varābhaya dāyaka he.
Traya tāpa hare tava nāma guṇe,
Gurudeva, dayā kara dīna jane.

Tava nāma sadā sukha sādhaka he,
Patitādhama mānava pāvaka he.
Mama mānasa chañchala rātri-dine,
Gurudeva, dayā kara dīna jane.

Jaya sadguru! īśvara prāpaka he!
Bhava-roga-vikāra vināśaka he!
Mana līna rahe tava śrī charaṇe,
Gurudeva, dayā kara dīna jane.

Om śāntiḥ śāntiḥ śāntiḥ. Hariḥ om

Gaṇeśapañcharatnam

1. Mudā karāttamodakaṃ sadā vimukti-sādhakaṃ
   Kalādharā-vataṃsakaṃ vilāsi-lokarañjakam.
   Anāyakaika-nāyakaṃ vināśitebha-daityakaṃ
   Natāśubhāśu-nāśakaṃ namāmi taṃ vināyakam.

2. Natetarātibhīkaraṃ navoditārkabhāsvaraṃ
   Namatsurāri-nirjaraṃ natādhikā-paduddharam.
   Sureśvaraṃ nidhīśvaraṃ gajeśvaraṃ gaṇeśvaraṃ
   Maheśvaraṃ tamāśraye parātparaṃ nirantaram.

3. Samastaloka-śaṅkaraṃ nirasta-daityakuñjaraṃ
   Daretarodaraṃ varaṃ varebhavaktramakṣaram.
   Kṛpākaraṃ kṣamākaraṃ mudākaraṃ yaśaskaraṃ
   Namaskaraṃ namaskṛtāṃ namaskaromi bhāsvaram.

4. Akiñchanārtimārjanaṃ chirantanokti-bhājanaṃ
   Purāri-pūrvanandanaṃ surāri-garvacharvaṇam.
   Prapañchanāśa-bhīṣaṇaṃ dhanañjayādi-bhūṣaṇaṃ
   Kapoladānavāraṇaṃ bhaje purāṇavāraṇam.

5. Nitānta-kānta-dantakānti-mantakānta-kātmajaṃ
   Achintyarūpa-mantahīna-mantarāyakṛntanam.
   Hṛdantare nirantaraṃ vasantameva yogināṃ
   Tamekadantameva taṃ vichintayāmi santatam.

Om śāntiḥ śāntiḥ śāntiḥ. Hariḥ om

Śrī Gaṇeśā'ṣṭakam

1. Vināyakaika-bhāvanā-samarchanā-samarpitaṃ
Pramodakaiḥ pramodakaiḥ pramoda-moda-modakam.
Yadarpitaṃ sadarpitaṃ navānya-dhānyanirmitaṃ
Na kaṇḍitaṃ na khaṇḍitaṃ na khaṇḍamaṇḍanaṃ kṛtam.

2. Sajātikṛd-vijātikṛt-svaniṣṭhabhedavarjitaṃ
Nirañjanaṃ cha nirguṇaṃ nirākṛti hyaniṣkriyam.
Sadātmakaṃ chidātmakaṃ sukhātmakaṃ paraṃ padaṃ
Bhajāmi taṃ gajānanaṃ svamāyayātta vigraham.

3. Gaṇādhipa! tvamaṣṭhamūrti-rīśasūnurīśvaraḥ
Tvamambaraṃ cha śambaraṃ dhanañjayaḥ prabhañjanaḥ.
Tvameva dīkṣitaḥ kṣitirniśākaraḥ prabhākaraḥ
Charā'chara-prachāra-heturantarāya-śāntikṛt.

4. Anekadanta-mālanīla-mekadanta-sundaraṃ
Gajānanaṃ namo'gajānanā-'mṛtābdhi-mandiram.
Samasta-vedavādasat-kalā-kalāpa-mandiraṃ
Mahāntarāya-kṛttamo'rka-māśritonduruṃ param.

5. Saratnahema-ghaṇṭikā-ninādа-nūpurasvanaiḥ
Mṛdaṅga-tālanāda-bheda-sādhanānurūpataḥ.
Dhimi-ddhimi-ttathoṅga-thoṅga-theyi-thaiyiśabdato
Vināyakaḥ śaśāṅkaśekharaḥ prahṛṣya nṛtyati.

6. Sadā namāmi nāyakaika-nāyakaṃ vināyakaṃ
Kalākalāpa-kalpanā-nidānamādipuruṣam.
Gaṇeśvaraṃ guṇeśvaraṃ maheśvarātmasambhavaṃ
Svapādapadma-sevināma-pāra-vaibhavapradam.

7. Bhaje prachaṇḍa-tundilaṃ sadanda-śūkabhūṣaṇaṃ
Sanandanādi-vanditaṃ samasta-siddhasevitam.
Surā'suraughayoḥ sadā jayapradaṃ bhayapradaṃ
Samastavighna-ghātinaṃ svabhakta-pakṣapātinam.

8. Karāmbujāta-kaṅkaṇaḥ padābja-kiṅkiṇīgaṇo
Gaṇeśvaro guṇārṇavaḥ-phaṇīśvarāṅgabhūṣaṇaḥ.
Jagattrayāntarāya-śānti-kārako'stu tārako
Bhavārṇavastha-ghoradurgahā chidekavigrahaḥ.

Om śāntiḥ śāntiḥ śāntiḥ. Hariḥ om

Vighneśvara-aṣṭottara-śata-nāmāvaliḥ

1. Om vināyakāya namaḥ
2. Om vighnarājāya namaḥ
3. Om gaurīputrāya namaḥ
4. Om gaṇeśvarāya namaḥ
5. Om skandāgrajāya namaḥ
6. Om avyayāya namaḥ
7. Om pūtāya namaḥ
8. Om dakṣāya namaḥ
9. Om adhyakṣāya namaḥ
10. Om dvijapriyāya namaḥ
11. Om agni-garvachchhide namaḥ
12. Om indraśrīpradāya namaḥ
13. Om vāṇīpradāya namaḥ
14. Om avyayāya namaḥ
15. Om sarvasiddhipradāya namaḥ
16. Om sarvatanayāya namaḥ
17. Om śarvarīpriyāya namaḥ
18. Om sarvātmakāya namaḥ
19. Om sṛṣṭikartre namaḥ
20. Om devāya namaḥ
21. Om anekārchitāya namaḥ
22. Om śivāya namaḥ
23. Om śuddhāya namaḥ
24. Om buddhipriyāya namaḥ
25. Om śāntāya namaḥ
26. Om brahmachāriṇe namaḥ
27. Om gajānanāya namaḥ
28. Om dvaimāturāya namaḥ
29. Om munistutāya namaḥ
30. Om bhaktavighna-vināśanāya namaḥ
31. Om ekadantāya namaḥ
32. Om chaturbāhave namaḥ
33. Om chaturāya namaḥ
34. Om śaktisaṃyutāya namaḥ
35. Om lambodarāya namaḥ
36. Om śūrpakarṇāya namaḥ
37. Om haraye namaḥ
38. Om brahmaviduttamāya namaḥ
39. Om kālāya namaḥ
40. Om grahapataye namaḥ
41. Om kāmine namaḥ
42. Om somasūryāgni-lochanāya namaḥ
43. Om pāśāṅkuśadharāya namaḥ
44. Om chaṇḍāya namaḥ
45. Om guṇātītāya namaḥ
46. Om nirañjanāya namaḥ
47. Om akalmaṣāya namaḥ
48. Om svayaṃsiddhāya namaḥ
49. Om siddhārchita-padāmbujāya namaḥ
50. Om bījapūra-phalāsaktāya namaḥ
51. Om varadāya namaḥ
52. Om śāśvatāya namaḥ
53. Om kṛtine namaḥ
54. Om dvijapriyāya namaḥ
55. Om vītabhayāya namaḥ
56. Om gadine namaḥ
57. Om chakriṇe namaḥ
58. Om ikṣuchāpadhṛte namaḥ
59. Om śrīdāya namaḥ
60. Om ajāya namaḥ
61. Om utpalakarāya namaḥ
62. Om śrīpataye namaḥ
63. Om stutiharṣitāya namaḥ
64. Om kulādribhṛte namaḥ
65. Om jaṭilāya namaḥ

66. Om kalikalmaṣa-nāśanāya namaḥ
67. Om chandrachūḍāmaṇaye namaḥ
68. Om kāntāya namaḥ
69. Om pāpahāriṇe namaḥ
70. Om samāhitāya namaḥ
71. Om āśritāya namaḥ
72. Om śrīkarāya namaḥ
73. Om saumyāya namaḥ
74. Om bhaktavāñchhita-dāyakāya namaḥ
75. Om śāntāya namaḥ
76. Om kaivalyasukhadāya namaḥ
77. Om sachchidānanda-vigrahāya namaḥ
78. Om jñānine namaḥ
79. Om dayāyutāya namaḥ
80. Om dāntāya namaḥ
81. Om brahmadveṣa-vivarjitāya namaḥ
82. Om pramattadaitya-bhayadāya namaḥ
83. Om śrīkaṇṭhāya namaḥ
84. Om vibudheśvarāya namaḥ
85. Om rāmārchitāya namaḥ
86. Om vidhaye namaḥ
87. Om nāgarāja-yajñopavītavate namaḥ
88. Om sthūlakaṇṭhāya namaḥ
89. Om svayaṃ kartre namaḥ
90. Om sāmaghoṣapriyāya namaḥ
91. Om parasmai namaḥ
92. Om sthūlatuṇḍāya namaḥ
93. Om agraṇye namaḥ
94. Om dhīrāya namaḥ
95. Om vāgīśāya namaḥ
96. Om siddhidāyakāya namaḥ
97. Om dūrvābilvapriyāya namaḥ
98. Om avyaktamūrtaye namaḥ
99. Om adbhutamūrtimate namaḥ
100. Om śailendra-tanujotsaṅga-khelanotsuka-mānasāya namaḥ
101. Om svalāvaṇyasudhā-sārajita-manmathavigrahāya namaḥ
102. Om samastajagadādhārāya namaḥ
103. Om māyine namaḥ
104. Om mūṣikavāhanāya namaḥ
105. Om hṛṣṭāya namaḥ
106. Om tuṣṭāya namaḥ
107. Om prasannātmane namaḥ
108. Om sarvasiddhipradāyakāya namaḥ

Om śāntiḥ śāntiḥ śāntiḥ. Hariḥ om

Śrī-rāma-stuti

1. Śrī rāmachandra kṛpālu bhaju mana
harana-bhava-bhaya dāruṇam,
Navakañja-lochana kañja-mukha,
kara-kañja, padakañjāruṇam.

2. Kandarpa agaṇita amita chhabi nava
nīla nīrada sundaram,
Paṭa pīta mānahů tarita ruchi
śuchi naumi janakasutāvaram.

3. Bhaju dīnabandhu dineśa dānava-
daitya-vaṃśa-nikandanam,
Raghunanda ānandakanda
kosalachanda daśaratha-nandanam.

4. Sira mukuṭa kuṇḍala tilaka chāru
udāru-aṅga-vibhūṣaṇam,
Ājānubhuja śara-chāpa-dhara
saṅgrāma-jita-kharadūṣaṇam.

5. Iti vadati tulasīdāsa śaṅkara-
śeṣa-muni-mana-rañjanam,
Mama hṛdaya-kañja nivāsa kuru
kāmādi-khala-dala-gañjanam.

Om śāntiḥ śāntiḥ śāntiḥ. Hariḥ om

Nāma-rāmāyaṇam

Bālakāṇḍam

Śuddha brahma parātpara rāma.
Kālātmaka parameśvara rāma.
Śeṣatalpa-sukhanidrita rāma.
Brahmādyamara-prārthita rāma.
Chaṇḍakiraṇa-kulamaṇḍana rāma.
Śrīmaddaśaratha-nandana rāma.
Kauśalyā-sukhavarddhana rāma.
Viśvāmitra-priyadhana rāma.
Ghora-tāṭakā-ghātaka rāma.
Mārīchādi nipātaka rāma.
Kauśika-makha-saṃrakṣaka rāma.
Śrīmadahalyoddhāraka rāma.
Gautama-muni-sampūjita rāma.
Suramunivaragaṇa-saṃstuta rāma.
Nāvika-dhāvita mṛdu-pada rāma.
Mithilāpura-janamohaka rāma.
Videha-mānasa-rañjaka rāma.
Tryambaka-kārmuka-bhañjaka rāma.
Sītārpita-vara-mālika rāma.
Kṛtavaivāhika-kautuka rāma.
Bhārgava-darpa vināśaka rāma.
Śrīmadayodhyā-pālaka rāma.

Ayodhyākāṇḍam

Agaṇita-guṇagaṇa-bhūṣita rāma.
Avanī-tanayā-kāmita rāma.
Rākā-chandra-samānana rāma.
Pitṛ-vākyāśrita-kānana rāma.
Priya-guha-vinivedita pada rāma.
Tatkṣālita-nija mṛdupada rāma.
Bharadvāja-mukhānandaka rāma.
Chitrakūṭādri-niketana rāma.
Daśaratha-santata-chintita rāma.
Kaikeyī-tanayārthita rāma.
Virachita-nija-pitṛkarmaka rāma.
Bharatārpita-nija-pāduka rāma.

Araṇyakāṇḍam

Daṇḍaka-vana-jana-pāvana rāma.
Duṣṭa-virādha-vināśana rāma.
Śarabhaṅga-sutīkṣṇa-archita rāma.
Agastyānugraha-vardhita rāma.
Gṛdhrādhipa-saṃsevita rāma.
Pañchavaṭī-taṭa-susthita rāma.
Śūrpaṇakhārtti-vidhāyaka rāma.
Khara-dūṣaṇa-mukha-sūdaka rāma.
Sītāpriya-hariṇānuga rāma.
Mārīchārti-kṛdāśuga rāma.
Apahṛta-sītānveṣaka rāma.
Gṛdhrādhipa-gatidāyaka rāma.
Śabarī-datta-phalāśana rāma.
Kabandhabāhuchchhedana rāma.

Kiṣkindhākāṇḍam

Hanumat-sevita-nijapada rāma.
Natasugrīvābhīṣṭada rāma.
Garvita-bāli saṃhāraka rāma.
Vānara-dūta-preṣaka rāma.
Hitakara-lakṣmaṇa-saṃyuta rāma.
Kapivara-santata-saṃsmṛta rāma.

Sundarakāṇḍam

Tadgati-vighna-dhvaṃsaka rāma.
Sītāprāṇādhāraka rāma.
Duṣṭadaśānana-dūṣita rāma.
Śiṣṭa-hanumad-bhūṣita rāma.
Sītāveditakākāvana rāma.
Kṛta-chūḍāmaṇi-darśana rāma.
Kapivara-vachanāśvāsita rāma.
Rāvaṇa-nidhana-prasthita rāma.

Yuddhakāṇḍam

Vānara-sainya-samāvṛta rāma.
Śoṣita saridīśārthita rāma.
Vibhīṣaṇābhayadāyaka rāma.
Parvata-setu-nibandhaka rāma.
Kumbhakarṇa-śiraśchhedaka rāma.
Rākṣasa-saṅgha-vimardaka rāma.
Ahimahirāvaṇa-chāraṇa rāma.

Saṃhṛta-daśamukha-rāvaṇa rāma.
Vidhibhavamukha-surasaṃstuta rāma.
Khasthita-daśaratha-vīkṣita rāma.
Sītādarśana-modita rāma.
Abhiṣikta-vibhīṣaṇanata rāma.
Puṣpakayānārohaṇa rāma.
Bharadvājābhi-niṣevana rāma.
Bharata-prāṇapriyakara rāma.
Sāketapurī vibhūṣaṇa rāma.
Sakala-svīyasamānata rāma.
Ratnalasat-pīṭhāsthita rāma.
Paṭṭābhiṣekālaṅkṛta rāma.
Pārthivakula sammānita rāma.
Vibhīṣaṇārpita-rañjaka rāma.
Kīśakulānugrahakara rāma.
Sakalajīva-saṃrakṣaka rāma.
Samasta lokoddhāraka rāma.

Uttarakāṇḍam
Āgata-munigaṇa-saṃstuta rāma.
Viśruta-daśakaṇṭhodbhava rāma.
Sītāliṅgana-nirvṛta rāma.
Nīti-surakṣita-janapada rāma.
Vipina-tyājita-janakajā rāma.
Kārita-lavaṇāsura-vadha rāma.
Svargata-śambuka-saṃstuta rāma.
Svatanaya-kuśalava-nandita rāma.
Aśvamedha-kratu-dīkṣita rāma.
Kālāvedita-surapada rāma.
Āyodhyakajana-muktida rāma.
Vidhimukha-vibudhānandaka rāma.
Tejomaya-nija-rūpaka rāma.
Saṃsṛtibandha-vimochaka rāma.
Dharmasthāpana-tatpara rāma.
Bhaktiparāyaṇa-muktida rāma.
Sarvacharāchara-pālaka rāma.
Sarva-bhavāmayavāraka rāma.
Vaikuṇṭhālaya-saṃsthita rāma.
Nityānanda-padasthita rāma.
Rāma rāma jaya rājā rāma.
Rāma rāma jaya sītā rāma.

Śrī-hanumāna-chālīsā

Dohā

Śrīguru charana saroja raja, nija manu mukuru sudhāri.
Baranaū̐ raghubara bimala jasu jo dāyaku phala chāri.

Buddhihīna tanu jānike, sumirau̐ pavana-kumāra.
Bala budhi bidyā dehu mohi̐, harahu kalesa bikāra.

Chaupāī

1. Jaya hanumāna jñāna guna sāgara.
   Jaya kapīsa tihu̐ loka ujāgara.
2. Rāma dūta atulita bala dhāmā.
   Añjani-putra pavanasuta nāmā.
3. Mahābīra bikrama bajaraṅgī.
   Kumati nivāra sumati ke saṅgī.
4. Kañchana barana birāja subesā.
   Kānana kuṇḍala kuñchita kesā.
5. Hātha bajra au dhvajā birājai.
   Kāndhe mū̐ja janeū sājai.
6. Saṅkara suvana kesarīnandana.
   Teja pratāpa mahā jaga bandana.

7. Bidyāvāna gunī ati chātura.
Rāma kāja karibe ko ātura.
8. Prabhu charitra sunibe ko rasiyā.
Rāma laṣana sītā mana basiyā.

9. Sūkṣma rūpa dhari siyahī̐ dikhāvā.
Bikaṭa rūpa dhari laṅka jarāvā.
10. Bhīma rūpa dhari asura saṁ̐hāre.
Rāmachandra ke kāja saṁ̐vāre.
11. Lāya sajīvana lakhana jiyāye.
Śrīraghubīra haraṣi ura lāye.
12. Raghupati kīnhī bahuta barāī.
Tuma mama priya bharatahi sama bhāī.

13. Sahasa badana tumharo jasa gāvaī̐.
Asa kahi śrīpati kaṇṭha lagāvaī̐.
14. Sanakādika brahmādi munīsā.
Nārada sārada sahita ahīsā.
15. Jama kubera digapāla jahā̐ te.
Kabi kobida kahi sake kahā̐ te.
16. Tuma upakāra sugrīvahī̐ kīnhā.
Rāma milāya rāja pada dīnhā.

17. Tumharo mantra bibhīṣana mānā.
Laṅkesvara bhae saba jaga jānā.
18. Juga sahasra jojana para bhānū.
Līlyo tāhi madhura phala jānū.
19. Prabhu mudrikā meli mukha māhī̐.
Jaladhi lāṅghi gaye acharaja nāhī̐.
20. Durgama kāja jagata ke jete.
Sugama anugraha tumhare tete.

21. Rāma duāre tuma rakhavāre.
Hota na ājñā binu paisāre.
22. Saba sukha lahai tumhārī saranā.
Tuma rachchhaka kāhū ko ḍara nā.
23. Āpana teja samhāro āpai.
Tīnõ loka hā̐ka tẽ kā̐pai.
24. Bhūta pisācha nikaṭa nahī̐ āvai.
Mahābīra jaba nāma sunāvai.

25. Nāsai roga harai saba pīrā.
Japata nirantara hanumata bīrā.
26. Saṅkaṭa te hanumāna chhurāvai.
Mana krama bachana dhyāna jo lāvai.
27. Saba para rāma tapasvī rājā.
Tina ke kāja sakala tuma sājā.
28. Aura manoratha jo koī lāvai.
Soi amita jīvana phala pāvai.

29. Chārö juga paratāpa tumhārā.
Hai parasiddha jagata ujiyārā.
30. Sādhu santa ke tuma rakhavāre.
Asura nikandana rāma dulāre.
31. Aṣṭa siddhi nau nidhi ke dātā.
Asa bara dīna jānakī mātā.
32. Rāma rasāyana tumhare pāsā.
Sadā raho raghupati ke dāsā.

33. Tumhare bhajana rāma ko pāvai.
Janama janama ke dukha bisarāvai.
34. Anta kāla raghubara pura jāī.
Jahā̃ janma hari-bhakta kahāī.
35. Aura devatā chitta na dharaī.
Hanumata sei sarba sukha karaī.
36. Saṅkaṭa kaṭai miṭai saba pīrā.
Jo sumirai hanumata balabīrā.

37. Jai jai jai hanumāna gosā̃ī.
Kṛpā karahu guru deva kī nā̃ī.
38. Jo sata bāra pāṭha kara koī.
Chūṭahi bandi mahā sukha hoī.
39. Jo yaha parhai hanumāna chālīsā.
Hoya siddhi sākhī gaurīsā.
40. Tulasīdāsa sadā hari cherā.
Kījai nātha hṛdaya mā̃ha ḍerā.

Dohā

Pavanatanaya saṅkaṭa harana, maṅgala mūrati rūpa.
Rāma lakhana sītā sahita, hṛdaya basahu sura bhūpa.

Om śāntiḥ śāntiḥ śāntiḥ. Hariḥ om

Gaṅgā-stotram

Jaya jaya gaṅge jaya hara gaṅge jaya jaya gaṅge jaya hara gaṅge.

1. Devi sureśvari bhagavati gaṅge tribhuvanatāriṇi taralataraṅge.
   Śaṅkaramauli-vihāriṇi vimale mama matirāstāṃ tava padakamale.

2. Bhāgīrathi sukhadāyini mātastava jala mahimā nigame khyātaḥ.
   Nāhaṃ jāne tava mahimānaṃ pāhi kṛpāmayi māmajñānam.

3. Haripada pādya taraṅgiṇi gaṅge himavidhu muktā dhavala taraṅge.
   Dūrī kuru mama duṣkṛti bhāraṃ kuru kṛpayā bhavasāgara pāram.

4. Tava jalamamalaṃ yena nipītaṃ paramapadaṃ khalu tena gṛhītam.
   Mātargaṅge tvayi yo bhaktaḥ kila taṃ draṣṭuṃ na yamaḥ śaktaḥ.

5. Patitoddhāriṇi jāhnavi gaṅge khaṇḍitagirivaramaṇḍita bhaṅge.
   Bhīṣma janani he munivara kanye patita-nivāriṇi tribhuvana dhanye.

6. Kalpalatāmiva phaladāṃ loke praṇamati yastvāṃ na patati śoke.
   Pārāvāra vihāriṇi gaṅge vimukha yuvati kṛta taralāpāṅge.

7. Tava chenmātaḥ srotaḥ snātaḥ punarapi jaṭhare so'pi na jātaḥ.
   Naraka-nivāriṇi jāhnavi gaṅge kaluṣa-vināśini mahimottuṅge.

8. Punarasadaṅge puṇyataraṅge jaya jaya jāhnavi karuṇāpāṅge.
   Indramukuṭamaṇi-rājita charaṇe sukhade śubhade bhṛtya śaraṇye.

9. Rogaṃ śokaṃ tāpaṃ pāpaṃ hara me bhagavati kumati kalāpam.
   Tribhuvana sāre vasudhā hāre tvamasi gatirmama khalu saṃsāre.

10. Alakānande paramānande kuru karuṇāmayi kātara vandye.
    Tava taṭa nikaṭe yasya nivāsaḥ khalu vaikuṇṭhe tasya nivāsaḥ.

11. Varamiha nīre kamaṭho mīnaḥ kiṃ vā tīre śaraṭaḥ kṣīṇaḥ.
    Athavā śvapacho malino dīnastava na hi dūre nṛpatikulīnaḥ.

12. Bho bhuvaneśvari puṇye dhanye devi dravamayi munivara kanye.

Jaya jaya gaṅge jaya hara gaṅge jaya jaya gaṅge jaya hara gaṅge.

Om śāntiḥ śāntiḥ śāntiḥ. Hariḥ om

357

Śrī-sūktam

1. Hiraṇyavarṇāṃ hariṇīṃ suvarṇarajatasrajām.
Chandrāṃ hiraṇmayīṃ lakṣmīṃ jātavedo mamāvaha.
2. Tāṃ ma āvaha jātavedo lakṣmī-manapagāminīm.
Yasyāṃ hiraṇyaṃ vindeyaṃ gāmaśvaṃ puruṣānaham.
3. Aśvapūrvāṃ rathamadhyāṃ hastināda-pramodinīm.
Śriyaṃ devīmupahvaye śrīrmā devīṃ juṣatām.
4. Kāṃsosmitāṃ hiraṇya-prākārāmārdrāṃ jvalantīṃ tṛptāṃ tarpayantīm.
Padme sthitāṃ padmavarṇāṃ tāmihopahvaye śriyam.
5. Chandrāṃ prabhāsāṃ yaśasā jvalantīṃ śriyaṃ loke devajuṣṭāmudārām.
Tāṃ padmanemiṃ śaraṇamahaṃ prapadye' lakṣmīrme naśyatāṃ tvāṃ vṛṇomi.
6. Ādityavarṇe tapaso'dhi jāto vanaspatistava vṛkṣo'tha bilvaḥ.
Tasya phalāni tapasā nudantu māyāntarāyāścha bāhyā alakṣmīḥ.
7. Upaitu māṃ devasakhaḥ kīrtiścha maṇinā saha.
Prādurbhūto'smi rāṣṭre'smin kīrtimṛddhiṃ dadātu me.
8. Kṣutpipāsāmalāṃ jyeṣṭhāmalakṣmīṃ nāśayāmyaham.
Abhūtimasamṛddhiṃ cha sarvāṃ nirṇuda me gṛhāt.
9. Gandhadvārāṃ durādharṣāṃ nityapuṣṭāṃ karīṣiṇīm.
Īśvarīṃ sarvabhūtānāṃ tāmihopahvaye śriyam.
10. Manasaḥ kāmamākūtiṃ vāchaḥ satyamaśīmahi.
Paśūnāṃ rūpamannasya mayi śrīḥ śrayatāṃ yaśaḥ.
11. Kardamena prajābhūtā mayi sambhava kardama.
Śriyaṃ vāsaya me kule mātaraṃ padmamālinīm.
12. Āpaḥ sravantu snigdhāni chiklīta vasa me gṛhe.
Ni cha devīṃ mātaraṃ śriyaṃ vāsaya me kule.
13. Ārdrāṃ puṣkariṇīṃ puṣṭiṃ piṅgalāṃ padmamālinīm.
Chandrāṃ hiraṇmayīṃ lakṣmīṃ jātavedo mamāvaha.
14. Ārdrāṃ yaṣkariṇīṃ yaṣṭiṃ suvarṇāṃ hemamālinīm.
Sūryāṃ hiraṇmayīṃ lakṣmīṃ jātavedo mamāvaha.
15. Tāṃ ma āvaha jātavedo lakṣmī-manapagāminīm.
Yasyāṃ hiraṇyaṃ prabhūtaṃ gāvo dāsyo'śvān vindeyaṃ puruṣānaham.

Om śāntiḥ śāntiḥ śāntiḥ. Hariḥ om

Nārāyaṇa-sūktam

1. Om sahasraśīrṣaṃ devaṃ viśvākṣaṃ viśvaśambhuvam.
   Viśvaṃ nārāyaṇaṃ devamakṣaraṃ paramaṃ padam.
   Viśvataḥ paramānnityaṃ viśvaṃ nārāyaṇagvaṃ harim.
   Viśvamevedaṃ puruṣa-stadviśva-mupajīvati.

2. Patiṃ viśvasyātmeśvara gvaṃ śāśvata gvaṃ
   śivamachyutam.
   Nārāyaṇaṃ mahājñeyaṃ viśvātmānaṃ parāyaṇam.

3. Nārāyaṇaḥ paro jyotirātmā nārāyaṇaḥ paraḥ.
   Nārāyaṇaparaṃ brahma tattvaṃ-nārāyaṇaḥ paraḥ.
   Nārāyaṇaparo dhyātā dhyānaṃ nārāyaṇaḥ paraḥ.

4. Yachcha kiñchijjagatsarvaṃ dṛśyate śrūyate'pi vā.
   Antarbahiścha tatsarvaṃ vyāpya nārāyaṇaḥ sthitaḥ.

5. Anantamavyayaṃ kavigvaṃ samudre'ntaṃ viśvaśambhuvam.
   Padmakośa-pratīkāśagvaṃ hṛdayaṃ chāpyadhomukham.

6. Adho niṣṭyā vitastyānte nābhyāmupari tiṣṭhati.
   Jvālamālākulaṃ bhātī viśvasyāyatanaṃ mahat.

7. Santatagvaṃ śilābhistu lambatyākośa-sannibham.
   Tasyānte suṣiragvaṃ sūkṣmaṃ tasmin sarvaṃ pratiṣṭhitam.

8. Tasya madhye mahānagnir-viśvārchiḥ viśvatomukhaḥ.
   So'grabhugvibhajantiṣṭha-nnāhāramajaraḥ kaviḥ.

9. Tiryagūrdhvama-dhaśśāyī raśmayastasya santatā.
   Santāpayati svaṃ dehamāpāda-talamastakaḥ.
   Tasya madhye vahniśikhā aṇīyordhvā vyavasthitaḥ.

10. Nīlato-yadamadhya-sthādvidyullekheva bhāsvarā.
    Nīvāra-śūkavattanvī pītā bhāsvatyaṇūpamā.

11. Tasyāḥ śikhāyā madhye paramātmā vyavasthitaḥ.
    Sa brahma sa śivaḥ sa hariḥ sendraḥ so'kṣaraḥ paramaḥ
    svarāṭ.

    Ṛtagvaṃ satyaṃ paraṃ brahma puruṣaṃ kṛṣṇapiṅgalam.
    Ūrdhvaretaṃ virūpākṣaṃ viśvarūpāya vai namo namaḥ.

    Om nārāyaṇāya vidmahe vāsudevāya dhīmahi.
    Tanno viṣṇuḥ prachodayāt.

Om śāntiḥ śāntiḥ śāntiḥ. Hariḥ om

359

Nāsadīya-sūktam

1. Nāsadāsīnno sadāsīt tadānīṃ nāsīdrajo no vyomā paro yat. Kimāvarīvaḥ kuha kasya śarmannambhaḥ kimāsīdgahanaṃ gabhīram.

2. Na mṛtyurāsīdamṛtaṃ na tarhi na rātryā ahna āsīt praketaḥ. Ānīdavātaṃ svadhayā tadekaṃ tasmāddhānyanna paraḥ kiṃ chanāsa.

3. Tama āsīt tamasā gūlahanagre'praketaṃ salilaṃ sarvamā idam. Tuchchhyenābhvapihitaṃ yadāsīt tapasastanmahinājāyataikam.

4. Kāmastadage samavartatādhi manaso retaḥ prathamaṃ yadāsīt. Sato bandhumsati niravindan hṛdi pratīpyā kavayo manīṣā.

5. Tiraśchīno vitato raśmireṣā madhaḥ svidāsī'"dupari svidāsī'"t. Retodhā āsan mahimāna āsantsvadhā avastāt prayatiḥ parastāta.

6. Ko addhā veda ka iha pravochat kuta ājātā kuta iyaṃ visṛṣṭiḥ. Arvārgdavā asya visarjanenā'thā ko veda yata ābabhūva.

7. Iyaṃ visṛṣṭiryata ābabhūva yadi vā dadhe yadi vā na. Yo asyādhyakṣaḥ parame vyomantso aṅga veda yadi vā na veda.

Om śāntiḥ śāntiḥ śāntiḥ. Hariḥ om

Saṅkaṭanāśana-gaṇeśa-stotram

1. Praṇamya śirasā devaṃ gaurīputraṃ vināyakam.
   Bhaktāvāsaṃ smarennityamāyuḥkāmārthasiddhaye.

2. Prathamaṃ vakratuṇḍaṃ cha ekadantaṃ dvitīyakam.
   Tṛtīyaṃ kṛṣṇapiṅgākṣaṃ gajavaktraṃ chaturthakam.

3. Lambodaraṃ pañchamaṃ cha ṣaṣṭhaṃ vikaṭameva cha.
   Saptamaṃ vighnarājaṃ cha dhūmravarṇaṃ tathāṣṭamam.

4. Navamaṃ bhālachandraṃ cha daśamaṃ tu vināyakam.
   Ekādaśaṃ gaṇapatiṃ dvādaśaṃ tu gajānanam.

Om śāntiḥ śāntiḥ śāntiḥ. Hariḥ om